BIBLIOTHÈQUE PHILOSOPHIQUE DE LOUVAIN

8

P. ORTEGAT / PHILOSOPHIE DE LA RELIGION

INSTITUT SUPÉRIEUR DE PHILOSOPHIE
A L'UNIVERSITÉ CATHOLIQUE DE LOUVAIN

BIBLIOTHÈQUE PHILOSOPHIQUE DE LOUVAIN

PAUL ORTEGAT, S. J.

PROFESSEUR AUX FACULTÉS UNIVERSITAIRES DE NAMUR

PHILOSOPHIE DE LA RELIGION

SYNTHÈSE CRITIQUE DES SYSTÈMES CONTEMPORAINS
EN FONCTION D'UN RÉALISME
PERSONNALISTE ET COMMUNAUTAIRE

DEUXIÈME VOLUME

ÉDITIONS J. DUCULOT, GEMBLOUX

ÉDITIONS DE L'INSTITUT SUPÉRIEUR DE PHILOSOPHIE 2, Place Cardinal Mercier LOUVAIN	J. VRIN LIBRAIRIE PHILOSOPHIQUE 6, Place de la Sorbonne PARIS

1948

CHAPITRE QUATRIÈME

RELATION DE L'ACTE A LA PENSÉE

A. — LE PROBLÈME

Les rationalistes et, jusqu'à un certain point, Kant ne s'étaient intéressés qu'à l'aspect spéculatif de la religion et avaient relégué au second plan la prière et le sentiment. Les romantiques inversement subordonneront la pensée à l'intuition, la théorie au sentiment.

Cette révolte du sentiment contre la raison s'explique. La conviction religieuse a quelque chose d'immédiat, de sacré, qui semble la rendre supérieure à la pensée discursive. Tandis que le croyant vit en la présence de Dieu et discerne en tout événement son toucher, le logicien pose le problème critique et se croit obligé, pour démontrer Dieu, de l'éloigner au préalable. Tandis que le saint est plus certain de l'existence de Dieu que de sa propre existence, le philosophe ponctue sa certitude de points d'interrogation et, quand il a médiatisé Dieu par la réflexion, le Père très bon des fidèles n'est plus qu'un concept décharné, voire un Inconnaissable. Le spéculatif, au lieu de concentrer l'esprit en Dieu, se préoccupe des raisonnements qui y acheminent ; il décompose l'action religieuse au lieu de l'accomplir. L'intuitif saisit d'un coup d'œil son objet ; il réalise par l'élan spontané de son être ce qui est inexprimable en termes théoriques : Dieu est l'Infiniment Bon, l'Infiniment Grand. Le discursif, comme c'est naturel, subordonne les conclusions aux prémisses ; la raison d'être logique de la connaissance de l'Absolu devient ainsi la raison d'être ontologique de la subsistance de Dieu. Aussi les analyses spéculatives, faites par des non-croyants, compromettent presque toujours la transcendance divine ; elles suppriment la prière, l'adoration et vident la religion de son contenu réel.

Le simple qui prie et qui se confie à Dieu, qui n'a aucune idée du problème critique, aucun souci d'arguments et de notions raffinées, n'est-il pas plus religieux que l'intellectuel qui ergote et distingue ? Le sang des martyrs ne vaut-il pas plus que l'encre des savants ? Il est possible d'avoir du génie spéculatif, d'être pourvu de tous les dons intellectuels, d'avoir l'esprit constructif, de l'information, de la culture et de manquer totalement du sens des choses de Dieu. Inversement des ignorants, des imprécis, vivent en Dieu et sont transportés par un élan sublime en des régions supérieures, où ils communient à un Être qui remplit l'esprit de sécurité et le cœur d'émotions ineffables. Par la connaissance on se réfère à l'objet religieux qui reste comme étranger et lointain ; le sentiment l'intériorise, le rend immédiat. Être uni à Dieu ce n'est ni en parler ni en discuter, mais se sentir immergé dans son action, envahi par la crainte, l'espoir, l'amour, l'admiration. Que sont tous les concepts intellectuels en comparaison d'une touche divine, d'une visite de l'Esprit d'En-Haut ? N'est-ce pas dire que la religion ne procède pas de l'intelligence mais du cœur ?

C'est ce que les intuitionistes ont pensé. [1] Et nous les quali-

---

[1] « Qu'on ne nous reproche donc plus le manque de clarté, puisque nous en faisons profession. » Cette pensée de Pascal, placée par un philosophe contemporain en exergue d'un de ses ouvrages, pourrait servir de préface à beaucoup d'intuitionistes. Ils sont, ce que Diogène disait d'Antisthène, « des trompettes puissantes qui ne s'entendent pas ». La Société française de Philosophie nous engage à employer avec prudence le mot de « sentiment ». Les mots de « valeur » et d' « intuition » ne sont pas moins équivoques. Il faut donc tâcher de les définir.

L'intuition d'une façon générale est l'acte de l'esprit où le sujet et l'objet coïncident. Cette coïncidence peut résulter d'une assimilation de l'objet par le sujet : c'est le cas des intuitions de la raison théorique ; elle peut résulter d'une projection du sujet dans l'objet : c'est le cas des intuitions de la raison pratique qui sont spécifiées par la finalité du sujet.

On nomme intuitionistes les philosophes qui récusent les évidences ontologiques de la raison spéculative et n'attachent de valeur qu'aux jugements téléologiques de la raison pratique. Cette définition doit encore être précisée, car entre intuitionistes il y a mille différences. Le jugement pratique, en effet, peut répondre à des finalités très diverses comme la finalité de l'instinct et celle de la volonté, la finalité de l'intérêt ou du sentiment, la finalité infraconsciente ou mystique, la finalité esthétique ou existentielle.

fions de ce nom à défaut d'autre, voulant grouper sous cette enseigne tous ceux qui croient au primat des états affectifs ou au primat de l'action. Ces philosophes s'entendent pour faire de la raison une faculté du relatif. Seul le sentiment ou le dynamisme humain donne de posséder Dieu. Les preuves et les notions n'ont qu'une fonction instrumentale ou une portée symbolique. Ce qui est absolu, c'est l'instinct secret qui s'agite au fond de l'être; ce qui est humain, ce sont les pensées qui l'expriment, la définition intellectuelle qui prétend le fixer, la preuve qui semble être la source, alors qu'elle n'est qu'un affluent.

Aussi pas plus que dans l'ordre spéculatif on ne doit se laisser troubler par les antinomies de l'imagination et de la raison; ainsi dans l'ordre religieux on n'a pas à s'inquiéter des contradictions de la science et de la foi. Dans l'homme s'étagent deux plans différents qui se coordonnent, dès qu'on les distingue: le plan fondamental de l'action ou de la religion, la substructure contingente de la pensée et de la théorie.

Nous avons antérieurement déjà fait à l'intuitionisme sa part de vérité en montrant qu'il est impossible d'atteindre l'absolu sans que l'intelligence, faculté de détermination de l'Être universel, ne soit conjuguée à la volonté, orientation dynamique à l'Être parfait. Cette dépendance de l'intelligence et de la volonté est réversible. Non seulement le sentiment et le vouloir dépendent extrinsèquement de la pensée qui serait leur symbole ou leur accident nécessaire — ceci les intuitionistes l'admettent — mais ils en dépendent intrinsèquement comme de leur norme objective.

Sans doute nos facultés procèdent l'une et l'autre d'un centre d'émergence qui est un, la personne; sans doute, l'opposition de l'intelligence et de la volonté est réductible, comme dans le cas d'états mystiques. Mais le centre d'émergence de la volonté et de l'intelligence n'est ni un sentiment indéterminé ni un dynamisme informe, relié accidentellement à des déterminations; pas plus que le terme extatique de la religion n'est une émotion aveugle et inconsciente. La pensée est essentielle au principe de la vie religieuse, autant qu'elle l'est à son terme, autant qu'elle l'est pour acheminer du principe au terme.

La pensée n'est pas finie, tandis que le vouloir ou le dynamisme humain serait infini. Elle ne limite pas l'action, pas plus que l'action n'est un obstacle à la pensée. Dieu n'est ni un absolu de pure liberté, ni un absolu de pure nécessité ; il est également contraignant et vivifiant. Il n'est pas un concept abstrait pas plus qu'il n'est sentiment pur ; il est conscience absolue de la vie et vie absolue de la conscience.

B. — L'INTUITION ROMANTIQUE DU SENTIMENT

I. L'EXPOSÉ

On trouve au dix-huitième siècle la première expression moderne de l'intuitionisme religieux. Rousseau tenait au primat de l'affectivité sur la raison et maudissait la civilisation qui sacrifie le spontané à l'artificiel, les effusions du cœur aux constructions arides de l'esprit. « L'homme qui médite, disait-il, est un animal dépravé... Jamais le jargon de la métaphysique n'a fait découvrir une seule vérité ; et il a rempli la philosophie d'absurdités dont on a honte sitôt qu'on les dépouille de leurs grands mots... Je pris donc un autre guide et je me dis : « Consulte la lumière intérieure [1]. »

La critique kantienne, en disqualifiant la raison théorique, donne à l'intuitionisme un nouvel élan. Les romantiques ont en horreur la religion du siècle des lumières, cette religion raisonnable et vulgaire, cette religion sans vie et sans âme, sans culte ni communion sociale, qui fait abstraction de l'histoire et du sentiment.

Une religion rationalisée est une religion morte et livresque, dépourvue de mystique et d'idéal, une religion plate qui convient à des utilitaires et à des calculateurs, mais qui dégoûte tous ceux qui ont une vie profonde, cette vie qui ne peut se traduire en concepts clairs et qui se révèle dans la nuit de l'entendement.

Fichte initie les romantiques aux mystères de la vie intérieure,

[1] Œuvres, XI, pp. 239, 245, Paris, Hachette.

à cette religion du moi qui, en se projetant en dehors de lui-même, objective la réalité et transfigure le monde. Le sentiment moral est créateur, et la finalité absolue de l'homme, sa liberté rendent sa personnalité infinie, immanente à la divinité.

Cependant, dans la philosophie de Fichte, le moi absorbe la nature qui ne subsiste que dans et par l'esprit. Faut-il sacrifier ainsi la nature au moi ; n'est-ce pas le couple esprit-nature qui est le véritable absolu ? Schelling abandonne l'idéalisme moraliste. Entre l'esprit et le monde il existe une harmonie fondamentale que l'art réalise, véritable manifestation d'un Absolu idéal et réel. C'est cette position que les romantiques adoptent. [1] Comment eussent-ils pu consentir à sacrifier la nature au moi, l'intuition à la pensée ? « La pensée, disait Novalis, n'est qu'un songe, un sentiment éteint, une vie pâle et faible. » [2]

Ils ne peuvent se contenter d'une explication rationnelle et encore moins d'une explication empirique. L'intuition esthétique saisit la nature concrète, compénétrée de valeurs prêtes à d'éternelles métamorphoses. Le poète est un mage qui se complaît dans de confus symboles, dans les synthèses du vrai et de la fantaisie, dans les impressions voluptueuses et tragiques auxquelles le moi s'abandonne et dans lesquelles il s'immerge. « Nous autres hommes nous n'avons jamais d'autre objet et d'autre matière où exercer notre activité et trouver notre joie que la terre, ce poème de la divinité, dont nous sommes nous-mêmes une partie et la fleur… Percevoir la musique de cette orchestration infinie, comprendre la beauté de ce poème, nous en sommes capables parce qu'une parcelle de poète, une étincelle de son esprit créateur vit en nous. » [3]

Il ne faut pas essayer de tirer au clair le moi qui est ineffable, profond, multiple et incertain. A la dialectique spéculative, il vaut mieux substituer une mystique transcendantale, prendre

[1] « L'esprit est philosophie de la nature », disait Frédéric Schlegel. Et Novalis : « Le monde extérieur est un monde intérieur élevé à l'état de mystère ; la plus haute philosophie traite du mariage de la nature et de l'esprit… nous sommes nous-mêmes un genre devenu apparent de l'amour entre la nature et l'esprit, ou l'art ».

[2] R. HUGH, *Les Romantiques allemands*, p. 141, Paris, 1932.

[3] Fr. SCHLEGEL, *Jugendschriften*, hrsg. Minor, II, pp. 339, 10-18.

conscience du moment originel où, dans la création artistique, le moi et le monde ne s'opposent pas comme des choses, mais sont intégrés dans le Tout, où le déterminisme et la finalité, la production et le savoir coïncident.

« Dans ce chaos primitif où domine le sentiment dans toute son indétermination, où se confondent toutes les puissances fondamentales de l'être, toutes les aspirations encore sans objet, toutes les tendances encore sans but, où se heurtent toutes les possibilités, où chantent les émotions que nous ne savons distinguer, où se pressent et se déroulent des images confuses, où cependant de tous ces éléments épars résulte une sorte de résonance qui est, à chaque moment, comme le ton, comme le diapason de notre âme, ce que les Allemands appellent Gemüt, et qui donne, pour ainsi dire, leur qualité, leur timbre et leur sens à nos états conscients ; dans ce jaillissement de vie et de pensée où rien n'est distingué, mais où tout se fait, dans ces richesses que ne soupçonne pas la conscience réfléchie, le génie puise à plein la matière dont il pétrit ses trésors. On comprend dès lors comment l'art n'est ni une figuration, ni même une transfiguration du réel, mais le réel lui-même dans son fond le plus intime, comment Novalis peut dire que « la poésie est le réel absolu » ou encore : « Le noyau de toute ma philosophie, c'est l'absolue réalité de la poésie ; plus une chose est poétique et plus elle est vraie ». [1]

Le sentiment est comme une modulation sans arêtes définies, comme un état affectif sans objet, comme un rêve indéterminé et épars, un chant plutôt qu'une parole, quelque chose qui s'éprouve et ne peut se dire, un pressentiment prophétique et religieux de la substance du moi et du monde, immanents dans l'infini. La vérité et la fantaisie, le passé et l'avenir, tout ce qui dans la représentation s'exclut, s'y reposent dans l'harmonie. N'y apparaît plus le dehors ou le dedans, mais l'acte créateur d'où surgissent des formes extatiques. Lorsque dans le sentiment esthétique la nature est présente en moi et que le moi s'abandonne à la nature, l'homme communie vraiment à la divinité. C'est donc dans le sentiment qui vivifie toute culture intime

---

[1] Textes cités par X. LÉON, *Fichte et son Temps*, II, p. 183 et suiv. Paris, 1924.

que se trouve comme la source et l'essence de la religion. « Quiconque a de la religion parlera poésie, disait Schlegel... Sans la poésie la religion devient obscure, fausse, mauvaise » [1]. Le rapport de l'homme à l'infini se révèle dans l'intuition esthétique.

Ce n'est pas à dire que le romantique fasse de la religion un épiphénomène du sentiment esthétique et qu'il soit relativiste en fait de morale, ou de dogme ou d'histoire. La subjectivité est l'élément fondamental de la religion, mais cette subjectivité se traduit en croyances, est liée à des devoirs et s'intègre dans la tradition chrétienne.

La religion, déclare Fr. Schlegel, est non seulement une branche de la culture, une des activités de l'homme : elle en est le centre, la source originelle ; partout et en tout, elle est première et dernière [2] ; elle est, dit Solger, l'anneau qui enchaîne la connaissance et la vie [3] ; elle existe pour elle-même, affirme Schleiermacher ; elle doit unifier toutes les activités de l'homme comme une musique intérieure qui sublime les actes et les pensées.

Sans doute, le romantique n'aime pas le moralisme utilitariste et juridique de l'Aufklärung. La religion est inspiration, présence divine. « On n'est religieux, écrit Fr. Schlegel, que lorsqu'on pense, poétise et vit divinement, lorsqu'on est rempli de Dieu, quand tout l'être s'épanche en enthousiasme et aspire au recueillement, quand on ne fait plus rien pour se soumettre au devoir, mais par amour ; bref quand on veut, et qu'on veut uniquement, parce que Dieu parle, le Dieu présent en nous. » [4] Cependant, Dieu est l'agir, l'agir infini, dira Novalis ; et d'après Fr. Schlegel il est l'être moral par excellence et même le fondateur des lois de la nature.

Sans doute, la religion pour le romantique est un élan mystique, qui porte l'esprit vers un Au-delà dont il ne cherche pas à définir nettement la nature. Tandis que les rationalistes exigent des concepts, des arguments, une religion logique, lucide et prosaïque, Dieu se révèle cette fois dans la contemplation muette de

[1] *Ibid.* p. 202.
[2] Fr. SCHLEGEL, *Jügendschriften*, Minor, II, pp. 105, 290.
[3] C. W. SOLGER, *Philosophische Gespräche*, I, p. 197.
[4] Fr. SCHLEGEL, *Ibid.*, II, p. 324.

la beauté présente dans la nature. L'art est l'organe suprême de cette théophanie : l'artiste est le Messie qui rend Dieu visible et vivant. Ce n'est pas la syllogistique mais la fantaisie ou l'intuition créatrice qui divinise le poète. On discute et on discutera toujours une proposition abstraite ; on ne réfute pas une messe de Palestrina. Les dogmes du Christianisme peuvent se prouver lourdement ; le génie du Christianisme parle immédiatement au cœur. On ne peut raisonnablement se demander si une mélodie est verte ou bleue ; il n'y a pas davantage à se poser la question de la vérité ou de l'erreur de la religion. Est-elle belle ? Est-elle laide ? Ce qui la juge, c'est sa puissance évocatrice. Le sentiment religieux jaillit du chant du rossignol comme du cœur du mystique. La prière est une poésie et la poésie une prière.

Aussi Schleiermacher considère-t-il les formules de la foi comme relatives. Fr. Schlegel lui-même se demande dans ses premiers écrits si on doit renoncer à la religion quand on ne sait pas répondre à la question : « Croyez-vous à Dieu ? Y a-t-il un Dieu, trois dieux ou davantage ? » Les romantiques n'ont pas grand souci du contenu de la foi et ne cherchent pas à la déterminer rigoureusement. La religion est intuition, expérience de l'infini, sens de sa présence. [1] Comme le disait Simmel, l'avant-dernière proposition peut se prouver, mais l'ultime ne se démontre jamais ; elle se termine à l'immédiat et se justifie par une expérience. « Si, écrit Schlegel, la communauté humaine n'avait jamais eu aucune expérience au sujet de Dieu, si d'une façon générale elle n'était pas capable de le saisir, que pourrait-elle connaître à son sujet ? Un tel savoir, dépourvu de toute expérience, ne serait qu'un produit du moi, une illusion subjective, un simple reflet de la raison, » [2] un néant interne. « Dieu, ajoutait Novalis, ne peut être connu que par Dieu » et doit se révéler.

Cependant, alimentée par cette expérience subjective et par cette révélation divine, la foi comporte des certitudes. La croyance en Dieu, et en un Dieu personnel — malgré certains flottements qui s'aperçoivent à la première époque du romantisme, parti-

---

[1] FR. SCHLEGEL, *Ibid.*, II, p. 323.
[2] FR. SCHLEGEL, *Philosophie der Sprache*, p. 57.

culièrement chez Schleiermacher — peut être considérée comme
un article fondamental de la foi romantique. D'après A. Müller,
il n'existe aucun moi sans un Toi permanent et personnel [1].
On connaît le personnalisme de Kierkegaard. Novalis dira aussi
que Dieu « est présent en nous comme le Je supérieur en contact
avec l'homme, comme l'homme est en contact avec la nature,
ou le Père avec son enfant [2]. »

Les romantiques gardent le souci de rendre la religion rationnelle, et parfois même ils cèdent au rationalisme. A aucune
époque, on ne trouve autant de spéculations aventureuses sur
le dogme de la Sainte Trinité qui apparaît à beaucoup d'entre
eux comme une vérité purement philosophique. C'est dire qu'ils
n'ont pas à l'égard de la raison le dédain et la défiance qui
caractériseront les agnostiques et les philosophes de l'irrationnel. Le sentiment religieux n'exclut pas des affirmations
théoriques.

Sans doute, le romantique a peine à croire qu'une religion
particulière qui se fonde sur tel ou tel fait de l'histoire, puisse
être absolue, au détriment de toutes les autres ; ainsi conçue
la religion leur paraît trop étroite. Ils sont universalistes par
tendance, et ce qui les intéresse, c'est le cosmos, vaste organisme
qui se développe progressivement, historiquement. Schleiermacher n'aime pas les religions positives et concrètes ; elles
lui semblent des expressions finies et contingentes de l'infini [3] ;
il prétendra remonter à leur source originelle, à l'idée primordiale, à la nécessité éternelle et sans contingence, que le sentiment de dépendance révèle.

Et pourtant, selon la plupart des romantiques, le christianisme, à cause de son caractère synthétique et universaliste,
demeure la religion sans pareille. « Vraiment, affirme A. Müller,
le christianisme est pour moi non une religion, mais la religion. »
Baader l'exalte non moins ; elle est médiatrice entre l'esprit
et la nature, fait la synthèse du naturalisme païen et du léga-
lisme juif ; elle est une et concrète : plus concrète que toute

[1] AD. MÜLLER, *Briefwechsel*, p. 250.
[2] NOVALIS, *Schriften*, II, p. 184.
[3] SCHLEIERMACHER, *Reden*, p. 154.

autre religion, car la symbolique chrétienne est plus évocatrice
que la mythologie des païens ; plus divine aussi, car elle procède
de l'Incarnation. Le Fils de Dieu, déclarera Schelling, est le symbole de l'éternelle humanisation de Dieu dans le fini. « Seul
du Personnel peut sauver le personnel et Dieu doit devenir
homme pour que l'homme revienne à Dieu. »

« C'est l'abaissement de Dieu vers le réel qui constitue le plus
grand trait du Christianisme. Un Dieu guindé, séparé du monde
par des nuages métaphysiques, ne parle ni à notre esprit, ni
à notre cœur. » [1] C'est par le Christ, dira Schlegel, que Dieu
devenant immanent au monde, l'infini et le fini s'allient, que le
charnel peut devenir spirituel. « Si Dieu peut devenir homme,
se dit Novalis, il peut aussi devenir pierre, plante, animal et
élément, et peut-être existe-t-il de cette façon une continuelle
rédemption de la nature. » [2] En fait, les romantiques ne veulent
ni du concret sans alliance à l'universel, ni de l'abstrait pur
sans concrétion. Ils agréent le Christianisme parce que, sans
compromettre les éléments en présence, il résout le problème
qui les hante, celui de l'union de la nature et de l'esprit, des
apparences et de la réalité.

Ainsi, quoique la religion des romantiques se réalise dans le
moi au moyen d'une expérience subjective, cette expérience
interne est conditionnée par la médiation de la pensée, du vouloir
et du Christ. Certes, ces médiations sont instrumentales, symbo-
liques et subordonnées au sentiment qui seul est absolu et dernier. Leur christianisme demeure bien embrumé et bien vague :
ils parlent plus du Christ que de Jésus, plus du salut que du
péché, plus de sentiments que d'efforts, plus de liturgie que de
sacrements, plus de mystique que de la Croix. Kierkegaard
fera de ce christianisme humanisé et sentimental une critique
sévère et méritée. Pourtant leur attitude demeure fort différente de celle des modernistes ou des esthètes contemporains.
Ce n'est que lorsque la critique biblique aura ruiné la foi chrétienne, lorsque la morale aura perdu son prestige, qu'on trouvera
des poètes, voire des philosophes, qui identifient le sentiment

---

[1] SCHELLING, III, pp. 17, 176 ; VII, p. 423.
[2] *Ibid.* II, p. 312.

esthétique au sentiment religieux. Alors la religion authentique sera la religion de la beauté artistique, religion sans dogmes, sans Dieu, sans morale, religion du décadent, vidé de toute intériorité, devenu pur reflet du monde, relation éphémère à l'éphémère.

Dans les observations critiques qui suivent, nous cherchons à établir le rapport du sentiment esthétique au sentiment religieux. Il n'est certes pas souhaitable de les dissocier. Cependant il est indispensable de les distinguer. Le sentiment esthétique à lui seul ne suffit pas à rendre l'homme religieux.

II. — Observations Critiques

La religion et l'art sont deux activités qu'il serait difficile de séparer et dont les caractères paraissent communs. C'est au pied des temples que l'art est né ; le grand art — ne parlons pas d'une imagerie utilitaire — ne peut se passer d'un arrière-plan spirituel actif : sens de l'infini, du mystère, de l'absolu. D'ailleurs pas de religion sans symboles, légendes et poésie.

Le sentiment religieux et esthétique paraissent l'un et l'autre intuitifs, si par intuition on entend un état psychologique qui n'est ni représentation pure, ni activité pure, mais synthèse active de la représentation et du désir, moment privilégié où l'antithèse du sujet et de l'objet semble se résoudre dans l'harmonie d'une possession plénière. L'art n'a pas pour objet formel la représentation d'une chose ou d'un événement ; il n'est pas pratique. Le contenu du sentiment religieux de son côté ne peut se définir par l'énoncé abstrait d'une vérité ou par un impératif formel de la conscience.

D'une part il n'y a pas de religion sans poésie. La poésie n'est pas, comme des rationalistes l'ont estimé, une déviation de la pensée religieuse qui pour être absolue devrait rester abstraite. Dans la sérénité de la contemplation esthétique la nature et l'esprit se rejoignent et se compénètrent. La religion parfaite serait celle où tout serait également poétique et religieux, où l'homme communierait à Dieu non seulement dans l'abstraction de la pensée ou dans la rigidité de son effort moral, mais dans l'actualité de l'existence concrète, dans la vision amoureuse de toutes les particularités du réel.

Inversement l'art ne se passe pas de religion. Il est comme un entre-deux. Il est lié au concret dont il doit être l'expression extérieure ; mais il dépend aussi d'un ordre absolu de valeurs, puisqu'il est une expérience idéale du réel. Supprimez cet ordre transcendantal, que le mystère, l'infini ne soient plus que des mots ! et, du coup, l'art se dégrade et n'est plus suggestif ; tout symbole suppose deux termes réels. L'art n'a pas immédiatement une fonction rationnelle ou moralisatrice. Toutefois d'une façon médiate il invoque une synthèse suprême de la vérité et du bien dont en fait il est un succédané, une approche. L'art n'est pas un vain jeu, un passe-temps pour dilettante. Dans l'hypothèse relativiste, il dépérirait faute de mouvement, de différenciation, d'inspiration créatrice. Il deviendrait maniéré : c'est l'expression qui importerait et non l'objet, sa valeur et sa vérité.

Aussi, conformément à la tradition des partisans de l'à-peu-près qui confondent des sentiments dès qu'ils se manifestent connexes, on ne distingue pas la prière de la poésie, la religion de l'art. Fâcheuse équivoque ! Celui qui adore l'art n'est pas religieux mais idolâtre, car l'art est un moyen d'union à Dieu, il n'est pas Dieu ; il peut être médiateur de religion, mais n'est pas le terme de la religion ; il est le symbole de l'Infini ou le poème de l'Absolu, il n'est pas l'Absolu.

La nature est divine en ce sens qu'elle est le tremplin de l'esprit et qu'elle le projette au-delà de lui-même. Mais, malheur à celui qui s'immerge en elle et qui s'y livre passivement ! C'est à l'homme d'accomplir la nature non seulement en la contemplant en artiste, mais aussi en la pensant et en s'en faisant par l'effort moral un instrument de libération spirituelle [1]. Ceux qui s'y plongent perdent les suprêmes valeurs, le sens de la vérité qui se dissout dans des apparences illusoires, le sens moral qui s'anéantit dans le jeu contradictoire des plaisirs, le sens de Dieu.

---

[1] « L'évasion imaginaire tient lieu de renoncement plus que de libération ; elle exprime le renoncement au réel, à la satisfaction effective et même à la réalité de la liberté. La transcendance apparente de l'imagination ne permet d'évasion que vers le royaume des apparences ». (R. POLIN, *La Création des Valeurs*, p. 66).

Pour exister il faut se faire exister, c'est-à-dire vouloir, prendre position ; or l'esthète est passif ; il subit le monde, il s'abandonne à la dérive des impressions ; il ne se possède pas lui-même, il ne possède pas le monde. Il vit mécontent de lui-même, dégoûté des autres, maudissant et bénissant la nature, avec cette fureur d'insatisfaction dont parlait Schlegel, homme sans rien de masculin, sans sérieux, sans subjectivité réelle et sans personnalité. L'amour romantique ne prend point possession de l'être, mais demeure aspiration sans possession. Son amour est d'autant plus ardent que son objet est plus éloigné et plus évanescent.

L'esthétique n'est pas la catégorie du religieux. [1] Une sœur des pauvres qui soigne des galeux, rend témoignage de l'amour de Dieu, et pourtant sa charité n'a rien d'esthétique. La vie morale comporte mille corvées et la vie religieuse mille prestations qui n'ont rien ni de pictural ni de musical ni de poétique. Le saint ne marche pas escorté de fanfares et son cœur est souvent plus aride que le désert. Le lyrisme ne témoigne pas infailliblement de l'union à Dieu. C'est au-delà du sentiment, dans les profondeurs du vouloir-être que Dieu séjourne.

« Le pathos existentiel apparaît, écrivait Kierkegaard, quand l'idée se comporte d'une façon créatrice en transformant l'existence de l'individu... Un poète religieux est une chose scabreuse... Le pathos religieux ne consiste pas à chanter ou à écrire des livres de cantiques, mais consiste à exister religieusement soi-même... Pour la possibilité la parole est le pathos suprême, pour la réalité c'est l'action. Jugée du point de vue chrétien, toute existence de poète est péché : chanter au lieu d'être, se rapporter au vrai et au bien par le moyen de la fantaisie, au lieu de s'efforcer d'être existentiellement vrai et bon » [1].

Quoique le sentiment religieux et esthétique soient solidaires et intuitifs, leur synthèse de la pensée et de l'action, du dynamisme et de la représentation est différente. Dans l'intuition artistique la synthèse se fait dans le relatif, dans une expression subjective et symbolique de l'absolu ; l'intuition religieuse a pour terme le principe absolu de la pensée et de l'action. L'œuvre

---

[1] S. KIERKEGAARD, *Post-Scriptum*, pp. 261-262 ; J. WAHL, *Études Kierkegaardiennes*, p. 70.

d'art qui est extraposée, figure la possession plénière de l'Être ;
l'objet religieux, point terminal de la vie spirituelle, est un
centre de convergence ultime.

L'artiste et le croyant suivent l'un et l'autre la même voie
et réclament l'un et l'autre l'unité ; ils voudraient échapper
au morcellement des actes psychologiques qui s'opposent. Une
représentation sèche et abstraite, une action qui contraint ne
leur suffisent pas ; ils veulent d'une vision imprégnée de finalité,
d'une action spontanée et créatrice. Mais l'artiste séjourne
dans l'éphémère ; c'est dans la nature aux formes multiples
et dont la beauté est indéfinie et mobile, qu'il cherche l'impossible coïncidence. Aussi le cœur, tantôt délirant d'enthousiasme,
tantôt chaviré de dégoût, il ne trouve pas la paix. « La poésie,
écrivait Kierkegaard, est l'élément divin qui pénètre dans l'existence humaine. Elle constitue les fibres dont la divinité tisse
et maintient l'existence. On pourrait donc croire que ce sont
des bienheureux, ces individus, ces vivants télégraphes entre
Dieu et les hommes. Mais il n'en est rien. Démence est leur
sort assurément, et méconnaissance, égarement, bref, négation
de leur existence personnelle, impuissance à supporter l'excita-
tion provoquée par le divin. Et tels ils vont de par le monde
incompris, inaperçus, critiqués (peut-on penser chose plus risible ?)
— oui, méconnus : car ne devrait-il pas en être ainsi pour celui
qui les comprendrait ? Ne devrait-il pas aussi brûler ? — Et
telle est la splendeur du monde ; le bien suprême et la merveille
de la terre : le poète... ce nom hautement prisé auquel on attache les représentations les plus sublimes, les attentes les plus
sacrées, et malgré cela il n'aurait d'autre sort : celui de connaître
une soif qui jamais ne s'apaise [1]. »

La poésie guide vers un au-delà. Elle devient un mensonge
vaniteux quand elle reste en deçà d'une possession objective
et réelle de l'Être [2]. Après avoir ouvert les yeux pour admirer

---

[1] J. KIERKEGAARD, *In Vino Veritas*, pp. 10, 11, Paris, 1933.

[2] On est romantique, écrivait L. Lavelle, dans la mesure où l'on se complaît dans l'angoisse métaphysique sans chercher à s'en délivrer. « Car il peut
arriver que l'on aime mieux désirer que posséder, et que l'on recule dans un avenir illimité l'échéance de la possession afin d'avoir la ressource de gémir et de
ne point accomplir l'acte qui est nécessaire pour s'inscrire dès maintenant dans

la splendeur du monde, l'artiste spontanément les ferme, sentant bien que la beauté parfaite exige une contemplation intérieure. C'est cette contemplation spirituelle qui est l'objet du sentiment religieux. Le mystique ne cherche pas la paix ineffable en s'accordant immédiatement avec le dehors. La nature reste toujours brutale et sans âme pour celui qui ne la saisit pas dans son jaillissement ontologique. On ne s'harmonise pas dans l'inharmonique, dans l'inachevé, dans la réalité extérieure qui ne subsiste qu'en s'évanouissant, qui n'est belle qu'en mourant. Pour posséder la nature et se posséder lui-même, le mystique doit posséder l'Être ; il cherche la sainteté, l'union à Dieu en qui la pensée et l'amour coïncident. Et, lorsqu'il s'est pacifié dans cette rencontre idéale, sa vision du monde devient extatique.

Comparez la poésie profane à la mystique d'un François d'Assise qui, pour avoir rencontré le Christ, vivait dans l'allégresse d'un monde racheté, qui ne s'arrêtait pas aux couleurs, aux formes, aux caresses des choses, mais qui les voyait sortir de la divinité comme des enfants du foyer paternel. Le lyrisme païen est chaotique : tour à tour il maudit et adore ; il se développe en parasite, immergeant le concret dans le rêve, ne pouvant aimer le réel tout entier [1]. L'amour de François est sans exclusion. Dans ses hymnes la plus haute poésie rejoint la plus humble réalité ; le beau et le vrai insérés l'un dans l'autre font corps. Ce ne sont plus des gestes et des paroles en marge de la vie, en lisière du réel ; mais c'est la vie elle-même, où tout devient personnel, amical, sympathique, où tout chante, la tempête et les grêlons, le soleil et les ténèbres, la vie et la mort.

Comparez l'unanimisme de l'esthète et du saint qui chassé de la maison paternelle, nu sous le cilice dans la forêt d'hiver,

---

une présence éternelle. Notre imagination se laisse alors emporter par le cours du temps ; ainsi nous ajournons de vivre, et notre pensée oscille entre un présent, auquel nous ne demandons qu'un simple contact avec ce qui est, et un avenir qui donne à toutes les puissances du rêve l'occasion de l'exercice le plus stérile.» (L. LAVELLE, *Le Moi et son Destin*, Paris*)*.

[1] Leconte de Lisle, notait Chesterton, chanta les boas et les tigres, mais il est douteux qu'il eût continué à les célébrer, s'ils se fussent présentés à lui pour le dévorer.

entonnait des cantiques à faire pâlir les étoiles, qui ne célébrait pas seulement la lumière, mais le feu cuisant qui devait éteindre ses vivantes prunelles, qui ne louait pas seulement la vie mais sa sœur, la mort corporelle à qui nul ne peut échapper. L'unanimisme est l'idéal commun de l'esthète et du mystique ; néanmoins l'idéal du poète est illusoire à moins que sa vision de la nature ne procède d'une contemplation religieuse, du sentiment mystique de l'harmonie des contraires dans l'unité de l'Être. N'être que poète, c'est médiatiser l'absolu, le rencontrer dans l'autre. Si la poésie n'est pas une dérision, il faut un contact immédiat ; plus de mots ni de formes qui fassent écran. Il faut s'unir immédiatement à la Beauté Absolue pour jouir de ses formes éphémères.

C. — L'INTUITION HISTORIQUE DU SENTIMENT

I. L'exposé

1º Schleiermacher accommode le romantisme à la théorie de Spinoza. Ni la loi morale ni les vérités spéculatives ne constituent la religion. D'une part la raison théorique, livrée au déterminisme, ne peut affirmer l'existence que de l'Impersonnel, du Fatum ; d'autre part la raison pratique ne peut se traduire en croyance objective ; elle est indéterminée et manque d'objet. La religion se définit un sentiment, une intuition indépendante simultanément de la connaissance et de la pratique, de l'action et de la théorie. Dans son discours sur la *Nature de la Religion*, il définit cette intuition par un sens de l'infini. La piété est l'expérience d'une communauté avec la totalité de l'être. « La somme totale de la religion est le sentiment que, dans son unité suprême, tout ce qui excite nos émotions est une seule et même chose en tant que sentiment ; c'est le fait de sentir que tout ce qu'il y a d'isolé et de particulier n'est possible que par le moyen de cette unité, c'est-à-dire de sentir que notre être et notre vie sont un être et une vie dans et par Dieu [1]. »

Cette expérience indicible, les diverses religions la modulent

---

[1] SCHLEIERMACHER, *Über die Religion*, p. 50, Leipzig 1029.

sur des thèmes différents ; c'est l'apport fondamental du sentiment qui constitue leur essence. Les mots « vérité » et « erreur » ne s'appliquent pas à la religion comme telle, mais aux pensées qui en dérivent. Aucune action n'est imposée par la religion ; pourtant toute action doit s'accomplir religieusement, car « à tout moment le sentiment religieux doit imprégner la vie active comme une mélodie sacrée ».

Dans le *Glaubenslehre*, la définition de la religion est modifiée ou du moins complétée ; elle devient le « sentiment d'absolue dépendance ». Dans la conscience externe, l'expérience de la liberté est corrélative à l'expérience d'une nécessité ; quand on surmonte ces oppositions, pour s'élever à l'unité supérieure de la conscience, on trouve le sentiment d'absolue dépendance qui n'est autre que la conscience de Dieu. Dieu, qu'il soit personnel ou impersonnel, est l'unité suprême, le principe inconditionné d'interaction des êtres.

La situation que Schleiermacher faisait ainsi à la religion semblait avantageuse. Elle reprenait sa place centrale et cessait d'être, comme dans le système kantien, un appendice de la loi. Dieu est plus qu'un postulat qui ajuste la réalité au vouloir formel du bien ; son point d'émergence et son fondement coïncident avec la donnée essentielle de la conscience. De plus les sciences spéculatives, qui auparavant, sous peine d'être irréligieuses, devaient se subordonner aux dogmes et à des préoccupations apologétiques, retrouvaient leur autonomie ; elles étaient désormais libres dans leurs recherches et leurs conclusions théoriques.

L'influence de Schleiermacher sur la théologie protestante d'Allemagne fut énorme, et cependant sa théorie, sans parler de ses variantes, était bien gauchement bâtie. D'une part il ne veut plus du rationalisme, et cependant c'est Spinoza qui lui inspire sa définition du sentiment religieux. Si l'intuition supérieure de l'homme est le sentiment d'absolue dépendance, n'est-ce pas que l'activité de l'homme est factice ? Un sentiment indicible, isolé de l'activité spéculative et pratique, sans relation avec l'histoire, qu'est-ce si ce n'est une abstraction ? Le caractère essentiel de l'intuition n'est-il pas d'être immédiat ? Comment serait-elle immédiate quand elle est indéterminée ? Il fallut donc remettre au point la théorie romantique, et les disciples de Schleiermacher, qui furent nombreux, le firent avec plus ou moins de bonheur. Impossible de signaler toutes les retouches. Nous passons à Ritschl dont le système éclectique et tâtonnant ne mérite pas beaucoup d'attention, mais qui, parce qu'il s'adapta aux conceptions du moment, fut sacré chef d'école.

2. Entre Ritschl et Schleiermacher s'interposent Lotze et Fries. Ils sont kantiens ; mais Kant avait parlé de finalité sans parler du sens de la valeur qui est sa condition. Lotze fait l'apologie des jugements de valeur qu'il oppose aux jugements spéculatifs. Ces jugements assurent à l'esprit des moyens d'investigation qui sont plus pénétrants que les principes logiques. Ajoutons que du temps de Ritschl l'âge d'or des grands systèmes philosophiques est révolu. Dégoûtés des audaces de la métaphysique, ses contemporains s'intéressent aux faits et à l'histoire. Ritschl tiendra compte de cet idéal nouveau.

La distinction des jugements théoriques et des jugements de valeur lui paraît précieuse pour résoudre le problème des relations de la philosophie et de la religion, de la science et de la foi. Il avait, dans la première édition de son ouvrage, repris vaille que vaille la définition de Schleiermacher ; or la science et la philosophie, non moins que la théologie, ont l'ambition de ramener l'univers à l'unité d'un Tout. De ce chef il semblait donc difficile de les distinguer. Il les distinguera — et par le fait même leur assurera une mutuelle autonomie — en montrant que les principes de synthèse de leurs jugements diffèrent. Les jugements spéculatifs sont spécifiés par la causalité. La science qui a pour contenu des jugements spéculatifs, est sans portée ontologique. La religion a pour objet les jugements moraux ou de valeur.

Ceux-ci sont subjectifs en ce sens qu'ils procèdent de l'orientation dynamique du sujet ; mais ils ne sont pas subjectifs en ce sens qu'ils seraient illusoires et sans contact avec la réalité. « Dans toute religion on fait un effort, avec l'aide du haut pouvoir que l'homme adore, pour résoudre la contradiction

dans laquelle l'homme se trouve comme étant à la fois partie
du monde naturel et une personnalité spirituelle qui prétend
régir la nature... Toute religion est une interprétation du cours
du monde, en ce sens que les hauts pouvoirs spirituels, qui
règnent dans et sur ce monde, maintiennent ou confirment
à la personne ses droits ou son indépendance contre les res-
trictions provenant de la nature ou des contraintes physiques
de la société humaine [1]. »

L'attribut essentiel de Dieu, produit de l'aspiration de l'homme
à la liberté et au bonheur, est d'être une bonté secourable et
paternelle. Conscient de cette filiation divine, l'homme acquiert
le sens de sa dignité ; malgré toutes ses limites, il peut espérer.

Le sens religieux reste pour Ritschl, comme pour Schleiermacher, indéterminable en soi. Cependant Schleiermacher l'avait
isolé de l'histoire ; il avait cru que l'expérience mystique a pour
centre l'individu détaché de ses relations sociales. Les progrès
des sciences historiques avaient fait apparaître de plus en plus
nettement le caractère factice de ce monadisme romantique.
Aussi, d'après Ritschl, le sentiment indéterminé de soi doit
chercher dans l'histoire, et spécialement dans l'histoire du
christianisme, sa matière et son contenu. Ce n'est plus l'expérience de l'individu qui manifestera la divinité mais une expérience
sociale et historique. A la révélation intérieure qui est indéchiffrable, correspondra une révélation extérieure qui est scien-
tifiquement déterminable. Ainsi s'opère une alliance déroutante
entre le positivisme historiciste et l'intuitionisme romantique.
L'histoire devient le lieu de rencontre de Dieu. La vie spirituelle, enfouie dans le tréfonds de l'esprit, est enfantée par la
critique scientifique ; l'historien devient le révélateur authentique des réalités divines.

3. A cet intuitionisme tour à tour mystique et scientiste
dont les présupposés philosophiques sont si pauvres, s'apparente la théologie falote du protestantisme libéral et du modernisme. Harnack, Sabatier, Loisy et Tyrrel, qui sont leurs porte-
parole les plus écoutés, distinguent comme Ritschl la foi de

---

[1] A. RITSCHL, *Rechtfertigung und Versöhnung*, III, pp. 17, 189. Bonn, 1870-
1874.

la science et subordonnent la raison, qui est relative, au sens mystique.

« Le sens mystique, écrit A. Loisy, est inexprimable ; il précède en quelque façon la raison, qui, en s'essayant à le définir, le rétrécit ; et l'on peut dire aussi bien qu'il l'enveloppe et la soutient. Il est la lumière supérieure qui, dans toutes les opérations bien conduites de la raison... introduit une âme de vérité. Il est si l'on veut la source de la raison droite, comme il est le principe de la volonté juste ; il est la force spirituelle qui, individualisée en chacun de nous, se retourne vers son origine, percevant en même temps l'immensité dont elle est issue, et son infirmité en nous-mêmes ; c'est la puissance de l'esprit dans notre fragilité humaine [1]. » Cet élément mystique, A. Loisy le nomme la foi « parce que la signification morale de la vie n'est pas une donnée de simple raison ni d'expérience vulgaire, qu'elle est plus sentie que démontrée, plutôt intuitivement évidente que savamment déduite ; parce que, pratiquement, l'influence du sens moral sur notre activité devance toute démonstration et prime tout effort de notre logique pour la justifier ou la combattre ; parce que le fond de notre être moral est l'esprit, non précisément la raison, et qu'il est à l'égard de notre moi conscient comme la source mystique d'où sort celui-ci, qui ne la pénètre pas à fond ; parce que les principes de la vie morale nous dominent plus que nous ne les dominons, qu'ils se laissent plus facilement voir qu'enfermer dans nos définitions, que ce ne sont pas de simples énoncés de connaissance, objets de notre réflexion, mais comme des formes vivantes d'activité spirituelle, comme un mystère de vie supérieure où repose notre confiance, où nous trouvons consistance et appui parmi les divers accidents et travaux de notre existence [2]. » La foi, jointe au respect de cette donnée morale originelle et au dévouement à l'humanité en qui ce sens mystique se développe, constitue la religion. La religion ne se juxtapose pas à la raison. La raison, sans l'idéal religieux dont elle surgit et qui la porte à se dépasser toujours, est courte ; d'ailleurs le sentiment religieux non

[1] A. Loisy, *Religion et Humanité*, pp. 117-118, Paris, 1936.
[2] Ib., p. 127.

contrôlé par la raison devient absurde ; ils doivent collaborer et non s'opposer ; mais, dans cette collaboration, c'est le sens mystique qui reste toujours premier, tandis que la raison, qui traite du visible et de l'éphémère, n'atteint que le relatif et doit donc éviter tout dogmatisme.

Sabatier, de son côté, caractérise la religion par une expérience intime, le sentiment moral de dépendance. « Être religieux, affirme-t-il, tout d'abord c'est reconnaître, c'est accepter avec confiance, avec simplicité et humilité, cette sujétion de notre conscience individuelle ; c'est ramener et rattacher celle-ci à son principe éternel ; c'est vouloir être dans l'ordre et l'harmonie de la vie. Ce sentiment de notre subordination fournit ainsi la base expérimentale et indestructible de l'idée de Dieu. Celle-ci peut bien rester plus ou moins indéterminée et même ne s'achever jamais dans notre esprit ; son objet n'échappe point pour cela à notre science. » Il y a une liaison psychologique nécessaire entre le sens mystique et les pensées de l'homme. « Jamais, déclare notre auteur, dans la réalité vivante, il n'a existé de sentiment qui ne portât en lui quelque embryon d'idée ou ne se traduisît par quelque mouvement volontaire. Jamais une idée n'a paru isolée de tout sentiment et de toute action... De même qu'il est impossible que la pensée ne se manifeste pas organiquement par le geste et par le langage, de même il est impossible que la religion ne se traduise pas par des rites et par des doctrines. » Il ajoute cependant que ces doctrines ne doivent pas « plus être confondues avec la religion que la pensée avec le langage. Elles peuvent varier, et elles varient sans que la religion en souffre réellement dans sa force expansive. Critiquer le dogme, c'est, le plus souvent, contribuer à la développer, de même qu'émonder un arbre, c'est hâter le progrès et doubler la force de sa végétation ».

La religion, qui doit s'exprimer en idées, est indépendante de toute définition dogmatique. L'expérience mystique est de valeur absolue, mais sa représentation est relative. « Ce serait, dit-il, une illusion de croire qu'un symbole religieux représente Dieu en soi, et que sa valeur, dès lors, dépend de l'exactitude objective avec laquelle il le représente. Le vrai contenu du symbole est tout subjectif : c'est le rapport dans lequel le sujet a conscience d'être avec Dieu, ou, mieux encore, la façon dont il se sent affecté par Dieu [1]. »

Tyrrel, le plus philosophe des modernistes, et qui, plus que tout autre, a insisté sur le caractère social de l'expérience religieuse, ne peut, malgré ses distinctions, échapper à la théorie agnostique du symbolisme spéculatif. Toute émotion intense s'incarne dans les concepts et cherche par une sorte de magnétisme à attirer à elle la forme intellectuelle qui la revêtira le mieux. Mais elle ne représente jamais directement « ces invisibles réalités qui ne sont connues que par les tâtonnements aveugles de l'amour. Toute révélation véritable est, en quelque sorte, une expression de l'intelligence divine dans l'homme ; mais elle n'est point une expression divine de cet esprit ; car l'expression n'est qu'une réaction spontanée ou réfléchie, provoquée dans l'intelligence humaine par la touche divine sentie dans le cœur [2]...»

Ailleurs il dira que l'élément intellectuel est vis-à-vis de l'expérience religieuse totale « ce que ces étranges images de la nature et de la cause d'une douleur sont à la douleur qu'elles accompagnent si souvent, et dont l'explication rationnelle est si différente. Tout médecin connaît les curieuses figures dont les malades se servent pour décrire ce qu'ils éprouvent, et quel guide utile et sûr de telles descriptions constituent pour le diagnostic. Ils diront qu'ils se sentent mordus, frappés, coupés ; ils parleront d'un poids sur la tête ou sur la poitrine, d'un point de côté, d'une boule dans la gorge, d'un bandeau sur le front, et ainsi de suite [3] ». Il est non moins naïf d'espérer diagnostiquer la nature de la révélation divine par les notations approximatives des théologiens.

II. — Observations Critiques

1. — On peut définir l'objet religieux par un état affectif, crainte, espoir, adoration, état de dépendance à l'égard du

[1] A. Sabatier, *Esquisse d'une Philosophie de la Religion*, pp. 20, 293, 300, 394, Paris, 1897.

[2] G. Tyrrel, *Through Scylla and Charybdis*, p. 208.

[3] *Ib.*, pp. 234-235.

Tout, sens de la valeur humaine et de la filiation divine. Les nuances ne manquent pas, et la phénoménologie a permis de remédier à l'indigence des premières formules. Il existe un réel progrès entre les approximations abstraites des romantiques et les études d'aujourd'hui. Tous ces intuitionistes s'accordent néanmoins à affirmer que dans la religion, dont le sentiment constitue l'essence, le rôle de la pensée est subordonné et relatif. Or, ce postulat ne se justifie ni historiquement, ni psychologiquement, ni philosophiquement.

a. — Historiquement il n'existe aucune religion qui ne soit dogmatique. « La foi, écrit Delacroix, ne se passe pas de la raison ; la religion est rationnelle jusqu'à un certain point. La foi n'est pas un pur élan de confiance : la foi-croyance l'accompagne toujours ; et il serait aisé de montrer historiquement, depuis saint Paul jusqu'à nos jours, comment tous les documents et tous les faits, la théologie, les controverses, les confessions des grandes âmes religieuses établissent la coexistence et l'implication de l'élément noétique et de l'élément actif et affectif » [1].

Pas de religion sans mystique, sentiment de filiation, de rédemption, de crainte, de confiance et d'enthousiasme. Cependant les grands fondateurs de religion et spécialement les prophètes ont des visions, des certitudes, des illuminations, des révélations. Ils parlent au nom de Dieu, transmettent son message, s'expriment avec autorité et leur enseignement porte sur des objets métaphysiques. Ce n'est pas au sentiment qu'ils s'adressent ; ils exigent l'assentiment de la raison et font de la foi, non d'une foi-confiance mais d'une foi objective dont le contenu est spéculatif, la condition du salut. Dès que cette foi disparaît et que les certitudes déclinent, la religion devient une routine et s'évanouit. Qu'est-ce qu'une religion sans croyance à l'immortalité, et à l'existence de Dieu ? C'est une religion évanescente, un néant de religion. Il n'y a aucune religion réelle sans « credo ».

b. — Psychologiquement la connexion du sentiment et de la théorie n'est pas moins étroite. Partout où le sentiment paraît, il est intrinsèquement lié à des croyances. On parle du sentiment de dépendance, or comment ce sentiment serait-il

[1] *Bulletin de la Société française de Philosophie*, p. 77, 1913.

possible sans l'idée, du moins vague, d'un Absolu transcendant ? On parle du sentiment de détresse, or comment l'effroi religieux se produirait-il sans la notion, du moins implicite, d'une Justice absolue ? On parle de confiance, or y a-t-il possibilité de confiance si l'on n'a le pressentiment d'une Bonté et d'une Providence ?[1] Tout sentiment est un germe de connaissance.

Panthéisme ou théisme, providence ou fatalisme, création ou évolution, voilà, dit-on, des questions théoriques et creuses. Pourtant, ces théories commandent des attitudes morales, imposent, selon la réponse qu'on leur donne, des sentiments diamétralement opposés. Que Dieu soit une souche ou un esprit, qu'on soit façonné sans lui ou qu'on en ait tout reçu, qu'il soit un Dieu narquois ou un Dieu de bonté, le sentiment passe du mépris au respect, de l'orgueil à l'humilité, de la haine à l'amour. Le sentiment, détaché des connaissances spéculatives qui l'objectivent, manque de consistance, de valeur et de vie. « Ne dites pas, avouait Sabatier : « Le Christianisme est une vie ; donc il n'est pas une doctrine. » C'est très mal raisonner. Il faut dire : « Le Christianisme est une vie ; donc il doit engendrer une doctrine, car l'homme ne peut vivre sans la pensée ! » Si l'on compare la vie d'une religion à celle d'une plante, la doctrine y tient la place de la graine. Comme la graine, elle se forme en dernier lieu : elle couronne et clôt le cycle de la végétation annuelle, mais il est nécessaire qu'elle se forme et mûrisse ; car, elle porte en elle, comme la graine, la puissance de la vie et le germe d'un développement nouveau. Une religion sans dogmes serait une plante stérile ». La certitude n'existe qu'à la condition d'être vitale, mais la vie à son tour appelle et exige des certitudes.

On définit la religion par le sentiment de la présence de Dieu, par l'actualité de son action, mais il n'y a pas de présence sans conscience. Un jugement existentiel s'abolit sans déterminations spéculatives ; il implique toujours un objet, quelque chose

---

[1] « Ce sont nos croyances métaphysiques, disait McTaggart, qui font que nous puissions éprouver les inquiétudes du présent et les incertitudes de l'avenir, non avec les sentiments de la souris à l'égard du chat, mais avec les sentiments de l'enfant à l'égard d'un père. » (McTaggart, *Some Dogmas of Religion*, p. 32, 1906.)

de défini. Le sentiment est corrélatif à une tendance et à la conscience d'un objet. Cet objet peut être vague ou net. Dans la mesure où il demeure vague, le sentiment est équivoque. Il est parfois nécessaire d'aimer les yeux fermés, mais un pareil amour risque d'être illusoire. Les amours qui durent sont lucides et réalisent la valeur de leur objet.

La conscience et le sentiment paraissent ainsi comme deux facteurs qui se corroborent mutuellement. Le sentiment n'existe pas à l'état pur, il implique toujours une connaissance, et résulte de l'anticipation d'une idée. « Il est vrai, disait Hocking, que les idées non imprégnées de sentiments sont inertes ; mais il est également vrai que le sentiment n'est pas actif sans une idée qui le guide. Nous ne pouvons pas, quand nous nous plaçons au point de vue de sa puissance d'expansion, mettre en contraste l'idée d'un côté et le sentiment de l'autre ; car les forces qui font agir la conscience ne sont ni des idées ni des sentiments mais le couple idée-sentiment ».

c. — Il est vrai que l'intuitioniste admet la liaison empirique nécessaire du sentiment et de la pensée ; il conteste seulement le caractère ontologique de cette liaison. Les éléments émotif et théorique, inséparables en fait, ne seraient pas équivalents ; ils seraient associés comme la pensée l'est à son expression sensible qui est symbolique. Soit ! mais cette assertion qui est d'ordre métaphysique doit être justifiée ; et elle ne peut se justifier que par une analyse intrinsèque du sentiment et de la pensée.

Dira-t-on que la pensée est inadéquate au sentiment ? Sans doute, il y a inadéquation entre l'élan vital et les concepts qui l'immobilisent ; mais cette inadéquation est réciproque. Qu'est-ce que le sentiment si ce n'est une idée confuse et incertaine, une idée qui se cherche et qui ne s'est pas encore trouvée ?

Dira-t-on que c'est le sentiment qui donne à la pensée du croyant sa vibration et son contenu ? C'est très exact : sans finalité, sans orientation dynamique à Dieu, l'esprit fabriquerait des concepts creux. Toutefois ne peut-on affirmer avec une pareille justesse qu'un sentiment sans vérité est illusoire, qu'une émotion sans objet est fictive ? Comment discerner le sentiment religieux, qu'on dit absolu, des sentiments profanes ? Par sa tonalité et son intensité ? Le critère varierait alors de tempérament à tempérament ; et dans bien des cas, ce serait l'émotion sexuelle qu'il faudrait appeler divine. On ne peut éviter le subjectivisme que par un critère objectif qui discerne les états affectifs relatifs et absolus, particuliers et universels. Comment ce discernement sera-t-il possible sans la pensée ?

Dira-t-on que la pensée est médiate, tandis que le sentiment est immédiat ? Cependant il y a des connaissances immédiates comme la connaissance sensible et des sentiments médiats comme celui du respect. On pourrait même dire que toute émotion spécifiquement religieuse et que tout sentiment de valeur est médiatisé, en ce sens qu'il implique une synthèse de la sensibilité et d'un dynamisme ontologique distinct.

Ou bien le sentiment religieux est absolument indéterminable, et, dans ce cas, il n'a aucun objet et est sans valeur ; ou bien il n'est déterminable qu'extrinsèquement par des symboles, et, dans ce cas, étant formel sans contenu, il est relatif ; ou bien enfin il peut se déterminer en lui-même, se vouloir lui-même dans l'absolu ; dans ce cas il sera un sentiment de valeur, mais il ne le sera que par la réflexion immanente de l'esprit ou grâce à la raison.

2. — L'intuitionisme sentimental ne peut donc se justifier ni par l'histoire, ni par la psychologie, ni en métaphysique. Restent ses objections qui ne sont pas décisives.

a. Si, dit-il, on fonde la religion sur la métaphysique, on la rend inaccessible aux simples d'esprit ; on condamne tous ceux qui, à défaut de culture ou de loisir, ne peuvent s'adonner à la philosophie et rendre leurs convictions rationnelles. Dans l'hypothèse intellectualiste, toute objection non résolue, toute insuffisance de preuve doivent conduire logiquement à l'abandon de la foi. Au contraire, dans l'hypothèse intuitioniste, le fidèle ne peut être troublé par des difficultés spéculatives. La croyance est autonome, indépendante de la raison.

L'intuitioniste croit pouvoir vivre en partie double. La paix véritable suppose l'unité. Partout où il y a dualité, irré-ductibilité de la pensée et du sentiment, il y a, si on l'accepte et si on en est conscient, déloyauté et hypocrisie ; si on l'ignore, déséquilibre et solution provisoire. Séparer la religion de la raison, ce n'est pas la sauver, mais la rendre irrémédiablement subjective ; c'est guérir le malade en lui donnant la mort.

Il n'y a donc pas de foi sincère qui ne doive être raisonnable et qui puisse se passer de toute preuve. Une preuve — il est vrai — peut être ou explicite ou implicite. Elle est explicite quand l'affirmation religieuse se justifie « hic et nunc » par une dialectique de la pensée et de l'action ; elle est implicite quand, à défaut de cette démonstration, le fidèle pressent, grâce à une finalité ontologique qui peut suppléer aux déficiences de la pensée réfléchie, la valeur inconditionnée de l'objet religieux. Ainsi le défaut de toute preuve doit conduire à l'abandon de la foi religieuse dont la certitude est apodictique ; mais le défaut d'une preuve explicite ne peut ni ne doit provoquer le doute. Tout comme on peut raisonner parfaitement sans notions claires de logique, agir moralement sans avoir disserté sur l'impératif catégorique, ainsi on peut être légitimement religieux sans avoir de talent philosophique. La métaphysique spontanée précède et supplée à la métaphysique réfléchie.

b. — L'intuitionisme a aussi reproché à l'intellectualisme de tarir le sentiment, d'étouffer la mystique qui est le couronnement de toute religion profonde.

Ce reproche peut s'adresser au rationalisme, mais non à l'intellectualisme. Au terme d'une théodicée l'objet religieux reste encore indicible pour un métaphysicien. Dieu est l'Être qu'aucun concept ne peut circonscrire, dont aucun raisonnement ne peut révéler l'inépuisable richesse et l'ultime réalité.

On oppose la connaissance et l'amour comme des concurrentes jalouses qui ne peuvent régner qu'en se détrônant. Il n'en est rien. Corrélatifs, ils ont besoin de leur mutuel appui. Plus on connaît Dieu et plus on l'aime, plus on se donne à lui et plus on le connaît. « Certitude, Sentiment, Joye, Paix... Joye, Joye, pleurs de Joye », s'écriait Pascal ! Le cœur peut avoir ses raisons, mais il ne s'exalte que dans la certitude absolue. Le christianisme qui est la plus dogmatique des religions, est aussi celle qui, selon la remarque de Heiler, compte le plus de mystiques ; et, dans l'histoire du christianisme, les siècles où les mystiques souffrent persécution, sont ceux dont la doctrine est en déclin. Ceci s'explique du fait que les phénomènes mystiques ne sont pas irrationnels comme on semble le supposer.

Dans l'étude profonde qu'il en fait, le Père Maréchal leur découvre comme un double caractère :

Caractère négatif : « Effacement du moi empirique, abandon de l'imagerie et de la spatialité, absence de toute multiplicité dénombrable, c'est-à-dire, en un mot, cessation de la pensée conceptuelle. »

Caractère positif : « Cette suspension de la pensée conceptuelle n'est pas l'inconscience totale, mais au contraire un élargissement, une intensification ou même une forme plus haute de l'activité intellectuelle. »

Or, conclut-il, ces deux caractéristiques de la mystique sont « contradictoires pour toutes hypothèses imaginables, sauf une : c'est que l'intelligence humaine puisse arriver, dans certaines conditions, « à une intuition qui lui soit propre », en d'autres termes que l'intelligence, au lieu de construire analogiquement et approximativement son objet, en matériaux empruntés à la sensibilité, puisse quelquefois atteindre cet objet dans une « assimilation immédiate » [1].

La mystique n'infirme donc pas la valeur de l'intelligence, puisqu'elle la montre capable d'intuition. On dit que saint Thomas, après avoir tant usé de la raison déductive, renonça à la fin de sa vie au raisonnement pour s'adonner à la contemplation. En agissant ainsi il témoignait de son respect pour l'intelligence qui n'est pas seulement notionnelle et discursive. Toute pensée claire et toute activité humaine supposent une puissance de l'Être, un centre mystérieux d'unité dont les activités spirituelles émergent et vers lequel elles convergent. L'intuition mystique, prise de possession de l'être dans son unité, justifie les démarches synthétiques qui la préparent et répond au postulat d'immanence de l'esprit.

L'homme est doué de deux facultés ontologiques : la volonté,

[1] J. MARÉCHAL, *Études sur la Psychologie des Mystiques*, pp. 245-246, Louvain, 1924.

faculté de l'être en tant qu'il est autre et qu'on s'y porte ; la pensée, faculté de l'être conquis et assimilé. L'intuition mystique ne se produit pas au moment où la volonté a éliminé l'intelligence, et où le contemplatif ne possède plus l'être qu'en tant qu'il est autre, car l'autre comme tel n'est pas ; elle ne se produit pas davantage à l'instant où l'intelligence s'émancipe de la volonté, et où le contemplatif ne possède plus l'être qu'en tant qu'il est assimilé ou identique, car une pure identité est inerte et irréelle ; elle se produit au moment où le saint se sent un avec Dieu et distinct de lui, grâce au concours actif et immanent de l'intelligence et de la volonté.

D. — L'INTUITION DYNAMIQUE

I. ORIGINE HISTORIQUE

Les modernistes se flattaient de communier avec ferveur à l'esprit de leur siècle. Cependant rien n'est mobile comme un idéal collectif. L'horizon philosophique tourna et les modernistes, rentrés dans l'ombre du passé, ne seront plus actifs et présents que par les publications de leurs mémoires.

« Il semble, écrivait Jaurès, à la fin du siècle, qu'il y ait en France, depuis deux générations, une sorte d'abandon d'esprit et une diminution de virilité intellectuelle. On veut se plaire aux choses ou aux apparences des choses beaucoup plus que les pénétrer et les conquérir. Dieu, l'Univers, l'Infini sont devenus des formules littéraires qu'aucune pensée forte ne remplit. Il y a, à l'heure actuelle, comme un réveil de religiosité, on rencontre partout des âmes en peine cherchant une foi, à moins que ce ne soient des plumes en peine cherchant un sujet. On a besoin de croire, paraît-il ; on est fatigué du vide du monde, du néant brutal de la science : et on aspire à croire... quoi ? quelque chose, on ne sait ; et il n'y a presque pas une de ces âmes souffrantes qui ait le courage de chercher la vérité, d'éprouver toutes ses conceptions et de se construire à elle-même, par un incessant labeur, la maison de repos et d'espérance. Aussi on ne voit que des âmes vides qui se penchent sur des âmes vides, comme des miroirs sans objet qui se réfléchiraient l'un l'autre. On supplée à la recherche par l'inquiétude, cela est plus facile et plus distingué... Quiconque n'a pas la foi ou besoin d'une foi est une âme médiocre ; quiconque a un système ou une doctrine pour appuyer sa foi est un lourd scolastique... C'est une ère d'impuissance raffinée et de débilité prétentieuse qui ne durera pas ; la conscience humaine a besoin de Dieu et elle saura le saisir malgré les sophistes qui n'en parlent que pour le dérober... La scolastique prendra sa revanche, si l'on entend par là l'effort de l'esprit et cette netteté d'idées sans laquelle il n'est pas de conduite loyale [1]. »

Jaurès ne se trompait pas. Ceux qui se complaisent à rêver à l'infini et à l'inconnaissable n'en attendent que des jouissances subjectives. Les générations du vingtième siècle en espéreront davantage ; leur recherche religieuse n'exclura pas la trouvaille ; par tendance elles seront réalistes.

Ce n'est pas que le courant philosophique se soit brusquement inverti et que le rationalisme, un moment en déclin, ait soudain retrouvé la faveur. Le thème de la philosophie reste l'action, l'intuition, la valeur. Cependant l'intuition et le sentiment de valeur, subjectifs autrefois, auront dans la philosophie nouvelle une portée ontologique. L'agnosticisme, qui est à la base du subjectivisme sentimental, découlait non moins de la « Critique de la Raison pratique » que des déficiences de la « Critique de la Raison pure ». Pour Kant il existait une déduction « a priori » des catégories de l'entendement, mais pas d'induction transcendantale des principes réalisateurs du vouloir. Or, en étudiant plus nettement l'action, on découvre qu'elle se déroule d'après un ordre qui n'est pas celui de la raison et qui est encore moins celui de la sensibilité. Cet ordre est objectif. De là les philosophies de la valeur. Dans l'action humaine et dans les jugements qui expriment son contenu nécessaire, on trouve des normes situées au delà du plaisir et de l'utilité, qui ne sont ni indéterminables ni empiriques. Elles constituent la vie spirituelle dont les modalités sont absolues.

Dans l'école néokantienne de Fribourg, Dunkmann et Windelband font de la religion, qui est le couronnement du monde

---

[1] J. Jaurès, *De la Réalité du Monde sensible*, pp. 37-38, Paris, 1902.

des valeurs, la réalité métaphysique suprême. Sans doute ces
systèmes dynamiques ne prennent pas tous le même chemin.
Certains d'entre eux restent au point de vue immanent d'une
philosophie de la culture ou de l'humanité ; ceux-là mêmes,
qui, en réaction contre le relativisme et le psychologisme historiciste, réclament une axiomatique, auront rarement des conclusions fort nettes. Ils ont le mérite cependant d'ouvrir des pers-
pectives nouvelles vers un réalisme objectif. La connaissance,
compénétrée de finalité, mise en contact immédiat par l'action
avec son objet, ne paraît plus devoir être relative. Il y a des
fins qui sont universelles et valables en soi ; il y a un ordre
apriorique du cœur, non moins qu'un ordre apriorique de la raison.
On distinguera l'ordre des valeurs sensibles, vitales, spirituelles
et religieuses ; on s'appliquera à une analyse interne du vouloir
et de ses conditions transcendantales. Quoique le dynamisme,
dans la mesure où il est exclusif, ne fixe jamais l'aspect synthétique de l'action, cependant l'action, interprétée dans un sens
ontologique, oriente la philosophie dans la direction d'une
métaphysique.

Tandis que les néokantiens dépassent leur maître, Husserl
fonde l'école phénoménologique. Elle sera à la fois intuitioniste et intellectualiste — et c'est dire que l'intuitionisme dont
nous parlons dans ce chapitre, s'en distingue nettement. Néanmoins elle crée une méthode dont beaucoup d'existentialistes
se serviront. Cette méthode qui s'oppose également au constructionisme et au psychologisme, consiste à ne se laisser guider
que par des évidences immédiates, par la vue des essences qui
apparaissent au moi transcendantal ; ainsi elle prétend arriver
à définir avec une extrême rigueur les données pures de la
conscience vécue.

Scheler adopte cette méthode mais en la modifiant ; elle
n'a plus comme fin la contemplation intellectuelle des essences, abstraction faite de leur existence. Il existe des intuitions
non-rationnelles comme celles du bien et du mal, du beau et
du laid, du profane et du religieux qui prêtent à une étude
distincte de la logique. Si l'on peut découvrir dans la connaissance des éléments aprioriques, ils se retrouvent aussi dans la

vie émotionnelle, dans les intuitions du sentiment, dans les actes de préférence et de répugnance qui ont une intentionnalité propre, laquelle ne dérive ni de la sensiblité ni de la connaissance. Dans ces actes intentionnels concrets, antérieurement à toute analyse intellectuelle, l'objet révèle sa valeur. Par les antennes du sentiment, l'homme entre en communication avec la vie profonde et nouménale du cosmos. La sympathie ou l'antipathie, davantage encore l'amour et la haine peuvent, sans aucune médiation du savoir, révéler l'absolu. Le sentiment religieux ne serait ni esthétique ni moral ni spéculatif ; il relèverait d'une expérience supérieure, du contact intuitif et amoureux du sujet avec la Liberté, créatrice de toute réalité et de tout amour.

En Angleterre et aux États-Unis, au début du siècle, après le déclin de la philosophie spéculative et la poussée pragmatiste, le néo-réalisme rallie la majorité des suffrages. Il est inutile de faire remarquer que cette philosophie est fort différente de celle dont nous parlons ici. Ce n'est pas à dire qu'il n'existe aucun point de contact entre elles.

Le néo-réalisme lui aussi se refuse à médiatiser l'existence, et, comme il croit à une saisie immédiate des choses, il s'en réfère à l'intuition pour justifier l'existence de Dieu ; lui aussi parle de la discontinuité de la nature, de finalité, de croissance par émergence ; lui aussi a sa philosophie des valeurs. Quoique celles-ci présupposent des actes psychologiques, elles ne sont pas relatives. La personne humaine, qui est le support des valeurs, n'est pas leur centre ultime. Dieu, valeur dont procèdent toutes les valeurs, est l'acte qui les fait être. On adhère à cette valeur suprême par la foi.

Néanmoins, la pensée philosophique, dans les pays anglo-américains, demeure fort différente de celle de l'Europe. Le néoréalisme, s'il recourt au sujet, n'en est pas moins une philosophie de l'objet. L'objectivation de la nature et des données de la science demeure son premier souci. La religion survient, mais un peu par la porte de derrière, pour justifier la vision réaliste du monde et l'émergence des valeurs.

Les « Gifford Lectures » se succèdent. Parmi les plus marquantes citons celles de Sorley, Pringle-Pattison, Alexander,

Inge, Stout, Morgan, Taylor, Whitehead, Laird, Hocking. Dans l'ensemble les points du vue de recherche varient peu. D'aucuns mettent entre le vouloir du bien, les valeurs et Dieu un rapport ontologique qui justifie une croyance apodictique ; la plupart parlent de raisons de convenance et se rallient au théisme comme à une hypothèse plausible. Habituellement les négations ne sont pas radicales, mais les affirmations manquent souvent aussi de hardiesse, et les constructions de fermeté. Les néo-réalistes concluent à l'existence d'une divinité qui leur est un gage d'épanouissement indéfini des valeurs, d'émergence de la réalité à des niveaux supérieurs d'existence. Ils trébuchent presque toujours, quand il s'agit d'affirmer le caractère personnel de Dieu, sa transcendance, son activité créatrice. L'argument moral, qui paraissait concluant autrefois, ne semble plus éveiller les mêmes résonances.

Le génie français ne s'était livré qu'avec bien des réserves au délire du rationalisme transcendantal ; il fut donc moins contaminé par la réaction romantique et la religiosité sentimentale. Le dix-neuvième siècle est traversé par un courant à la fois volontariste et personnaliste qui se retrouve avec des nuances diverses, tantôt psychologique, tantôt mystique, tantôt critique, tantôt métaphysique, dans les œuvres de Maine de Biran, Secrétan, Renouvier, Gratry, Ollé-Laprune, Ravaisson, Lachelier, Boutroux, Lagneau. Ce mouvement devait s'épanouir en des systèmes importants de philosophie religieuse. Citons ceux de Bergson, Le Roy, Laberthonnière, sans parler de la philosophie de l'Esprit, que les noms de Lavelle et de Le Senne suffisent à illustrer. De son côté M. Blondel, qui est réaliste, ne manquera pas de mettre en évidence le caractère ontologique de l'action. La valeur, la finalité et la spontanéité créatrice sont les thèmes fondamentaux de ces systèmes. L'acte de foi, l'amour, la mystique en sont les achèvements existentiels.

* * *

Enfin survient l'école existentialiste. Elle est apparentée aux théories intuitionistes, mais s'en distingue. Elle s'y apparente par le rôle privilégié qu'elle assigne à la liberté et à la foi ; elle s'en distingue par une opposition plus radicale à la raison théorique et même à la raison pratique. La finalité, qui fait communier à des valeurs générales, est discréditée. Seul l'individuel intéresse, ce qui est singulier, incommunicable, l'existence qui n'est pas une détermination, mais un acte subjectif et concret. La philosophie désormais renoncera à imposer la vérité, mais essaiera de l'éveiller en suscitant l'acte libre qui la fait naître ; elle renoncera même à imposer le devoir : le devoir n'est-ce pas de l'abstrait, de l'impersonnel, de l'objectif ? Elle se bornera à décrire des expériences, les épreuves qui assaillent l'existence, les actes qui la libèrent. Elle n'enseigne plus et renonce à tout énoncé de lois ; elle se présente comme un entraînement à l'existence et à l'engagement qui conditionne son expansion.

Le fondateur de la philosophie de l'immédiat existentiel est Kierkegaard. Le mot ne doit pas tromper. Cette philosophie prend certes comme point de départ et d'aboutissement le concret ou l'existentiel, mais il serait inexact d'en conclure qu'elle se passe de toute médiation ou de toute dialectique. Comment pourrait-elle s'en passer sans oublier que l'homme est sujet au devenir ? Comme Hegel, Kierkegaard admet donc la nécessité d'une médiation, et l'immédiateté à laquelle il vise n'est pas l'immédiateté de l'innocence, mais une immédiateté qui exige une maturation.

Cependant une dialectique peut se concevoir de deux façons différentes. Elle peut se concevoir comme un mouvement nécessaire, et dans ce cas elle est spéculative ; elle peut se concevoir comme engendrée par la liberté, et dans ce cas elle est existentielle.

Dans la première hypothèse le devenir serait fictif et irréel. La dialectique spéculative se meut de concept en concept qui s'emboîtent mécaniquement l'un dans l'autre ; elle ne fait pas irruption dans l'existentiel, n'est pas un véritable mouvement, car tous ses termes sont homogènes, également nécessaires et également vides d'intériorité. De cette dialectique Kierkegaard ne veut pas, et il repousse la médiation de l'idée.

Mais il existe une autre dialectique autrement riche, vivante et réalisatrice, celle dont le moteur est la spontanéité et la liberté. C'est elle qu'il adopte ; il croit à l'efficace de l'acte libre dont la médiation peut modifier la réalité et créer une relation nouvelle entre l'homme et Dieu.

Cette dialectique existentielle comprend des stades divers, les stades esthétique, spéculatif, moral et religieux qui sont qualitativement discontinus ; elle se développe en fonction d'états vécus comme le péché, l'angoisse, la mort, la foi, qui sont logiquement irréductibles et qui révèlent les situations diverses de l'homme relativement à l'existence. L'appel de l'existence convie l'esprit à croire au Christ qui rend l'éternité présente au temps et qui le fait subsister divinement dans un contact immédiat et personnel avec Dieu.

Kierkegaard trouva peu de crédit chez ses contemporains, et jusqu'à la fin du siècle, les histoires de la philosophie ne lui accordent qu'une brève mention. Alors que tous les philosophes cédaient au courant immanentiste, qui replie l'homme sur lui-même, au lieu de le centrer en Dieu, comment l'extrinsécisme absolu de Kierkegaard aurait-il pu retenir l'attention ? La situation a bien changé depuis. Devenues existentielles, les philosophies ont redécouvert la notion de transcendance qui n'est plus négative, mais propulsive et créatrice. Aussi on revient à Kierkegaard, et les principaux philosophes de l'école existentialiste s'en inspirent.

Ce n'est pas à dire qu'il soit seul à les inspirer. Entre lui et eux s'interpose un siècle irréligieux qui a fait du Christ un mythe, et aussi des systèmes à la fois nihilistes et volontaristes. Schopenhauer leur lègue une métaphysique où l'Absolu est la Volonté, à laquelle tout se réfère et qui ne se réfère qu'à elle-même, qui est commencement absolu et fin absolue. S'il succombe au pessimisme, c'est que, en intellectualiste inconscient, il subordonne encore la volonté à des valeurs, à des fins. Nietzsche se libère de cet objectivisme déprimant et affranchit la volonté de toute norme. Elle est absolue non en fonction de quelque chose qu'elle doit réaliser, mais par elle-même, dans son acte concret. Il faut désapprendre d'agir *pour* et *à cause de* ou *parce que*. Toutes ces finalités sont humiliantes ;

elles lient le vouloir à l'autre, alors qu'il n'y a pas d'autre. Un créateur ne crée pas à cause d'une fin ; il est sa fin, transcendant dans l'acte même de sa création.

Ainsi Nietzsche est le premier philosophe à avoir professé une philosophie qui subordonne totalement l'essence à l'existence, les déterminations de l'être au pur fait d'être. Il est vrai qu'il succomba lui aussi à des mythes, au mythe du surhomme, au mythe du retour universel. Les existentialistes voudront éviter ces défaillances et se maintenir dans le pur existentiel. Ils hériteront de Nietzsche son nihilisme, son exaltation du vouloir et de l'engagement libre.

Cependant — une loi de l'histoire le constate — tout système radical se dissout, à peine est-il formulé. L'hégélianisme, qui est un rationalisme absolu, ne survécut pas à Hegel et se morcela en deux groupes, irréductiblement opposés. Le système de Kierkegaard connaît un sort non moins triste. Aujourd'hui l'école existentialiste comprend deux ailes divergentes : une aile gauche franchement nihiliste, impressionnante pourtant par sa technique philosophique et par son vocabulaire. Citons Heidegger, Jaspers, Sartre. A cette aile gauche s'oppose une aile droite plutôt faible qui comprend quelques philosophes, dont G. Marcel et Berdiaeff.

II. LA DOCTRINE

I. — *Les Postulats*

a) *Primauté de l'Existence.* — La philosophie intuitioniste ne considère comme ontologique que le caractère existentiel de l'être, tandis que son caractère noétique lui paraît accidentel et dérivé. L'être existe parce qu'il est par soi, non parce qu'il est pour soi ; ou encore l'existence prime l'essence. C'est le dynamisme de l'être, et non ses qualités, qui constitue sa réalité ultime.

Ce postulat fondamental, les existentialistes l'établissent par la critique de l'idéalisme, et particulièrement de Hegel. Quiconque identifie l'être à l'idée, le volatilise, en fait un phénomène qui manque d'opacité, une relation suspendue en l'air et irréelle. La pensée peut tout étreindre, tout expliquer, tout dévorer. Il y a pourtant une chose qui lui échappe et qui n'est peut-être pas la moindre, c'est l'existence qui n'est pas une détermination logique et qui ne se laisse pas capter par la pensée. Tout idéaliste ramène l' « esse » au « posse » : une réalité, dès qu'elle est comprise, devient un concept dévitalisé. Or, l'existence est plus qu'une possibilité, elle est l'acte qui fait la possibilité, son fondement originel. Si donc la déduction hégélienne triomphe, c'est dans le vide ; en comprenant l'être, elle le retranche du fondement dont il surgit et de la perfection à laquelle il aspire, à savoir de l'Acte ou de l'Existence. Ce n'est pas l'idée qui fait l'existence, mais l'existence qui rend possible l'idée.

On ne peut passer de l'idéel au réel. L'existence est le climat commun et à la pensée objective, et à la pensée subjective. L'opposition même du sujet et de l'objet suppose une démarche existentielle qui les rende présents l'un à l'autre. « La pensée ne peut sortir de l'existence ; le passage à l'existence est quelque chose de radicalement impensable, quelque chose qui même n'a aucun sens ; ce que nous nommons ainsi est une certaine transformation intra-existentielle. » [1] Le point de départ d'une recherche de l'être n'est donc pas l'intelligible qui, par une maturation réflexive, deviendrait existentiel ; son point de départ comme son terme doit être existentiel. Il faut affirmer la priorité de l'existence sur l'essence.

L'être existe, voilà l'assertion qu'aucun sceptique ne peut ébranler. On peut mettre en question telle ou telle détermination de l'être, car l'essence est de soi relative ; ce qui résiste à toute négation, c'est l'existence du sujet qui pense. C'est donc l'élément existentiel de l'être, et non son caractère formel, qui le rend inconditionné. L'idéalisme veut déduire l'existence de l'idée ; il ne peut le faire sans paralogisme. L'existence n'est pas seconde ; elle est première, car toute affirmation implique un acte du sujet. L'être n'est pas résultat mais principe ; il ne dérive pas de l'objet mais du sujet.

Qu'est-ce alors que l'existence ? Impossible de la définir, car qui la définirait, la médiatiserait ; qui la définirait, l'anéan-

[1] G. MARCEL, *Être et Avoir*, p. 34-35.

tirait. « L'être ne peut être ni dérivé du possible, ni ramené au nécessaire. La nécessité concerne la liaison des propositions idéales et non celle des existants... L'être est sans raison, sans cause, sans nécessité » [1]. L'existence jouit d'une priorité absolue ; elle doit être le point de départ de toute recherche et son aboutissement. Impossible d'aller du non-existentiel à l'existentiel ; aller de l'existentiel au général, c'est abandonner le réel. L'existence est l'immédiat, ce qui est rebelle à toute analyse, ce qui est inintelligible. L'objet est l'être appauvri. L'être ne peut être inventorié, il ne peut être que « salué », comme le dit G. Marcel.

L'existence ou l'acte s'oppose à l'idée, comme le réel au possible. Elle seule s'oppose irréductiblement au néant ; elle seule rend l'être présent à lui-même, présent aux autres, présent au cosmos. L'être est pour autant qu'il émerge de lui-même, pour autant qu'il s'engendre lui-même, pour autant qu'il est son propre auteur. Au contraire, dans la mesure où il est déterminé ou pensé, il est extrinsèque à lui-même et relatif. Être, c'est se faire, se créer. L'activité de l'être ne peut se comprendre qu'en fonction d'une subjectivité, d'un élan vital, d'une spontanéité.

Comment donc concevoir la racine fondamentale de l'être ? L'acte n'est pas un accident de l'être ; dans sa réalité la plus profonde, la plus intime, la plus substantielle, il est mouvement, spontanéité, initiative. S'il existe en soi, s'il est doué d'intériorité et d'intimité, s'il est lui-même au lieu d'être un produit inerte, c'est qu'il possède une activité propre, principe de tout ce qu'il est et terme de tout ce qu'il fait.

Ses déterminations et son essence proviennent de ses limites. En tant qu'il est pensé, il est figé, irréel et mort. Son existence fait son espérance, sa participation à l'infini, sa valeur inconditionnée. Par son essence il est pareil à beaucoup d'autres, identique à l'espèce ; par son existence il se révèle unique, singulier, incommunicable. Par son essence il est anonyme, interchangeable et banal ; par son existence, il se possède lui-même, il est l'extraposé qui peut narguer le néant. On dira

---

[1] J.-B. SARTRE, *L'Être et le néant*, pp. 34, 713, Paris, 1943.

donc que l'essence ou les déterminations de l'être ne le constituent pas en lui-même. C'est l'existence ou l'être en tant qu'il est activité et qu'il s'engendre lui-même, qui est son principe originel.

b) *Primauté de la Liberté.* — Du primat de l'existence découle logiquement le primat de la liberté. Un être qui existe se distingue en effet du possible par le fait qu'il a une activité propre et qu'il est doué de spontanéité. C'est donc l'acte libre qui fonde l'être et qui le constitue en lui-même ; il est son ultime fondement. Bergson critique l'illusion déterministe. Alors que la spontanéité était, chez certains de ses prédécesseurs, un attribut de l'esprit sans être un attribut de la nature, elle devient le caractère distinctif de tout ce qui est réel. Exister, c'est se déployer au-delà de soi-même, c'est être doué d'élan créateur. « L'univers n'est pas fait, il se fait sans cesse. Il s'accroît sans doute indéfiniment par l'adjonction de mondes nouveaux » [1]. Le monde est coupé d'obstacles, mais il dispose aussi d'une infinité de virtualités prêtes à les surmonter, et dont le déploiement fait l'existence de la nature et de l'esprit, la valeur de la morale et de la religion. Si l'esprit de l'homme peut être déifique, c'est lorsque l'élan créateur rend l'homme diffusif à l'infini.

La liberté, disait Jaspers, « est le premier et le dernier mot de l'existence » [2]. Quand je me pense, je ne suis plus qu'un résultat, un objet, un possible ; quand je me veux, je suis au contraire principe de mon actualité. J'existe parce que je choisis. La notion d'existence provient donc du sujet : j'expérimente ma réalité, lorsque je veux ; j'existe parce que je suis source de moi-même ; je suis quand je coïncide avec l'acte qui me fait être.

Sartre consacre à la liberté ses meilleures pages. Elle est la racine de l'être, et vouloir la référer à autre chose qu'à elle-même, c'est la dissoudre. Le moi est présent à lui-même en tant qu'il se produit lui-même ; il ne doit pas être étudié comme un objet qui a une essence ; il doit être traité comme sujet, dans l'irréductible concrétion de son acte. L'acte libre

[1] H. BERGSON, *L'Évolution créatrice*, p. 262.
[2] K. JASPERS, *Philosophie*, II, 177, Berlin, 1932.

n'est pas un acte qui a des causes ou qui est sans cause. Inconditionné, imprévisible, commencement absolu, il ne relève
d'aucune façon de la causalité. Il ne peut être rationalisé ;
il peut s'éprouver, se constater ; il est l'objet et le fondement
de toute intuition. Je constate ma liberté non par l'analyse
objective des motifs qui précèdent le choix, mais dans l'acte
du choix. Tout homme veut être libre et cette tendance active
établit immédiatement le fait de la liberté. Une liberté ne se
déduit pas d'une nécessité, pas plus qu'une activité ne peut
découler d'une essence ; elle est la réalité primordiale, le fondement ontologique des essences et de leur déterminisme.

« La liberté n'est pas une qualité surajoutée ou une propriété
de ma nature ; elle est très exactement l'étoffe de mon être...
Par le fait que je suis libre, c'est-à-dire que je ne suis pas figé
dans une forme définie d'être, emprisonné dans une essence ;
je suis renouvellement, dépassement d'être. Je suis condamné à
exister pour toujours par delà mon essence, par delà les mobiles
et les motifs de mon acte ; je suis condamné à être libre. Cela
signifie qu'on ne saurait trouver à la liberté d'autres limites
qu'elle-même ou, si l'on préfère, que nous ne sommes pas libres
de cesser d'être libres » [1].

En conséquence, la philosophie se détourne de la science
et n'est plus une doctrine, mais une prise de position, un acte.
Elle ne sera plus contemplation, déduction logique des essences, mais expérience, vie, choix. Elle cesse d'être froide, impersonnelle et détachée. Orientée à l'acte concret, elle exige la
tension, l'effort, l'irrévocable vouloir, la décision subjective.

L'intellectualiste ressemble au juge qui se réfère à une loi
universelle laquelle lui dicte son arrêt ; il met son honneur à ne
considérer qu'elle, et pense que la justice et la vérité consistent
à s'y conformer. Conséquemment, il tend à se dépersonnaliser et se défie de la subjectivité, principe d'erreur et d'injustice. L'existentialiste, au contraire, prend l'attitude du par-
tisan ; l'acte est bon parce qu'il est voulu, parce qu'il émerge

[1] *Ibid.*, p. 514, 515.

du sujet ; l'affirmation est riche parce qu'elle procède d'une décision personnelle.[1]

c) *Primauté de l'Intuition*. — Qu'est-ce que l'intuition ? « Il y a intuition, écrit Bergson, lorsque l'acte de connaissance coïncide avec l'acte générateur de la réalité. Elle est cette espèce de sympathie intellectuelle par laquelle on se transporte à l'intérieur d'un objet pour coïncider avec ce qu'il a d'unique, et par conséquent d'inexprimable ». L'intuition est la connaissance existentielle où le sujet librement produit l'objet, la connaissance immédiate et concrète.

L'intuition doit être le point de départ de toute recherche philosophique, et la métaphysique serait creuse si l'esprit en était dépourvu. La méthode réflexive est seconde. L'intuition est à l'analyse, ce que la contemplation du chef-d'œuvre est à son commentaire. Le commentaire est relatif à la vision et la suppose ; il lui est inférieur, car il ne l'exprime qu'en symboles. L'erreur fondamentale du rationalisme a consisté à subordonner la contemplation du chef-d'œuvre à son interprétation, le concret à l'abstrait.

La pensée conceptuelle qui a pour objet les essences, ne saisit pas le réel. Bergson considère les concepts comme des résidus de la vie qu'ils solidifient et ankylosent : penser c'est fixer, rendre immuable, déterminer, alors que l'être est spontanéité et nouveauté. La structure intellectuelle trahit l'élan vital ; elle défigure les données de l'intuition, qu'elle fige.

---

[1] D'après R. Polin l'homme est l'être qui se crée et se transcende. Chaque invention de valeur est irréductible à tout le donné révolu, à toutes évaluations antérieures. « Les créations de valeur consistent essentiellement à nier et à dépasser la nature, à devenir autres que le donné. Si cette création est transcendante par rapport à toute réalité, elle est à la fois irréaliste et indéterminée... A la source jaillissante de toutes les transcendances, on n'aperçoit aucun motif pour qu'une accumulation se produise dans une direction plutôt que dans une autre. Une déduction purement noétique des attitudes axiologiques primitives est inconcevable... La conscience axiologique se pose essentiellement comme une conscience subjective, si bien que toute création axiologique n'a de sens que pour le sujet et par rapport à lui. Il est à la fois le principe de la création des valeurs, la valeur de référence à laquelle on le rapporte nécessairement et leur garant responsable... En créant la valeur par un acte de transcendance ascendante, il se libère de tout fondement objectif et il s'affirme comme son libre et unique créateur et comme son seul fondement intelligible. » (R. POLIN, *La Compréhension des Valeurs*, pp. 22, 27, 29, 30.)

La méthode philosophique n'est pas déductive mais descriptive. Toute science suppose une expérience. Une chose ne peut être déterminée que si elle existe originellement. Trouver cette expérience originelle, voilà la tâche de la méthode intuitive.

L'existence peut se désigner ; elle ne peut se rationaliser ni se caractériser objectivement, elle doit se comprendre en fonction de la subjectivité qui la fait être. L'homme doit s'expérimenter et, selon le mot de Kierkegaard devenir un cobaye de l'existence. Ce qui fait la vérité d'une théorie, ce n'est pas son caractère rationnel, mais l'authenticité de l'expérience qui la découvre. Le phénoménologue renonce à démontrer ; il se contente de dévoiler, de révéler, de découvrir, d'interpréter et de vérifier les données immédiates de la conscience.

Serait-ce que l'intuition doive exclure toute méthode réflexive ? Ce serait supprimer la philosophie. Aussi les intuitionistes l'emploient à titre subsidiaire en la subordonnant à l'intuition. On pourra, on devra donc recourir à une réflexion existentielle. Cependant la dialectique théorique demeure exclue. Pas de médiation de l'idée ni de la nécessité logique. « La voie de la réflexion objective fait du sujet quelque chose de contingent, de l'existence quelque chose d'indifférent et d'évanouissant, » disait Kierkegaard [1] en critiquant Hegel. Et É. Le Roy : « L'intelligence théorique ne dispose d'aucun pouvoir créateur ; son rôle n'est que d'analyser, de critiquer, d'enchaîner : travail d'où ne peut surgir nulle révélation d'un être concret qualitativement nouveau » [2]. Selon G. Marcel, la dialectique a un rôle purement négatif ; elle doit démontrer le « caractère déformateur de toute objectivation... Il y a quelque chose d'absurde dans une certaine prétention à encapsuler l'univers dans un ensemble de formules plus ou moins rigoureusement enchaînées » [3]. Selon Scheler, la dialectique est hypothétique, conditionnée par l'intuition qu'elle présuppose et ne produit pas.

[1] *Recherches philosophiques*, 1933-1934, p. 184.
[2] *La Pensée intuitive*, p. 88, Paris, 1928.
[3] *R. M. M.*, 1912, p. 652 ; *R. S. R.*, 1938, pp. 152-153.

II. *Les Théories religieuses*

Les intuitionistes s'entendent sur ces postulats qui spécifient leur méthode. Ils en déduisent néanmoins des théories fort divergentes.

a) *L'Axiologie nihiliste*

Heidegger et Sartre considèrent le nihilisme comme la conclusion logique de toute méthode existentialiste. Entre l'acte et l'être s'interpose un abîme infranchissable. Sans doute l'être est présent à la conscience, puisque je suis présent à moi-même et que le monde m'est présent, mais cette présence du moi au monde et du monde au moi implique une dualité, une absence et un défaut de coïncidence qui ne peuvent être propres à l'En-soi. « La présence à soi, écrit Sartre, suppose qu'une fissure impalpable s'est glissée dans l'être. S'il est présent à soi, c'est qu'il n'est pas tout à fait soi. La présence est une dégradation immédiate de la coïncidence, car elle suppose la séparation » [1].

La conscience ne se révèle donc que par son alliance avec le non-être ; elle s'oppose à l'existence dans l'acte même où elle la pose. L'homme est un être manqué, un être qui ne peut cesser de vouloir-être, et qui est pourtant radicalement impuissant. L'être le visite, le hante et l'appelle, et pourtant demeure l'irréalisable, le transcendant. « La réalité humaine est souffrante dans son être parce qu'elle surgit à l'être comme perpétuellement hantée par une totalité qu'elle est, sans pouvoir l'être, puisque justement elle ne peut atteindre l'en-soi sans se perdre comme pour soi. Elle est par nature conscience malheureuse, sans dépassement possible de l'état de malheur » [2].

L'homme est libre sans doute, mais sa liberté est loin d'être absolue. Il ne peut choisir de ne pas choisir, car se refuser à choisir, c'est encore choisir. Le choix se présente comme une nécessité et exige toujours un renoncement. Il est négatif et, comme tel, il ne provient pas de l'être, mais du non-être ; il connote un être dont l'acte est irrémédiablement néantisé.

---

[1] *L'Être et le Néant*, p. 120.
[2] *Ibid.*, p. 134.

Puisque l'homme ne se produit pas tout entier, sa liberté est contingente et inefficace : il est présent à lui-même sans être totalement lui-même.

Sartre avait remarqué que l'objectivation implique une inadéquation ; la volition souffre de la même déficience. Pas plus que le savoir, l'acte existentiel ne prend possession plénière de l'être.

On parle de sincérité, mais est-il possible d'être totalement ce qu'on est ? la coïncidence du moi au moi est impossible. La mauvaise foi l'atteste : le moi s'y oppose à lui-même en se dupant, en se cachant l'opposition meurtrière qui le désagrège. La bonne foi évite ce mensonge ; elle oppose le moi à son devoir, le fait à l'idéal, d'où une autre rupture qui oblige de nouveau à constater l'impossibilité d'une réalisation immanente du moi.

Pas de vie morale sans effort, sans lutte, sans médiation. La volonté honnête ne se totalise pas dans l'existence, pas plus que l'intelligence ne se totalise dans la vérité ; elle est précaire, défaillante. La notion de valeur et l'obligation qui la caractérise, témoignent, comme la liberté, de la transcendance de l'existence.

Qu'est-ce, en effet, que la valeur ? Elle est ce qui doit être et qui n'est pas en fait. Les pragmatistes qui veulent justifier les valeurs par leur efficience concrète ou par leur rendement, les dégradent. Par leur nature, elles assignent à la volonté un idéal qui transcende les faits.

Je suis obligé ; or l'obligation s'impose comme étrangère au moi et ne procède pas d'une projection subjective. Une volonté créatrice n'est pas soumise à la loi ; elle est sa loi ; elle est son agir. La volonté de l'homme, au contraire, ne peut se superposer d'une façon plénière à elle-même, elle est aliénée.

Le dynamisme volontaire et moral ne rejoint donc pas l'être ; il se bute à une transcendance, manifeste une incomplétude, une inadéquation essentielle. L'être est absent au cœur de la conscience ; la conscience humaine se perçoit sans cesse en commerce avec le rien. « Je ne puis percevoir l'être comme totalisé, écrit Sartre, je le perçois toujours au-delà de ce que je suis comme « à-venir à moi-même ».

La réalité humaine est détotalisée parce qu'elle est temporalisée. Comment disposer totalement de soi-même dans le temps ? Le présent n'est-il pas limité par un passé qui est devenu nécessité morte, et par un avenir dans lequel le présent sombre ?

« Je suis en tant que je me porte vers une fin ; je suis libre en tant que je me dépasse, mais ce dépassement suppose de l'avenir, suppose le passé, qui est ce qui doit être changé et qui sert de tremplin à la volonté. Ainsi pour que le futur soit réalisable, il faut que le passé soit irrémédiable »[1]. Le passé est un résidu de vie, le moi qui n'est plus ; l'avenir est une promesse de mort. La mort est la fin de la liberté, puisque c'est la fin de l'avenir et du projet de dépassement du moi. Le mort ne vit plus que dans l'autre et par l'autre ; dépouillé de la vie subjective qui fait l'être, il est néant. La mort étale l'inanité du projet d'être.

De là l'angoisse. Ce qui fait l'angoisse, c'est l'extériorité absolue de l'être, son indifférence, son vide, son non-sens ; c'est l'étrangeté du monde où l'on n'est pas chez soi, et dont on ne peut pourtant s'évader, le dépaysement absolu, l'absolue solitude. L'angoisse naît de la liberté qui se reconnaît néant de puissance et d'existence. L'homme ne peut être ce qu'il veut être. Il est l'être qui ne garde de son passé qu'un souvenir, une existence qui n'est plus ; il ne peut envisager son avenir que comme une marche à la mort. Dans l'entre-deux il est incapable d'un engagement total, d'une projection plénière de lui-même. Il est celui qui se dépasse à tout moment et qu'aucun dépassement n'achève ; il est mobilisé par l'être, immanent à l'être puisqu'il veut ; et pourtant l'Être reste l'Autre.

L'échec de cette vocation se nomme le péché. Le péché ne décline pas toujours son nom, mais personne ne l'évite ; tout le monde le coudoie ; il est la négativité qui s'impose à toute conscience. Il se découvre dans l'angoisse, dans la détresse du moi, dans l'impossibilité où il se trouve de s'aliéner totalement dans le *Dasein* et de s'acclimater au néant. Le péché doit son origine à l'échec du vouloir qui ne peut totalement se vouloir, à l'impuissance de la liberté qui est subie, à l'impossibilité de

---

[1] *Ibid.*, p. 578.

la réalité humaine de transcender sa finitude et d'exister absolument. Le péché ainsi conçu ne résulte pas d'un fait contingent ; il définit l'état fondamental du vouloir, de toute projection existentielle du moi. Aussi est-il fatal et irrémédiable. L'homme est mauvais et ne peut être que mauvais ; il surgit du néant, comme le dit Heidegger, et retourne au néant. Exister d'une façon authentique, c'est se reconnaître coupable d'un péché irrémissible, destiné au rien.

Serait-ce à dire qu'il faut renoncer à l'action et se livrer au désespoir ? C'était la conclusion de Schopenhauer : une volonté qui ne se réalise pas, ni ne peut se réaliser, disait-il, doit cesser de vouloir. Telle n'est pas la conclusion des existentialistes. Pareils à Nietzsche, ils veulent continuer à vouloir quoique le vouloir soit inexistentiel, à choisir alors que le néant est l'aboutissement de tout choix. Comme Nietzsche, ils sont fidèles à la volonté désespérée d'être et gardent le culte de l'action et de l'engagement. Un engagement absolu leur est interdit, puisqu'ils sont les partenaires du néant ; il leur reste loisible de faire alliance avec le relatif, et cette option arbitraire, si elle ne leur donne pas le moyen de se réaliser dans l'absolu, leur permet du moins de vibrer existentiellement.

Pour le nihiliste, écrit R. Polin, « rien ne vaut. Tout est neutre, amorphe, indifférent ; ses préférences et ses choix sont dépourvus de signification et même de sens. Rien ne mérite d'être dit beau ou laid, bien ou mal, sacré ou profane. Chaque évaluation est une invention sans fondement réel et sans loi constante. Chaque valeur se réduit à une illusion subjective, à un jeu insignifiant de l'esprit, à un assemblage arbitraire de mots... Pour lui, comme le remarquait Nietzsche, les catégories de l'unité et de la totalité ont perdu toute signification. Ce chaos déliquescent est rebelle à tout effort de mise en ordre systématique et, en particulier, à toute interprétation téléologique. L'incohérence axiologique est telle que l'utile et même l'inutile. sont indéfinissables. »

« Dans ces conditions, il n'y aurait pas d'autre issue à la réflexion axiologique qu'une issue tragique. L'essence de l'homme lui imposerait un destin contradictoire et insoluble ; il ne pourrait être qu'en se niant, et s'accomplir qu'en renonçant à l'existence. Le tragique humain prendrait sa source dans le principe de transcendance. Le destin de l'homme ne serait pas d'être, mais de s'anéantir pour exister en tant que personne humaine. Ce dépassement, cet anéantissement de chaque instant serait une préfiguration de la mort. » [1]

b) L'Axiologie de Jaspers

Tous les existentialistes ont des postulats communs. Selon Jaspers comme selon Heidegger, l'être ne peut être saisi par la pensée qui l'assimile ; il surgit d'un mouvement subjectif et ne prête à un savoir que dans la mesure où il est acte. Je ne puis avoir conscience de mon existence que dans la mesure où je me fais être ; je ne puis avoir conscience du monde que pour autant qu'il répond au projet humain.

L'esprit, pour connaître, doit atteindre le réel ; s'il s'en décrochait, il ne penserait plus. Une certitude authentique porte non sur des concepts, mais révèle la présence d'un objet concret, savoir immédiat dans lequel deux actes coïncident. Toute conscience d'être exige donc un vouloir-être, une liberté, une capacité de se dépasser. J'accède à la vérité par le choix ; je la possède par la foi.

Selon l'un et l'autre de ces philosophes, le projet subjectif qui constitue la réalité humaine, l'engage dans la matière. Le corps et son enveloppant, le monde, ne sont pas des apparences, mais des sources d'actualisation du moi. Le moi ne réalise sa présence à lui-même que dans son corps ; il ne peut se faire être que dans le *Dasein* ; s'il venait à s'en abstraire, il ne serait plus. Le « Je » transcendantal des idéalistes, le moi nouménal, isolé du moi phénoménal, est une fiction. L'insertion de la personne dans le monde, conditionne intrinsèquement sa réalité, voire sa spiritualité.

· Selon l'un et l'autre de ces philosophes, l'engagement intra-mondain, principe d'existence, néantise en fait l'homme. En effet, toute existence empirique est non créatrice d'elle-même, précaire ; elle subit des situations, est livrée à la fatalité et sujette au

---

[1] R. POLIN, *La Création des Valeurs*, pp. 272, 273.

hasard. Le monde s'impose à elle comme un fait, comme un dehors, comme une limite qui la contraint, comme une nécessité qui la brutalise. Le temps l'écartèle et dissout son acte ; ce qui est accompli, s'évanouit ; l'avenir est la mort. De là l'inquiétude humaine, le souci. Rivé au monde, le moi ne peut s'y achever et s'y sent étranger. L'acte qui incarne l'esprit dans la matière, l'accule à un irrémédiable échec.

Malgré ces coïncidences partielles, les deux systèmes demeurent fort différents. D'après Heidegger, l'acte libre qui constitue l'homme, le projette dans le monde, sans qu'aucune finalité supérieure ne le relance dans un au-delà, vers l'Absolu. Il vit donc en dehors de lui-même, sans relation ontologique, sans émergence vers l'Être. Jaspers, au contraire, définit la liberté de l'homme par un double projet qui le réfère et au monde et à l'Un absolu. Ces deux projets, qui sont intrinsèquement solidaires, sont voués l'un et l'autre à l'échec ; mais l'échec est ontologique ; c'est l'absence de l'Être, non moins que l'extraposition du monde, qui le rend définitif.

Conséquemment l'existentialisme de l'un sera athée ; l'existentialisme de l'autre sera, par orientation du moins, spiritualiste et religieux. Tandis que, pour Heidegger, Dieu est le rien, le pur néant, l'inexistentiel qui ne sollicite aucunement ; il est, pour Jaspers, l'Étranger dont on souhaite la familiarité, le Séparé dont on souhaite la présence. Jaspers n'est pas irréligieux d'intention et ne veut pas se défaire de Dieu ; il croit seulement devoir constater sa carence. Cette carence le désespère et il ne s'en console point ; il ne veut pas se retrancher de la Transcendance et demeure sensible à son appel et à son attirance.

Qu'il y ait quelque naïveté à vouloir fonder une doctrine de la pure transcendance, nous le reconnaissons. Le matérialisme qui enfouit l'homme, dans le monde et selon lequel l'homme n'existe que pour le monde, peut à première vue paraître plus logique et plus cohérent. Un Dieu totalement absent, qui ne fait à l'homme aucun signe et qui ne lui infuse aucune grâce, n'est-ce point l'irréel, l'absurde, dont il faut à tout prix se défaire ?

Néanmoins la pensée de Jaspers ne manque ni d'élévation

ni de noblesse, car il se refuse à équilibrer l'homme dans le rien ; et, tout en désespérant, il garde encore je ne sais quel espoir dans l'Un. Ajoutons que son système est suggestif. La philosophie ne progresse pas seulement par ses essais heureux, mais aussi par ses méprises. Quand un chemin sans issue n'a pas été suivi opiniâtrement jusqu'au bout, il continue à solliciter le chercheur et menace de l'égarer. Jaspers a enfilé la voie de la pure Transcendance. Son cheminement opiniâtre, son jusqu'auboutisme radical, son échec montrent clairement que la route qu'il a empruntée est barrée, que la méthode qu'il préconise est inefficace.

Nous ne nous attarderons pas à expliquer l'ensemble de sa philosophie ; nous nous contentons d'exposer les grandes lignes de sa théorie religieuse.

Jaspers porte sur les religions positives un jugement sévère. Cédant au philosophisme que l'idéalisme lui lègue et dont on s'attendrait pourtant à ce qu'il réforme les vues, il affirme avec Hegel que ces religions correspondent à un stade inférieur de la vie de l'esprit. Elles ont foi en l'irruption de l'au-delà dans l'en-deçà ; elles croient à la révélation divine, à la présence de Dieu dans le monde. L'Église suscite cette foi et la propage. Au nom de Dieu, elle enseigne des vérités qu'elle affirme divines ; elle entraîne ses fidèles à la prière et les astreint à un culte qui serait déifique. Celui qui s'affilie à ces religions espère échapper aux tortures du doute, trouver la paix dans la possession assurée de vérités infaillibles, pénétrer enfin au havre du salut.

Jaspers avoue que la conscience du philosophe semble de prime abord fort pauvre quand on la compare à celle du croyant qui, alimentée par la tradition, réconfortée par l'assentiment social, peut se prévaloir de certitudes objectives supérieures. Il reconnaît qu'il serait dangereux parfois de se détacher prématurément de ces confessions traditionnelles. Elles ont une valeur pédagogique et maintiennent les fidèles en contact avec la Transcendance. Néanmoins le philosophe ne se laisse ni asservir à leur credo, ni gagner par leurs promesses, ni séduire par leurs espérances ; car l'au-delà ne se trouve point dans l'en-deçà, la parole de Dieu ne se déchiffre point, la révélation est un mythe.

Ce qui rebute particulièrement Jaspers, c'est le caractère autoritaire de ces religions. L'Église impose à ses membres les données de la révélation ; les théologiens s'en emparent, rationalisent l'irrationnel, et subordonnent la parole de Dieu aux préjugés de l'École. D'où un double asservissement pour l'esprit. Aussi estime-t-il que le conflit entre les religions et la philosophie est inéluctable. Une vérité cesse d'être existentielle, quand elle n'est plus subjective. Sans la médiation de la liberté et de sa recherche autonome, la Transcendance disparaît ; elle se cristallise dans des rites, s'agglutine à la matière, se momifie dans des dogmes objectifs. Croire ce n'est pas agréer un message social, mais choisir ; ce n'est pas vouloir la paix à tout prix, mais accepter l'angoisse et se dépasser sans trêve.

La foi doit être individuelle. Un Dieu impersonnel, le Dieu de la communauté, est un faux-dieu. Pour qu'il soit authentique, il faut qu'il soit mon Dieu ; or il ne le sera que si je l'ai élu moi-même. Le croyant est celui qui choisit librement, travaillé par la Transcendance, dont aucun énoncé ne peut formuler le contenu, à laquelle aucun acte ne peut assortir. Les religions peuvent aider l'esprit et l'acheminer jusqu'à la lisière au delà de laquelle s'étend le no man's land de la Transcendance ; elles deviennent fanatiques et odieuses quand elles prétendent posséder la parole de Dieu et être dépositaires de son autorité. La religion véritable doit donc être personnelle, libre et philosophique. Mais quelle est la philosophie qui ait une conception exacte du rapport de l'homme à l'Absolu ?

Serait-ce l'idéalisme ? Il fait de Dieu l'Idée ; et, comme une idée peut être assimilée, il affirme l'immanence de Dieu dans l'esprit. Il oublie que l'Absolu est l'Existence que rien ne conditionne. La déduction de l'Absolu est contradictoire. Le fondement ultime de toutes les possibilités n'est pas Possibilité, mais Acte, Position Absolue, antérieure à toute possibilité et inaccessible à la pensée. L'existence ne se médiatise point ; elle transcende la réflexion et échappe à la dialectique spéculative. Objectiver l'Absolu, c'est en fait le rendre relatif. L'absolu des idéalistes est un fantôme, un pseudo-absolu qui manque de Transcendance.

Les moralistes dérivent Dieu de la loi de la conscience. Et,

certes, la morale non moins que la métaphysique peut amorcer
le contact avec la Transcendance ; mais il n'y a aucune homo-
généité entre le moyen et le terme, car comment une loi abstraite
pourrait-elle mettre l'homme en communication avec l'Absolu
Existentiel ? L'immanentisme moral n'est pas moins irréligieux
que l'immanentisme spéculatif. Pas plus que l'homme ne peut
assujettir l'Absolu à sa pensée, il ne peut le conquérir par son acte.
L'acte moral est l'acte libre ; or, dans l'acte libre, le moi se révèle
à lui-même comme élan vers la Transcendance, comme dépassement indéfini de lui-même. C'est dans l'au-delà de tout léga-
lisme, livrée à l'inspiration, que la conscience peut vivre en la
présence de la Transcendance.

Les mystiques se targuent d'entrer en contact immédiat
avec Dieu et d'en faire l'expérience. Cette expérience est-elle
réelle et décisive ? Peut-on s'évader du monde et se soustraire
à l'emprise du temps ? Non ! l'évasion mystique est fictive et
mène le contemplatif au désert. Qui se sépare du monde, s'isole
de Dieu, car c'est dans le monde que Dieu vit caché et agissant.
Ce n'est que dans le *Dasein* et en communication avec les autres
hommes que la religion peut demeurer vivante. En brisant ses
relations intramondaines, le mystique rompt avec la Transcendance. Sa contemplation reste creuse, vide, peuplée par les
fantasmes d'en-bas. En fait il cesse d'exister et se suicide.

Mais en conjuguant toutes nos activités et en les sublimant,
l'esprit ne pourrait-il accéder à l'intuition de l'Un ? Jaspers
refuse à l'esprit l'intuition au sens plénier du mot. De par son
projet fondamental, l'homme est engagé dans le monde et ne
peut s'en extrapoler. Aussi sa connaissance de l'Absolu reste
toujours médiate ; il ne le connaît que dans l'autre et non en
lui-même. Impossible de cerner Dieu et de résoudre le mystère
ontologique. La pensée se sent en contact avec l'Être, mais ne
peut définir ce rapport. Elle le saisit indirectement et négativement, comme une limite extrinsèque. « Si je veux pousser
jusqu'à la source de l'Être, je tombe dans le vide. Jamais je
n'atteins ce qui est, comme un contenu de connaissance » [1].

De même aucune attitude pratique, le défi pas plus que l'aban-

---

[1] K. JASPERS, *Philosophie*, III, p. 3, Berlin, 1932.

don, la passion du jour pas plus que la passion de la nuit, la fidélité pas plus que la révolte n'actualisent pleinement le vouloir. Aucun système, qu'il soit dogmatique ou athée, panthéiste ou théiste, émanatiste ou créationiste ne peut résoudre les antinomies qui défient la raison. Qu'elle recoure aux catégories de la pensée ou aux valeurs qui mobilisent l'action, la métaphysique manque de solutions adéquates. Il n'y a aucune vérité qui satisfasse toutes les exigences de l'esprit, aucune valeur qui totalise toutes les valeurs. Dans tout acte il y a du résiduel, dans toute pensée systématisée des disparates.

Jaspers ne soutient pas, ce qui n'aurait aucun sens, que l'être soit absurde ou irréel, mais au niveau de l'esprit humain, il paraît tel. Certes, dans la Transcendance, l'idéel et le réel doivent coïncider. Jaspers, à l'encontre de Kant, considère l'argument ontologique comme l'approche la plus immédiate du mystère de l'Être. Cependant, si l'on peut démontrer que l'Un doit être, il est impossible de dire ce qu'il est. L'unité suprême doit exclure les contraires ; or toute activité, qu'elle soit spéculative ou existentielle, est antithétique ; elle ne peut se poser qu'en s'opposant, affirmer sans nier, vouloir sans renoncer, choisir sans pécher. Le domaine de la Transcendance est donc inaccessible et inexplorable. Elle est non seulement de l'inconnu mais l'Inconnaissable, du non-réalisé mais l'Irréalisable.

Aussi la seule religion possible est une religion de la pure Transcendance. Le vrai philosophe ne porte pas la main sur l'Absolu et ne prétend ni le connaître ni le posséder ; il doute, demeure incertain, respecte le silence de la divinité ; il avoue sa radicale impuissance. Une dialectique existentielle et, a fortiori, une dialectique spéculative n'ont qu'une fonction négative ; elles convainquent l'homme de son échec, l'échec de sa raison, de sa liberté, de son être. Pas d'achèvement possible de l'existence humaine ! La totalité dont l'homme dépend et qui l'inspire, n'est pas une donnée ; elle échappe à toute objectivation et se dérobe à toute conquête. La Transcendance apparaît dans la conscience comme terme d'un désir sans saisie et d'une pensée sans cohérence.

A la question : Qu'est-ce que la Transcendance ? il n'y a

point de réponse, et pourtant une assurance de son existence au delà des catégories logiques et des valeurs subjectives. « La Transcendance est l'Autre, entièrement Autre, sans comparaison avec quoi que ce soit. Elle reste sans détermination et néanmoins, bien que ne pouvant ni être connue ni pensée, elle est présente dans l'esprit en ce sens qu'elle est, et non au sens de ce qu'elle est » [1]. La Transcendance est l'abîme insondable, la Liberté qui s'oppose à ma liberté, la Vérité qui affronte ma vérité, l'Être qui n'a rien de commun avec mon être ; elle est le Séparé qui ne se communique ni ne se donne. Le monde antinomique dans lequel nous vivons, nos devoirs abstraits, nos catégories multiples, nos sentiments existentiels ne donnent pas accès à l'Un absolu.

D'une part le monde est opaque et mortifiant ; d'autre part la divinité est muette et indifférente ; elle se fait aimer sans aimer, se fait chercher sans illuminer. L'homme, comme réalité empirique, doit échouer ; comme esprit il manque non moins de destinée. L'acte, qui le projette vers l'absolu, se néantise ; car il n'émerge point du non-être.

Mais, s'il en est ainsi, pourquoi ne pas s'abstraire de l'Absolu dont l'attirance affole le désir sans le combler jamais ? Jaspers ne veut pas du nihilisme. L'esprit existe en vertu de son élan vers l'Absolu, de son mouvement vers la Transcendance [2]. Il serait aussi illusoire de vouloir vivre sans contact avec l'Absolu que de vouloir vivre en dehors du monde.

Nietzsche a tenté d'affranchir la liberté de tout au-delà, mais l'acte existentiel, émancipé de la Transcendance, se dévore et se détruit. Le surhomme est un être infrahumain, menteur, cruel et brutal. Celui qui se détache de la Transcendance, se dégrade. C'est la relation à la Transcendance qui fait l'intensité, la profondeur de l'existence ; elle seule offre à l'homme une possibilité d'accomplissement, de réconciliation et de salut.

---

[1] *Ibid, III*, p. 164-67.

[2] « Je ne suis pas moi-même sans Transcendance ; la profondeur de moi-même a pour mesure la Transcendance dans laquelle je me tiens... Il est de l'essence de l'existence qu'en elle et lui appartenant soit un au-delà... L'homme ne reste lui-même qu'en vivant en rapport avec la Transcendance : à cette nécessité il ne peut se soustraire ». (*Ibid.*, II, 48-49, 14 ; Nietzsche, p. 381, Berlin 1936).

L'homme doit donc se projeter sans cesse vers la Transcendance, rejaillir dans le supramondain, et garder le souci de l'éternel. La vie authentique implique une tension de l'esprit vers l'Absolu. Pour la sauvegarder, Jaspers fait appel à nos activités spirituelles, à la contemplation esthétique, à la recherche spéculative [1], à l'effort moral. Leur médiation, tout en étant négative, s'avère indispensable.

Il faut continuer à questionner l'être, car sans réflexion métaphysique, la Transcendance disparaîtrait et l'homme cesserait de se dépasser ; il faut toujours vouloir et ne jamais capituler. « La recherche de l'être constitue ma liberté même. Si je cesse de le vouloir, j'en viens à cesser d'être ».[2] Malgré les déceptions l'homme doit maintenir l'engagement fondamental qui le fait être et demeurer fidèle à la Transcendance ? Cette fidélité héroïque multiplie certes les déconvenues et rend l'existence tragique. Cependant l'échec vécu permet sinon de s'unir positivement à l'Absolu, du moins de le réaliser négativement. Du courage dans le désespoir, de la fidélité à la vie authentique naît un apaisement silencieux. « Que l'être de l'Un soit, cela suffit. Mon être à moi, qui périt entièrement comme *Dasein* est indifférent, pourvu que je demeure en essor aussi longtemps que je vis. Dans le monde il n'y a point de consolation réelle et véritable qui puisse paraître intelligible et rendre supportable la mortalité de toutes choses et de moi-même. Mais, au lieu de consolation il y a la conscience de l'être dans la certitude de l'Un » [3]. La foi en une Transcendance indéterminable et irréalisable, foi tenace, toujours voulue et vécue, voilà ce qui, d'après Jaspers, rend la vie de l'homme authentique et religieuse.

---

[1] « Le sol de l'existence porte dans sa profondeur la raison... Comme l'existence vient s'échouer au bord de la Transcendance, elle tire sa clarté de la raison... Dans la communication existentielle, la raison est ce qui imprègne tous les rapports... La communication existentielle se fait par la raison... L'homme n'est lui-même que comme raison, et n'est raison que comme existence possible ». (K. JASPERS, *Vernunft und Existenz*, pp. 63-64, Groningen, 1935).

[3] *Philosophie*, III, p. 79.

[3] *Ibid.*, pp. 125-126.

c) L'Axiologie fidéiste

Genèse de la Foi. — Pour le nihiliste l'homme ne peut se libérer de l'angoisse et du péché ; selon le fidéiste le péché et l'angoisse, signes de la présence du destin, amorcent l'acte de foi [1]. Comment expliquer l'acte de foi ? Il serait manifestement vain de l'expliquer en fonction d'une dialectique déterministe, car le péché et la foi sont des états qui ne sont pas homogènes. Comment le péché pourrait-il être la cause de la foi ? Si celle-ci en procède, ce ne peut être que par émergence et donc en fonction d'une dialectique existentielle.

Vouloir d'ailleurs justifier rationnellement l'acte de foi est vain. Bergson laisse entendre que les déductions rationnelles ne manquent pas d'illusion [2]. É. Le Roy est plus affirmatif encore : « On ne démontre pas une réalité concrète, on la perçoit, écrit-il ; elle n'est point l'objet d'analyse conceptuelle mais d'intuition vécue. Si donc on entend chercher Dieu par voie de démonstration, au moins n'est-ce pas à titre de réalité qu'on le trouve, mais à titre de simple hypothèse explicative plus ou moins conjecturée : origine, centre ou sommet, en un mot principe d'unité formelle... A vrai dire, on ne démontre pas Dieu, on l'expérimente, on le vit » [3].

D'après Scheler, il ne peut y avoir de preuve de l'existence de Dieu, pas plus qu'il ne peut y avoir de preuve de l'existence de soi ou du monde. Aucune inférence logique ne permet le passage du possible au réel, de l'idéel à l'existentiel. Vouloir prouver l'existence d'un objet n'a pas de sens. Ce qu'on peut prouver

---

[1] « Le désespoir n'est autre chose que le désœuvrement parvenu à la conscience la plus aiguë de soi, ou encore, pour user d'un mot quelque peu barbare, le désengagement, la désertion d'une conscience qui ne fait plus corps avec le réel. » (G. Marcel, *Homo Viator*, p. 203.)

« Les racines du pessimisme sont les mêmes que celles de l'indisponibilité... L'âme la plus disponible est protégée contre le désespoir et contre le suicide qui se ressemblent et communiquent, parce qu'elle sait qu'elle n'est pas à elle-même, et que le seul usage entièrement légitime qu'elle puisse faire de sa liberté, consiste précisément à reconnaître qu'elle ne s'appartient pas ; c'est à partir de cette reconnaissance qu'elle peut agir, qu'elle peut créer. » (G. Marcel, *Le Monde cassé*, p. 297).

[2] *Les deux Sources*, p. 268.

[3] É. Le Roy, *Le Problème de Dieu*, pp. 80, 127.

ce sont les caractères d'un objet, mais non sa réalité. S'il est exact d'affirmer qu'on ne peut démontrer que ce qui est vrai, il serait fautif d'affirmer que ce qui ne peut être démontré, n'est pas vrai. Ce qui est saisi immédiatement, ne peut ni ne doit être démontré ; or Dieu est saisi par intuition.

Kierkegaard est anti-intellectualiste et ne veut pas de la médiation de l'idée. La foi, quand elle se réfléchit et se médiatise, détruit son objet. Elle sauve parce qu'elle libère des nécessités stérilisantes de la raison. On croit quand on n'écoute plus la raison et que le paradoxe n'effraie plus. La foi nous livre à un Créateur dont l'amour réalise l'impossible.

Toute dialectique a pour objet le devenir ; « le devenir est le changement de la réalité par la liberté », disait Kierkegaard. Aussi elle doit être subjective, médiatisée par le choix, sous peine d'être statique, amorale et irréligieuse.

« Dieu, écrit G. Marcel, ne peut et ne doit être jugé ; il n'y a jugement possible que sur l'essence. Et ceci explique pourquoi toute théodicée doit être condamnée, car une théodicée implique nécessairement un jugement ; elle est un jugement, elle est une justification. Or Dieu ne peut être justifié. La pensée qui justifie, c'est la pensée qui ne s'est pas élevée encore à l'amour et à la foi, prétendant transcender l'esprit (la croyance). La théodicée, c'est l'athéisme. » [1]

Serait-ce à dire que la foi est un acte arbitraire et qu'elle ne peut aucunement se justifier ? Aucun intuitioniste ne le pense. É. Le Roy et beaucoup d'autres croient à la possibilité d'une justification morale de la foi. Les catégories de l'unité et de la nécessité, chères au métaphysicien, sont remplacées ainsi par des expériences subjectives, celles de l'inquiétude et des désirs, celles du manque et de plénitude qui impliquent la réalité d'une Valeur suprême, Dieu. D'autres pensent que l'éthique offre une base trop étroite, car Dieu, s'il existe, doit se présenter non seulement comme l'Acte qui fait la valeur du dynamisme humain, mais comme l'Acte qui accomplit la nature. Aussi postulent-ils Dieu comme source d'émergence de la finalité du cosmos, comme principe réalisateur de l'évolution créatrice.

---

[1] *Journal métaphysique*, p. 65.

Cependant les existentialistes ne recourent ni à la raison pratique ni à la raison théorique ; car le principe de finalité est aussi abstrait que le principe de causalité ; or ils ne veulent pas de la médiation du général. L'existentialiste renonce donc à la médiation de l'éthique et de la finalité ; il ne met sa confiance que dans l'acte existentiel. Intellectuellement, le problème de l'existence de Dieu ne peut ni ne doit être résolu ; seul l'acte de vouloir peut unir effectivement à Dieu. C'est par le choix que la religion commence, mûrit et s'achève. La volonté accueille la présence de Dieu, au sujet duquel elle n'a aucun savoir. L'être ne peut jamais être possédé sans être engendré. Par l'acte libre l'homme entre en rapport avec Dieu, non comme objet, mais comme Sujet [1].

Un engagement fondamental conditionne toute existence, toute croissance, toute religion, dont la volonté libre opère les fiançailles et dont Dieu consomme l'union. Cet engagement scelle un pacte authentique entre l'homme et Dieu. Le croyant n'est pas naïf, car il n'ignore pas le caractère contingent de sa décision. La foi suppose un élan vers l'avenir, vers ce qui peut ne pas être ; elle comporte du risque. La structure du monde est telle que le désespoir est possible. Bien des expériences conseillent l'abdication et sourient de la présomption des désirs. « Il est de l'essence de la liberté, écrit G. Marcel, de pouvoir s'exercer en se trahissant » [2].

Le croyant espère et ne doute pas. Peu importent les pensées qui paralysent, les démentis flagrants, les points d'interrogation et les incertitudes. Les certitudes existentielles, à la différence des certitudes paresseuses de la raison, n'attendent pas ; elles ne sont pas rétrospectives, mais prospectives ; c'est la volonté qui, en voulant, crée sa propre évidence. Une évidence existentielle n'est pas passive, mais sélective et active. « Vivre,

---

[1] « Le christianisme est esprit, l'esprit est intériorité, l'intériorité est subjectivité, la subjectivité est essentiellement passion, et à son maximum passion éprouvant un intérêt infini pour sa béatitude éternelle... Quand on a de la répugnance pour le saut, une répugnance telle que cette passion rend « le fossé infiniment large », la machine à sauter la plus ingénieusement agencée ne vous est d'aucune aide. » (S. KIERKEGAARD, *Post-Scriptum*, pp. 20, 24, 68.)

[2] *Être et Avoir*, p. 138, Paris, 1935.

pour l'homme, c'est dire oui à la vie »[1]. Un oui héroïque, un engagement fidèle à l'existence, voilà l'acte qui unit à Dieu [2].

Nature de l'acte de foi. — Tandis que les intellectualistes font de la foi un assentiment intellectuel, et que les modernistes en font une émotion, les intuitionistes en font l'adhésion à une personne. « Je vis, mais ce n'est plus moi qui vis, c'est le Christ qui vit en moi. »

La relation du croyant à Dieu est concrète et existentielle. Dieu est présent à son acte ; Il vit activement en lui comme la suprême Existence. Le croyant sait que Dieu est, sans savoir ce qu'il est. Dieu ne peut être défini ; il est l'être sans prédicat qui ne soit négatif. On ne peut en parler, quoiqu'on puisse lui parler. Dieu est vie de l'âme, sans être vérité accessible à l'entendement.

L'objet de la foi n'est pas une doctrine, c'est-à-dire la possibilité d'une réalité, mais la réalité elle-même, comme le disait Kierkegaard. Tandis que dans la connaissance théorique l'objet est accaparé par le sujet, dans la connaissance existentielle le sujet se livre à l'objet : « amor transit in conditionem objecti ». Et de là le rôle indéclinable de l'amour. La foi, disait Scheler, est une intuition d'amour. Croire à une personne, c'est vouloir être par cette personne, c'est exister effectivement par elle et avec elle.

Croire, disait G. Marcel, « c'est se sentir comme étant en un certain sens à l'intérieur de la divinité ». La foi qui est d'abord adhésion à une présence anticipative, devient un commerce, un échange personnel. Le croyant sent qu'à son engagement répond l'engagement de Dieu, qu'à sa donation répond celle de Dieu. Il sent celui-ci comme prenant part à son acte, confirmant sa certitude, fondant son espérance. Par l'amour qui est extatique, il fait de Dieu une expérience très réelle, quoique incommunicable.

---

[1] *Ibid.*, p. 138.

[2] « L'espérance consiste à affirmer qu'il y a dans l'être au delà de tout ce qui est donné, de tout ce qui peut fournir la matière d'un inventaire ou servir de base à une supputation quelconque, un principe mystérieux qui est de connivence avec moi, qui ne peut pas ne pas vouloir aussi ce que je veux, du moins si ce que je veux mérite effectivement d'être voulu et est en fait voulu par tout moi-même. » (G. MARCEL, *Le Monde cassé*, p. 278).

La foi comprend deux éléments : un élément formel, puisqu'elle affirme quelque chose, un élément existentiel, puisqu'elle
est intuitive. Quelle est l'importance respective de ces éléments ?
Tout intuitioniste pense que l'élément existentiel est fondamental, et que l'élément formel est relatif. Par la foi l'homme se
situe devant Dieu ou, plus nettement, s'engage en la présence
de Dieu, alors que Dieu est mystère insondable. « Le croyant
invoque l'indicible : Qui tu es, je l'ignore ; si tu es, je l'ignore
aussi ; et pourtant tu es mon espérance, ma joie et ma fierté » [1].

Ce Dieu est le vrai Dieu, celui de la théologie négative, celui
auquel communie le mystique et dont la transcendance est si
haute qu'on ne peut lui attribuer aucun vocable, fût-ce celui
de l'Être. Dans l'acte de foi, l'élément formel est négatif et
secondaire, car Dieu n'est pas un concept. Les concepts n'ont
qu'une valeur instrumentale ; ils excluent de faux absolus,
peuvent jalonner la route ; mais ils ne font pas progresser
l'esprit. Ce qui rend effectif l'assentiment de la foi, c'est l'intuition prophétique qui rend l'Indicible présent.

De là le caractère immédiat de la foi et son inébranlable
certitude. Indépendamment de toute preuve, le croyant est
absolument certain de l'existence de Dieu ; il sent qu'il faut
croire. Sa certitude ne résulte pas d'un raisonnement, mais
d'une intuition, c'est-à-dire d'un contact immédiat avec l'Absolu
existentiel. « La réalité ne consiste pas en l'action extérieure,
mais en un événement intérieur dans lequel l'individuel sus-
pend la possibilité et s'identifie avec sa pensée pour exister en
elle... L'incertitude objective appropriée fermement par l'intériorité la plus passionnée, voilà la vérité, la plus haute vérité
qu'il y ait pour un existant » [2].

---

[1] Cité par J. WAHL, *Recherches Philos.* 1933-4, p. 179. On retrouve une formule
pareille chez G. Marcel : « Au fond ce qui conduit à admettre cette intuition,
c'est le fait de réfléchir sur ce paradoxe que je ne sais pas moi-même ce que je
crois. » (*Être et Avoir*, p. 177).

[2] S. KIERKEGAARD, *Post-Scriptum*, pp. 134, 228.

III. — OBSERVATIONS CRITIQUES

Valeur de l'Intuitionisme

Il serait injuste de rejeter purement et simplement la théorie intuitioniste et de ne pas reconnaître qu'elle ouvre à la philosophie des voies nouvelles. Le déterminisme l'avait acculée à une impasse. Quand on sacrifie la finalité au déterminisme, l'existence à l'essence, la volonté à l'intelligence, l'être s'évanouit. La pensée ontologique doit être liée à une activité subjective, à une faculté existentielle. On peut expliquer l'essence d'un être, et la dialectique spéculative déduit ses déterminations nécessaires, mais ces déductions demeurent creuses, si elles ne sont pas liées à une intuition ; elles sont fautives, quand elles ne tiennent pas compte des données immédiates de la conscience. Personne ne peut, par un procédé purement logique, déduire l'existence de quoi que ce soit. Et, de là, toutes sortes de faux problèmes. Le fini existe-t-il ? l'infini existe-t-il ? le mal existe-t-il ? L'idéalisme s'est efforcé de résoudre ces problèmes d'une façon spéculative ; et, comme d'après son postulat, un être n'existe que s'il est compris, ne réussissant à comprendre ni l'essence du fini, ni celle de l'infini, ni celle du mal, il a nié leur existence.

Une existence se constate ; on la vit intentionnellement. C'est le cas des évidences empiriques, comme des évidences métempiriques. Sans l'intuition de la sensibilité, corrélative à l'intuition de l'esprit, on ne perçoit plus le réel. Le but de la philosophie n'est pas de faire jaillir le réel de l'idée, mais de prendre conscience par la réflexion, de l'intuition fondamentale de l'esprit.

Aucun être ne peut exister sans être doué de spontanéité, sans subsister par lui-même.[1] Ce principe vaut pour la nature :

---

[1] Quand on dit que tout être existe par soi, ce n'est pas à dire qu'ils existent tous de la même façon, par eux-mêmes et en eux-mêmes. Dieu seul existe purement par soi, car non seulement ses manifestations, mais même sa substance résultent immédiatement de son acte ; ainsi son aséité est absolue. L'être fini au contraire n'agit immédiatement que sur les modalités de son être, et c'est pour cela qu'il ne s'appartient pas entièrement et que son aséité est relative.

qui la prive de toute activité doit logiquement nier sa réalité ;
il vaut aussi pour l'esprit qui ne peut exister en soi et atteindre
l'en-soi, que si sa faculté assimilatrice est corrélative à une
faculté appétitive. La représentation intellectuelle atteint
l'extraposé comme extraposé, parce qu'elle est actualisée par
la finalité absolue de la volonté. Pour avoir formellement conscience de l'existence, il faut d'une certaine façon s'engendrer,
jouir d'une certaine autonomie. Il faut être doué de liberté,
pour se connaître comme sujet. On n'est un moi que parce
qu'on est par soi. L'intelligence qui, par impossible, s'isolerait
de la volonté et cesserait d'être libre, n'atteindrait point l'existentiel.

Toute existence implique une vie subjective et, quand elle ne
se choisit plus, elle se dévalorise. Être ou ne pas être ? Cette
alternative fondamentale qui conditionne toute culture, toute
connaissance et toute religion, ce n'est pas la logique qui la
résout, mais la décision libre. Le vouloir-être est primordial.

Le vrai savoir est celui qui est enraciné dans l'agir et qui
de ce fait est existentiel. Sans intuition la spéculation n'atteint
que des chimères. La réflexion ne vaut que pour autant qu'elle
s'appuie sur elle. La culture décline quand la pensée se détache
de l'agir. Ce n'est plus le moi qui pense, ce n'est plus le moi
qui s'engage ; ce sont les choses qui se jouent du moi, des formes
inconsistantes et vaines. Dès que le moi s'abandonne, la pensée devient superficielle ; elle n'est plus preneuse d'être, mais reflet
d'apparences. On se croit très actif parce qu'on est intellectuel
et curieux.[1] En fait on se dispense d'exister, et l'intellectualisme
dont on se targue, correspond à un renoncement et à un divertis-
sement illusoire. Quand le moi cesse de s'assumer, la pensée
s'effondre ; quand la volonté cesse de vouloir, l'intelligence se
décompose.

« L'aliénation idéaliste se manifeste, écrit E. Mounier, sur le plan
de la réflexion, par une sorte de primat décadent de l'idée désin-

---

[1] « On n'aime pas, on ne croit pas, on n'agit pas, mais on sait ce qu'est l'amour,
ce qu'est la foi, et seule se pose la question de leur place dans le système ; ainsi
le joueur de dominos a devant lui les dominos et le jeu consiste à les rassembler. »
(S. Kierkegaard, *Post-Scriptum*, p. 231).

carnée sur la pensée engagée et l'expérience décisive ; par le développement cancéreux de la rumination intellectuelle, des dialectiques sans appuis, des pensées gratuites et des idéaux inefficaces. Mais l'affectivité prolifère à vide de la même façon : l'inflation sentimentale du romantique est solidaire de l'inflation idéologique... Un spiritualisme dévitalisé a réussi à si bien confondre sous l'idée de « vie intérieure », l'intériorité essentielle à la vie personnelle avec le repli de l'individu sur ces complications intimes, avec la complaisance décadente de soi, fruits du luxe et de l'oisivité, qu'au regard de certains il a définitivement compromis la vie spirituelle avec le loisir bourgeois. Tous les mots se sont mis à porter à faux. Plus on évoquait le mystère, plus on rongeait les vrais mystères de l'homme par le mythe grossier ; plus on parlait de sincérité, plus on développait les mystifications intérieures, plus on énervait le culture que l'on prétendait défendre. » [1]

On ne peut donc contester la valeur ontologique ni de l'action, ni de l'intuition, ni de la liberté ; on doit reprocher à l'intuitionisme le caractère unilatéral de ses doctrines. C'est au delà de l'antithèse du sujet et de l'objet, de la liberté et de la nécessité, de l'existence et de l'essence, qu'il faut chercher la solution véritable du problème métaphysique et religieux.

Lacunes de l'Intuitionisme.

I. — *Les Postulats*

a) *Corrélation de l'Existence et de l'Essence.* — L'être est acte ; mais cet acte est double. Il est constitué par la diffusion de soi ou la liberté, et la réflexion sur soi ou la contemplation. L'être est doué d'existence pour autant qu'il se diffuse, d'essence pour autant qu'il se connaît [2]. La projection de soi et le repliement

---

[1] E. MOUNIER, *Qu'est-ce que le Personnalisme*, pp. 36-37, Paris, 1946.

[2] Il est essentiel de définir le sens exact des mots : essence et existence. On sait que pour un thomiste l'existence est l'acte, tandis que l'essence est son principe de limitation. Dans cette acception, il est manifeste que l'essence se subordonne à l'existence et que Dieu n'a pas d'essence.

Nous employons ici ces mots dans une acception différente. Nous entendons par essence l'être en tant qu'il a une structure et qu'il s'assimile lui-même ; par

sur soi sont deux mouvements contraires qui font l'aséité de l'être. Qu'à la façon idéaliste ou existentialiste on sacrifie la liberté à l'idée ou l'idée à la liberté, on méconnaît un des principes fondamentaux de l'être et conséquemment on le prive d'immanence. C'est à la fois parce qu'il s'engendre lui-même et qu'il se réfère à lui-même, qu'il est intime à lui-même.

L'essence (τί, quid, was-sein, what) se distingue de l'existence (ὅτι, quod, das-sein, that) ; la possibilité et la réalité sont des aspects différents de l'être qu'on ne peut identifier. Si Hegel s'est trompé, comme Bradley lui-même l'a reconnu, en absorbant la réalité dans la possibilité, on se trompe non moins en ramenant la possibilité à la réalité.

La possibilité et la réalité sont distinctes, quoique inséparables. Quand on isole l'existence de l'essence, elle perd tout sens et tout contenu ; l'existant se néantise, comme le déclarent justement Heidegger et Sartre. Quand on isole l'essence de l'existence, elle devient contradictoire, comme Hegel en a fait l'expérience, Si l'idéalisme n'a pas réussi à résoudre le problème de l'être, la solution existentialiste est-elle moins arbitraire ?

On dit que toute détermination est négation et que toute essence est limitative ; mais alors l'existence est-elle absolue parce qu'elle est indéterminée ? Magnifier l'existence au détriment de l'essence, n'est-ce pas magnifier l'existence dépourvue de tout acte ? Plus un être se détermine et plus il est, à moins de faire de l'indéterminé indéterminable, c'est-à-dire du néant, l'absolu. L'œuvre de la raison est donc constructive ; elle enrichit en intériorisant. Chercher à se réaliser ou à

existence l'être en tant qu'il surgit de lui-même et se diffuse. Cette fois l'existence et l'essence ne s'opposent plus comme l'acte et la puissance, mais comme deux actes corrélatifs. On pourra, on devra parler d'essence divine et d'existence divine puisque Dieu est à la fois son principe et son terme, totalement libre et totalement translucide. Un être sans essence n'existerait pas pour lui-même ; un être sans existence n'existerait pas par lui-même. Son immanence est définie par la coïncidence partielle ou totale de ces deux actes. En Dieu la réflexion et la diffusion, la liberté et la conscience se compénètrent totalement et sont pleinement corrélatives ; dans l'être fini la pensée et la liberté s'opposent, comme deux actes affectés l'un et l'autre d'une limite intrinsèque.

réaliser quoi que ce soit sans le penser ou le déterminer, c'est le retrancher de l'être, vouloir le néant.

Si nous avons une connaissance existentielle, cette connaissance, sous peine de se dissoudre, doit qualifier son objet, lui attribuer un caractère, le désigner par quelque attribut qui lui soit propre. Personne ne connaît un objet, s'il ne peut le distinguer de ce qu'il n'est pas, s'il ne peut d'aucune façon le définir. Toute affirmation est intentionnelle, a un sens, et, par conséquent, n'est jamais purement existentielle.

Quand j'attribue un concept à un sujet, ce concept ou cette détermination qui le rend intelligible, n'est pas négatif mais positif ; il l'intègre à l'être. Exclure une réalité de tout rapport virtuel ou actuel à l'intelligibilité, c'est l'excommunier de l'être.

L'existence se révèle contradictoire quand on l'isole de l'essence. L'existence fonde l'essence ; l'essence à son tour fonde l'existence ; elles sont l'une et l'autre corrélatives, comme la conscience et la liberté qui les engendrent.

b) Corrélation de la Liberté et de la Nécessité. — La liberté est, d'après l'existentialiste, la source originelle de l'être, car c'est d'elle que jaillissent et l'existence et l'intuition. Il lui sacrifie donc le savoir que la nécessité intellectuelle spécifie. Elle est première, créatrice, inconditionnée ; or, ce libertinisme nous paraît arbitraire.

En effet, la liberté de l'homme, tout comme sa connaissance, est affectée d'une limite essentielle. Si, dans la connaissance, l'objet s'oppose au sujet, dans l'acte voulu nous trouvons un conflit pareil entre ce que nous sommes et ce que nous voulons, entre la réalité et l'idéal. L'action ne nous absolutise pas plus que la pensée. L'une pose un problème et l'autre un drame. L'homme ne peut s'identifier à lui-même et être totalement lui-même dans l'acte qu'il adopte ; car, dans cet acte qui est sien, il s'aliène et se limite. L'acte libre se traduit toujours sous forme d'une élection, c'est-à-dire d'un retranchement d'existence.

Ce n'est donc pas seulement son essence qui est principe d'altérité ; son existence paraît affectée d'une déficience pareille. Il est dépendant dans l'acte même où il se libère et limité par la transcendance de l'Autre qu'il ne peut être et dont seul peut venir le salut. Alors pourquoi exalter la liberté de l'homme, sans tenir compte de sa nature ? Pourquoi la déclarer absolue, alors qu'elle est manifestement relative ?

Il est bien vrai que les valeurs ne s'imposent pas au sujet malgré lui et qu'elles exigent un engendrement subjectif, mais il n'en reste pas moins qu'elles impliquent un ordre nécessaire. Qu'est-ce qu'une valeur, si ce n'est ce qui doit être ? Qu'est-ce qu'une valeur absolue, si ce n'est celle qui triomphe nécessairement ? Une philosophie des valeurs implique donc une nécessité ; elle se néantise quand elle prétend s'émanciper de l'ordre de la raison.

On ne peut vouloir sans appel défini de l'existence ; pas de finalité sans devoir. L'acte du fou n'est pas pareil à celui du sage, fussent-ils l'un et l'autre également libres ; il y a des actes qui détruisent et d'autres qui construisent, quelles que soient d'ailleurs les intentions subjectives ; il y a des existences heureuses et malheureuses, et le bonheur comme le malheur dépendent d'une soumission ou d'une révolte, d'une opposition ou d'une intégration à un ordre nécessaire et objectif qui est antérieur et supérieur à tout choix. N'est-ce pas que la liberté est conditionnée, et qu'elle n'est réalisatrice que si elle tient compte des déterminations de la nature, de la nécessité des essences ?

Les existentialistes ont voulu émanciper la liberté de la nécessité ; ils ont déclaré que l'acte était bon, tout simplement parce qu'il était voulu. Le dynamisme de la volonté est devenu ainsi parfaitement statique. On veut, quoiqu'il n'y ait rien à vouloir, quoiqu'il n'y ait rien à réaliser, quoique le vouloir débouche dans le néant. Par le fait d'une logique inexorable, la volonté émancipée devient l'esclave chargé de chaînes ; elle ne peut cesser de vouloir, et pourtant le vouloir ne conduit à rien. Après quelques déclarations fanfaronnes, l'hymne triomphal à l'existence se change en un morne « De Profundis », adressé au néant.

Là où l'idéel défaille, la liberté doit s'évanouir. Le désespoir, l'angoisse, l'écœurement sont les conséquences fatales de la théorie qui détache l'être de la raison qui le fonde. Que peut être l'existence sans l'essence, la liberté sans l'ordre, si ce n'est une prolifération indéfinie d'actes qui se heurtent à l'impossible, un écoulement de larves qui se décomposent ?

La liberté qui est le pouvoir d'être ce qu'on veut être, pouvoir magnifique qui nous assortit à Dieu, doit devenir une puissance de néant quand on l'affranchit des lois de l'être. Nietzsche termine ses jours dans la vision désespérante de l'éternel retour, du cercle implacable d'une existence sans possibilité d'accomplissement. La philosophie de Sartre n'est pas plus souriante, et ceux qui l'exaltent sont les paladins de la mort. Lui aussi se heurte à la toute-puissance de l'obstacle, à l'irrémédiable vanité du vouloir. On peut dire qu'il n'existe aucune philosophie déterministe, qui soit aussi odieuse, qui accule aussi brutalement l'homme à une capitulation avilissante devant une fatalité implacable, que cette philosophie qui fait, de la liberté, l'absolu.

L'existentialiste, comme l'idéaliste, méconnaît donc un des aspects essentiels de l'être. Sans doute l'un et l'autre affirment que l'être est conscience et liberté, mais ils croient soit à la primauté absolue de la conscience, soit à la primauté absolue de la liberté. En conséquence l'idéaliste déduit la liberté de la conscience, ce qui équivaut à supprimer la liberté, car comment une liberté pourrait-elle être le produit d'une nécessité ? De son côté l'existentialiste déduit la conscience de la liberté, ce qui en fait est impossible [1], ce qui équivaut à supprimer la vérité, car une vérité est nécessaire et universelle ou n'est point. Leur erreur à tous deux est d'identifier l'acte d'assimilation intellectuelle et l'acte de diffusion volontaire qui par leur nature fondamentale sont des contraires. L'être est constitué à la fois par une subjectivité et par une nécessité ; quand ces deux actes ne se distinguent plus, du moins relativement, l'être devient un phénomène sans aséité, du relatif, de l'inerte, du formel.

---

[1] « L'intelligence n'est pas identique à la volonté ; elle n'est pas contenue dans la volonté, comme une conséquence en son principe ; elle ne peut s'y réduire. Il faut donc : ou que l'intelligence et la volonté coexistent, distinctes, mais inséparablement associées dans l'être absolu : — et alors la liberté absolue n'est pas, comme on prétend le démontrer, le principe suprême et unique, dernier terme de la spéculation ; — ou bien que l'intelligence soit le produit, la création de la liberté absolue, comme l'espace et le temps ; — et alors la liberté absolue se confond avec cette contingence radicale dont on nous dit qu'elle est la négation de la causalité. Voilà le dilemme qui se posait et qui méritait bien quelque attention ». (F. PILLON, *La Philosophie de Charles Sécrétan*, p. 34, Paris, 1898).

c) Corrélation de l'Intuition et de la Dialectique. — Il ne peut être question de discuter la priorité ontologique de l'intuition sur le discours. L'être, en tant qu'il est acte, se possède totalement et immédiatement. Dire qu'un être ne peut se posséder que médiatement, ce serait affirmer qu'il ne peut être aucunement lui-même, et qu'il se perd dans un perpétuel devenir lequel lui interdit toute coïncidence avec l'acte qui le fait être. L'affirmation de la priorité de l'existence sur la puissance, de l'acte sur le devenir entraîne logiquement l'affirmation de la priorité de l'intuition. Aucune connaissance ne peut donc être ontologique sans intuition, c'est-à-dire sans coïncidence immédiate avec l'être. Prétendre justifier une connaissance, alors qu'elle n'est pas intuitive, et exclure l'intuition de l'acte de pensée, ce serait justifier et magnifier la pensée du fait qu'elle est aveugle.

La question qui se pose est de savoir quelle est la nature de l'intuition. D'abord est-elle purement subjective et non objective, existentielle et non formelle, comme les intuitionistes le soutiennent ? Comment attribuer à l'intelligence des intuitions existentielles et lui refuser l'intuition des essences, alors que l'existence est l'acte d'une essence ? Celui qui saisit une existence indéterminée et indéterminable que saisit-il si ce n'est le rien ?

Le question qui se pose est de savoir si cette intuition est plénière ou virtuelle. Comment accorder à l'homme l'intuition au sens fort du mot, alors que dans la connaissance spéculative l'objet s'oppose au sujet, et que dans la connaissance existentielle le sujet s'oppose à l'objet ? Dans aucun de ces actes il n'y a adéquation plénière entre le sujet et l'objet ou entre l'objet et le sujet. Une distension, une faille demeure toujours ouverte entre la volonté et son idéal, entre le sujet qui connaît et l'objet. Par des synthèses multipliées l'intervalle tend à se combler : il y a des actes moraux qui valorisent, des affirmations qui éclairent ; mais jamais aucun acte ne béatifie pleinement l'homme, aucune connaissance ne dissipe de ténébreux mystères. Aussi faut-il le dire : aucun acte ni spéculatif ni existentiel n'est pleinement intuitif ; l'immédiation pure de la vérité et du bien n'appartiennent pas à l'homme.

C'est par des démarches successives que l'homme devient intuitif. D'où la nécessité d'une dialectique qui ne se borne pas à faire l'inventaire de données antérieures, comme l'innéisme l'a pensé ; mais qui développe l'intuition, rende explicite l'implicite, qui bâtisse [1].

La science de l'être en tant qu'être ne peut avoir pour objet des formes ou des valeurs qui se juxtaposeraient, et dont les relations seraient extrinsèques : elle doit les river l'une à l'autre, révéler leur immanence, immanence de la pensée à l'acte, de l'acte à la pensée, immanence enfin de l'esprit à l'être. Philosopher, c'est toujours intégrer des parties au Tout dont elles sont logiquement ou dynamiquement solidaires. Or, comment cette intégration pourrait-elle se faire sans déduction, laquelle, comprise d'une façon exacte, doit être le passage de l'indétermination à la détermination, de l'inertie à la vie, du néant à l'être ? Sans cette déduction aucun postulat, qu'il soit théorique ou pratique, ne peut se vérifier si bien qu'il demeure arbitraire.

L'esprit est puissance de synthèse. Doué d'immanence, il peut et doit se construire. Une vérité purement donnée et reçue n'est pas la vérité ; elle doit se justifier par le témoignage même de l'esprit ; elle exige une prorogation ultérieure qui l'universalise et l'intériorise. C'est grâce à la médiation dialectique qu'on arrive au véritable immédiat, c'est-à-dire à l'immédiat ontologique, qui ne peut être donné du dehors, mais qui suppose l'engendrement métaphysique de l'esprit par lui-même,

On justifie une intuition empirique en la décrivant. Des expériences sensibles peuvent demeurer extrinsèques l'une à l'autre et s'imposer comme des faits, sans être coordonnées. Une intuition spirituelle, au contraire, doit être totalisante sous peine de ne pas être. Or, comme la saisie totalisante de l'être n'est pas possible, le discours doit suppléer à ce défaut et par une déduction rigoureuse raccorder intrinsèquement telle détermination à telle autre détermination, telle valeur à

---

[1] « L'intuition fait toute la valeur du discours, et un discours qui n'est plus vivifié par l'intuition n'est qu'un assemblage de mots sans lien, une poussière qui se disperse. L'intuition de son côté a besoin du discours pour s'analyser, se détailler, s'opposer à soi-même, et, par là, prendre conscience de soi. » (G. MADINIER, *Conscience et Amour*, p. 129.)

telle autre valeur, enfin les valeurs aux déterminations. C'est ainsi que l'intelligence se révèle comme faculté de l'être.

La certitude d'une intuition concrète et particulière peut être apodictique. Mais cette intuition, si pas dans l'*ordo cognoscendi* du moins dans *l'ordo essendi*, demeure toujours dépendante d'une intuition du tout. L'idéaliste se trompe certes lorsqu'il affirme que dans l'ordre génétique de la connaissance, la certitude de la partie suppose la certitude du tout et qu'une certitude absolue n'est légitime qu'au terme de la dialectique ; car indépendamment de toute réflexion de la pensée, la totalité de l'être est immédiatement présente à chaque affirmation d'être. Aussi des certitudes immédiates et particulières peuvent être absolues.

Notons cependant qu'elles cesseraient de l'être dans l'hypothèse d'un pluralisme intuitioniste qui détacherait entièrement la partie du tout, les êtres de l'Être. Dans ce cas l'intuition serait infraspirituelle et relative ; elle ne répondrait plus à un acte de l'esprit et perdrait, avec son caractère d'universalité, sa valeur ontologique. [1]

Reconnaîtra-t-on la nécessité d'une dialectique, mais d'une dialectique existentielle dont le principe est la liberté, et non d'une dialectique idéelle de la structure ? Encore faut-il que la décision volontaire, pour n'être ni vaine ni capricieuse, s'assigne une raison. Une dialectique purement existentielle est statique.

L'être est à la fois détermination et valeur. Pour le déchiffrer il ne suffit pas d'un lexique rationnel ni d'inspiration existentielle ; il faut que les valeurs propulsent les déterminations et que les déterminations définissent les valeurs. Ainsi seulement la métaphysique devient une circulation à la fois intelligible et dynamique, qui relie les différents êtres et leurs différents états dans l'unité existentielle de l'être.

---

[1] « Rendre autonome l'intuition stigmatique et vouloir écarter le relationalisme traditionnel de la « pensée pure », écrivait N. Hartmann, c'est là un préjugé qu'on admet au point de départ, une vue unilatérale qui exprime aussi bien la force que la faiblesse de la phénoménologie contemporaine, et qui, tout en expliquant la précision de ses intuitions, en marque également les limites. » (N. Hartmann, *Métaphysique de la Connaissance*, II, p. 270, Paris, 1947.)

2. — LES THÉORIES RELIGIEUSES

a) Le Nihilisme

Quand on prend connaissance de la pensée d'un existentialiste, une chose déconcerte : ce philosophe, féru d'existence, se
voue au néant. Aux premières pages du livre, la vie est magnifiée ;
tournez quelques feuillets ; la mort apparaît qui est tout. La
liberté est exaltée ; en fait elle est clouée dans l'échec, immobi-
lisée dans sa finitude ; d'où l'angoisse et le désespoir, la néantisation inéluctable de toute activité même pratique.

L'existentialiste, l'homme pour la vie, l'homme plein d'élan,
devient « l'homme pour la mort » selon l'expression de Heidegger,
l'homme qui se décompose, l'homme déchu.

Cet aspect contrasté du système, si incohérent qu'il semble,
répond à une secrète logique. Le point de départ de la philosophie de Sartre est l'Absolu ou l'En-soi qui seul est. En fonction
d'une définition aussi univoque de l'être, comment l'homme
qui devient et dont la liberté n'est pas créatrice, pourrait-il
ne pas être un non-sens ?

Parménide, partant d'un point de vue différent, avait été
victime d'un apriorisme pareil. Puisque l'être est, disait-il,
il est illimité et inaccessible au devenir. On connaît la réplique
d'Aristote. Le devenir est réel. Entre l'être et le néant s'interpose la puissance, qui n'est pas l'acte mais qui n'est pas non
plus néant d'être. Cette puissance fait la passivité de l'homme,
sa dépendance, mais elle l'allie aussi au cosmos. Elle est comme
une promesse et une espérance, car elle appelle l'existence et
y participe effectivement.

Cette notion fondamentale d'un devenir réalisateur ou d'une
participation progressive à l'être manque à la métaphysique
existentialiste. Être ou ne pas être, se posséder totalement ou
bien n'être rien, voilà l'alternative. Or, comme l'homme n'est
pas purement et simplement, comme il subit l'être au lieu de
le créer, l'homme est néant.

Faut-il souligner l'étroitesse et le dogmatisme de ce point
de départ ? Car enfin pourquoi seul l'Absolu est-il réel ? Pourquoi l'homme, qui n'est pas l'être, ne pourrait-il participer

à l'être ? Pourquoi sa relation de dépendance le dégrade-t-elle ? Pourquoi doit-il se suffire et s'insurger contre toute transcendance ? Pourquoi ne serait-ce pas le geste de la main tendue qui serait le plus réalisateur ? et l'action de grâce qui serait le sentiment le plus noble ?[1]

Nous avons certes bien des choses à recevoir ; notre réalité humaine est alimentée par les énergies du cosmos, visitée par des forces sans nombre qui nous sont étrangères et qui nous édifient. Pourquoi les maudire et ne point les bénir ? Notre destinée nous impose une transcendance, mais n'est-ce point cette transcendance qui nous fait être et qui nous réalise ?

Le nihiliste maudit le monde parce qu'il le lie, déteste autrui parce qu'il le limite. Plus que tout autre il hait Dieu, car Dieu est l'absolue transcendance, le conditionnement absolu qui ruine radicalement la suffisance du moi et son projet orgueilleux de n'être que par lui-même. En fait, celui qui ne veut être que par lui-même s'anéantit. En maudissant le monde, en haïssant l'autre, en exécrant Dieu, le nihiliste s'excommunie de l'être. Passivité et activité, dépendance et autonomie, service et liberté sont les conditions fondamentales d'existence de la réalité humaine. Le nihiliste ne l'a pas compris. Nous lui concédons volontiers qu'une exigence d'absolue liberté mène l'homme au suicide, à l'absurdité d'une destinée qui s'est isolée orgueilleusement de ses sources.

La déchéance est liée à l'orgueil et l'échec à une démesure. L'existentialiste veut être surhumain, créateur de l'être, il veut être Dieu. Il méconnaît la situation réelle de l'homme et oublie la modestie qui lui convient. Tout orgueil conduit à l'impuissance.

Il est manifeste que l'homme n'est pas Dieu, que ni sa volonté ni sa pensée ne sont créatrices ; il est manifeste que lorsque l'homme veut s'égaler à Dieu, il doit aboutir à la catastrophe [2].

---

[1] Je subis mon existence ; c'est à mes parents que je la dois. Cette filiation me déshonore-t-elle ? Ne puis-je aimer ma mère et lui dire merci ? Faut-il que je la haïsse à cause de sa générosité et de ses dons ? L'envie, le complexe d'infériorité sont des germinations de l'orgueil ; il s'interdit toute reconnaissance. Mieux vaut ne pas être, que d'être par autrui et de lui devoir quoi que ce soit.

[2] En voulant être pareil à Dieu, l'homme devient le contraire de Dieu, c'est-à-dire mauvais et menteur. Un singe est absurde, quand il se croit l'égal de l'homme. Que dire de l'homme qui se fait *simius Dei* ?

C'est du relatif que nous sommes, que la philosophie doit prendre son essor ; elle doit essayer d'unir l'homme à l'Absolu en tenant compte de ses limites et de ses défaillances. Nous ne sommes ni le Tout ni le rien, mais tenons de l'un et de l'autre, capables de passer de l'un à l'autre. Nous pouvons nous néantiser et nous valoriser, nous perdre et nous sauver, voilà la réalité de notre destinée.

Quiconque peut choisir n'est pas acculé au désespoir et a le droit d'espérer. Le pessimisme guette l'homme quand il cesse d'être acteur pour devenir simple spectateur. C'est d'une attitude purement passive et qui exclut l'engagement actif, que naît le défaitisme. Quiconque cesse de vouloir doit s'anéantir, car sans vouloir le moi cesse d'exister et s'apparente au rien. Quiconque veut, espère.

Il y a une double transcendance, celle qui provient de la situation de l'homme dans le monde, de son être pour le monde qui, à un certain degré, est étranger, indifférent, mauvais. Il y a aussi la transcendance qui provient de la situation de l'homme relativement à Dieu, qui ne déçoit pas et qui fait être.

Le nihiliste ne connaît l'homme que comme être pour le monde. Et pourtant, comment le monde qui est relatif, pourrait-il l'angoisser à l'infini ? L'angoisse, n'est-ce pas Dieu qui pèse sur le cœur de l'homme, n'est-ce pas Dieu qui l'appelle ? Pour ne pas vouloir L'entendre, pour ne connaître que le monde, le nihiliste s'abîme dans le rien. Sa fausse notion de la transcendance réduit son existence à une transdescendance, elle le mène au désespoir.

« *Noverim Te, noverim me* ». L'homme, disait saint Augustin, doit se connaître, mais malheur à celui qui se connaît sans connaître Dieu. Le chrétien se connaît comme être dans le monde : le *Vanitas vanitatum* retentit en lui, le chant funéraire de tout ce qui meurt et passe ; il se détache de l'illusoire, de la fausse transcendance du rien. Mais alors que ce détachement annihile le païen, il dynamise le chrétien. En se découvrant néant, créature, il découvre Dieu, le vrai Transcendant, qui suscite une puissance infinie d'être.

Ainsi la transdescendance du nihiliste devient une transascendance. Dégradante chez le premier, la transcendance est pour le second une force existentielle et expansive. Le chrétien se sent à la fois très petit et très grand, infiniment pauvre et riche, fort humble et incroyablement fier, très patient et infiniment ardent, très libre et non moins dépendant.

Sa volonté est entravée et se bute à des obstacles. Il accepte ses limites et veut progresser au delà de toute limite. Dieu est lointain et absent ; mais cette absence n'est pas un pur non-être, c'est une amorce d'être, une possibilité de dépassement. Il se découvre, mobile et changeant, éphémère comme le temps, mais dans le temps l'éternité débouche. Il est possible de s'unir à Dieu dans le temps et avec du temps. C'est dans le temps que Dieu naît, et avec le temps qu'il déifie l'homme. Un être engagé dans la matière s'en dégage peu à peu et doit en subir les vicissitudes.

Tout ou rien, c'était la formule orgueilleuse de Parménide qui entre le néant et l'acte parfait ne pouvait concevoir aucun moyen terme ; c'est aussi la formule de l'existentialiste qui méprise les acheminements, dédaigne les lents progrès et les longues patiences. Il ne se donne pas le temps d'attendre, il maudit le temps qui dérobe et ruine. Rêveur d'éternité, il oublie que l'homme est voué à de longues maturations et qu'il accède peu à peu à l'être.

L'homme est un être temporel ; il ne peut se passer du temps ; il peut avec du temps se parfaire, car il y a une alliance entre le temps et l'éternité : le temps est de l'éternité émiettée, de l'éternité en germe.

L'homme religieux ne dit pas : « Tout ou rien », car ce serait toujours demeurer dans le rien ; il se résout à vouloir de petites choses, proportionnées à ses forces ; il agrée l'humiliation des obstacles et renonce aux bottes de sept lieues, puisqu'il a les jambes courtes.

A la différence de l'existentialiste, ce prophète de l'absolu et ce mythomane du néant, il fait de petites choses, il s'améliore et améliore le monde ; c'est un honnête homme, un ami et un bienfaiteur.

D'ailleurs, sa modestie, sa patience et son humilité n'excluent pas l'ambition et la confiance. Le découragement provient d'une méconnaissance du temps, de la subordination de l'avenir au passé, d'un manque de perspective. Le désespéré, le regard rivé sur le passé, marche le cou tendu en arrière. Ce qui a été, dit-il, sera toujours, et il n'y a rien à y changer.

Les nihilistes parlent d'existence mais n'existent point, parlent de vie mais ne vivent point, parlent de l'avenir — et même en font le moment essentiel du temps — et pourtant l'avenir n'existe point pour eux : au lieu d'être une surprise, une nouveauté, une création, il est devenu l'identique, le néant, la mort.

Cependant le néant peut-il faire vivre, peut-il forcer l'homme au perpétuel dépassement de lui-même ? La mort qui angoisse et qui scandalise, peut-elle être le rien ? Le fait que l'homme se projette au delà de la mort, n'est-il pas un signe qu'il a un avenir dans cet au-delà ?

N'est-ce pas l'élan vital qui, par sa déchéance ou par son exaltation, donne à la mort son visage, soit qu'elle devienne l'heure maudite du désespoir ou l'heure bénie de l'espérance ? Rien n'existe, disent les existentialistes, si ce n'est en vertu d'un engagement subjectif et libre. Si la mort paraît aux uns le néant, aux autres la vie, n'est-ce pas à la suite d'un choix qui anéantit ou qui vivifie ?

L'angoisse nous révèle l'existentiel ; elle nous donne une prescience ; elle nous fait discerner dans la mort, qui serait fin de toute existence, quelque chose d'odieux et d'intolérable, quelque chose qui ne peut être, le mal absolu, la défaite irrémédiable du vouloir-être.

Certains agréent volontiers ce mal absolu et s'ensevelissent dans le néant. Les gredins sans moralité, les orgueilleux incapables de soumission, les abouliques qui renoncent à l'effort, les lâches qui ne veulent rien risquer, nient l'immortalité. D'autres — et ce sont les meilleurs — y croient ; ils y croient d'autant plus fermement qu'ils sont plus moraux, plus spirituels, qu'ils sont doués de plus d'élan, de dynamisme, de religion. Car il existe des moments où l'homme, qui est vraiment homme, se sent la vocation de l'éternel, quand il saisit la vérité et son toujours, quand il se sacrifie à son devoir, quand il prie Dieu.

La prévision de la mort conduit les uns au désespoir ; elle donne aux autres le sens de l'éternité. Les uns et les autres choisissent et croient. Il n'y a aucune certitude expérimentale au sujet de l'au-delà ; on n'atteint l'avenir que prophétiquement. Soit qu'on s'engage à l'existence ou au néant, soit qu'on veuille le mal ou le bien, on affirme ou on nie la survie divine.

On ne peut être sans vouloir être. Dieu doit être choisi librement, et personne n'est exempt de cette option fondamentale. Personne ne sera élu sans avoir voulu l'être ; personne ne sera damné sans avoir voulu sa damnation. Désespérer, c'est vouloir sa damnation, puisque c'est se refuser totalement à l'existence. Le désespoir ne pardonne pas.

Il y a toujours eu des Judas parmi les hommes, des traîtres qui renient tout engagement ; il a fallu attendre notre siècle pour trouver des apologistes de Judas, qui souhaitent que la trahison devienne le climat de la vie. Leur cynisme ne donne pas le change, et tout vivant s'en détourne. La philosophie, pas plus que la poésie, ne rendra jamais une charogne aimable.

Les choses se font et se défont ; les hommes naissent et trépassent. Mais jamais on n'ensevelira l'espérance ; jamais on ne tarira l'existence dont un amour créateur alimente la source. Dieu vit et ne meurt point. Sourions des niais qui annoncent son décès et qui organisent ses funérailles !

b) *Transcendance et Immanence*

La philosophie idéaliste se défiait de la notion de transcendance. Quand on définit l'être par la pensée, comment ce qui n'est ni réfléchi, ni compris, ni sujet à aucune médiation, pourrait-il être ontologique ? Brunschvicg la réduisait à n'être qu'un mirage de l'imagination. Hegel lui accordait une place aux premiers stades de la dialectique, mais, à son terme, elle s'évanouissait, toutes les antinomies de la logique et de la nature se trouvant résolues dans l'unité réconciliatrice de l'esprit.

L'école phénoménologique avait déjà fait la critique de cet immanentisme et avait démontré le rôle actif et positif de la transcendance dans toutes les activités de l'homme, qu'il s'agisse de morale, d'esthétique ou de logique. Un savoir, écrivait N. Hartmann, qui manquerait de transcendance, n'atteindrait plus le réel et manquerait d'objet. Tout savoir implique un élément existentiel aussi bien qu'un élément structurel, une immanence et une transcendance. L'école existentialiste accentue cette critique. L'être est existence et non essence, diffusion de soi et non réflexion sur soi. Il est terme d'un projet subjectif et non d'une assimilation objective. La vérité ne peut se concevoir comme une prise de possession de l'objet par le sujet, mais résulte d'une irradiation du sujet. Et, comme cette irradiation se heurte à un obstacle irréductible, comme le projet subjectif, ou la liberté, qui constitue le moi, n'est point créateur, l'existentialisme conclut à la Transcendance absolue de l'être.

Que cette théorie extrémiste soit cohérente et qu'il faille s'y rallier une fois qu'on agrée ses postulats, nous l'accordons ; et nous ne nous attarderons pas à les discuter étant donné que nous l'avons fait ailleurs. Qu'une réaction s'imposât contre l'immanentisme idéaliste, qui pourrait le contester ? Aucune métaphysique ne peut résoudre adéquatement toutes les antinomies de la pensée et de l'action. Sans doute, comme le disait Hegel, toute antithèse suppose la possibilité d'une synthèse, des contraires ne peuvent s'opposer l'un à l'autre que parce qu'ils s'intègrent dans une unité supérieure qui les réconcilie. En fait, cette réconciliation, cette synthèse parfaite, qui supprimerait les problèmes, n'est pas du ressort de l'esprit humain.

Au terme de toute dialectique, si poussée qu'on la suppose, l'esprit se bute à l'Absolu, à l'Inconditionné, à l'Inintelligible, à l'Irréalisable. Les limites de notre pensée et de notre vouloir ne coïncident point avec celles de l'être. L'être dans ce qu'il a de plus fondamental, de plus originel, de plus parfait, de plus intelligible et de plus achevé, se dérobe à nos investigations et se soustrait à notre emprise. L'Esprit ne peut prendre possession de l'Être qui le dépasse et qui le transcende, qui n'a d'autre norme ni d'autre critère que lui-même, qui juge sans pouvoir être jugé, qui se déclare sans pouvoir être vérifié. Dieu est la Vérité qui se fonde en elle-même et que notre raison ne fonde point ; il est la Valeur que notre vouloir ne conditionne point, la Liberté que notre liberté ne dynamise point : il est le métaproblématique, le supramoral, le surhumain, le surnaturel.

Sans transcendance, il n'y a pas de religion ; c'est d'elle que surgissent les sentiments religieux les plus dynamiques et les plus existentiels. L'angoisse, le remords, l'humilité, la componction en dérivent ; elle inspire aussi l'adoration et vivifie l'amour. Supprimez-la, et l'esprit se relâche et n'émerge plus au delà de lui-même ; l'action perd son caractère d'urgence, le choix sa valeur ; le savoir se vide et se détache du réel. Rien d'étriqué, de banal, d'anémié comme la religion idéaliste. Un Dieu immanent est un être falot, auquel rien ne manque, si ce n'est l'existence. La pensée humaine qui le fonde et le fait être, le détruit en le construisant. Il est un produit de l'homme, une sécrétion de sa pensée, un dieu fabriqué, un Dieu conquis, un pseudo-absolu, une idole. Une dialectique purement spéculative qui exclut l'option et qui ne progresse point par des actes et des choix, ne se dépasse point ; elle va du même au même, sans émergence réelle ; elle ne remonte point jusqu'à la source originelle de l'être, jusqu'à cet Acte souverainement libre où l'Existence se fonde par elle-même, pour elle-même et en elle-même.

Et qu'on ne dise pas que la transcendance est une notion relative et que sa fonction est négative ! Qu'on n'en fasse point un schème de l'imagination ! car c'est de l'activité de l'esprit qu'elle surgit. Qu'on ne l'attribue pas à une ignorance ! car c'est le savoir, le savoir le plus sublimé, le savoir poussé jusqu'à sa limite la plus extrême, qui l'impose à la raison.

Comme le note Jaspers, il existe deux transcendances qui sont qualitativement différentes, quoiqu'elles soient imbriquées l'une dans l'autre. L'une, qui est relative, se définit en termes d'extériorité spatiale et de succession temporelle. L'insertion de l'esprit dans la matière lui donne naissance. La seconde surgit de l'esprit et de son activité immanente. C'est dans la mesure où il est conscient et libre, dans la mesure où il s'intériorise, que l'homme se sent relatif à l'Absolu.

Fort justement, Jaspers conditionne l'existence humaine par cette double transcendance ; il lui impose un double engagement : la fidélité au monde et la fidélité à l'Absolu. Il ne veut pas de l'évasion idéaliste en dehors du monde, mais pourtant n'y ensevelit pas l'homme. Garder son essor vers l'Absolu, c'est le devoir suprême, c'est l'acte le plus concrètement réalisateur. L'homme, qui s'absorbe dans l'intramondain, cesse d'être esprit, croupit dans le marécage et se décompose tristement.

Ce n'est pas à dire que la philosophie religieuse de Jaspers soit adéquate. Il apparaît au contraire qu'une doctrine de la pure transcendance prête à autant d'objections qu'une théorie de la pure immanence, car elle ne répond pas à l'intuition spontanée de la conscience et son analyse phénoménologique de l'objet religieux manque de rigueur.

Pour l'établir, avant de passer à la problématique philosophique, consultons les données de la phénoménologie. On la dit indispensable : on déclare que la métaphysique, qui ne s'y réfère pas, tourne à vide. Pas de constructionisme logique, pas d'apriorisme arbitraire ! Pas de dialectique qui ne doive s'en inspirer ! Que de problèmes ont été mal résolus par les philosophes, parce qu'ils les ont résolus hâtivement, parce qu'ils n'en ont pas examiné les données, parce qu'ils ont cru pouvoir se passer d'une étude phénoménologique exacte, complète et approfondie ! Examinons donc les données immédiates de l'intuition ; scrutons le phénomène religieux ; voyons sous quel aspect l'objet religieux apparaît spontanément à la conscience. Ainsi nous ne serons pas exposés à des postulats arbitraires et nous éviterons des systématisations factices.

Oui ou non, dans toute expérience religieuse, — je parle d'une expérience vécue et réelle, non d'une expérience-pensée à laquelle se réduit trop souvent hélas l'expérience religieuse du philosophe, fût-il existentialiste, — dans toute expérience religieuse réelle le sentiment de la transcendance de l'objet se révèle-t-il indépendant du sentiment de son immanence, ou bien ces deux sentiments paraissent-ils solidaires ? On doit affirmer que ces deux sentiments se manifestent corrélatifs. Plus ils se compénètrent et plus l'expérience religieuse est intense ; viennent-ils au contraire à se dissocier l'un de l'autre, la relation à l'Absolu se dissout et la religion s'évanouit.

« En effet, comme le note justement Wobbermin, la tendance

à la transcendance caractérise fondamentalement l'expérience religieuse ; mais, si elle la fonde, elle ne la crée point à elle seule. Il y a plutôt dans toute expérience religieuse, pure et vivante (et tel ne se présente certes point le Bouddhisme primitif) un second moment qui n'a pas moins d'importance. La tendance à la transcendance, quand on la considère avec précision, ne signifie d'abord qu'une question posée... mais l'expérience religieuse ne comporte pas seulement la position d'une question ; elle témoigne aussi d'une réponse donnée et qui se renouvelle sans cesse ».[1]

Dans l'âme religieuse Dieu apparaît à la fois comme ce qui est le plus éloigné et ce qui est le plus proche, comme ce qui est le plus intime et le plus distant, comme ce qui est le plus séparé et le plus présent, comme celui qui est sans liens (ab-solutus) et comme celui qui se fait dépendant. Il apparaît comme le Saint, l'Être à part et simultanément se montre familier et condescendant. Il est l'au-delà qui angoisse, celui sur lequel l'homme n'a aucun pouvoir, mais en même temps il est celui qui aime et souffre d'amour, le Père qui court au-devant de son enfant et qui le comble de sa présence.

La religion suppose une tension, une différenciation, une opposition entre deux termes qui ne sont pas homogènes ; elle implique la conscience du néant, de l'impuissance, du péché ; elle comporte des mystères et des paradoxes. Cependant elle implique aussi une présence et une espérance, une grâce et un accueil, une lumière et une certitude, une régénération et une communion, l'union mystique : la paix, la joie, la possession.

Je suppose qu'on ne retienne qu'un seul de ces aspects de la religion, je suppose qu'on ne connaisse que l'immanence de l'Absolu ou qu'on ne considère que sa transcendance, le lien entre l'homme et l'Absolu se rompt aussitôt. Dieu devient pour l'homme un pur néant, qu'on en fasse soit l'Autre absolu, soit l'Identique absolu. Nous l'avons démontré antérieurement en faisant l'analyse du contenu de la religion idéaliste ; l'analyse de la religion existentialiste nous conduit à des conclusions pareilles.

[1] *Anschauung*, p. 359, Berlin, 1911.

Jaspers souhaiterait que l'homme vive en la présence d'un Absolu totalement transcendant, mais, comment faire à l'homme un devoir de s'y river ? Pourquoi et comment pourrait-il se sentir obligé à croire à l'absurde, à vouloir l'impossible ? Comment pourrait-il s'attacher à une Transcendance qui ne lui transmet aucun message ? Pourquoi continuer à se préoccuper de religion, alors qu'elle ne réconcilie pas l'homme avec Dieu, alors qu'en fait elle ne le sauve point ? Ne vaut-il pas mieux dans ce cas être aréligieux, s'enclore dans le terrestre, renoncer à des recherches sans issue et à des efforts sans portée ? C'est ce que Nietzsche, Heidegger et Sartre ont pensé et bien d'autres qui ne sont pas philosophes. Ils ont cru que Dieu n'était pas présent dans le monde ; pour ce motif ils sont devenus athées. Manquaient-ils de logique ? Si, comme on le soutient, l'Absolu n'est d'aucune façon immanent à l'homme, ne faut-il pas à tout prix se débarrasser de cet Irréel, fût-il déclaré absolu ?

La religion de l'absolue transcendance est aussi fictive que la religion de la pure immanence. C'est une religion de philosophe, c'est-à-dire une religion pensée et non vécue, une religion construite et factice, une théorie logique et creuse, une théorie en l'air qui fait fi des exigences de toute expérience, une théorie unilatérale et simplificatrice qui n'est claire et cohérente que parce qu'elle ne tient pas compte de la complexité du phénomène religieux et de la corrélation du sentiment de transcendance et d'immanence qui le constitue.

Sans doute, ces données de la phénoménologie sont paradoxales et posent un grave problème. Comment peut-il se faire que l'objet religieux qui apparaît transcendant, soit cependant immanent ? Ce problème le philosophe doit essayer de le résoudre. Mais de toutes façons on ne résout point un problème en niant ses données, on ne résout pas une antinomie en supprimant un de ses termes.

Que l'idéalisme hégélien ait adopté une solution réductrice, qu'il ait sacrifié la transcendance de l'être à son immanence, on le comprend encore ; car il subordonne l'intuition à la réflexion, l'être à la pensée ; il ne peut souffrir de paradoxes ; une antinomie doit à tout prix être résolue ! Il préfère une pseudo-synthèse, une synthèse apparente et contradictoire à l'absence de toute synthèse. Peu importent les données de l'intuition ! La raison doit triompher, quitte à triompher dans l'irréel et le vide.

Mais l'existentialisme, en principe du moins, n'a cure du rationalisme auquel il reproche ses procédés réducteurs, ses synthèses appauvrissantes ; il croit à la primauté de l'intuition et prétend s'y conformer étroitement ; il n'a aucune horreur du paradoxe. Alors, comment se fait-il qu'à l'encontre des données les plus certaines de l'intuition, il ait nié le caractère d'immanence de l'objet religieux pour ne reconnaître que sa transcendance ? N'a-t-il pas été victime lui aussi d'un apriorisme ruineux, d'un postulat arbitraire, d'une systématisation factice ? Il me semble qu'il serait malaisé de le contester.

Jaspers note que « dans la proximité la plus immédiate réside la distance la plus absolue » ; et de fait notre intimité à nous-mêmes nous impose la Transcendance. Mais ne pourrait-on, ne devrait-on ajouter que la Transcendance à son tour fonde notre union à Dieu, l'éloignement de l'objet religieux rendant sa présence plus ensorcelante, la *via negationis* étant, comme l'attestent les mystiques, *via unionis* ? D'une part Jaspers affirme que la Transcendance est extrinsèque à la conscience ; d'autre part l'homme doit en vivre ; d'une part elle est inaccessible, d'autre part on y accède par des actes dont la médiation, tout en étant négative, est indispensable : c'est en voulant sans cesse et en ne s'abandonnant pas au désespoir que la liberté se maintient en contact avec elle. Or, comment ces actes nous feraient-ils communier à elle, s'ils n'y étaient nullement apparentés ? Peut-on avoir le sens de la Transcendance sans y être assorti, sans qu'elle soit d'une certaine façon immanente à l'homme ? Comment l'Inconnaissable peut-il s'imposer nécessairement à la conscience, alors que, d'après le présupposé, on l'en sépare totalement ?

L'homme est libre ou doit se dépasser, mais le dépassement de soi ne suppose-t-il point une prorogation du sujet dans l'être ? Si ce mouvement a pour origine une transcendance qui force le sujet à se quitter, à se nier, à se diffuser en dehors de lui-même, son terme n'est-il point une immanence, le sujet, par suite de son acte, participant davantage à l'être ? La dialectique — fût-elle existentielle — ne doit-elle pas se concevoir comme une alternance de transcendance et d'immanence ? La transcendance est certes négative, elle implique une opposition entre le sujet et la valeur qui le sollicite, mais n'est-elle pas aussi réconciliatrice ? Si elle est destructrice du donné, n'est-elle pas aussi créatrice d'un terme nouveau ? Si elle projette la conscience en dehors d'elle-même, ne la recueille-t-elle pas aussi davantage en elle-même ? Le rapport à la transcendance anéantit, déchire, mais en même temps ne réalise-t-il point, ne fait-il point être ? L'acte, à moins d'être purement statique, ne transforme-t-il pas celui qui agit ? S'il détache le sujet de lui-même, ne le fait-il pas simultanément être davantage en lui-même ? Le transcendé ne se transcende-t-il point ? Son élan vers la transcendance ne le modifie-t-il point ? [1]

Comment le nier à moins qu'on ne professe l'immobilisme le plus absolu auquel d'ailleurs on se déclare irréductible ? Hegel, pour justifier le caractère progressif de sa dialectique, dut interpréter l'Aufhebung qui fait passer d'un terme à un autre, non comme la destruction du premier terme, mais comme sa sublimation dans un terme supérieur ; et on reproche néanmoins à cette dialectique d'être statique ! Que dire d'une dialectique, se disant existentielle, où la transcendance n'aurait qu'un rôle purement négatif ?

La dialectique qui maintient l'esprit en contact avec la Transcendance, est ou idéelle, ou existentielle, ou ontologique. Une dialectique spéculative ne nous donne-t-elle aucune connaissance du Transcendant, l'idée de Dieu manquant totalement de contenu ? Une dialectique existentielle ne nous donne-t-elle

---

[1] Les existentialistes prétendent que le monde n'est pas homogène mais que chaque être est qualitativement ou structurellement différent du terme vers lequel il s'achemine. Mais comment cet acheminement serait-il possible si ce n'est par le rythme alternatif d'une transcendance et d'une immanence, d'une réflexion et d'une intuition, d'une liberté et d'une nécessité. Tout dépassement suppose une immanence, car quand la transcendance ne se transcende pas, elle est immobile et inexistentielle. Comme le disait J. WAHL : « L'idée même de transcendance doit être en un sens transcendée. Transcender la transcendance, c'est retrouver l'immanence. » (J. WAHL, R. M. M., 1947, p. 230.)

pas de vivre de la Transcendance ? Est-elle purement statique, l'espérance n'émergeant point de l'angoisse ? Une dialectique ontologique nous impose-t-elle une Transcendance, dont ne participerait nullement notre être, et qui conséquemment serait un pur néant, ou bien donne-t-elle de communier réellement quoique imparfaitement à l'Être ?

La pensée certes ne peut déchiffrer le mystère de Dieu ; elle se bute à des énigmes insolubles. Au terme de toute métaphysique, Dieu, tel qu'il est en lui-même, demeure l'Impénétrable et l'Incompréhensible pour nous. N'empêche que cet Incompréhensible nous rend intelligibles à nous-mêmes ; n'empêche que, si nous ne le connaissons pas tel qu'il est en lui-même, nous percevons du moins nettement notre relation et la relation du monde à Lui ; n'empêche que si notre savoir au sujet de Dieu est imparfait, nous savons du moins qu'Il existe ; n'empêche que si notre savoir est négatif, le savoir de ce non-savoir est positif. Comment pourrions-nous opposer radicalement l'Infini au fini, si nous n'avions de l'Infini aucune connaissance même virtuelle ?

D'ailleurs, pourquoi immobiliser ce savoir en lui-même alors qu'il est dynamique, anticipatif et prophétique, alors qu'il est l'amorce d'un savoir ultérieur ? Dieu semble un concept à ceux qui ne l'aiment point et qui ne le prient point, mais, quand il est désiré, prié et aimé, ne devient-il pas réel ? Aidée par la révélation et illuminée par la grâce, la connaissance rationnelle ne pourrait-elle servir de germe à une intuition vivante et divine ?

Qu'aucun acte ne puisse diviniser l'homme ni le béatifier, qu'il soit pécheur et que le péché soit un obstacle tenace, que l'homme ait besoin de salut et qu'il ne puisse se sauver par lui-même, on le concédera sans peine. Et cependant souffrirait-il de l'absence de Dieu, si Dieu ne lui était présent ? Le haïrait-il, s'il ne lui était allié par une affinité secrète ? Aurait-il le remords de sa faute, si Dieu n'était prêt à le pardonner ? Serait-il visité par l'angoisse et menacé par le désespoir, si le salut de Dieu n'était proche ? Se sentirait-il incliné à prier Dieu, si Dieu ne lui inspirait sa prière, et si, en la lui inspirant, il ne lui donnait comme un gage de son exaucement ? La misère de l'homme, son éloignement de Dieu n'annoncent-ils pas la proximité de sa venue ?

Non, déclare Jaspers, une dialectique même existentielle n'unit pas à l'Absolu ; elle ne sauve point et n'est pas ontologique ; elle n'atteint l'Être que comme une limite extrinsèque. L'Être est transcendance pure ; impossible de découvrir ses secrets, de s'insérer dans sa vie, de participer à son être.

On connaît cette doctrine qui fait de l'être l'inaccessible En-soi. Kant, dans sa *Critique de la Raison pure*, avait lui aussi séparé les phénomènes du noumène. Ses successeurs lui reprochèrent aigrement ce sophisme. Ils n'eurent pas tort, car l'En-soi qui n'apparaît nullement, étant néant d'intelligibilité, est aussi néant d'être. Jaspers accentue encore la méprise kantienne, car cette fois, c'est non seulement la raison qui est sans aucun rapport avec le noumène ; le vouloir moral lui-même n'y assortit plus.

L'Absolu ou l'En-soi devient ainsi à la fois néant pour la pensée et néant existentiel, c'est-à-dire néant absolu d'être. S'il en était réellement ainsi, si le rapport à la Transcendance était purement extrinsèque, s'il n'éclairait nullement l'esprit, ne béatifiait nullement le cœur, ne réalisait nullement l'homme, s'il était contradiction pour la pensée, échec pour la volonté, néantisation de l'être, ne faudrait-il point s'en dégager ? Jaspers est-il sage quand il demande à l'homme de croire à l'impossible, de se river à l'irréel, d'adorer le rien ? L'attitude du nihiliste n'est-elle pas plus logique et plus franche ? Sartre a-t-il tort quand il ne veut pas comprendre le contradictoire, s'occuper de l'irréel, s'agenouiller devant le rien ?

Faut-il remonter jusqu'à la source originelle de la doctrine illusoire de la pure Transcendance ? Je crois qu'elle dérive d'une méprise fondamentale sur la nature de l'être. Si l'on définit l'être par la pensée ou par le mouvement réflexif qui fait que l'être existe pour lui-même — et telle est la conception idéaliste — il est entendu qu'il ne peut y avoir de transcendance ; si au contraire on le constitue par le projet qui le diffuse en dehors de lui-même — et telle est la conception existentialiste — il est manifeste qu'il ne peut y avoir d'immanence ; si enfin on le fonde en lui-même et par le mouvement centrifuge qui le force à se dépasser et par le mouvement centripète qui lui fait prendre possession de lui-même, la transcendance et l'immanence seront corrélatives.

Le rapport de l'homme à Dieu est pour l'idéaliste le rapport du possible au Possible, rapport mutuel réversible et homogène ; il est pour l'existentialiste le rapport unilatéral, irréversible et hétérogène d'un acte à un terme insaisissable ; il est pour le réaliste, le rapport à la fois idéel et existentiel d'un être dont l'immanence est relative, à l'Être dont l'immanence est absolue, rapport qui est mutuel, sans être ni homogène, ni totalement réversible. [1]

On peut et doit dire que Dieu est immanent et transcendant à l'égard du monde, car c'est la présence active du Parfait dans l'imparfait qui donne à l'imparfait le pouvoir de se dépasser et d'exister. Mais l'affirmation corrélative, à savoir que le monde est transcendant et immanent à l'égard de Dieu, n'est point exacte. En effet, l'imparfait n'ajoute rien au Parfait qui se réalise pleinement en lui-même et par lui-même, sans aucune médiation extrinsèque. L'existence du fini implique nécessairement l'existence de l'Infini, mais l'existence de l'Infini n'implique nullement l'existence du fini. Aussi est-il radicalement impossible de déduire a priori le monde de Dieu, car la création suppose un saut, une rupture, l'acte contingent et imprévisible par lequel Dieu actue un être qui de par son essence ne doit pas exister, et qui ne peut être qu'en vertu d'un choix et d'un amour.

Le fini, dans sa possibilité, dans son existentialité et dans son aséité, dépend totalement de Dieu, mais Dieu, tel qu'il est en lui-même, ne dépend nullement du fini. Cercle clos, circuit fermé, il subsiste totalement en soi, parce que la projection créatrice de sa liberté, qui fait son existence, coïncide pleinement avec la réflexion de sa conscience, dont surgit son essence.

Impossible pour nous de penser, de vivre, d'être sans la médiation incessante et réalisatrice de Dieu, mais ni notre pensée,

---

[1] « Personne comme Platon, écrit M. Blondel, n'a compris que le chemin vers l'intelligibilité était à sens unique et que se tromper de sens, c'était non seulement aller vers la dispersion et l'incohérence, mais subvertir tout l'ordre des valeurs et se fermer aux plus hautes comme aux plus infimes. » (*R. M. M.*, 1947, p. 195).

ni nos actes, ni notre être ne sont médiateurs ou de la pensée ou du vouloir ou de l'être de Dieu, tel qu'il est en lui-même [1]. La raison connaît la relation du fini à l'infini, mais la nature intrinsèque de la relation de l'Infini au fini lui échappe ; elle sait que Dieu est créateur, puisqu'elle ne peut vouloir et comprendre le fini que référé dynamiquement à un Acte d'une efficace absolue ; mais la création demeure pour elle un mystère dont elle ignore le comment et le pourquoi. Dieu est l'Immédiat, puisque c'est son actualité qui fait notre présence à nous-mêmes et notre déploiement au delà de nous-mêmes ; il est non moins le Séparé, le Lointain, le Transcendant dont la vie immanente nous demeure étrangère.

Que ceux qui ont peur du mystère et qui redoutent le paradoxe se rebiffent, qu'ils sacrifient soit la transcendance à l'immanence ou inversement ! Que du moins ils sachent ce qu'ils font ! En ne tenant aucun compte des données immédiates de l'intuition religieuse, ils détruisent la religion, c'est-à-dire la vie la plus haute de l'esprit. En rationalisant l'Être, dont ils nient le mystère, en voulant tout expliquer, ils rendent finalement tout inintelligible ; en ne voulant admettre que ce qu'ils comprennent, ils réduisent le champ de leur connaissance, car l'esprit peut savoir qu'une chose existe, sans savoir comment elle existe.

Pour nous, nous ne consentons point à sacrifier des certitudes immédiates à des postulats hypothétiques, à des a priori réducteurs. Nous savons avec certitude que Dieu est présent dans le monde, quoiqu'il soit transcendant au monde. Quant à savoir comment, en créant le monde, il sauvegarde sa transcendance, nous l'ignorons. Si déjà l'amour humain et l'acte de sa liberté ne peuvent être rationalisés, que dire alors de l'Acte de Liberté absolue et d'Amour divin d'où procède la création du monde et de l'homme ?

---

[1] Ce n'est pas à dire que l'être de Dieu, en tant qu'il se diffuse dans le monde, ne soit pas conditionné par l'activité de l'homme. Le monde ne peut être achevé que si l'acte de l'homme répond à l'Acte de Dieu. En ce sens Dieu espère quelque chose de l'homme, car sans cette collaboration, l'œuvre divine ne peut s'accomplir ; le monde ne peut être sauvé, si l'homme ne veut pas du salut.

Jaspers, en philosophe hautain, croit pouvoir parler de religion, sans se soucier de la parole de Celui qui, durant tant de
siècles et maintenant encore, permet à l'homme de se dépasser,
de se libérer et de s'unir effectivement à Dieu. Il considère le
christianisme comme une religion inférieure et relative à laquelle
un philosophe ne peut prêter foi. Cette présomption est incroyable, et les postulats philosophiques de l'auteur ne lui imposaient
pas un jugement aussi radical et une attitude aussi suffisante.

En effet, si à un idéaliste, comme Hegel, le christianisme doit
apparaître comme un symbole relatif qui préfigure la religion
pure de l'esprit, il aurait pu apparaître très différent à Jaspers.
En effet, pour un existentialiste, toute religion, si tant est qu'il
en existe une, doit être concrète, historique et préternaturelle.
Elle doit être concrète et historique, puisque l'homme est un
esprit incarné qui ne peut communier à l'éternité que dans le
temps, puisque l'homme ne peut vivre de la Transcendance que
dans le *Dasein* et en communication existentielle avec d'autres
hommes. Elle doit être préternaturelle ; car l'homme, pour
se sauver, doit émerger à un niveau supérieur d'existence, et
cette prorogation, cette sublimation de l'homme, suppose un
miracle, un acte libre et existentiel de Dieu.

Alors, pourquoi Jaspers se détourne-t-il si résolument du
christianisme ? Parce qu'il impose des préceptes et des actes
qui compromettent la liberté de l'homme ? Mais le chrétien
ne choisit pas moins que l'incrédule et c'est volontairement
qu'il s'engage au service du Christ. L'un et l'autre adoptent
librement leur foi.

L'un a foi en une Transcendance pure, c'est-à-dire qu'il croit
à un Absolu égoïste, indifférent aux maux des hommes, à une
Existence qui ne se diffuse point. L'autre a foi dans l'Incarnation ;
il croit à un Dieu qui se donne et qui sauve ; il croit à la Sainte
Église, communauté ontologique et divine des hommes dans le
Christ-Sauveur.

Pour autant ce dernier renonce-t-il à sa liberté ? La fonction
d'un acte libre n'est-ce pas de libérer ? Quelle est la foi qui
libère, celle du païen qui croit à la Moïra ou celle du chrétien
qui croit à l'Amour ? Quelle est la foi la plus existentielle, celle

du chrétien qui s'engage au service de l'Être qui le dynamise
à l'infini, ou celle du païen qui se lie à une Transcendance qui lui
enlève tout espoir d'être ?

Serait-ce par principe professionnel, parce qu'il veut à tout
prix subordonner la religion à la philosophie, que Jaspers traite
durement le christianisme ? Mais n'est-ce point vouloir l'impossible ? Les philosophes ont-ils jamais réussi à créer une seule
religion vivante et réelle ? Subordonner la religion à la philosophie,
n'est-ce point en fait supprimer toute religion ?

Au dix-huitième siècle les philosophes voulurent fonder une
religion, indépendante du christianisme : ils se flattaient d'avoir
réussi, car leur religion était théiste, morale et rationnelle. On
sait comment les philosophes eux-mêmes bien vite s'en dégoû-
tèrent et s'en détournèrent. Ils la remplacèrent au dix-neuvième
siècle par la religion de l'Idée dont Hegel fut le génial architecte ;
aujourd'hui ils lui substituent la religion existentialiste. L'immanentisme du pieux Hegel mena à l'irréligion de Feuerbach
et de Marx ; la religion contemporaine de la pure transcendance
mène à l'athéisme de Nietzsche, de Heidegger, de Sartre, sans
parler de l'irréligion de tant d'autres qui, sans être philosophes,
ont subi l'influence corrosive de l'existentialisme.

Athéisme ou Christianisme, voilà l'option concrète qui se présente aux consciences d'aujourd'hui. Jaspers le contesterait
sans doute ; il soutiendrait que sa philosophie est religieuse,
quoiqu'elle fasse fi du christianisme. Il se fait illusion. Sa religion
philosophique est une position de compromis, un entre-deux
sans consistance, une pseudo-religion et un pseudo-athéisme.

En fait, il n'existe pas, il n'existera jamais réellement de
religion philosophique. La philosophie peut parfois initier à la
religion ; jamais elle ne peut l'achever et instituer une religion
parfaite, divine et humaine. Elle peut mettre en contact avec
l'Absolu, car qu'elle le conçoive ou comme l'Être, ou comme
l'Idée, ou comme l'Acte, cet Absolu reste toujours, pour celui
qui n'est que philosophe, l'insaisissable, l'abstrait, l'irréel.

La religion plénière doit être révélée, car ce n'est que par
Dieu qu'on peut saisir le mystère de la vie divine ; elle doit être
préternaturelle, car la nature de l'homme ne peut s'achever

qu'en se dépassant ; elle doit être rédemptrice, car le péché
serre l'homme à la gorge.

Que le païen, qui se bute à une Transcendance muette et
stérile, désespère et devienne irréligieux, nous le comprenons
sans peine. Le chrétien est religieux et espère, parce qu'il a
entendu la bonne nouvelle, parce qu'il sait que Dieu n'est ni le
penseur hautain qui se refuse à diffuser sa lumière, ni le jouis-
seur égoïste, qui n'a nul souci du monde. Le chrétien sait que
Dieu accueille le cri de sa misère, qu'il vient à son secours, qu'il
se donne et aime ; il croit à une vie en Dieu et avec Dieu.

Par condescendance et bonté, Dieu s'est fait immanent au
monde, dépendant de l'homme ; il n'est plus le séparé, l'Étranger,
mais le Dieu proche et miséricordieux, le Père.

Plusieurs existentialistes ont compris qu'une dialectique
concrète et vivante devait les acheminer jusqu'au Dieu des
chrétiens. Ayant à choisir entre le désespoir et l'espérance,
ils se sont fait un devoir d'espérer ; car espérer, c'est être.

Ils ont senti qu'on ne peut espérer et être que dans et par le
Christ. Aussi ont-ils adopté la foi chrétienne. Dans le chapitre
suivant nous examinerons leur conception philosophique de la
foi.

c) Le Fidéisme

La Genèse de la Foi. — A défaut d'une justification rationnelle
dont les intuitionistes méconnaissent la valeur, l'acte de foi ne
peut se justifier que par une dialectique pratique. Certains
intuitionistes, qui restent dans la ligne de la Critique de la
Raison pratique, recourent à la médiation de l'éthique et de la
finalité ; d'autres, les existentialistes, fondent l'acte de foi
sur l'option libre et l'engagement concret ; Scheler fait appel
à une intuition affective, Bergson au témoignage des mystiques.

Toutes ces justifications de la foi ne manquent pas de valeur ;
une dialectique pratique, tout comme une dialectique spéculative, peut conclure légitimement à l'existence de Dieu. Cependant
dès que ces dialectiques sont exclusives l'une de l'autre, elles
deviennent impuissantes, car Dieu auquel elles doivent acheminer, est l'Être dont la nécessité non moins que la liberté est

absolue. C'est cet exclusivisme qui fait la faiblesse de l'intuitionisme.

Il récuse le témoignage de la raison théorique et n'accorde de crédit qu'à la raison pratique, parce que, dit-il, cette dernière serait intuitive et existentielle, tandis que l'autre serait purement formelle. Il présuppose faussement que ces deux raisons ne se compénètrent pas. En fait, dans l'homme qui est un, il n'existe qu'une raison qui s'applique tantôt à l'essence, tantôt à l'existence, mais qui n'est jamais ni purement inexistentielle, ni purement alogique. Elle a pour objet l'être ; et de ce fait, quand elle est théorique, elle est toujours transobjective ; quand elle est pratique, elle est toujours transsubjective. Elle peut être tantôt spécifiée par l'objet qu'elle analyse et comprend, tantôt inspirée par le sujet qui s'expérimente, mais son jugement, quand il est immédiatement idéel, est médiatement réel, et réciproquement.

D'une part il n'y a aucune saisie existentielle qui n'implique la médiation du concept ; d'autre part, il n'y a aucun savoir spéculatif, ni aucune catégorie logique qui puisse s'abstraire de l'existentiel. Qu'est-ce que le possible si ce n'est un objet qui tend à devenir un sujet ? Toute pensée à des degrés divers est existentielle. C'est du sujet et de son acte qu'elle procède ; c'est à un sujet qu'elle se réfère médiatement ou immédiatement.

On s'imagine pouvoir, en fonction des valeurs de l'éthique, arbitrairement isolées des catégories de la raison, conclure à l'existence de Dieu. On se trompe ! Comment affirmer Dieu comme l'Unique Nécessaire, comme Principe absolu de l'être, sans la médiation effective de la raison spéculative et du principe de causalité qui constitue son armature essentielle ? On s'imagine que la preuve pratique est moins exposée aux objections de la critique, puisqu'elle évite le passage de l'Absolu Idéel à l'Absolu Réel, que les preuves classiques présupposent. Pourtant elle souffre d'une difficulté qui n'est pas moindre, car elle implique le passage de l'Absolu Réel à l'Absolu Intelligible. Un intuitioniste conséquent, qui isole la raison pratique de la raison théorique, doit conclure à l'existence d'un Absolu Réel, mais inintelligible et absurde.

En fait la raison n'est jamais ni purement existentielle ni purement formelle. La raison spéculative est compénétrée de finalité, et la raison pratique de nécessité.

Préfère-t-on se passer de la médiation de la finalité et de l'éthique ? La foi, au dire des existentialistes, surgirait et se justifierait par l'acte de l'engagement et du choix. Cependant il y a une liberté consubstantielle au néant et une liberté consubstantielle au salut ; on les distingue l'une de l'autre, parce que l'une a un objet, tandis que l'autre n'en a pas. La foi de l'existentialiste, à défaut d'objet, est illusoire et creuse. Il veut croire, mais n'a rien à croire, puisqu'il retranche de la volonté la raison qui seule peut lui fournir un objet d'assentiment. Alors que le déterministe ne peut s'unir à Dieu, parce qu'il ignore son aspect subjectif et existentiel, l'existentialiste échoue également, car il ne tient pas compte de son caractère objectif et nécessaire.

Affirmera-t-on avec Scheler que l'existence de Dieu ne peut ni ne doit se prouver, pas plus qu'on ne peut ni ne doit prouver l'existence du moi et du monde ? Une existence se constate et ne se déduit point ; elle apparaît d'une façon immédiate dans l'acte de l'intuition.

La question est de savoir si l'esprit a l'intuition de Dieu et quelle est la nature de cette intuition ? Il est manifeste que la connaissance de Dieu n'est pas aussi immédiate que celle du moi ou du monde. Nous ne connaissons Dieu que dans son rapport au moi et au monde, et donc par inférence. Cette inférence est-elle immédiate et n'implique-t-elle aucune médiation dialectique ? Scheler l'estime, mais nous ne partageons pas son opinion. Il nous paraît, en effet, que, si le sacré ou le divin ou le sens de l'absolu sont donnés immédiatement dans tout acte humain, dans toute pensée ou dans tout vouloir, la médiation de la dialectique est indispensable pour que de ce sens religieux informe et virtuel surgisse l'affirmation objective de Dieu, Principe et Fin suprême de l'être. L'affirmation de Dieu est fille d'un engagement et d'un combat, d'une discussion théorique et d'attitudes pratiques. Dans l'ordre génétique, elle n'est pas première mais dernière ; elle exige des médiations et se situe au terme d'une odyssée.

Le danger auquel Scheler s'expose par son dogmatisme innéiste, est d'isoler l'acte religieux de la métaphysique et de la morale, de la nature et de l'histoire, ce qui rendrait son intuitionisme encore plus abstrait que celui de l'idéalisme qu'il veut combattre. Il essaie d'échapper à ce danger qu'il sent réel ; de là le caractère équivoque de certaines articulations de son système.

En fait une intuition qui serait indépendante de toute dialectique théorique ou pratique, serait une intuition que rien ne vérifie, que rien n'appelle, une intuition sans attache avec la pensée et la vie, un néant d'intuition car, comment avoir l'intuition de Dieu, Créateur des existences et des essences, si tout ce qui est ne s'y rattache pas intrinsèquement comme à son fondement radical ?

Préférera-t-on s'en remettre au témoignage des mystiques chrétiens qui jouissent de l'intuition de Dieu et dont le message — au dire de Bergson — serait apparenté à la doctrine philosophique de l'élan vital ?

Mais comment passer sans hiatus de l'élan créateur, qu'on déclare absolu parce qu'il est diffusif de soi et non réfléchi sur soi, à l'affirmation d'un Dieu personnel qui est constitué par un Amour et par une Pensée, par un mouvement simultanément diffusif et réflexif, qui n'est l'Inconditionné que parce qu'il est et absolument nécessaire et absolument libre, qui n'est Créateur que parce qu'il est à la fois principe des essences qui déterminent les êtres, et principe de l'existence qui les rend expansives et spontanées ?

L'amour pur de Bergson, pas plus que l'Idée pure de Hegel, ne peut créer. L'idée absolue peut déterminer la structure de l'être ; l'amour peut susciter son expansion, mais c'est leur conjonction dans l'Être qui seule peut être créatrice des êtres et de leurs modalités structurelles et dynamiques. La doctrine philosophique de l'élan créateur ne donne ni à la mystique ni au message doctrinal des mystiques une base suffisamment large.

On peut en conclure, me semble-t-il, que l'intuitionisme, qu'il soit existentialiste, finaliste, innéiste ou mystique ne justifie pas suffisamment l'acte de foi.

La Nature de la Foi. — Les intuitionistes ont très heureusement mis en relief l'aspect existentiel, personnel, intuitif et mystique de la foi. Cependant l'acte de foi, qui est amour, est non moins vérité.

La foi, déclare G. Marcel, résulte d'un engagement assumé par l'esprit « à la suite d'une offre qui lui est faite au plus secret de lui-même. » Mais peut-on croire sans savoir ce qu'on croit ? Une offre existentielle peut-elle être agréée, un engagement peut-il être pris, s'ils sont indéterminés ? L'appel de Dieu ne serait-il absolu que s'il est imprécis ? Sa parole ne doit-elle pas être nette et tranchante ? Peut-on s'unir existentiellement à un toi dont on ignore la nature ? Une intuition existentielle n'implique-t-elle pas toujours un savoir notionnel et peut-elle être informe ?

Affirmer que Dieu est transcendant, n'est-ce pas le déterminer et le qualifier ? L'acte par lequel on le distingue de tout autre être, n'est-il pas un acte intellectuel, une détermination négative sans doute, mais spécificatrice pourtant de son essence ? Peut-on ignorer totalement l'absolu quand on déclare qu'il existe ? Une présence peut être perçue très vaguement, mais, si imprécise que soit cette perception, ne doit-elle pas être saisie objectivement ?

Aucun intuitioniste n'a compris l'importance de l'élément formel de la foi. Il souligne l'aspect négatif, le caractère abstrait et déficitaire du concept ; il néglige de reconnaître sa fonction ontologique qui est de rendre présent l'être à l'esprit ; car sans concept tout énoncé perd son contenu et s'effondre dans le vide. Des discours sur la nécessité du choix et du vouloir ne ressuscitent pas le vouloir et ne font pas la foi. Une foi qui n'est pas objective est une velléité de foi, une foi sans accomplissement. Vouloir croire ce n'est pas croire. « Le désir d'une forte foi, ricanait Nietzsche, n'est pas encore la preuve d'une foi forte, bien plutôt le contraire. »

Kierkegaard déclare que Dieu est l'absurde ; mais croire à l'absurde n'est-ce pas croire au néant et ne pas croire du tout ? Dieu, dans tout système existentialiste, ne doit-il pas être considéré comme le mythe du néant ? [1]

---

[1] Comme le dit fort justement A. De Waelhens, le choix de Kierkegaard

Du péché ou de l'angoisse, point de départ de la dialectique existentialiste, à Dieu qui est son terme, y a-t-il progrès ? Peut-on les distinguer s'ils sont indéterminables, l'un et l'autre également inintelligibles ? L'acte de l'incrédule ne vaut-il pas celui du croyant, s'ils ont l'un et l'autre pour objet l'absurde ?

Pour s'unir à Dieu, il ne suffit pas de le vouloir, il faut encore le connaître. La foi exige un assentiment de l'esprit. Quiconque n'accorde aux déterminations de la pensée aucune portée ontologique, est incapable d'un acte de foi religieuse.

La pensée absolue est créatrice : elle fait être. La pensée humaine, pour autant qu'elle est pensée, doit elle aussi se faire être. Une pensée purement logique est une pensée infantile et fragile dont la transparence est creuse. L'acte lui donne son intensité, sa chaleur ; il y a autant de distance entre la pensée et la foi qu'entre la représentation et l'affirmation. L'une procède du moi abstrait, du moi qui est sans se faire être ; l'autre procède du moi concret, qui prend position et qui est réel. La foi est l'acte de la personne, l'acte ontologique par lequel l'homme s'intériorise dans la vérité qui n'est ni un reflet, ni un vouloir, mais une participation vivante à l'Être de Dieu. La foi est simultanément l'acte intellectuel où le possible se dégage du chaos, et l'acte existentiel qui rend ce possible réel.

IV. Conclusion

Tout comme les rationalistes contestent la valeur d'une action spécifiée par un libre choix, ainsi les intuitionistes nient le caractère apodictique des preuves spéculatives, c'est-à-dire des arguments qui ne font pas état explicitement de la finalité du sujet, mais de l'activité formelle de la pensée. Pour les premiers, les normes de l'intelligence sont absolues et celles de la volonté

« débouche sur le néant absolu. La distinction que Kierkegaard s'efforce avec acharnement d'établir entre l'existence esthétique, qui est la volonté du néant et du désespoir, et l'existence religieuse, qui est la volonté d'atteindre Dieu, cette distinction n'est qu'un trompe-l'œil. Toujours et dans tous les cas c'est le néant qui est choisi, et il n'y a que lui qui puisse l'être. L'existence religieuse, le choix **pour** Dieu, n'est qu'un choix du néant travesti. » (*La Philosophie de Martin Heidegger*, p. 338.)

relatives ; pour les seconds, la vérité n'est absolue qu'à la condition d'être pratique.

C'est cet exclusivisme qui fait la faiblesse des systèmes contemporains qui prennent comme thème la valeur. La pensée a une portée ontologique non moins que le vouloir. Sans doute il est absurde de dériver l'être d'un état inerte et immuable, d'un pur concept. Avec du logique jamais on ne fera du réel ni avec du statique du dynamique. L'être se distingue d'une possibilité formelle par son actualité, par son rapport à l'existence dont l'amour réalise les formes les plus élevées. Mais par ailleurs on ne peut dériver l'être d'une activité informe, d'un élan vital sans orientation définie.

Tout être réel doit communier simultanément à une essence et à une existence. D'un côté, impossible de le penser sans un acte qui l'actue ; de l'autre, il ne peut être actif sans détermination qui le spécifie. D'une part, il ne peut exister s'il est contradictoire : un mobile dont le mouvement est indéterminable, étant néant de pensée, est aussi néant de mouvement ; d'autre part, il n'est intelligible que s'il est dynamique : une pensée, sans relation à l'acte existentiel, étant néant d'acte, serait non moins néant de pensée.

Puisque la volonté et l'intelligence, la possibilité et l'actualité, malgré leur diversité, sont corrélatives, le monisme qui tente d'absorber la pensée dans l'acte est voué à l'échec. Une intelligence, qui serait purement conceptuelle, serait subjective, mais l'intelligence réelle est orientée au Parfait. Comment considérer les lois de la pensée comme des lois purement formelles, alors que leur nécessité absolue témoigne de leur participation à une Valeur Inconditionnée, de leur relation intrinsèque à l'Être en Acte [1] ?

Les intuitionistes se vantent d'être, à la différence des rationalistes, réalistes. De fait la pensée isolée de son dynamisme ne pourrait atteindre l'extraposé ; mais l'être est-il extraposé du seul fait de son activité ? Pas d'être réel sans dynamisme ; mais pas de dynamisme qui ne doive être défini. L'acte, qui

---

[1] Voir la réfutation du kantisme dans laquelle nous établissons la valeur de la pensée métaphysique.

distingue le réel de l'hypothétique, ne crée pas l'essence, la possibilité logique qu'il implique. L'élan vital peut rendre réel le possible ; il ne peut créer le contradictoire, l'impensable. Tout ce qui existe en acte ou en puissance est quelque chose et est donc relatif aux déterminations formelles de l'esprit, qu'il soit parfait ou imparfait, que son mouvement soit extrinsèque comme celui de la matière première, ou intrinsèque comme la procession immanente de Dieu.

Les intuitionistes se flattent d'être personnalistes : au principe et au terme de l'être, ils placent l'acte libre. Or une liberté indéterminée est absurde. S'il n'y a pas de connaissance qui ne se détermine elle-même et qui donc ne soit libre, il n'y a pas davantage de liberté aveugle. Schopenhauer le notait justement : une volonté inintelligible doit ne plus vouloir ; isolée de l'intelligence, elle doit être immobile. Pour être maîtresse d'elle-même, il faut qu'elle soit intelligente et la réalité intelligible.

Contrairement à la pensée de Kant, la nécessité, non moins que la liberté, introduit donc dans le monde des noumènes. Le vouloir ne peut être objectif sans le concours de l'idée ; il ne peut passer à l'acte que par alliance à un élément formel qui de soi lui est étranger. D'un côté l'intelligence ne peut concevoir la possibilité d'un être sans le référer à une initiative absolue ; par ailleurs la volonté est enchaînée aussi longtemps qu'elle demeure pure ; elle ne peut se réaliser ni réaliser quoi que ce soit à moins que son principe et son terme ne soient idéels. Tout être par son essence est vrai ou relatif à la pensée ; tout être par son existence est spontané ou relatif à la volonté. Si le possible est contradictoire sans un acte qui le fait exister du moins comme possible, le vouloir sans objet est également inexistant, inerte et irréel.

C'est donc au delà de l'antinomie de la pensée et de l'action, au delà des actes morcelés de la conscience psychologique, qu'il faut chercher la source première de l'être et de l'acte religieux.

Des alternances de courants électriques contraires vivifient et illuminent la cité ; c'est aussi par le raccordement de l'activité spéculative et pratique que la destinée de l'homme est divine. « La méthode intellectualiste, écrivait Eucken, risquait de rabaisser la religion à n'être qu'une simple conception du monde ; celle qui part de la pure subjectivité — qu'on nomme cette méthode volontariste, affective ou de quelque autre nom — en fait volontiers une série de fluctuations du sentiment. Cette dernière variété a, il est vrai, plus de chaleur ; en revanche, la largeur lui fait défaut, elle manque aussi d'un essor vigoureux pour se dégager des éléments purement subjectifs; elle ne permet pas à l'homme de se libérer suffisamment de la pure humanité. »

« On le voit, il ne sert à rien de passer d'un côté au côté opposé, nous n'avancerons que si nous trouvons le moyen de surmonter l'antithèse ; or cela ne se peut qu'en pénétrant par-delà les manifestations psychiques considérées isolément, par-delà les prétendues facultés séparées l'une de l'autre, jusqu'à l'unité autonome et originale dont toute variété se présente comme le déploiement. C'est dans cette unité que devrait se révéler la participation de l'homme à une vie universelle, c'est ici qu'il devrait pouvoir faire des expériences du monde : de cette façon seulement il deviendrait possible de donner à la religion un fondement interne, car de pareilles expériences seraient fort propres à nous certifier la présence d'un ordre supérieur[1]. »

Quelle est cette unité supérieure à la pensée et à l'action qui donne à l'homme de participer à l'Être Absolu ? C'est sa personnalité. La philosophie moderne a souvent cru pouvoir se passer de l'idée de substance ; on la rejette parce qu'on se la représente telle que les empiristes du dix-huitième siècle se la figuraient, comme je ne sais quelle abstraction inerte et factice qui s'extrapose des accidents réels et mobiles; elle équivaudrait au concept de chose. En fait cette notion est fondamentale ; elle obsède l'esprit non parce qu'il est conditionné par le schème spatial, mais parce qu'il réclame une synthèse ontologique de la pensée et de l'action, un absolu qui ne soit pas dérivé ou relatif, mais ultime ou en soi. Toute philosophie, bon gré mal gré, assigne à l'action, à la pensée, à l'être, un terme auquel tout est attribué et qui n'est attribué à aucun autre ; alors

---

[1] R. EUCKEN, *Problèmes capitaux de la Philosophie de la Religion*, pp. 13, 17. 1910.

même qu'elle ne veut pas de l'en-soi ou de la substance, elle s'y réfère sans cesse.

« Il est certain, écrivait justement von Hartmann, que, quelle que soit la nature du ou des derniers principes d'un système, notre pensée se trouve toujours soumise à l'inévitable nécessité de les concevoir ou comme des substances actives, ou comme les attributs d'une substance qui remplit les fonctions du sujet actif, lorsque ces principes se manifestent. Nous ne pouvons nous représenter l'Idée de Hegel ou la représentation intuitive de l'Inconscient, que comme une substance ou comme l'attribut d'une substance... De même la Volonté de Schopenhauer doit être conçue comme une substance ou comme un attribut. Notre pensée est absolument incapable de concevoir une fonction sans un sujet actif qui, comme dernier et absolu principe, doit être une substance métaphysique. L'Idée ne se conçoit pas sans un sujet pensant, la Volonté sans un sujet voulant. La seule question est de rechercher si nous pouvons et voulons regarder comme sujet pensant l'Idée elle-même, comme sujet voulant la Volonté même ; ou si nous sommes forcés d'admettre derrière ces attributs du vouloir et du penser un être qui en soit le fondement [1]. »

---

[1] E. von Hartmann, *Philosophie de l'Inconscient*, II, p. 556, Paris, 1877.

TROISIÈME SECTION

LA MÉDIATION DE LA PERSONNE

A. — LE PROBLÈME

La vision spontanée de l'homme est réaliste. Il ne considère pas le monde comme une apparence, le moi comme une illusion, Dieu comme un rêve. Le monde existe, le moi existe, Dieu existe. Ils existent ; et parce qu'ils sont l'Être ou des êtres, ils sont plus que des relations ; ils subsistent en eux-mêmes, indépendamment de la pensée qui les pense et de la volonté qui les veut. Ils sont ; et cela veut dire qu'ils ont quelque chose en propre qui les distingue d'autrui, qu'ils jouissent d'une certaine autonomie, d'une intériorité réelle, qu'agissant par eux-mêmes, ils ont une certaine propriété d'eux-mêmes.

La philosophie classique respecta ces intuitions fondamentales de la conscience ; elle considérait les choses, l'homme et Dieu comme des êtres subsistant en soi, et ne croyait point que leur aséité dût porter préjudice à leurs relations mutuelles ; elle distinguait l'acte premier (la réalité substantielle) de l'acte second (la réalité accidentelle) ; mais n'isolait pas ces deux réalités l'une de l'autre, la substance étant le principe et le terme de l'accident, l'accident prorogeant et révélant la substance.

La philosophie moderne qui subordonne la vision spontanée de l'esprit à l'analyse, en est venue, par suite de l'insuffisance de ses déductions critiques, à mettre en question ces catégories premières. Les empiristes ont jugé que la catégorie de substance était creuse et inutile ; les ontologistes de leur côté ont séparé le noumène du phénomène. Ainsi la substance perdait sa fonction rationnelle et existentielle ; car, qu'est-ce qu'un noumène qui ne paraît nullement dans le phénomène, si ce n'est un néant d'intelligibilité, d'activité et donc un néant d'être ?

Ces méprises rendirent difficile la solution du problème de la personne. Les uns en firent un centre empirique d'activités intramondaines ; pour les autres elle fut un principe abstrait de relations nouménales. En dissociant le moi du je ou inversement, ou bien la personne cessa d'être concrète, ou bien elle perdit son caractère ontologique. D'où des antinomies.

Pour les résoudre, on cessa de parler de substance ; on ne parla plus de l'en-soi, de la réalité première, mais des actes qui en dérivent. Et grâce à cette abstraction réductive, on se flatta d'expliquer plus aisément l'unité subjective de la personne ou sa communion au monde et à Dieu.

L'esprit n'est plus la source originelle des actes, une puissance d'immanence et d'unité, distincte des actes qui la manifestent ; il est acte, acte de pensée d'après les idéalistes, acte de liberté d'après les existentialistes. Il n'est plus un être, mais une manière d'être, une relation. L'homme devient une personne quand il pense, ou aime, ou se repent, ou veut, ou affirme, pour autant qu'il comprend ou choisit, qu'il saisit ou qu'il crée. L'esprit-acte se définit ainsi comme un phénomène idéel ou existentiel.

La substance ne peut être atteinte que d'une façon médiate dans les phénomènes qui en surgissent ou qui la révèlent ; or on veut un savoir immédiat, une intuition concrète du moi ; on élimine donc la substance, cet arrière-fond obscur qui se soustrait à l'investigation, ce bloc inerte et passif. Hegel comme Sartre seront, malgré la diversité de leurs points de vue, également hostiles à la notion de l'en-soi.

Cependant, en supprimant la substance, on n'esquive point pour autant le problème de l'unité de la personne. Dans la perspective classique, les activités les plus diverses se nouaient dans l'unité du moi nouménal. A défaut de cette unité, dont on ne veut plus, il faudra unir les actes immédiatement entre eux ; et ainsi on en viendra à identifier des contraires. Il faudra trouver l'acte concret qui est la source originelle de tous les autres et, si on est métaphysicien, justifier ce postulat en dérivant tous les phénomènes de ce phénomène premier.

De là les théories monistes : monisme de la matière ou de l'esprit, de la pensée ou du vouloir. Pour celui qui proclame la

primauté de la matière, les actes psychiques sont des épiphéno-
mènes ; pour celui qui croit à la primauté de l'esprit, le monde
émerge de l'esprit. L'idéaliste, qui fait de la pensée la source
originelle de l'être, devra déduire le réel du possible ; l'existentialiste au contraire devra déduire la conscience du vouloir,
la nécessité de la liberté. Tous ces monismes phénoménistes
mutilent l'être ; ils ne tiennent compte ni de sa complexité,
ni de sa variété, ni de sa densité, ni de sa profondeur ; ils le dépouil-
lent de sa richesse, le privent de son immanence.

Il faut en revenir à la doctrine de la primauté de l'être.

L'être n'est pas un résidu de la sensibilité, un épiphénomène
de la matière. C'est dans l'être que le phénomène apparaît ;
c'est lui qui fournit sa trame, son fondement, sa réalité. Impossible de concevoir une apparence qui ne le fasse surgir. Une
donnée sensible ne s'objective que par référence à lui.

Kant a fait mille efforts pour soustraire le phénomène au
noumène ; le noumène, tel qu'il le concevait, n'avait d''ailleurs
aucun sens, puisqu'il l'isolait des phénomènes. Ses efforts furent
vains. Les positivistes sont venus après lui et, pour éviter la
contradiction, ils n'ont pas hésité à supprimer radicalement
le noumène, fût-il négatif ; or dans l'acte par lequel ils tentaient
de l'abolir, ils l'ont rétabli ! Si tout est apparence, l'apparence
subsiste en soi ; si tout est relatif, la relation devient une substance.
Les idéalistes et les existentialistes sont venus à leur tour ; ils
ont voulu absorber l'être dans la pensée ou le vouloir ; mais l'être
ne s'est pas laissé réduire ; on n'a pu le ramener à la pensée
sans la nier, au vouloir sans l'anéantir.

L'être est premier : les données de la sensibilité comme les
actes de l'esprit doivent s'y référer et ne valent que par cette
référence. Il y a une possession de l'être en lui-même qui précède
son appréhension par nous. La vérité a quelque chose d'antérieur
au savoir, tout comme le bien est antérieur au choix. L'être
transcende et la pensée et le choix.

Ce qui est premier, ce n'est pas un état représentatif : sensation, perception, jugement ; la vérité suppose une adhésion à
l'être. Ce qui est premier, ce n'est pas l'instinct ou le sentiment
ou le vouloir. Le vouloir dynamique se subordonne à ce qui doit

être. Impossible de se vouloir et de se penser si ce n'est dans l'être et par l'être. Impossible de l'éviter ou de lui échapper. Il est présent à tout acte, le déborde et le transcende. Tout acte est ancré en lui, car il est sa source et son terme.

L'apparence éphémère et le désir fugitif, l'effort et la conscience, la pensée et l'action, le sujet et l'objet sont de l'être ; mais l'être est plus que l'addition de ces actes, il est leur principe et leur fin. Il n'est ni une essence ni un dynamisme ; il est l'unité suprême d'où jaillissent et dans laquelle s'intègrent la vie et la pensée, les actes de l'esprit comme les phénomènes de la matière.

Le réalisme affirme donc la primauté et l'immanence de l'être ou de la personne comme la donnée fondamentale et première de la conscience ; et c'est en fonction de cette intuition qu'il prétend résoudre le problème métaphysique.

Aucun être, qu'il soit appréhendé dans sa vérité ou réalisé dans sa valeur, ne s'épuise dans ses relations. Que je veuille le monde ou non, le monde est ; il possède une réalité que ni ma pensée ni mon vouloir ne peuvent ni créer ni anéantir. Doué d'une structure qui lui est propre et d'une activité qui l'extrapose, le monde subsiste en soi, distinct de moi.

Il en est de même de la personne. Ce n'est pas tel ou tel phénomène qui en dernière analyse la constitue. Elle transcende ses actes, qui n'épuisent point ses virtualités et dont elle assure la continuité. Elle est antérieure aux phénomènes qui subsistent en elle, par elle et pour elle. Détachez la pensée de ce centre métaphysique qui la transcende ! et la pensée n'atteint plus l'être, mais l'apparence ; détachez de ce centre la volonté ! et la voilà arbitraire.

La personne est une substance spirituelle qui se manifeste dans des actes immanents de réflexion et de liberté, en relation intrinsèque avec la matière ; elle est donc concrète, historique, incarnée. Comme le disait Hegel dans sa critique du rationalisme, la pensée absolue n'est pas la pensée abstraite, mais l'Universel-concret. Le projet subjectif, dont parlent les existentialistes, est intramondain : la liberté ne peut se transcender que par la médiation du monde ; un engagement non-concret est fictif, une conscience abstraite vide. Le moi transcendantal, détaché du moi-phénomène, ne peut ni penser, ni vouloir, ni être.

Néanmoins, si le phénomène et le noumène sont corrélatifs, ce n'est pas à dire qu'ils soient de nature identique ni que la phénoménologie puisse se passer de métaphysique.

Bon gré mal gré, le phénomène invoque le noumène et s'y oppose. Le noumène ne peut se concevoir sans relations, néanmoins il n'est pas relation ; il est la réalité non-relative, principe originel et point terminal de la relation. Il n'est point l'acte concret, mais le lieu métaphysique d'où surgissent et auxquels se réfèrent les actes concrets. Il est l'être en tant qu'il est en-soi ou immanent.

Le je n'est ni esprit pur, ni matière pure, ni pensée pure, ni vouloir pur. Il n'est pas un acte : idée infinitésimale de Leibnitz ou volition indéterminée de Schopenhauer ; il n'est pas davantage principe exclusif ou de l'activité pratique, ou de l'activité spéculative : le moi, fonction logique de la « Critique de la Raison pure », ou le moi libre et autonome de la « Critique de la Raison pratique », il n'est pas le moi liberté et amour des existentialistes. Le « Je » est la pensée et l'acte, en tant qu'ils sont un, en tant qu'ils jaillissent d'un être en soi.

D'après les dynamistes et les rationalistes, l'être est relation soit à l'intelligence soit au vouloir. Les réalistes conviennent de ces relations transcendantales ; toutefois ces relations ne leur paraissent possibles et réelles que si elles procèdent d'un fondement antérieur. L'acte n'est ontologique que parce qu'il a un principe et un terme non relationnels. Tout ce qui, à un degré ou l'autre, participe à la vérité ou au bien, surgit de la personne qui est l'ultime valeur. L'être ne peut être bon et vrai que s'il est un.

Dès qu'on fait ou de la Volonté ou de l'Idée l'hypostase, dès que la pensée ou l'action s'arroge la place centrale, la vie spirituelle devient fragmentaire, étant ou possession de soi sans diffusion de soi, ou diffusion de soi sans possession de soi.

Selon Hegel, le moi est identique à l'idée qui à son tour est identique à l'être. Fonction logique de l'esprit, il n'est ni individuel, ni concret. « Lorsque je dis moi, je veux dire moi en tant que telle personne individuelle, complètement déterminée.

Mais, dans le fait, je ne dis par là rien qui me soit particulier. Chaque autre est aussi moi, et, en me désignant comme moi, je crois, il est vrai, parler de moi, de cet individu que je suis, mais je désigne en même temps un être absolument universel. Le moi est l'être-pour-soi pur, où toute particularité est niée et supprimée, c'est le point culminant de la conscience, ce point où la conscience existe dans sa simplicité et dans sa pureté. On peut dire que le moi et la pensée sont une seule et même chose, ou d'une façon plus déterminée, que le moi est la pensée en tant qu'elle pense [1]. »

Cette absorption du moi dans la pensée impersonnelle nous semble, quand on y réfléchit, tenir du non-sens. La vérité qui est universelle, ne saurait être impersonnelle. Il n'y a pas de pensée sans sujet pensant ; il n'y a pas de vérité sans certitude subjective. Si l'Absolu n'est pas vérité pour lui-même mais pour autrui, il est certain qu'il est relatif dans l'ordre même de la connaissance ; une connaissance absolue implique une intériorisation de la vérité, une possession immanente ou personnelle. Bon gré mal gré elle se subordonne à l'Acte du sujet qui la fait être.

Ajoutons qu'en faisant de Dieu l'Idée impersonnelle, Hegel ne résout pas le problème essentiel de la philosophie qui n'a pas seulement à rendre l'être logique, — et nous avons vu comment il échouait même à ce point de vue restreint — mais qui doit assigner aussi un fondement ultime à l'actualité de l'être, à son extraposition, à son dynamisme. L'Absolu, Idée impersonnelle, est un prisonnier. Plus on le pense et plus on le bâillonne et plus on le stérilise. Cloué dans son immobilité éternelle comme le possible impossible, il ne peut vivre ni faire vivre. A ce Dieu sans existence correspond un univers sans liberté ni action [2].

---

[1] Hegel, *Logique*, I, p. 236.

[2] Dieu doit être non seulement le professeur qui explique tout ; il doit être l'animateur, le créateur, l'artiste. L'artiste humain façonne une œuvre qui reste statique ; pour qu'elle fût pareille à celle de Dieu, il faudrait qu'elle vive, que, distincte de son auteur, elle tende à rejoindre l'idée dont elle a jailli, qu'elle soit non seulement un concept, une image immobile de Dieu, mais l'amour de l'amour, la créature qui refait l'acte créateur.

L'artiste fait des choses, des produits refroidis ; pour que son activité fût réali-

Selon Schopenhauer, c'est une volonté inconsciente ou un dynamisme aveugle qui constitue l'essence du moi. « C'est elle (aussi) en conséquence qui lui donne son unité, et qui maintient l'harmonie parmi les représentations et les pensées, comme une base générale qui l'accompagne sans interruption. Sans elle l'intellect n'aurait pas plus d'unité de conscience que le miroir dans lequel vient se refléter tantôt un objet, tantôt un autre, ou tout au plus cette unité serait-elle pareille à celle du miroir convexe, dont les rayons convergent en un point imaginaire placé en arrière de sa surface. Mais la volonté seule est ce qui dans la conscience est persistant et invariable. C'est elle qui rattache et maintient, comme moyen pour ses vues, les pensées et les représentations ; qui les colore de la nuance de son caractère, de sa disposition et de ses intérêts ; qui guide l'attention, et qui tient entre ses mains le fil des motifs dont l'influence met en mouvement la mémoire et l'association des idées : c'est elle enfin dont il est question au fond, toutes les fois que le « moi » est énoncé comme une proposition [1]. » Ainsi, tout comme le moi-pensée du rationaliste est impersonnel, ainsi le moi aveugle du philosophe volontariste. Cette fois encore, il n'y a pas de différenciation objective des êtres, car un être ne peut se distinguer d'un autre que par ses déterminations formelles ; or ces déterminations sont, dans la théorie dynamiste, accidentelles et illusoires.

Assurément le vouloir est un des éléments constitutifs du moi : le vouloir parfait est universel, diffusif à l'infini ; mais le vouloir ne peut être impersonnel, car il n'y a pas de vouloir sans sujet du vouloir. Pour qu'un amour soit absolu, il faut qu'il soit Acte pur, possession plénière de l'être. On s'imagine, trompé par je ne sais quel schème imaginatif, que l'Absolu pourra se donner d'une façon plus entière s'il est indéterminé. Illusion ! Seul un être, qui se détermine totalement, peut se

satrice comme celle de Dieu, il faudrait que son œuvre fût incandescente, vibrante, passionnée, douée d'activité propre, de puissance de transfiguration au delà d'une donnée inerte, au delà de la représentation pétrifiée et figée. Le monde est désir vivant, amour, volonté, tout comme il est lumière. Son principe suprême ne peut être Idée déterminante sans être Volonté réalisatrice et extraposante.

[1] A. SCHOPENHAUER, *Le Monde comme Volonté*, II, pp. 206-207, Paris.

communiquer infiniment ; l'immanence absolue de la Volonté divine est la condition ontologique de son omniprésence.

Comment serait-elle immanente sans être intelligente ? Qu'est-ce que la liberté absolue, la vie absolue, l'amour absolu qu'on attribue à l'Absolu et qui constituerait, à la différence de la pensée, l'élément essentiel de la divinité ? Une liberté sans conscience, sans norme, est une liberté radicalement impuissante, pareille à celle que Nietzsche accorde au surhomme ; elle serait indéterminée, et donc ni bonne, ni mauvaise, ni parfaite, ni imparfaite ; elle serait inframorale, étant infraintellectuelle ; elle serait le caprice absolu, pourrait vouloir n'importe quoi, ou plutôt ne pourrait rien vouloir.

On trouve très doux de se sentir aimé par un Dieu Irrationnel qui n'est qu'Amour ; mais un amour dément doit faire trembler, car il n'est plus lié à l'être. Sous prétexte de revenir à la notion chrétienne d'un Dieu-Charité, le volontariste place au sommet des choses une puissance aveugle, pareille au « fatum » des mahométans. Cette puissance suprême qu'on dit enchanteresse, ne peut avoir de cœur puisqu'elle manque d'esprit.

L'absolu hégélien, l'idée inexistentielle, est le possible impossible ; l'absolu des dynamistes, la volonté informe, est le réel irréel. Dans l'une comme dans l'autre hypothèse, qu'on identifie la personne soit à l'idée soit au vouloir, il faut convenir qu'au sommet des choses, l'être, pensée impossible ou vouloir impuissant, est identique au non-être.

« Je suis Pensée », telle est la définition intellectualiste de la divinité ; « Je suis Vouloir », tel est le thème existentialiste ; « Je suis l'Être subsistant », tel est l'axiome réaliste.

Cependant, qu'on ne s'y trompe point, si le réaliste fait de l'immanence le caractère fondamental de tous les êtres, qu'il s'agisse du monde, de l'homme ou de Dieu, ce n'est pas qu'il veuille les séparer ; il semble au contraire que l'aséité des êtres est le principe de leur communion. C'est parce qu'elle est douée de subsistance que la personne humaine peut prendre conscience de l'être du monde ; c'est pour ce motif qu'elle est proche de Dieu. Ayant un chez soi, elle peut s'ouvrir à l'intimité d'autrui et être accueillante.

Que l'être se définisse comme une relation logique ou dynamique, l'être n'est plus ; que l'Absolu soit le terme ou de la
seule pensée ou du seul vouloir, l'Absolu s'évanouit. Une religion
intellectualiste ou volontariste est logiquement une religion
panthéiste qui met l'homme en rapport avec un pseudo-absolu,
être inachevé et indigent qui se cherche et qui n'est point.
La religion personnaliste, au contraire, est la religion où le fini
et l'infini se compénètrent sans se détruire, irréductiblement
distincts et pourtant totalement présents l'un à l'autre. Elle
est la vraie religion, car seule elle unit l'homme à Dieu d'une
façon plénière, objective, intime, immédiate, salvifique et mystique.

B. — LA DOCTRINE PERSONNALISTE

I. LE MOI-PHÉNOMÈNE ET LE MOI-NOUMÈNE

On peut séparer la réalité concrète de la réalité substantielle ;
on peut aussi les identifier. En fait on ne peut absorber le
noumène dans le phénomène, car ces deux principes s'opposent ;
on ne peut davantage les isoler l'un de l'autre, car leur corrélation constitue l'être concret et individuel. La philosophie moderne
a trop souvent oublié ces axiomes de la métaphysique classique ;
et de là l'insuffisance de beaucoup de ses solutions dans le problème qui nous occupe. [1]

Descartes, héritier du nominalisme d'Occam, ne distingue plus
la substance et l'accident ; ce sont deux noms qui désignent la
même chose ; la substance est le double de l'accident et n'a
aucune réalité propre. En conséquence, quand deux actes ont
des caractères irréductibles, on ne peut les attribuer à la même
substance. Descartes constate que la pensée et l'étendue sont
de nature différente ; il en conclut qu'elles sont deux substances,
l'une immatérielle et l'autre matérielle. Il essaiera vainement
de les unir. Il lui semble que toute philosophie spiritualiste
qui se refuse à identifier la matière et l'esprit, doit être dualiste.
En fait le dualisme cartésien provient d'une méprise sur la nature

---

[1] Cfr. L. DE RAEYMAEKER, *Philosophie de l'Être*, pp. 126-210, Louvain, 1946.

de la substance ; il naît de la confusion entre l'acte premier et l'acte second. S'il avait distingué la substance et l'accident, s'il avait admis que la substance n'est pas identique à l'acte, mais qu'elle est sa source originelle, il n'aurait point séparé l'âme du corps, comprenant que la même substance, comme principe de synthèse des contraires, peut avoir des propriétés fort diverses.

Ce dualisme spiritualiste se disqualifia bien vite. D'une part, la matière devint un phénomène idéel, régi par le mécanisme ; d'autre part, l'esprit désincarné devint une ombre, un être quintessencié et sans contenu, irréel et impensable, obscur et diaphane, immobile et inexistentiel, un possible, un rien. On opposa l'esprit à la matière, l'abstrait au concret, la philosophie à l'histoire, l'idéel au réel. Une religion historique et concrète ne pouvait être que relative et symbolique ; pour être absolue, elle devait être abstraite et rationnelle. On aboutit ainsi à la religion de l'Aufklärung dont les fades formules ne rendirent jamais personne religieux et dont les philosophes eux-mêmes furent bien vite pris de dégoût. [1]

Le moi nouménal, isolé du moi phénoménal, paraissant vide et creux, on y renonça, et ce fut le phénoménisme. Il connut un long succès et aujourd'hui encore des philosophes d'écoles

---

[1] Aujourd'hui il n'est plus aucun philosophe qui se rallie à ce spiritualisme dualiste. La personne, détachée du moi empirique, qui ravitaille sa conscience et dynamise son vouloir, est une abstraction. Or on ne veut plus d'abstractions. On sait d'ailleurs que le sensible est non un reflet ou un écho mais une source. Entre le moi et la personne, il y a de telles affinités qu'on ne peut les dissocier. « J'avoue ne voir en aucune façon, écrivait G. Marcel, comment un être pour lequel il n'y aurait ni ici ni maintenant, pourrait encore s'apparaître comme moi. » (*Homo Viator*, p. 19). En effet, je ne prends conscience de moi-même que dans mon corps et comme être dans le monde. Je ne puis déduire l'existence de mon corps, pas plus que celle du monde. Je suis lié à l'un comme à l'autre ; et cette liaison est constitutive d'un moi qui est concret et empirique, d'une conscience et d'une liberté inévitablement engagées et dépendantes d'une totalité, laquelle ne surgit pas d'actes subjectifs mais qui les transcende, qui les précède et qui les déborde.

Il en résultera que le problème religieux se posera différemment. Pour s'unir à Dieu, on ne peut se retrancher du monde et s'évader du temps. L'engagement intramondain conditionne l'engagement religieux. Ce n'est plus la pensée désincarnée, mais l'histoire qui met le moi en contact avec un Absolu vivant et réel.

fort diverses, qu'ils soient logicistes comme L. Brunschvicg, ou existentialistes comme Nietzsche et Sartre [1], le professent.

Il existe un phénoménisme déterministe qui est tantôt matérialiste, tantôt associationiste ; il existe un phénoménisme dynamiste qui est tantôt vitaliste, tantôt existentialiste. Examinons leurs théories du moi.

Nous ne nous attarderons pas à l'examen de la doctrine matérialiste. Le moi a certes pour bases physiques, l'identité du corps, son caractère organique, l'unité fonctionnelle du système nerveux, mais qui donc aujourd'hui — à part quelques revenants dont on peut ne pas tenir compte — fait de la conscience et de la liberté un produit de la matière ! Liée aux activités somatiques, la conscience libre transcende le monde : elle peut se réfléchir en elle-même et se vouloir elle-même. Le moi n'est pas une chose. Une chose certes est déjà plus qu'un phénomène ; elle subsiste en soi, elle est *individuum, id est indivisum in se et divisum ab omni alio* ; elle se distingue de tout autre et est immanente à elle-même, car elle possède une structure dynamique qui l'extrapose objectivement. Mais la personne est *individuum ratione praeditum et sui juris,* la structure de la personne est spécifiée par la raison et son dynamisme est libre. De ce fait, son immanence ou sa subsistance transcende celle de la chose.

L'école associationiste distingue le psychique de l'organique. C'est de phénomènes représentatifs qu'elle dérive la conscience du moi. Le moi a des origines organiques, mais sa source spécifique est le psychique ; il est, comme le déclarait Hume, « un faisceau ou une collection de différentes perceptions qui se succèdent avec une inconcevable rapidité et qui sont dans un flux et un

---

[1] D'après Sartre, la personne se définit par le projet d'être. L'être de chaque homme est l'acte de son choix. « La réalité humaine est pur effort pour devenir Dieu sans qu'il y ait aucun substrat donné à cet effort, sans qu'il y ait rien qui s'efforce ainsi... Si l'absolu se définit par le primat de l'existence sur l'essence, il ne saurait être conçu comme une substance... La conscience n'a rien de substantiel, c'est une pure apparence, en ce sens qu'elle n'existe que dans la mesure où elle s'apparaît... La conscience transcendantale est une spontanéité impersonnelle. » (*L'Être et le Néant,* pp. 23, 664).

mouvement perpétuels » [1]. Ces états psychiques laissent des traces dans le cerveau et l'imagination les évoque ; ils semblent se déterminer l'un l'autre, car leurs rapports sont constants. L'association qui les groupe, et la mémoire qui met de la continuité entre le présent et le passé, expliquent le sentiment d'identité personnelle. Le moi, comme réalité nouménale, est illusoire.

Hume convint lui-même de l'insuffisance de cette explication qui n'assignait au courant continu de la conscience aucun principe véritable d'unité. L'association et la mémoire, facteurs d'unité, supposent un principe supérieur de synthèse. Ce n'est pas parce que des états psychiques se juxtaposent, qu'ils sont unis. [2] Comment faire de la conscience du moi une illusion métaphysique ? La doctrine associationiste est un atomisme pluraliste et statique.

Kant critiqua Hume et montra que le savoir se réfère à l'aperception pure du moi, condition nécessaire, centre logique d'unité formelle de la conscience. Les dynamistes de leur côté reprochèrent à la doctrine associationiste de ne pas tenir compte de l'indice existentiel et téléologique qui affecte tout objet de conscience et particulièrement la conscience du moi.

« La conscience, écrit James, ne s'apparaît pas à elle-même comme hachée en menus morceaux. Les mots de « chaîne » et de « suite » expriment encore fort mal sa réalité perçue à même ; on n'y saurait marquer de jointure : elle coule. Si l'on veut l'exprimer en métaphores naturelles, il faudrait parler de « rivière »

---

[1] HUME, *A Treatise of Human Nature*, IV, sect. 6.

[2] « Prenez une centaine d'états de conscience, mêlez-les, faites-en un paquet bien serré (Je suppose que ceci ait un sens) : chacun n'en demeurera pas moins exactement ce qu'il a toujours été, enserré dans sa peau, sans porte ni fenêtre, sans la moindre connaissance de la nature ni du sens des autres états voisins. Mais si, en plus de la série, vous posez *la conscience de la série*, du même coup vous ajoutez aux cent états un cent-unième état qui est un fait entièrement nouveau. » (W. JAMES, *Précis de Psychologie*, pp. 256-257, Paris, 1910).

[3] « Il n'y a pas de moi, dites-vous, il n'y a que des sensations, mais qu'est-ce qu'une sensation en dehors d'un moi, une sensation que personne ne sent ? Une sensation qui n'est par conséquent, la sensation de personne ? Et ces sensations suspendues aux nuages finissent en vertu de leur assemblage, par avoir l'impression qu'il y a une continuité entre elles ! Des sensations qui finissent, illusoirement d'ailleurs, par croire à l'existence d'un moi ! (F. PALHORIÈS, *Philosophie*, I, p. 85).

et de « courant » [1]. En effet, si je descends dans ma conscience, je constate l'infinie variété des phénomènes qui la hantent, la perpétuelle mobilité de ses états, la nouveauté de ses aperçus et de ses impressions. Le moi change ; il n'est pas une redite, une identité ; il s'invente, se crée et est libre. Or, malgré l'hétérogénéité des contenus de la conscience, malgré ses ruptures — car souvent la pensée sombre dans l'inconscience, souvent aussi le vouloir se relâche et se livre au mécanisme des habitudes et des réflexes — la vie psychique est continue. C'est autour du même moi individuel que tous les faits de conscience s'organisent. Ils ne sont pas étrangers l'un à l'autre, mais se compénètrent et réagissent l'un sur l'autre. Non seulement la mémoire relie les états actuels à des états passés, mais l'imagination prospective anticipe l'avenir. Mon passé existe encore pour moi alors qu'il n'est plus ; mon avenir existe déjà pour moi, alors qu'il n'est pas encore. Le moi est un tout dont les aspects les plus mobiles et les plus fugitifs convergent vers un centre unique qui les assume.

Le principe fondamental de cette unité est, d'après James, téléologique. Il distingue le moi du Je, mais, comme psychologue, se refuse à faire du Je une réalité métaphysique [2]. Une réalité métaphysique lui paraît inutile, voire dangereuse, car en rattachant le moi à un Je transcendantal et universel, on compromet son individualité [3]. Ainsi James a décrit d'une façon fort

---

[1] W. JAMES, *Précis de Psychologie*, p. 206, Paris, 1910.

[2] « Le moi est donc un agrégat empirique d'états à connaître objectivement. Le Je qui les connaît ne saurait, lui, être un agrégat ; cependant la psychologie n'a aucun besoin d'en faire une entité invariable, telle que l'âme, ni un principe extérieur au temps, tel que le moi transcendantal. » (W. JAMES, *Précis de Psychologie*, pp. 277-278, Paris, 1910).

[3] Cette objection ne serait décisive que si on entendait par le je-substance, un « on », la pensée en général ou la volonté en général ou l'être indéterminé, que l'espace et le temps individualiseraient de telle sorte que le je, universel de soi, serait rendu particulier par ses accidents, par son rapport à l'espace et au temps. Telle n'est pas la conception exacte de la substance. D'elle découle l'ipséité même du moi empirique et elle est par elle-même indivise. Substance et accident, dans l'ordre ontologique, je ne parle pas de l'ordre de la connaissance, ne s'opposent point comme le général au particulier, mais comme deux principes qui l'un et l'autre rendent l'existence particulière. L'un est principe premier et l'autre principe second de la réalité individuelle.

pénétrante la mobilité et la continuité, la diversité et l'unité du moi. Le moi est une synthèse de contraires, une conciliation de ce qui paraît logiquement inconciliable ; le moi est un miracle. James accepte ce miracle ; et à la différence de tant de philosophes aprioristes, il ne met en question aucune des données immédiates de la conscience.

Mais ce miracle ne pose-t-il point un problème ? Le philosophe ne doit-il point essayer de le résoudre ? Le déterminisme psychologique y avait échoué. La connaissance ne résulte pas uniquement de l'action d'un objet sur un sujet, car toute parcelle de la matière, quoiqu'elle soit le lieu de rencontre de forces cosmiques, n'émerge pas, pour ce motif, de l'inconscience. Le sentiment d'identité personnelle ne résulte pas de la corrélation causale des états psychiques ni de leur ressemblance, car deux hommes qui ont des associations pareilles, se distinguent pourtant l'un de l'autre.

La solution vitaliste — à y regarder de près — est-elle meilleure ? Il semble que l'instinct biologique, l'adaptation active, la finalité, la liberté, l'amour, pas plus que le déterminisme psychologique, ne fournissent une solution à l'énigme de l'unité de la conscience. Car, des passions intenses peuvent s'ignorer. Les réflexes, qui adaptent le corps au milieu ambiant, peuvent être inconscients. La finalité manifeste la spontanéité du moi, mais, isolée de la causalité, n'explique point la continuité des états psychiques. Comment l'amour qui de soi est centrifuge, pourrait-il rendre le moi intime à lui-même ? On comprend qu'il extrapose le toi ; comment pourrait-il intérioriser le moi, alors que, de par sa nature, il est efférent ? Dira-t-on avec Sartre que c'est l'acte libre qui suscite le sentiment d'identité personnelle ? Mais la situation que je subis est mienne ; le corps que je n'ai point façonné est mon corps ; des idées théoriques sont mes idées, quoiqu'elles soient nécessaires et ne procèdent pas d'un projet subjectif. Alors comment la liberté serait-elle le principe constitutif de la conscience du moi ? L'existentialiste n'explique-t-il point le tout par la partie ? La spontanéité, la liberté, le choix, l'amour se réfèrent au moi, mais le moi surgit-il de ces actes ou leur préexiste-t-il ?

Abandonne-t-on ces vues partielles ? Adopte-t-on le point de vue réaliste qui met en corrélation causalité et finalité, structure et dynamisme ? Ainsi formulé, le phénoménisme pourrait répondre à bien des objections que nous lui avons adressées, mais, fût-il réaliste, sa solution demeure précaire. Sans doute le réaliste, à la différence du déterministe et de l'existentialiste, est objectif et loyal. Pour assurer l'unité du moi, il ne sacrifie pas tel de ses aspects à tel autre. Il se défie du redoutable apriorisme qui a fait l'échec de tant de systèmes ; il ne veut pas construire le moi, ni le déduire, ni le créer. Le moi est ; il le voit divers dans son unité, multiple et singulier ; il prétend l'agréer tel qu'il est.

Il lui semble ingénument que, puisqu'il apparaît comme unité empirique, on n'a que faire de cette réalité occulte qu'on nomme la substance. C'est sa réalité concrète qui importe, elle qui est objet d'intuition.

Pourquoi l'appuyer à un substrat, alors qu'elle se suffit ? Pourquoi expliquer le connu par l'inconnu, l'immédiat par un X impensable ? N'est-ce point fausser la vision spontanée de l'esprit, subordonner le mobile à de l'immobile, le concret à de l'abstrait ? Qu'a-t-on besoin de métaphysique ? Ne substitue-t-elle pas à un savoir net un savoir imprécis ? Qu'a-t-on besoin d'un moi nouménal, alors qu'il n'apparaît pas et qu'il n'est pas objet d'intuition ? Pourquoi juxtaposer au réel de l'irréel ?

Et il est certain qu'on pourrait, qu'on devrait renoncer à la catégorie de substance, s'il était possible de s'en passer, si elle n'était nullement le terme d'une intuition concrète, mais résultait d'une construction laborieuse, artificielle et hypothétique. *Entia non sunt multiplicanda sine necessitate*, disait Occam. Sentence pleine de sagesse ! La question est de savoir si le concept de substance est inutile, si en le supprimant, au lieu de rendre objectives les modalités concrètes, on ne les abolit pas. Le tout est de savoir si, dans la vision spontanée de la conscience, tout acte psychique n'est pas référé à un principe non-relationnel ? Puis-je être une réalité incommunicable et unique, m'opposer à tout autre et être moi-même, sans un principe d'immanence qui me rende intime à moi-même et qui en même temps me distingue de tout être ? Il est difficile de le nier.

En fait, je ne me perçois jamais comme pur phénomène, mais comme phénomène subsistant dans un noumène ; c'est à lui que j'attribue les actes concrets. Quelle que soit la nature du phénomène qui m'affecte, qu'il soit pratique ou représentatif, physique ou psychique, je le rapporte toujours à ce centre métaphysique. Quand je dis : « Je pense ou je veux, je me réjouis ou je digère», ce n'est pas à un phénomène que j'attribue ce phénomène, mais à une réalité qui subsiste en soi. Cette réalité, je ne puis l'identifier à mes actes. J'ai des actes et ne les suis point ; mon être fondamental les déborde ; il est l'au-delà présent aux phénomènes, la transcendance active qui me permet d'agir, de penser et de vouloir. Sans doute je n'ai point d'intuition immédiate du moi-substance ; je le connais d'une façon indirecte, dans ses actes. Pourtant cette connaissance n'est pas dérivée [1]. Je ne l'acquiers point par d'abstraits syllogismes, mais par une inférence immédiate, chacun de mes actes s'insérant spontanément dans cette réalité nouménale qui les informe et les réalise, qui les rend objectifs et concrets. Le moi nouménal est comme le thème fondamental qui se retrouve dans l'infinité des modulations du moi concret, dans l'affirmation du vrai comme dans le jaillissement imprévisible des valeurs.

L'être concret, déclare le phénoméniste, ne subsiste pas en soi, il est relation. Sans doute, mais les relations peuvent-elles être réelles si les êtres qu'elles relient ne sont que des relations ? « Est-ce énoncer quelque chose d'intelligible, écrit N. Hartmann, que de dire que les termes de relation sont eux-mêmes des relations et de s'encombrer ainsi avec le *regressus infinitus* des relations ? N'est-il point dans l'essence de tout rapport qu'il y ait quelque part des points d'appui ultimes qui en soient le

---

[1] La philosophie critique suppose la dualité du moi phénoménal et du moi nouménal ; elle extrapose l'accident à la substance ; puis elle cherche à construire laborieusement le pont qui les relie. En fait ces deux moi ne sont pas isolables. Dans l'intuition intellectuelle du concret, ils sont donnés simultanément : affirmer le moi phénoménal, l'objectiver, c'est par le fait même l'allier au moi nouménal. L'existence de l'accident et celle de la substance ne doivent pas être prouvées à la façon critique par une réflexion qui fait fi de l'intuition. Comme réalités métaphysiques, la substance et l'accident apparaissent intrinsèquement unis dans l'intuition de l'esprit.

fondement et qui empêcheront le relationisme de se confondre avec le relativisme ? » [1]

Tout acte de conscience est centré sur l'être. L'être ne dérive pas d'une construction ou d'une théorie ; il ne dérive pas davantage d'un choix ou d'un vouloir ; il est la condition première et le terme ultime de tout acte. Tout acte surgit de lui, l'affecte, réside en lui, s'arc-boute à lui, se centre en lui, se déploie par lui.

L'esprit saisit la réalité concrète comme signe d'une réalité nouménale, dont il ne peut se représenter adéquatement le contenu interne et l'activité intrinsèque, mais dont il perçoit pourtant l'inéluctable présence. Il n'intuitionne pas le moi nouménal tel qu'il est lui-même, mais il a l'intuition immédiate du rapport à la fois idéel et existentiel, nécessaire et axiologique, du phénomène au noumène. Il n'a au sujet de la substance ni un savoir ni un non-savoir, mais un savoir du non-savoir, c'est-à-dire un savoir virtuel, pressenti, anticipé, positif quand même.

Pour qu'une réalité métaphysique s'impose, il n'est pas nécessaire qu'elle soit translucide ou immédiate ; il suffit qu'elle s'impose comme principe nécessaire d'intelligibilité ou comme principe réalisateur d'actualité et de concrétion. La substance, fondement ultime et indispensable de l'unité concrète du moi, est du transobjectif et du métasubjectif dont nous devons affirmer la réalité, mais dont il nous est impossible de spécifier adéquatement la nature. La philosophie classique a parfois perdu de vue le caractère transcendantal de la substance ; la philosophie moderne n'a pas compris que, malgré sa transcendance, elle est principe d'intelligibilité. [2]

Dans tout acte de conscience, la réalité nouménale et phénoménale s'opposent comme deux contraires irréductibles dont la synthèse constitue le même moi réel et concret. Leur rapport comme leur opposition est infrangible. C'est en vain qu'on essaie d'absorber l'être dans l'apparaître ; on ne pourrait y réussir

---

[1] N. HARTMANN, *Métaphysique de la Connaissance*, I, p. 228.

[2] « En vérité, c'est seulement en jetant un regard sur les limites de l'intelligence — ce qui revient à contempler l'existence de l'incompréhensible — que les yeux du chercheur s'ouvrent sur une foule de choses, qui sont sans doute intelligibles, mais qui ne le deviennent qu'à cette condition. » (N. HARTMANN, *Ibid.*, I, p. 54.)

qu'en abolissant la pensée, le vouloir, en perdant conscience
de soi-même. Car c'est grâce à du transphénoménal que le moi
peut vouloir et comprendre.[1] C'est en vain aussi qu'on s'efforcerait
d'absorber les phénomènes dans le noumène ; isolé de ses actes
concrets, le moi s'évanouit et n'est plus. Irréductiblement opposés l'un à l'autre et corrélatifs l'un à l'autre, le moi nouménal
et phénoménal sont donc à la fois apparentés et distincts.

Ils sont apparentés ; c'est ainsi que, quoique nous n'ayons
pas l'intuition immédiate du noumène, [2] nous pouvons le connaître en fonction des phénomènes. Puisque ces derniers subsistent
dans la substance, comment lui seraient-ils totalement étrangers ?
Comment ne la révéleraient-ils d'aucune façon ? Dire que nous
n'avons du noumène qu'une connaissance purement négative
et qu'il est du pur irrationnel, cela n'a aucun sens. [3] Nous devons
en avoir une connaissance analogique. [4]

---

[1] « La chose qui apparaît, écrit N. Hartmann, ne se confond pas avec son
apparition ; les assimiler serait le πρῶτον ψεῦδος. La chose qui apparaît est une
réalité qui se manifeste *hic et nunc*, sans s'épuiser dans sa manifestation. L'apparition cesse d'être une apparition dès lors qu'il n'y a plus derrière elle quelque
chose qui apparaît. Elle n'est plus alors apparition de quelque chose ; mais
l'apparition d'un néant ; autrement dit, ce n'est plus du tout une apparition,
mais une pure fiction. » (*Ibid.* p. 311).

[2] « Les anciens opposaient la substance aux autres catégories : elle est ce à
quoi se rapportent les grandeurs, les qualités, les relations, l'action, la passion,
etc. ; elle est leur ὑποκείμενον. Mais, comme la connaissance se fait au moyen
de toutes ces catégories, il faut nécessairement conclure que la substance en elle-
même est inconnaissable. » (*Ibid.* I, p. 354.)

[3] « L'irrationnel absolu, écrit N. Hartmann, devrait être totalement étranger
à la conscience ; il ne devrait avoir aucun rapport à la connaissance. Une théorie
qui admettrait un pareil irrationnel serait de l'agnosticisme. Mais un agnosticisme rigoureux ne pourrait même savoir qu'il est de l'agnosticisme. Une chose
que l'on peut penser — ne pût-elle être pensée que par le philosophe — possède
déjà une lueur de rationalité. On a toujours et avec raison rejeté « la chose en-soi »
entendue dans un sens agnostique. Elle ne pourrait même pas être objet du doute.
La connaissance ne pourrait pas être entraînée vers un irrationnel absolu. »
(*Ibid.*, I, p. 364).

[4] « Les concepts métaphysiques ontologiques ne sont point fermés sur eux-
mêmes mais ils nous renvoient à quelque chose qui est au delà de leurs propres
déterminations. Repérer les lignes de projection qui déboucheront dans le transobjectif, c'est le seul moyen que la *ratio* possède pour s'orienter dans l'être, son
milieu naturel, pour prendre conscience de sa propre situation vis-à-vis de l'irrationnel. (*Ibid.*, I, p. 391).

Liés l'un à l'autre, puisqu'ils sont corrélatifs, le moi-phénomène et le moi-noumène, sont néanmoins distincts. Ils s'opposent
l'un à l'autre non comme une passivité à une activité, ni comme
de l'inintelligible à de l'intelligible, ni comme de l'universel à
du particulier ; ils s'opposent comme l'acte premier d'intelligibilité, d'existence et d'unité à l'acte second qui le révèle et
qui l'accomplit ; comme la réalité immanente et incommunicable qui subsiste en soi et qui ne peut être attribuée à un autre
sujet, et la réalité seconde qui subsiste dans la substance, qui
adhère à elle comme à son substrat ou comme à son sujet.

Mes actes procèdent de moi, mais ne s'identifient pas au moi ;
ma réalité phénoménale et nouménale se distinguent comme
mon avoir se distingue de mon être. La substance transcende
ses accidents, car elle est leur principe et leur terme. Tandis que
la réalité accidentelle est contingente, défaillante, multiple,
la réalité substantielle est toujours en acte ; elle ne chôme point,
ne se décompose point. Elle se définit comme l'essence nécessaire et intelligible qui assortit à la vérité, comme l'élan qui
projette vers l'absolu de la valeur, comme l'unité infrangible
de l'intelligible et de l'existentiel, ressource inépuisable, inaliénable richesse qui fait l'infinie virtualité et l'indéclinable grandeur
de l'homme. L'homme est une personne ; ce n'est ni son acte
moral, ni sa pensée qui, primordialement, le rendent digne
de respect, mais son être, sa subsistance personnelle.

II. LE MOI IDÉEL ET LE MOI EXISTENTIEL

La personne n'est pas une chose ; il ne faut pas être philosophe
pour le remarquer ; et beaucoup de philosophes en conviennent.
Ils distinguent l'individu, c'est-à-dire le moi sujet à des activités
biologiques, de la personne qui a des relations spirituelles. Ces
philosophes d'ailleurs n'isolent pas ces deux moi : le dualisme n'a
plus de partisans. Des dissentiments apparaissent pourtant
quand il s'agit de définir l'élément spécifique qui distingue
l'homme et la chose. D'après les idéalistes, c'est la pensée ;
or, comme la pensée est de soi universelle, ils nient le caractère
personnel de l'esprit. L'homme comme personne est une réalité

empirique, historique, incarnée ; comme esprit, dans sa relation à l'être, il serait impersonnel. Les volontaristes, quand ils sont cohérents, ont des conclusions pareilles. Le vouloir-vivre est individuel ; le vouloir-être est infini et impersonnel.

Ces deux conceptions métaphysiques sont également fautives ; on ne peut absorber l'être ni dans la pensée ni dans le vouloir ; le vouloir et la pensée émergent de l'être, sont conditionnés par l'être qui est premier. Le bien comme la vérité supposent un sujet ; ils n'existent formellement que par la personne, pour la personne et dans la personne.

En effet, toute pensée, directement ou indirectement, dans ses jugements métempiriques comme dans ses jugements empiriques, procède d'un sujet qui existe et atteint l'objet qui existe. Ce n'est pas en fonction de l'impersonnel que je pense, car ce qui ne peut se penser aucunement, est néant de pensée. La vérité sans un sujet qui la pense ou qui la puisse penser, est contradictoire. La pensée qu'on peut penser et qui ne se pense pas, est une chose ; la pensée n'existe donc virtuellement ou formellement qu'en tant qu'elle est référable ou référée à un sujet qui l'assimile. D'ailleurs je ne pense jamais à un objet qui ne soit d'une certaine façon un sujet. Quand j'appréhende la nature extérieure, je la connais comme un objet-sujet, comme un objet distinct du moi parce qu'il a une activité subjective. Une pensée qui ne procéderait pas d'un sujet immanent à lui-même et qui n'atteindrait pas un objet capable d'immanence, se détruirait comme pensée. Le subjectif est corrélatif à l'objectif, le relatif à l'absolu, le phénomène à l'être qui le fonde, l'objet au sujet. Une vérité impersonnelle, cela n'a aucun sens.

Il en est de même de l'amour, car l'amour, comme la connaissance, doit procéder d'un être qui existe et se porter vers un être qui existe ; il fait communier deux êtres distincts qui ont chacun leur en-soi. Je ne puis aimer pleinement la nature, car elle n'est pas une personne. Quand j'aime mon ami relativement à moi, mon amour est égoïste et menteur, tout comme ma pensée est illusoire quand je ne perçois pas l'objet dans sa réalité intrinsèque, mais tel qu'il existe pour moi. Pour aimer, tout comme pour penser les êtres, il faut les atteindre comme immanents à eux-mêmes, les assimiler ou les réaliser dans leur en-soi, dans leur réalité subjective et incommunicable.

Un amour abstrait est imparfait. Aimer un ami parce qu'il est un homme, ce n'est pas l'aimer ; tout amour est particulier ou est déficitaire. Je n'aime pas vraiment quelqu'un, quand je l'aime pour son avoir, parce qu'il a tel ou tel don. Quand je l'aime de cette façon, l'amour est superficiel et aléatoire. L'amour profond, celui qui fait la béatitude, celui qui est la grande richesse de celui qui aime et de celui qui est aimé, est l'amour qui s'attache, au delà des dons, à la personne elle-même. C'est l'amour de la maman qui n'aime pas son enfant pour ceci ou cela, mais dans son être.

L'impersonnel ou le « on » n'est donc la catégorie ni du vouloir ni de la pensée. Penser d'une façon impersonnelle, c'est mal penser ; tout comme vouloir d'une façon impersonnelle, c'est mal vouloir. C'est sous le signe de la personne que je pense et que je veux. Le toi et le moi, le sujet-objet ou l'objet-sujet sont des conditions de tout amour et de toute connaissance des choses comme des hommes.

Mais nous devons procéder plus avant. En effet, certains intuitionistes contemporains admettent que l'amour est personnel et même ils en font l'élément constitutif de la personnalité. Ils disent que la personne est un acte, acte de choix ou de foi ou d'engagement, ou bien élan créateur. Cet acte fonderait la personnalité. Tous les autres actes, pour être métaphysiques, devraient en dériver ; ils surgiraient de la liberté ou de l'amour qui constituerait l'homme en lui-même. L'homme, comme personne, serait existence et non essence ; sa pensée n'aurait de portée ontologique que lorsqu'elle est spécifiée par un acte libre ou imprégnée d'amour.

Passons sur le caractère équivoque et confus de ces formules [1].

---

[1] L'homme est personnel par vocation et par nature. Cette vocation lui est imposée par son être premier et il ne peut la décliner. Alors même qu'il trahirait la vérité et renoncerait à se faire être, il demeure encore une personne. Ce ne sont pas les actes libres qui font de l'homme une personne ; la théorie dynamiste semble dériver la personnalité, non de son acte premier mais de ses actes seconds. Dans ce cas la personnalité serait un des caractères accidentels de l'homme, au lieu d'être la source de ses actes.

La personne est-elle constituée en elle-même par l'acte qui la projette en dehors d'elle-même ? Peut-elle subsister en soi du seul fait qu'elle est élan vital ou dynamisme ; ou bien au contraire ne doit-elle point être centre idéel et existentiel, source première de liberté et de pensée ?

On a trop considéré le je comme le lieu où se construit l'intelligible ou comme la force libre d'où émane l'acte ; en fait il est l'unité, l'intimité primordiale qui rend le moi concret immanent à lui-même dans toutes ses démarches, qu'elles soient idéelles ou pratiques. « L'acte, écrit G. Madinier, qui pose le moi, comme sujet, dans la plénitude de ses aspirations, doit être un acte de liberté et identiquement un acte rationnel, un acte où le moi décide de soi-même, et un acte qui, en même temps, le rattache au tout et le fonde en vérité » [1]. Le je paraît dans l'acte où le moi prend possession de lui-même, comme dans l'acte où il se fait être lui-même.

Le moi n'est ni la nécessité morte des idéalistes, ni la liberté informe des existentialistes ; il est idée existentielle, ou dynamisme structurel, ou pouvoir de réaliser son essence, ou possibilité de se donner à soi-même par soi-même sa propre forme.

La diffusion de l'être suppose un recueillement de l'être en soi, car sans ce mouvement de retour de l'élan créateur sur lui-même, l'être s'échappe à lui-même ; il n'est plus libre, n'étant nullement pour soi. Il ne suffit pas que la liberté procède du moi, il faut encore qu'elle ait pour terme le moi. Une liberté sans conscience serait une liberté aliénée, une liberté extrinsèque

---

[1] « Être conscient de soi, dire moi, exister à la première personne, c'est identiquement être libre... L'idée que le sujet est essentiellement liberté, nous paraît être une acquisition définitive de la philosophie... Mais ne voir dans le moi que liberté pure est impossible. On serait fatalement conduit à une sorte de volontarisme irrationnel pour lequel le moi serait une force arbitraire et capricieuse. Un pouvoir d'initiative conçu à l'état pur est nécessairement conçu comme une chose ; le moi ne serait dans cette hypothèse qu'un centre d'appétits, il ne serait plus un sujet... La notion de liberté entendue comme simple pouvoir d'agir est au fond impensable... Le moi posé comme liberté doit donc être posé en vérité. Ces deux aspects sont également nécessaires : à ne retenir que le premier et à ne voir dans le moi qu'une pure liberté, on aboutit à en faire une nature. Mais si l'on ne considère que le second aspect, on arrive également, croyons-nous, à détruire le sujet dont la conscience affirme la présence. » (G. MADINIER, *Conscience et Amour*, pp. 10-12, 16, Paris, 1947).

à elle-même, un néant de liberté. La création de soi est l'œuvre conjointe d'un dynamisme qui se détermine et d'une détermination qui se diffuse. C'est le rythme alterné de la réflexion et de la liberté qui nous réalise et qui nous permet de participer à l'être. Notre indépendance provient de notre conscience, tout comme la conscience suppose un engendrement de soi.

Pas plus que la conscience, la liberté n'est un commencement absolu. L'être ne peut se commencer par lui-même que s'il s'achève pour lui-même. L'acte par lequel je me libère doit être l'acte par lequel je me conquiers. Sans conscience, nous ne nous appartiendrions pas, nous serions totalement extrinsèques à nous-mêmes, vides et creux ; sans elle l'esprit s'écoulerait en dehors de lui-même et ne se fonderait pas en lui-même. « La réflexion, notait justement Lavelle, est elle-même une démarche de ma liberté : aussi est-elle un premier commencement, une création absolue par rapport à moi » [1]. Par la liberté je participe à l'être en tant qu'il est origine absolue de lui-même ; par la conscience je participe à l'être en tant qu'il est terme absolu de lui-même.

La personne ne peut donc se concevoir que par une double relation, par une double activité simultanément productrice et assimilatrice. Elle ne serait qu'un phénomène manquant d'intériorité, si elle n'était un dialogue, une émergence et une référence du moi au moi. Une faculté de production, isolée d'une faculté d'assimilation ne pourrait atteindre le réel ; c'est par la conjonction de ces deux facultés dans la personne que le réel devient idéel et l'idéel réel.

L'homme n'existe pas parce qu'il pense ni parce qu'il veut ; ce serait en faire un phénomène, qui n'atteint que des phénomènes. Pour qu'il puisse penser, atteindre l'être, vouloir, il faut qu'il possède une réalité première, dans laquelle la pensée et le vouloir se nouent. En vertu de cette participation originelle, les actes seront objectifs et réels. La pensée et le vouloir impliquent un centre antérieur qui les fonde ; ce centre est le moi spirituel ou la personne. [2]

---

[1] L. LAVELLE, *De l'Acte*, p. 33.

[2] La personne n'est ni l'existence ni la forme, mais une forme vivante ou si l'on préfère, une existence consciente. La personne est l'unité synthétique de l'existence et de l'essence, de l'idéel et du réel, de la conscience et de la liberté, c'est l'être qui assume lui-même ses idées.

Dans la personne et émanant de la personne, la pensée cesse d'avoir une fonction logique et formelle, elle a une intuition et demeure en contact avec l'existentiel ; dans la personne, et surgissant d'elle, la volonté cesse d'être un dynamisme indéterminé et sans loi. Détachées arbitrairement de ce centre ontologique, les pensées seraient des phénomènes sans consistance, et les désirs des élans sans valeur. L'élancement de l'être en dehors de lui-même qui correspond à l'amour, le ramassement de l'être en lui-même qui se nomme la pensée, sont immanents et atteignent l'en-soi parce qu'ils procèdent de la personne ou de l'être en-soi. La personne est donc à la fois essence et existence, structure et dynamisme. Si on supprime son essence pour ne lui accorder que l'existence, elle ne se distingue plus des autres : car, indéterminée, elle est tout et n'est rien. Si on supprime son existence pour ne lui accorder que l'essence, elle n'a plus rien en propre, devient un pur résultat et par suite s'identifie à ses causes.

Il nous paraît donc que l'existentialisme, pas plus que l'idéalisme, ne peut fonder une philosophie de la personne. La pensée est impersonnelle, à moins qu'elle ne soit corrélative à une activité libre, et l'existence est impersonnelle à moins qu'elle ne soit corrélative à une essence. Le personnalisme des existentialistes ne se justifie pas logiquement. [1]

III. LE MOI HUMAIN ET LE MOI DIVIN

1º *La Personnalité divine*

Nous avons vu que l'existentialisme, pas plus que l'idéalisme, ne peuvent faire de la personne la source originelle de la vie de l'esprit. L'esprit qu'on définit comme une existence sans

---

[1] G. Marcel semble être conscient de l'incompatibilité de l'existentialisme et du personnalisme. Voici ce qu'il écrit, quoiqu'il lui en coûte : « Pour dire le fond de ma pensée, je pense d'une part que la personne n'est pas et ne peut pas être une essence, et d'autre part qu'une métaphysique édifiée en quelque sorte à l'écart ou à l'abri des essences, risque de s'évanouir comme un château de cartes. Ceci, je ne peux que l'indiquer, parce qu'en réalité, il y a là pour moi une sorte de scandale et même de déception. » (G. MARCEL, *Du refus à l'Invocation,* p. 152).

essence ou une essence sans existence, doit être impersonnel. La divinité ne sera donc plus l'être, mais elle sera ou une force indéterminée qui se diffuse et qui ne se possède point, ou une pensée qui par des médiations indéfinies tend à se déterminer, sans toutefois pouvoir s'achever. Dieu ne sera plus un substantif mais un adjectif. La religion ne sera plus objective, mais deviendra la modalité subjective de la pensée ou de l'acte. Vivre religieusement, ce sera communier à un principe abstrait qui devient et qu'on fait être, soit en le pensant, soit en le voulant. Présent partout et présent nulle part, l'Absolu sera et ne sera pas ; il sera le Cosmos qui évolue. Cette évolution sera logique et nécessaire d'après les hégéliens, elle sera créatrice d'après les dynamistes.

On chante donc le Grand Tout, qui dynamise le vouloir ou qui inexorablement fixe le destin. Quand on est poète, on se grise de lyrisme ; quand on est philosophe on accepte froidement le nécessaire. L'Absolu est pour l'un une *moira* sans cœur, pour l'autre un amour informe ; pour tous deux, il n'est plus l'Être mais le phénomène absolu.

Un moment vient pourtant où l'on jette les masques et où l'on renonce aux vaines formules. A Hegel succède Marx ; Nietzsche succède aux philosophes de l'Inconscient. Cette fois plus d'hypocrisie, plus de verbiage, plus de sentimentalité bourgeoise, plus de radotage creux ! On se moque de ces pseudo-absolus, de ces idoles fabriquées de main d'homme. Le panthéisme est une irréligion qui se dupe, un athéisme réel. Ou Dieu est personnel, ou il n'est point.

Que ceux qui le veulent, adorent l'Idée : une personne qui pense lui est infiniment supérieure ; car existant en soi, elle existe pour elle-même. Qu'adorent ceux qui le veulent, l'Énergie : une personne, qui est immanente à elle-même, transcende les forces de la nature et même les forces dites divines ; car, contrairement à ces puissances, la personne se dirige et existe en elle-même.

Que les existentialistes ou les idéalistes vénèrent des ombres, des phénomènes, qu'ils disent ou absolus ou relatifs ; pour nous, nous ne nous agenouillons que devant l'Être ou l'Acte

Absolu, l'Idéel et le Réel, le Réel et le Réalisant, le Lumineux
et l'Illuminant. Quand on aime Dieu et qu'on le prie, ce n'est
certes pas une liberté impersonnelle qu'on invoque ; quand on le
saisit, ce n'est certes pas une idée impersonnelle qu'on contemple.
Il est certes lumière et vie, mais son nom le plus sacré, le fondement radical qui en fait l'Absolu et qui le rend participable
par tout être, c'est sa Subsistance. « Je suis Celui qui suis. »

Établissons donc le caractère éminemment personnel de Dieu.
Dans tout être fini réel, il y a des déterminations ou une essence,
car un être indéterminé et indéterminable est contradictoire ;
il y a aussi un dynamisme, car un être sans activité n'existe
pas ; il y a enfin corrélation nécessaire du dynamisme à ses déterminations et des déterminations à son dynamisme qui font que
l'être concret existe en lui-même, distinct de tout autre. Or,
à tous ces titres, l'être fini exige un Dieu personnel dont l'immanence soit parfaite.

En effet, puisque toute affirmation d'une essence est contradictoire si elle n'est intrinsèquement coordonnée à une Intelligence Absolue, Dieu doit être Pensée adéquate, Principe transcendant des déterminations de l'être et de son assimilation
spéculative. « Dieu, écrit le P. Johanns, doit être conçu comme
l'absolue Cognoscibilité actualisée dans l'Absolue connaissance,
ou comme le Sujet absolu identique au Prédicat absolu. En fait,
lorsque Dieu est conçu comme la Forme subsistante absolue,
ou comme l'absolue « Pensée se pensant elle-même », il est
conçu comme le contenu du jugement absolu en qui le prédicat
absolu coïncide avec le Sujet absolu et ainsi constitue l'absolue
manifestation en soi de la Spiritualité divine » [1]. Dieu possède
donc d'une façon plénière la première caractéristique de la personnalité qui est la conscience, l'absolue intelligence manifestée
à elle-même, l'absolue contemplation de soi.

Puisque la volition de l'être ne peut être réalisatrice que parce
qu'elle communie à une puissance d'actuation absolue qui la
féconde, Dieu doit être aussi Volonté parfaite, principe transcendant de l'actualité et de la spontanéité de l'être. Il est l'absolue

---

[1] P. JOHANNS. *Vers le Christ par le Vedanta*, I, p. 232, Louvain, 1932.

Amabilité présente dans l'absolu Vouloir, la Volition immanente dont l'acte coïncide avec l'idéal absolu, dont la liberté ne s'extrapose rien de réel. Dieu est « absolue réalisation de soi. Mais cette réalisation n'implique en aucune façon le passage d'une réalité imparfaite à la réalité parfaite, ou de l'être manifesté à la conscience manifeste. Dieu est son propre idéal et la réalisation de cet idéal ; Dieu constitue l'exercice infini, l'énergie en elle-même, fixée dans l'immutabilité de son activité, de son déploiement péremptoire ; Dieu se repose donc non dans le vide de la passivité, mais dans la plénitude de l'activité. Sans aucune résistance possible, Dieu actue par un seul exercice éternel et unique sa propre possibilité infinie, et il est capable, en vertu de cette actuation absolue, de tirer un monde de l'abîme du néant. »[1] Ainsi Dieu possède la seconde caractéristique de la personnalité qui est la volonté réalisatrice et libre.

Enfin, nous l'avons établi, c'est parce qu'il est personnel, que l'esprit pense et veut. En détachant la pensée de la personne, la pensée perd son enracinement dans le réel ; en détachant le vouloir de la personne, le vouloir devient informe et vide. Une pensée non-existentielle, est-ce encore une pensée ? Un vouloir inconscient, est-ce encore un vouloir ? Une fois qu'on définit l'être soit par sa vérité, soit par sa valeur, et qu'on perd de vue qu'il est à la fois le couple valeur-vérité, il s'évanouit ; il ne peut exister que si, à l'activité déterminante de son essence, correspond l'activité dynamique de son existence. Ce n'est donc pas avant tout parce que nous pensons ou que nous voulons que nous sommes assortis à l'Absolu de la valeur ou de la vérité, mais en vertu de l'action médiatrice de notre personnalité. Mais alors, comment tout acte de pensée et de vouloir ne postulerait-il pas comme sa raison d'être dernière une Personne absolue et parfaite ?

Intériorité et valeur, tels sont les éléments constitutifs de la personne ; mais ces attributs n'appartiennent à l'homme que d'une façon déficitaire. J'existe pour moi-même mais enveloppé de tant d'inconscience ; j'existe par moi-même mais déterminé

[1] Ibid., pp. 133, 134.

par tant de mécanismes. L'immanence de l'homme est imparfaite, elle ne forme pas un circuit fermé.

Or l'être doit être. Son immanence totale est la condition de l'affirmation plénière de la vérité comme de l'acte pleinement réalisateur. Il n'est certes contradictoire ni d'affirmer l'imparfait ni de vouloir l'imparfait ; mais l'imparfait ne peut être voulu ni pensé qu'en fonction d'une Perfection absolue à la fois existentielle et idéelle. Sans cette relation au Parfait, à l'Acte pur, l'affirmation serait négation, la volition nolition. L'être ne subsistant jamais pleinement en lui-même, mais étant à tous ses degrés allié au non-être, le non-être serait la raison ultime de l'être, si bien que toute pensée comme tout vouloir se néantiserait et serait incapable d'émergence. Il y a donc à choisir entre le rien ou l'Être.

Des philosophes, pour démontrer l'existence de Dieu, recourent au principe de causalité ou de finalité. D'autres dénient à ces principes toute valeur ; car, disent-ils, comme ils ne relient que des phénomènes, ils ne valent que dans l'ordre du devenir. Pour nous, sans mettre en question la portée médiatrice de ces principes, nous pensons qu'ils ne sont pas derniers. Comme les actes, dont ces principes déterminent la liaison empirique, supposent un centre antérieur, ainsi ces deux principes exigent entre l'homme et Dieu un rapport ultime. Ce rapport est le rapport de participation de l'imparfait au Parfait, relation de notre personne à la Personnalité divine. « Relation interne, parce qu'elle rattache la personne à Dieu comme au principe permanent de son être total ; relation constitutive, parce qu'elle n'exprime rien d'étranger, mais son être même en tant que participé ; relation immédiate, parce qu'aucun intermédiaire n'est ici possible ni concevable, et que pour être, le seul moyen consiste à puiser directement à l'unique source de l'être »[1]. C'est en vertu de ce rapport originel qui assortit la personne humaine à la personne divine, que nous sommes religieux. Comme le disait justement Scheler, la relation à une Personne est l'alpha et l'oméga de la religion. Là où elle n'est plus l'objet de l'intuition, de la pensée, de la foi et du sentiment intérieur, il n'est plus question de reli-

---

[1] J. Mouroux, *Sens Chrétien de l'Homme*, p. 110.

gion au sens objectif du mot. Le fondement de la religion est la relation d'un unique à l'Unique, la communion prélogique et prémorale de la créature à son Créateur.

Ce qui fait l'intimité de l'homme avec lui-même et avec Dieu, ce n'est pas avant tout tel ou tel acte, que ce soit l'acte d'amour comme le veulent les existentialistes, ou la contemplation ainsi que le prétend Hegel. Il existe une source d'intimité avec soi-même et avec Dieu qui précède tous les actes et qui conditionne radicalement notre appartenance à nous-mêmes et notre union à Dieu ; ce principe qui nous permettra de nous posséder dans tous nos actes, qu'ils soient empiriques ou métempiriques, spéculatifs ou pratiques, et qui nous interdira l'aliénation totale de nous-mêmes ; ce principe qui nous rendra toujours très proches de Dieu et qui nous permettra de nous unir à lui non seulement au terme d'une dialectique savante ou d'une morale laborieuse, mais à tout moment et à tout instant, dans les circonstances les plus diverses, alors que nous serions pauvres et dénués de tout, ignorants et perclus ; ce principe, cette source originelle, c'est notre aséité assortie à l'Aséité divine.

Le panthéiste croit que son Absolu est très supérieur au Dieu-Personne qui répondrait à un schème de l'imagination ; il pense aussi que l'Absolu impersonnel est plus proche de l'homme que le Dieu-Personne. Il n'en est rien. Dire que Dieu est personnel, ce n'est pas céder à je ne sais quelle imagerie. Certains philosophes se croient très dépouillés de l'humain en croyant à l'Impersonnel. En fait, ils succombent à l'anthropomorphisme ; sous prétexte de grandir l'Absolu ils en font de l'infrahumain [1].

Dire que Dieu est Personne, c'est le proclamer l'Absolu-Absolu ; car la plus haute réalité de la vie spirituelle ce n'est ni la pensée

---

[1] Le concept de personne. pas plus que celui de vérité ou de bien, n'implique de soi aucune limitation ; il est d'ailleurs plus central que ces catégories qui en fait s'y réfèrent. Pas plus qu'une vérité n'existe parce qu'elle est inadéquate, ni le bien parce qu'il est imparfait, ainsi la personne n'existe pas parce que sa subsistance ou son immanence serait inadéquate ou imparfaite. Seul Dieu est vraiment la Personne, tout comme seul il est la Vérité et le Bien. La personnalité de l'homme, au contraire, est déficitaire ; c'est pourquoi sa pensée et son vouloir le sont également.

ni l'action, mais leur synthèse dans l'être. Bonté et Vérité supposent une médiation ontologique. Nous voulons que Dieu soit personnel, parce que la relation de la pensée et de l'acte doit être immanente, parce qu'en Dieu l'Idéel et le Réel doivent s'enchaîner librement et rigoureusement, sans prévalence ni écart possible.

Nous ne voulons pas des dieux de Hegel ou de Fichte, du dieu-pensée qui cherche à se penser par des médiations toujours renouvelées, mais qui n'est jamais l'intelligible parfait ; du dieu-volonté qui tend à se libérer, mais qui ne triomphe jamais totalement du mal. Nous voulons un Dieu victoire absolue sur le néant, un Dieu liberté pure et pensée pure ; pas un malheureux dieu qui devient et qui s'engendre dans nos opaques cerveaux d'hommes ou qui se réalise dans nos vouloirs peccamineux. Pour que notre pensée puisse se construire et atteindre l'être, il faut une identité parfaite de la pensée et de l'être qui lui soit antérieure et qui la rende possible ; pour que notre volonté puisse se libérer, il faut une Liberté créatrice qui lui porte secours ; pour que nous participions à l'être, il faut un Être intime à lui-même. Dieu ne peut se penser, vivre, être en nous que s'il est doué d'une immanence totale et plénière.

Nous ne voulons pas d'un dieu panthéiste, car ce dieu faible et impuissant ne peut porter secours. Un Dieu-Idée peut déterminer la structure du monde, mais son élan, sa nouveauté, son existence ne procèdent pas de lui ; un dieu-volonté peut susciter le dynamisme du monde, mais ses déterminations lui échappent ; son essence lui demeure étrangère ; il se heurte à la loi des possibles, à du nécessaire. Nous voulons un Dieu personnel et Créateur, dont procèdent la possibilité, et l'actualité, et la subsistance des êtres.

2° La Religion personnaliste

A ce Dieu prodigieux et magnifique, subsistant en soi et donné au monde, l'homme pourra s'unir pleinement, objectivement, intimement, immédiatement, et cette union sera salvifique et mystique.

a) En effet, la religion personnaliste est *plénière*. Pour les rationalistes qui ne peuvent concevoir l'action divine qu'en fonction de l'activité intellectuelle, nous dépendons de Dieu, parce qu'il nous détermine, parce qu'il est inévitable, parce qu'il s'impose. Or, s'il en est ainsi, la liberté n'a aucun rôle à jouer dans notre essor religieux, à moins qu'avec Hegel, on n'entende par liberté la conscience des déterminations de la pensée. Si Dieu est nécessaire, fatal comme une déduction bien faite, on s'achemine vers lui par le seul raisonnement et celui-là seul l'a rejoint, qui, du centre de l'esprit, contemple l'identité inéluctable de l'Être.

Pour les intuitionistes, au contraire, qui ne peuvent se représenter l'action divine que sous les espèces du dynamisme volontaire, nous dépendons de Dieu, parce qu'il émeut nos cœurs et, comme toute émotion est indéterminée de soi, il n'y a dans la vie religieuse ni contrainte ni précepte, mais liberté pure. Dieu n'est-il pas l'amour absolu qu'aucune loi ne conditionne ? Pourquoi dès lors le craindre, le respecter ? Il n'y a qu'à le sentir, à le savourer. C'est d'après son lyrisme et non d'après sa vérité que l'on doit juger de la qualité d'une vie religieuse.

La philosophie réaliste, parce qu'elle constate l'interdépendance intrinsèque de la pensée et du vouloir, conçoit l'activité divine comme celle de l'Être en-soi qui ordonne le monde par son intelligence et l'anime de son amour. Ainsi l'univers n'est plus peuplé de mobiles informes ou de formes sans réalité ; il devient vrai, et bon, et réel. Ainsi la religion ne se termine plus à l'abstraction d'un Amour sans Vérité ou d'une Vérité sans Amour. Dieu, qui est personnel, est à la fois un Maître et un Père. Maître, parce qu'il nous domine par sa causalité déterminante ; parce que sa nécessité se retrouve dans les lois inéluctables de notre essence ; Père, parce qu'il s'impose à nous non par brutalité ou contrainte, mais par l'attirance de sa douceur, par les touches discrètes de sa bonté, par les avances délicates d'un amour qui féconde notre volonté libre. Au contact de ce Maître qui commande et de ce Père qui bénit, le cœur de l'homme est tour à tour envahi de respect et d'amour, de confiance et de crainte. Le sentiment religieux, d'insipide qu'il était, devient prodigieux, dramatique ; car la vie et la mort, l'esclavage ou la liberté sont l'enjeu du « oui » ou du « non », par lequel nous accueillons ou écartons les sollicitations impérieuses et douces de Dieu, le Seigneur Très-Bon.

b) La religion personnaliste est *objective*. En effet, si l'Absolu évolue, comme une Idée qui se cherche ou comme une Liberté qui se dépasse, la Religion ne peut être immuable ; elle doit changer sans cesse puisque l'Absolu change ; elle doit se métamorphoser avec l'Absolu qui se métamorphose, et la religion d'aujourd'hui ne peut être celle de demain. Pas de certitudes définitives mais des opinions ! Pas de valeurs éternelles mais des valeurs éphémères ! Comment un Absolu qui ne se possède point, pourrait-il donner à l'homme de se posséder ?

Au contraire, dans la perspective personnaliste, Dieu est immuable et éternel ; il n'a pas à se chercher et à devenir ; il est l'Acte pur totalement réalisé. Or un Dieu totalisé peut faire participer sa créature à sa réalité éternelle et à sa vérité immuable. Il peut se révéler ; et, en se révélant, l'Acte pur se fera présent au devenir. Dieu résidera dans le temps. Une religion concrète et historique pourra être éternelle.

c) La religion personnaliste est aussi une religion *intime*. Le dieu panthéiste n'est pas intime à lui-même ; il se heurte à l'autre, est étranger à lui-même. Son union au monde provient d'une secrète indigence ; il est pauvre et doit tendre la main ; il doit se fuir. Or, en se fuyant, en s'unissant au cosmos, il ne peut jamais être pleinement le cosmos, pas plus qu'il ne peut être pleinement lui-même. Leur union est vouée au malheur, car le fini et l'infini, si intime qu'on conçoive leur union, subsistent néanmoins toujours l'un en face de l'autre, incapables l'un et l'autre d'immanence, incapables conséquemment de donation totale, à moins toutefois que, comme dans le système acosmique de Spinoza, le monde soit dépourvu de finalité, de liberté et donc d'existence. Dans ce cas, certes, l'absolu serait immanent, mais il serait aussi l'Égoïste absolu, le Dieu replié sur soi, en dehors duquel ne subsiste qu'un fantôme du monde.

Au contraire, un Dieu personnel peut se donner. Sans doute, il subsiste en soi et, s'il se donne, ce n'est pas qu'il manque de quoi que ce soit. Ce n'est pas la créature qui le fait être et qui l'achève. Être achevé et plénier, son acte exclut toute indétermination, son amour tout désir, sa contemplation toute recherche. Cercle immanent et clos à cause de la plénitude de sa personnalité, il est absolue transcendance, mystère insondable, existence inaccessible ; mais cette transcendance, au lieu de l'enfermer en lui-même, le rend capable d'infinie diffusion.

Plus un être est immanent et plus il est capable de donation. Un caillou ne peut agir sur un autre caillou qu'en se détruisant ou en le détruisant ; l'extraposition et l'opposition sont les conditions de leurs subsistances imparfaites. L'homme même se pose en s'opposant ; à défaut d'intériorité, il ne peut jamais se dire ni se donner tout-à-fait ; n'étant pas pleinement intime avec lui-même, il est incapable d'intimité plénière avec autrui. Et pourtant, parce qu'il est personnel, le moi peut aimer le toi, et cet amour, au lieu de diminuer le sujet, le fait être ; il peut communiquer sa pensée à autrui et ce don ne l'appauvrit point ; la vérité s'intériorise et s'enrichit quand elle est partagée.

Or, Dieu est aséité pure ; en se posant, il ne s'oppose à rien ; aussi par suite de cette intériorité et de cette présence totale à lui-même, il sera pleinement disponible à l'égard d'autrui ; il créera, suscitant la structure, le dynamisme et l'être de la créature. La personnalité divine est comme l'anneau magique qui permet à Dieu de prendre possession de soi et de se donner à soi. Doué de cette subsistance absolue par le double mouvement diffusif et réfléchi, lesquels font son intériorité totale, son infinie lucidité, son infinie raison, Dieu peut se communiquer sans mesure à d'autres êtres qu'il fera subsister à leur tour en eux-mêmes, de telle sorte qu'ils soient non des ombres, mais des êtres réels et concrets.

On oppose la transcendance et l'immanence : on s'imagine qu'elles sont inconciliables ; on sacrifie l'une à l'autre. Or il n'y a pas à choisir entre elles, car dans l'expérience religieuse, comme au terme de la réflexion philosophique, elles se révèlent solidaires. La transcendance divine résulte de son immanence à lui-même ; son immanence à lui-même rend possible l'acte créateur en vertu duquel Dieu se fait infiniment présent à l'être fini.

d) La Religion personnaliste est *immédiate*. La philosophie moderne a voulu mettre de l'intimité entre l'homme et Dieu ; dans ce but elle a supprimé la substance ; elle a fait de l'acte de la pensée ou du vouloir des absolus. Or Dieu s'est éloigné, il est devenu lointain, relatif. Ce qui fait l'immédiateté du rapport de l'homme à l'Absolu, ce n'est pas l'acte comme tel, mais l'insertion de notre être dans son Être. C'est par notre aséité, qui dérive de l'Aséité divine, que nos pensées, comme des harpes éoliennes, vibrent sans cesse sous les ondes divines et que nos désirs sont à tout instant vivifiés par l'Actualité de Dieu.

Le fondement ultime de la religion, quel est-il ? Le sentiment ou l'élan du cœur à la façon romantique ? L'action réalisatrice à la façon pragmatiste ? L'expérience de Dieu selon la formule existentialiste ? Les concepts et la dialectique selon les consignes de l'idéalisme ? Tout cela fait partie de la religion, mais n'en constitue ni l'essence ni le fondement. Le fondement de la religion est dans l'adhérence de notre être à l'Être, adhérence qui rend possibles et le sentiment religieux et la pensée religieuse et l'expérience religieuse et les réalisations religieuses. Il ne faut pas confondre les actes avec le centre d'où ils émanent ; les rayons émanent du soleil mais ne sont pas le soleil. Dieu n'est ni le sujet, ni l'objet, ni l'amour, ni la contemplation, ni un état de conscience, ni une projection de la liberté. Il est Celui qui me fonde en moi-même, en se fondant en lui-même, par lui-même et pour lui-même.

Avant que d'être un système de propositions spéculatives ou de devoirs pratiques, la religion est avant tout une participation à l'Être de Dieu ; c'est en vertu de cette participation fondamentale à son aséité ou de leur caractère personnel que tous les actes humains, quels qu'ils soient, ont une portée religieuse.

Sans aucune médiation, Dieu est présent à l'homme dans le centre mystérieux d'où tout acte procède. L'homme ne peut s'unir à Dieu que par Dieu. Ses actes ne sont pas premiers, ils sont seconds ; ils ne suscitent pas Dieu mais le rejoignent ; ils ne le créent pas mais l'accueillent. Tout acte, en effet, procède de la personne ou de l'être ; or, l'être est possédé par Dieu, présent à Dieu. C'est par suite de cette présence originelle de Dieu dans notre immanence la plus profonde que tout acte humain pourra être déifique.

Par la pensée, détachée de la personne, nous ne pourrions atteindre qu'une pensée divine, le Dieu-Idée de Kant ; par notre dynamisme, détaché de la personne, nous ne pourrions atteindre qu'une énergie divine, le Dieu-Volonté de Fichte. Mais notre pensée et nos actes dérivent de la personne et ainsi atteignent l'Être de Dieu ; ainsi l'intelligence et la volonté sont immédiatement et par elles-mêmes des facultés divines.

Des volontaristes soutiennent que l'intelligence ne peut atteindre la vérité que par un acte libre, et ce serait lui qui la rendrait preneuse d'être. La vérité doit être vécue, dit-on, ou elle cesse d'être la vérité. C'est inexact. La pensée a une portée ontologique, fût-elle même nécessaire comme une proposition métaphysique. Le principe de causalité justifie l'affirmation de Dieu aussi bien que le principe de finalité. Ce n'est point en vertu de tel ou tel acte du sujet que l'intelligence de formelle devient existentielle ; ce n'est pas en vertu de tel ou tel état affectif qu'elle devient intuitive ; ce n'est pas par suite d'un décret de la volonté que, de faculté du relatif, l'intelligence devient une faculté de l'absolu.

De par elle-même, en vertu de sa propre nature, dès qu'elle est fidèle à sa loi intrinsèque, la pensée atteint l'être ; elle atteint par elle-même l'existentiel, car elle surgit de la personne, centre où la forme et son élan, l'essence et l'existence sont intrinsèquement unies et communient à l'Être de Dieu. L'intelligence, par elle-même et sans médiation, est capacité de Dieu.

De même ce n'est point par la médiation de l'acte intellectuel que la volonté devient une faculté ontologique, comme si, relative de soi, c'étaient l'intelligence et ses représentations qui la rendaient absolue. Tout comme on peut connaître objectivement Dieu sans le vouloir ni l'aimer explicitement, ainsi on peut parfois aimer très réellement Dieu sans savoir le nommer et sans disposer de concepts pour le définir. L'action voulue peut unir à l'Être, quand elle se laisse diriger par des sentiments de valeur, comme le sens de la dépendance, de l'infini, du respect, par l'inquiétude et l'espérance religieuses.

On peut en fait connaître Dieu sans l'aimer explicitement, tout comme on peut l'aimer sans le connaître explicitement. Le progrès religieux exige certes que le sentiment devienne rationnel et que la connaissance soit vécue, mais, alors même que les actes de nos facultés ne coïncident pas encore, ils sont déjà déifiques.

Il existe des appréhensions de vérité qui contrarient nos tendances, des certitudes qui s'imposent à nous malgré nous. On peut valablement vouloir Dieu, quand on n'a encore qu'une idée fort confuse de sa nature et de sa nécessité ; on peut percevoir son existence, alors qu'on n'a aucun désir religieux. Une vérité, pour être objective, ne doit pas être vécue ; pas plus qu'une inspiration de la conscience, pour être morale, ne doit toujours être tirée au clair. Notre union à Dieu, avant d'être psychologique, est ontologique.

De la circumincession des activités dans la personne et de la participation de la personne à la Personnalité de Dieu découle le caractère immédiat de la religion.

e) Et cette religion immédiate, parce que personnelle, sera aussi *salvifique*.

L'homme a besoin de salut ; il est limitation et péché ; il ignore Dieu, alors qu'il souhaiterait parfois le connaître, et bien souvent il veut l'ignorer ; il ne fait pas le bien qu'il voudrait accomplir ; bien souvent il veut le mal. Si l'homme hèle Dieu, c'est parce qu'il souffre, s'angoisse et se bute à l'impossible. La vérité lui échappe, les valeurs le transcendent ; il cherche, or il ne trouve pas et demeure dans les ténèbres ; il est libre, or l'acte même de sa liberté le réduit à ne pas être. L'homme aspire à être, et ne peut être. Ah, tous les efforts gaspillés, toutes les aspirations vaines ! Il veut dominer le monde, et le monde l'écrase ; il veut des frères, or il rencontre des indifférents et des hostiles ; il veut s'unir à l'Absolu, or l'Absolu ne lui fait aucun signe et ne lui porte aucun secours. La religion n'est donc qu'une comédie, si elle ne transforme point la réalité humaine, si elle ne lui permet pas d'émerger de lui-même et de se transcender effectivement. Ou une religion rédemptrice ou pas de religion ! Un Dieu qui ne sauve point n'est pas Celui que l'homme attend, le vrai Dieu.

Or, à ce point de vue encore, la religion personnaliste se découvre seule efficace. En effet, le panthéiste se représente la vie de l'esprit sous la forme d'un éternel retour, d'une spirale mobile dont le tournoiement indéfini n'arriverait jamais à rejoindre son centre : car l'être manque de centre ; il est mouvement sans repos, effort sans accomplissement absolu, recherche sans trouvaille définitive. Si le parfait n'existe point, comment l'esprit pourrait-il se parfaire ? Peu importe que l'évolution de l'être soit logique ou existentielle, peu importe qu'on fasse de l'idée ou de l'acte le principe dynamique qui meut l'esprit ! De toutes façons, dans cette perspective, il n'y a pas de salut véritable. La religion panthéiste est logiquement une religion irréelle qui conduit au désespoir.

C'est la pensée qui sauve, déclare Hegel. Mais ce sont des maux réels qui clament vers Dieu, c'est l'impuissance du vouloir, la misère de l'existence. L'idée et la spéculation peuvent-elles y porter remède ? Nourrit-on un baudet avec l'image du foin ? Sauve-t-on l'homme avec des représentations de l'Absolu ? Et encore, quelles sont ces représentations qui auraient la vertu magique de réconcilier l'homme avec le monde, avec lui-même et avec l'Absolu ? C'est, d'après Hegel, le concept de l'Absolu-concret. Déjà, avant lui, on savait que le concret n'est intelligible que par l'abstrait et que l'abstrait ne peut se penser sans le concret. Les philosophes gémissaient de cette tare indélébile de l'intellection humaine, car le concret et l'abstrait s'opposent comme de l'opaque à du lucide, comme de l'incompris à du compris. Hegel ne s'arrête pas à des vues aussi simples. L'Absolu est synthèse de contraires ; l'esprit humain est donc déifique. Solution déroutante ! L'homme est-il fils de Dieu, parce qu'il peut, tant bien que mal, raccorder deux données inconciliables ? La synthèse logique des essences le délivre-t-elle de ses maux ? En identifiant la pensée humaine à la pensée divine, Hegel interdit à l'homme tout espoir d'émergence plénière ; en proclamant la primauté du devenir sur l'être, il contraint l'homme à renoncer au parfait ; en le retranchant de toute transcendance, il l'immobilise dans sa misère.

La philosophie existentielle est plus sérieuse ; elle ne se contente pas de solutions factices ; elle veut des solutions effectives ; car l'homme existe et a réellement besoin de rédemption. Pour qu'il se sauve, il doit se transcender, se revaloriser, renaître intérieurement ; il lui faut un acte miraculeux et créateur de liberté. Mais à ce miracle, à cet acte créateur, nul existentialiste — j'excepte ceux qui sont personnalistes et chrétiens — ne croit. A les écouter, la transcendance, qui fait obstacle au vouloir et qui met en échec le choix, est irréductible ; aucun espoir ne vaut.

Les philosophes, guidés par des postulats divers, se choisissent leur Dieu ; ils optent ou pour un Dieu-Créateur ou pour un Dieu-Sauveur, selon qu'ils sont déterministes ou dynamistes. Certains accusent le Créateur d'être un potentat, le Dieu des Césars ou des Juifs, le Dieu fatal de la pensée nécessaire ; ils se persuadent qu'en croyant à la création, c'est-à-dire à la totale dépendance de la créature à l'égard de Dieu, ils deviendraient mahométans ; et comme ils tiennent à leur liberté, ils nient la création. D'autres ont à l'égard du Dieu-Rédempteur des défiances pareilles. N'est-il pas anthropocentrique ? N'est-il pas le dieu des désirs et des souhaits, le Dieu trompeur de la subjectivité humaine ? Ne grandit-on pas Dieu en le laissant dans sa totale transcendance ? N'est-il pas plus noble et plus courageux de pleurer en silence, plutôt que de Lui enlever quelque chose de sa grandeur, en le rendant immanent à l'histoire, présent à l'homme ? Ces oppositions sont bien factices et il faut les dépasser. Car enfin la création, pour être réelle, doit être subjective, gratuite, amoureuse. On ne peut la concevoir en termes de nécessité. Un potentat est un être solitaire qui ne crée point. Quand Dieu crée, c'est qu'il aime. Qu'est-ce que la création, si ce n'est un acte gratuit d'amour ? La rédemption, à son tour, peut-elle être efficace, si elle ne surgit point d'une infinie puissance ? Pour qu'elle soit transformante, pour qu'elle fasse émerger l'homme à un degré supérieur d'être, ne faut-il pas qu'elle soit créatrice ?

C'est au delà de ces antinomies auxquelles la philosophie contemporaine nous a habitués, qu'on doit chercher une doctrine

du salut. Les philosophes, avec d'infinis labeurs, se sont fabriqués
leurs dieux. Le malheur est qu'un dieu fabriqué ne sert de rien
et ne fonde point d'espoir. Le Dieu qui sauve est un Dieu transcendant, transcendant parce qu'il est personnel ou immanent
à lui-même, donné parce qu'il dispose intégralement de lui-même,
s'imposant totalement et gracieux sans mesure, force toujours
et bonté sans partage. Le salut ne peut provenir de l'homme,
mais de Celui qui transcende les contraires. Seul l'Un Absolu,
l'Idéel identique au Réel, peut réconcilier l'homme avec lui-même
et l'intérioriser dans la joie. Ce Dieu-Personne est Être, Lumière,
Vie ; son Être peut s'unir à notre Être et, par suite de cette
union radicale et créatrice, la réalité première, la lumière et la
vie de Dieu peuvent informer nos actes. L'homme sera sauvé,
pourra penser divinement et vouloir divinement, quand le
Seigneur aura visité sa créature, quand il aura agi sur le centre
mystérieux de l'être où lui seul peut pénétrer, que lui seul
peut régénérer. [1]

f) Enfin la religion, étant personnelle, sera orientée vers la
mystique, non qu'elle se perde dans les nuages et se dissolve dans
la subjectivité, non qu'elle s'affranchisse des convictions de
l'esprit et de l'effort volontaire, mais parce que de par sa nature,
elle intériorise l'homme, le rendant à la fois présent à lui-même et
coprésent à Dieu.

McTaggart disait que la mystique ne doit pas intervenir
dans la méthode de la philosophie, quoiqu'elle puisse avoir
une place à son terme. Cette remarque, bien judicieuse, s'applique à la religion comme à la philosophie. Pour posséder la vérité,
tout comme pour s'unir intimement à Dieu, l'esprit doit être
rigoureusement conduit. Dans l'odyssée religieuse, la mystique

---

[1] Kierkegaard est un des philosophes qui ont le mieux réalisé ce caractère personnel de toute religion anthentique. Tant que l'homme n'a pas rencontré le
Dieu-Personne, il ne connaît pas sa propre valeur, il se dissout et est livré au péché
et au désespoir. Celui qui croit à un Dieu personnel, prie ; or cette prière l'intériorise ; cette croyance affermit ses certitudes, rend dense son vouloir, efficaces ses
options, salvifique sa religion. L'homme ne s'appartient qu'en Dieu, ne peut être
lui-même et se sauver que par Dieu. La foi comme l'espérance sont vaines, si
elles ne s'adressent point à une Toute-Puissance aimante, à un Créateur personnel.

est un idéal toujours présent ; mais, première dans l'ordre des valeurs, elle n'est pas pour cela première dans l'ordre des moyens qui y acheminent. Les certitudes objectives de la foi, l'humilité, la soumission, l'esprit de sacrifice y préparent : elle ne peut se passer de contrôle. Celui qui l'affranchirait des chaînes de la raison et des devoirs de la morale, en ferait un vain mythe, comme l'expérience le prouve.

Il en est, en effet, qui dans les choses religieuses dédaignent la logique, n'ont pas le souci du devoir et n'entendent se laisser guider que par les inspirations du cœur. Ils le frappent et l'auscultent, prêtent attention à son inquiétude, à ses élans. Les mystiques affirment que les êtres religieux sont de vivants télégraphes, sensibles aux touches divines, visités par son amour. Ils cherchent donc à le savourer, à le posséder, à en jouir comme l'amant jouit de l'aimée ; or Dieu se dérobe à leur étreinte. Après quelques élans qui retombent, après quelques aspirations sans saisie réelle, ils renoncent bien vite à Dieu comme des jouisseurs déçus, en gardent quelque vague nostalgie, quelques regrets qui se consolent.

En fait, s'ils ne sont pas devenus religieux, c'est qu'ils sont des efféminés qui jouent de la cithare ; or Dieu n'est pas une musique, une caresse, une poésie, un rêve qui se chante suavement ; pas plus qu'il n'est un professeur, qui explique « per longum et latum », qui fournit une raison à tout. Dieu est l'Acte réel et objectif. Il est le Maître qui s'exprime laconiquement et dont le silence doit être respecté ; Il commande. Au-delà de nos pensées si courtes et de nos émotions de surface, Il réside dans le fond mystérieux de notre être ; Il le possède par son attirance souveraine, par sa puissance créatrice. Quoi qu'on fasse, quoi qu'on dise, quoi qu'on pense, il y aura toujours là quelque chose qui L'écoute, qui L'adore et qui Lui fait écho. C'est de ces profondeurs que sa parole surgit non élucidée, abrupte comme un roc.

Il se présente au premier aspect enveloppé de ténèbres et aride, comme un « Tu dois » qui ne peut se raisonner, comme une souche morte et sans vie. Il paraît comme un impératif catégorique qui se refuse à toute justification et auquel il faut se soumettre ; Il paraît comme un amour qui se cache et se voile.

Il parle si bas qu'il faut prêter l'oreille pour l'ouïr ; sa parole est si fugitive qu'il faut la saisir au vol. Le croyant doit avoir l'œil ouvert et l'oreille dressée pour percevoir ses signes. « J'élève, dit le psalmiste, les yeux vers toi, ô toi qui sièges dans les cieux. Comme l'œil du serviteur est fixé sur la main de son maître, comme l'œil de la servante est fixé sur la main de sa maîtresse, ainsi nos yeux se tiennent levés vers Jéhovah, notre Dieu. »

La religion, avant d'être une mystique, doit être un service ; pour être un service, elle doit agréer le sacrifice.

Il faut s'unir non au Dieu fade et efféminé des sentimentaux, ni au Dieu appauvri des philosophes, mais à un Dieu réel, vrai et fort, à un Dieu qui n'émerge pas de la subjectivité et de l'égoïsme humain, qui ne se laisse pas emprisonner dans les concepts ni diriger par nos désirs, mais qui est inouï, dont les paroles déroutent, dont les actes sont pleins de mystère.

Aimer le Dieu des philosophes, ce serait se réfléchir en soi-même, prendre possession de soi ; ce serait ne pas se quitter et renoncer à l'odyssée divine ; ce serait ranger de l'acquis et ne pas se dépasser. Affirmer le Dieu de la foi, c'est au contraire se précipiter vers ce qu'on n'est pas et ce qu'on ne possède pas, c'est s'évader, s'insérer effectivement en Dieu, de telle sorte que ce soit sa parole qui retentisse en l'esprit, son amour qui dirige ; c'est conséquemment se vider de soi-même et se remplir de Dieu.

Il y a des souffrances mortelles, celles qui proviennent du péché et du désespoir. Elles pourrissent, décomposent, n'engendrent que le malheur. Les souffrances du croyant sont fécondes et pareilles à celles de la mère qui enfante. Certaines femmes, à cause des douleurs de l'enfantement, renoncent à la maternité ; leur cœur est lâche et leur destinée triste. Il est aussi des hommes qui veulent esquiver le stade douloureux de l'enfantement, et naître à la vie de Dieu sans cri ni angoisse ni déchirement. Eux aussi sont condamnés à la stérilité et à la tristesse d'un cœur vide. Dieu jamais ne chantera dans leur âme l'hymne mystique de l'Amour.

Cependant d'autres ont plus de courage. Pour que Dieu vive dans leur âme, ils acceptent de mourir, et quand l'angoisse les empoigne, ils ne désespèrent pas. N'est-elle pas le signe avant-coureur du salut ? Or, cette ferme confiance ne les déçoit pas.

Ils ont voulu le sacrifice ; ils ont fait l'expérience effective du renoncement ! Voilà que, pour avoir fait le grand saut dans le vide, ils se redressent plus équilibrés que ceux qui cherchent l'équilibre ; voilà que, pour avoir accepté la mort, ils sont plus vivants que tous les passionnés de la vie ; voilà que, pour avoir consenti à souffrir, ils se retrouvent plus joyeux que les assoiffés de bonheur.

Ils ont immolé ce monde à l'autre monde ; ils croyaient perdre quelque chose ; en réalité ils n'ont rien perdu, mais tout gagné. Par un mécanisme dont ils ne sauraient expliquer le secret, l'infini qu'ils ont cherché exclusivement, se réaffirme dans le fini et les réalise. Ils connaissent la félicité de l'infini dans le fini.

Ils ont dédaigné la terre, et pourtant la possèdent plus que les terrestres. La vie sacrifiée ressuscite, la vie de cette terre avec ses sourires et ses poignées de mains et ses engagements ardents. Ils se passionnent pour ce monde, l'améliorent et le travaillent. Pourtant ils sont détachés, vivent avec l'insouciance de vauriens, avec une liberté qui paraît de l'insolence. Ils parlent, écoutent, encouragent, collaborent, sont des frères ; cependant leur courage et leur amitié ne débouchent pas d'en-bas, mais d'En-Haut, de Dieu dans lequel ils ont foi et dont ils sont les engagés volontaires.

Ils ont l'impression de commencer une vie toute neuve, une vie qui s'étage à des hauteurs sans pareilles, dont les stratifications sont infinies. Autrefois ils ne possédaient que des parcelles de joie, des lambeaux. Maintenant ils sont dans le réel et le véritable. Leur existence prend la densité du métal, leurs pensées sont plus fermes, leur essor plus précis. L'existence leur paraît splendide ; elle a des richesses qu'ils ne soupçonnaient pas ; le vide en est rempli, la joie durable, la charité dynamique.

Plus rien d'insignifiant, plus rien qui manque d'intérêt, plus aucun déchet ! Ils s'intéressent à l'infiniment petit qu'ils aperçoivent dans ses prolongements éternels, à l'infiniment pauvre dont la bonté de Dieu a le souci ; ils s'intéressent à la brindille d'herbe et au loqueteux.

Quand ils songent à leur passé, ils se disent : « Nous étions aveugles, tristes, mauvais, déséquilibrés. » Ils ont en eux la joie de ceux qui, tombés dans l'abîme, se sentiraient soudain capables de voler ; ils ont la joie de ceux qui pour la première fois pensent et comprennent ; ils ont la joie du réconcilié. Jusqu'alors ils étaient divisés, séparés, opposés à eux-mêmes et au monde. La grande réconciliation s'est faite.

Ils sont les amis de Dieu, non d'un Dieu pingre, mais d'un Dieu magnifique, d'un Dieu auquel ils ont ouvert les portes de leur logis et qui leur rend magnifié l'univers qu'ils avaient cru sacrifier.

Ils ont tout quitté, or il n'est pas de propriétaire dont les possessions soient plus assurées. Dans chacun de leurs actes l'infini se déverse. Ce dont ils se réjouissent, ils s'en réjouiront à jamais ; ce qu'ils aiment, ils l'aimeront toujours. Le grand alchimiste a transformé la souffrance en joie, la haine en amour, la pauvreté en richesse, les pleurs en rires, la mort en vie.

Ils ne se sont pas détournés d'un Dieu souffrant, d'un Dieu éprouvé ; ils ont marché en sa compagnie. Ce Dieu se révèle dans sa splendeur, sa gloire, sa puissance, son amour. Ils vivent en Dieu, pensent avec Dieu. La paix, la joie, la charité divines les submergent. Ils campent dans l'immuable, dans l'éternel.

« Tu m'as appelé... tu as vaincu ma surdité, tu as brillé, tu as étincelé et tu as triomphé de mon aveuglement. Tes parfums se sont fait sentir. J'ai respiré et je respire en toi. Je t'ai goûté, j'ai faim et soif de toi, et mon cœur ne veut que la stabilité qui est en toi » [1].

Dieu est joie. On le définit parfois comme la pensée qui se pense ; mais une pensée qui serait translucide, ne serait pas divine, si elle était malheureuse. La joie est signe irrécusable de perfection et d'achèvement. Aussi on peut juger de la qualité

---

[1] Saint Augustin, *Soliloques*, I, 311.

religieuse d'une âme par la qualité de sa joie intérieure. Si cette joie est infrangible et la compénètre tout entière, si elle est compatible avec la souffrance et les tribulations, c'est que l'âme vit en Dieu, qui lui accorde les prémisses de sa béatitude.

Une âme qui renoncerait à cette joie intime et mystique, et qui voudrait rester au niveau d'une religion rationnelle et morale, se condamnerait à la médiocrité, car la raison discursive, sans contact personnel avec Dieu, demeure bien enténébrée, et l'effort moral, sans l'appel intime du Dieu présent, est sujet à mille défaillances. L'homme, de par sa nature, est discordant. Pour qu'il s'unifie pleinement, il ne suffit point qu'il affirme ceci ou cela, ou qu'il veuille ceci ou cela ; il faut que renaissant à la vie d'En-Haut et échappant au schématisme du temps et de l'espace qui le distendent, ses actes cessent de s'opposer, et que, centrés dans l'unité de Dieu, sa contemplation soit amour et son amour contemplation.

La mystique n'est pas autre chose ; elle est l'idéal de toute religion authentique ; car par elle l'homme, répondant totalement à la grâce miraculeuse, vit en Dieu. L'homme, avec le secours divin, est capable d'états mystiques, car il est une personne. Puisque sa substance spirituelle est constituée par l'alliance infrangible de la forme et de l'élan vital, de l'existence et de l'essence, l'esprit a la vocation de la mystique. La religion est parfaite quand l'essence divine paraît dans l'acte d'amour dont elle jaillit, et quand l'existence explose dans la lumière, dans la transparence d'une intellection qui n'est plus conceptuelle, mais intuitive et translucide, vivante et béatifiante.

La religion a des catégories et des actes qui lui sont propres ; elle se présente comme la synthèse suprême qui recueille l'homme en lui-même. Ses normes ne sont exclusivement ni morales ni logiques. L'homme profondément religieux, à la différence du logicien ou du moraliste, n'est pas seulement préoccupé des lois abstraites de la pensée ou de l'action ; il agit par amour, il pense en aimant ; ce n'est plus la loi, mais Dieu qui l'inspire intérieurement, Dieu en qui l'amour et la pensée ne sont pas deux choses.

Dieu est immanence pure, intériorité pure, et l'homme comme personne est capable de Dieu, c'est-à-dire d'intériorité et d'immanence. Quand Dieu se communique pleinement à lui, alors, infiniment présent à Dieu, il devient infiniment présent à lui-même, alors il se possède et possède le monde, alors il aime, alors il contemple, alors sonne l'heure de la vie plénière de l'esprit, qui est la sainteté, valeur qui transcende toutes les valeurs, qui est la mystique, intuition pure qui transcende tout savoir.

In domum Domini ibimus. Nous rejoindrons le Seigneur qui a un chez soi, telle est l'espérance chrétienne. Et quand l'homme aura gagné cette demeure close, cette demeure où l'on n'entre qu'invité par le Père, alors commencera la vision extatique ; alors recueilli en Dieu, il sera intime à lui-même et amoureux du monde, alors il sera un avec lui-même, un avec l'univers, un avec Dieu.

QUATRIÈME SECTION

LA MÉDIATION DE L'ÉGLISE

A. — LE PROBLÈME

Nous croyons avoir examiné les principales antinomies de la vie religieuse. Une antinomie demeure pourtant dont la solution n'a été qu'ébauchée, celle qui oppose la conception individualiste de la religion à sa conception sociale. L'individu est-il une monade, douée de tous les organes nécessaires à la vie religieuse, ou bien ne peut-il subsister que dans et par la collectivité ? Peut-il atteindre Dieu sans le concours d'une tradition, ou bien la médiation sociale est-elle essentielle ?

Dans la première hypothèse, la vie religieuse sera intérieure et libre ; elle ne devra avoir nul souci de s'agréger à une communauté extérieure et de participer à son culte. L'homme étant autonome, c'est tout seul, dans le sanctuaire fermé de sa conscience, qu'il doit se poser le problème religieux ; c'est par lui-même qu'il doit le résoudre, en écartant comme un danger toute influence extrinsèque, toute autorité qui n'est pas celle de sa propre raison.

Dans la seconde hypothèse, au contraire, la religion ne peut s'accomplir que par une communauté extérieure qui informe la vie spirituelle. Non seulement l'Église est une éducatrice, mais c'est en elle, par elle et pour elle qu'il faut vivre. Sans incorporation à une Église visible, à ses croyances, à ses traditions, à son culte, il n'y aurait pratiquement pas de religion, c'est-à-dire pas d'union effective à Dieu.

Dans l'étude de ce problème, nous ne ferons pas plus qu'antérieurement appel à des raisons d'ordre théologique. Néanmoins pour éviter le sécheresse d'un exposé philosophique nécessairement abstrait, nous nous aiderons, pour déterminer la nature de l'Eglise, des données concrètes de l'intuition chrétienne.

Le christianisme, on le sait, ne se déduit pas a priori, mais se fonde sur des faits religieux et historiques qu'on ne peut rationaliser. Ces faits nous les présupposons et en respectons le mystère. Renonçant à les déduire, nous les décrivons phénoménologiquement, essayant seulement de démontrer comment ils prolongent la doctrine personnaliste et réaliste que nous avons exposée dans ces pages. C'est à la théologie critique et dogmatique de les établir, de les justifier et de les définir avec précision. La seconde partie de ce chapitre et le chapitre suivant forment transition entre la philosophie et la théologie, dont on sait que les méthodes diffèrent.

B — LES VICISSITUDES DU PROBLÈME

Au moyen âge la religion était à la fois sociale et spirituelle. Quoique, dans l'ordre de la finalité, l'esprit eût la priorité sur la matière, dans l'ordre des moyens qui unissent l'homme à Dieu, la matière, par suite de la croyance au dogme de l'Incarnation, était privilégiée. Sans la grâce qui illumine l'esprit, il n'y a pas de foi ; mais la soumission à un magistère extérieur était la condition « sine qua non » de l'illumination intellectuelle ; sans grâce pas de salut, mais cette réalité spirituelle ne devenait immanente au fidèle que par la pratique des sacrements. Les sacrements n'étaient sans doute que des instruments, mais des instruments qui, par institution divine, étaient efficaces de soi. Ainsi la sainteté, avant de résider dans l'esprit, résidait dans l'opacité matérielle des gestes et des paroles ; elle était conférée à l'individu par l'Église, institution sociale et extérieure.

La Renaissance et la Réforme, par un retour à l'idéal de l'antiquité ou par hostilité contre la tradition, sans renoncer au spiritualisme et en tirant même argument, se désaffectent des rites et des dogmes ecclésiastiques. La religion doit être spirituelle et individuelle ; la médiation de la matière et de la société est superflue, voire sacrilège, le culte magique, les croyances superstitieuses, l'autorité extérieure abusive. C'est l'esprit individuel, visité par le Saint-Esprit selon les uns, ou faisant fonds sur ses propres ressources d'après les autres, qui est le sujet ou l'auteur de sa propre sanctification et de sa foi.

Cet atomisme plut aux philosophes. Le classicisme s'intéresse à l'universel et non au singulier. L'histoire étant ignorée, on ne sait pas que les idées innées ou l'instinct inné, qui semblent justifier l'orgueilleuse suffisance de l'esprit et le dédain de la tradition, portent une date et supposent un développement culturel collectif. On estime que l'homme isolé, séparé de ses attaches sociales (famille, état, église), concentré dans son moi trouve sans peine la vérité religieuse et qu'il adore spontanément le vrai Dieu. Les contraintes extérieures étant d'ordre mécanique sont néfastes. L'autorité ne crée que des préjugés trompeurs dont il faut se libérer. C'est au dedans et non du dehors que Dieu se communique. C'est dans l'âme que naissent les convictions les plus hautes, les sentiments les plus nobles. La recherche de la vérité, le respect de la vérité, l'affirmation de Dieu, quel est leur support si ce n'est l'esprit ? La foi dans la valeur inconditionnée de la vertu, dans le triomphe de l'humanité et de la justice, dans la vie immortelle, quelle est sa source si ce n'est la conscience autonome ? L'individu est intelligent et libre, et par conséquent son rapport à Dieu est immédiat.

Ce spiritualisme atomiste trouva son expression adéquate dans la religion de la nature. Par nature Rousseau entend l'individu libéré de toute contrainte extérieure. Il s'imagine que la superstition et le péché ne surgissent pas du sujet, mais contaminent l'homme du dehors. Aussi pense-t-on trouver parmi les sauvages, qui vivent dans la solitude, les théologiens patentés de l'éternel. Quant aux civilisés, réduits à recevoir une éducation et à vivre en société, on les prie de se munir de désinfectants et de réduire au minimum les contacts. L'éducateur n'a pas à enseigner la religion, de peur de souiller des cœurs naturellement innocents et de fausser des esprits naturellement pieux. Il faut séparer l'Église de l'État, désormais laïc, limiter les associations de piété ou de zèle, déconsidérer le prosélytisme qui viole la liberté des conciences, supprimer les manifestations publiques du culte.

« De ce point de vue, écrit le Père Laberthonnière, on admet que chaque homme est, absolument parlant, un être à part qui se suffit à lui-même pour être ce qu'il est et dont le caractère essentiel, dans sa réalité intime et constitutive, est de ne relever que de lui, de manière que par nature et primordialement il s'appartienne et se possède sans réserve. Voilà ce qu'on exprime en disant qu'il est libre, qu'il a des droits. C'est un individu qui tombe en quelque sorte du ciel, au milieu des autres individus, avec une personnalité toute faite ou ayant au moins en lui tout ce qu'il faut pour la faire. Ainsi posé dans son individualité indépendante, chaque homme n'a à recevoir que ce qu'il veut librement recevoir. En conséquence, exiger de lui autre chose, au nom d'une autorité qui s'impose à lui du dehors, c'est lui faire subir une contrainte, c'est porter atteinte à ses droits, à sa liberté, à sa personne. Et c'est le mal ; le mal dont l'humanité a toujours souffert et dont il importe avant tout de la délivrer. » [1] Ce libéralisme religieux, on le retrouve à la fin du dix-huitième siècle chez les philosophes de toute école. Il inspire Kant ; Schleiermacher et les romantiques proclament eux aussi les droits souverains de la « subjectivité infiniment libre ».

Cependant les philosophes n'avaient pu chanter la religion naturelle et professer un spiritualisme qui ne manquait pas de grandeur, qu'en s'appuyant inconsciemment sur les traditions historiques du christianisme. Aussi, quand cet appui leur fit défaut, leur religion s'effondra. On avait fait grief à l'Église de sa défiance à l'égard du culte de la nature ; on lui reprochait de manquer de confiance dans l'intelligence et ses lumières, de se défier du cœur et de ses instincts. Émancipés de l'Église, les philosophes se mirent à douter de la valeur de la raison et de la liberté de l'homme. La première génération libérale fut théiste ; la seconde athée ou du moins indifférente.

L'école traditionaliste voulut réagir contre cette décadence religieuse, en prenant en toutes matières le contre-pied de la théorie individualiste. C'est la société qui façonne l'homme et non l'individu qui façonne la société. Il n'y a pas de communauté sans langage qui est un don de Dieu ; il n'y a pas d'État qui ne doive être une monarchie d'institution divine ; il n'y a pas de religion sans une Église et un sacerdoce, dont l'Homme-Dieu doit être le fondateur. Le traditionalisme trouva peu de

---

[1] L. LABERTHONNIÈRE, *Théorie de l'Éducation*, pp. 10, 11, Paris, 1935.

crédit chez les philosophes, étant donné qu'il subordonnait la vérité et la moralité à des critères purement extrinsèques ; il ne fut pas mieux accueilli par les chrétiens, qui n'aiment pas Dieu comme un Père, parce qu'il leur a révélé un vocabulaire, ni Jésus comme un rédempteur, parce qu'il est le Verbe au sens grammatical du mot.

C'est donc dans d'autres directions que le courant philosophique s'infléchit. La révolution semblait n'avoir accompli qu'une œuvre destructrice ; ni le spiritualisme ni l'individualisme du dix-huitième siècle ne plaisaient plus. Il restait place pour un empirisme sociologique, et ce fut la position qu'adoptèrent en France, avec des nuances diverses, d'abord Comte et plus tard Durkheim. Comme les traditionalistes — et avec des arguments qui leur sont étroitement apparentés — ils se donnent pour tâche de combattre l'individualisme anarchique, en instituant une sociologie à la fois positiviste et religieuse.

Selon leur doctrine la personne est une chose, un moyen relatif à la société, fin en soi ; elle n'a plus d'autonomie. La société est ou le grand Tout qui la détermine mécaniquement, ou bien l'Organisme dont elle n'est qu'une cellule. Ce Tout est l'humanité pour ceux qui se souviennent encore des déclamations romantiques, non une humanité idéale mais l'humanité concrète, qui, ayant renoncé aux chimères de l'esprit, s'efforce par la science positive de conquérir le monde extérieur. Il sera, pour des savants devenus précis, une société moins vaste dont l'influence sera plus aisément observable : la tribu, le clan, un groupe ethnique défini. Ce groupe créateur s'impose biologiquement à l'individu, comme la vie physique s'impose aux membres d'un même corps.

Le sociologisme commence aujourd'hui à porter ses premiers fruits. Il y a un siècle on traitait de haut les religions d'autorité qui arboraient un symbole obligatoire, un décalogue obligatoire ou quoi que ce fût d'obligatoire. La liberté était la clef de voûte du firmament philosophique. Les choses ont bien changé. Aujourd'hui on voit naître des religions despotiques qui ne descendent plus du ciel, d'un Dieu paternel, mais qui montent de la terre. C'est la race ou les intérêts économiques d'une classe qui désormais édictent brutalement les vérités ou les lois qui doivent tenir lieu de religion.

Qu'on ne parle plus de la conscience personnelle et de ses droits, qu'on ne prétende pas se soustraire au courant social, penser ou juger par soi-même ! Il faut haïr ce que la nation hait, hurler avec la populace. Il n'y a plus de vérité tout court ni de morale tout court ; il y a la morale du Sang ou la morale de l'Argent. Malheur aux non-conformistes ! Malheur aux partisans d'une religion intérieure ! Être religieux, c'est tout simplement être de son pays ou se rallier aveuglément aux intérêts matériels d'une classe. Encore si seuls les faibles d'esprit devaient endosser l'uniforme sacré de la pensée collective ! Mais les clercs eux-mêmes doivent capituler et capitulent. C'est en aryen ou en non-aryen, en ouvrier ou en bourgeois qu'on doit juger l'Évangile et se choisir sa foi !

On a supprimé Dieu et on l'a remplacé par une communauté totalitaire à laquelle on a conféré des pouvoirs et des privilèges divins. Il faut vivre en elle et mourir pour elle. C'est elle qui doit alimenter la vie intérieure, en elle qu'il faut espérer, à elle qu'il faut croire. Comment s'étonner que cette communauté se soit, comme toutes les idoles, révélée infernale, monstrueuse, cruelle ?

La chimie et la physique s'occupent de l'interaction des corps ; la sociologie s'occupe de l'interaction des hommes. Sa tâche est bien délicate ; car l'homme a une intériorité et une autonomie que ne possèdent point les choses. Unir les hommes de telle façon qu'ils fassent un tout, est plus complexe que de déterminer les lois qui président à la rencontre des éléments. Vouloir unir des hommes, sans tenir compte de ce qui les distingue des choses, en faisant abstraction des valeurs idéales qui sont le terme de leur projet subjectif et qui leur assurent une réelle indépendance, voilà l'erreur fondamentale du sociologisme positiviste. Une personne ne peut être assimilée à une chose. Sans doute toute personne doit communier à d'autres personnes — tout monadisme est illusoire — ; mais cette communion, à la fois structurelle et existentielle, ne peut se réaliser et n'est féconde que si elle tient compte de la vocation de la personne, qui, comme

esprit, veut émerger du relatif et s'allier à l'absolu, qui se senti-
rait dégradée par la société laquelle penserait pour elle et choisirait
pour elle, la privant ainsi de ses privilèges essentiels et de ses
activités inaliénables, à savoir sa capacité de se faire être et de
se construire, sa capacité de comprendre et de penser par elle-
même.

Une communauté interhumaine ne peut être totale. Le moi
a quelque chose de clos et d'inaliénable ; il a un *home* dont il ne
faut pas violer l'intimité ni éventer les secrets ; il y a des portes
qu'on peut entr'ouvrir, mais d'autres doivent rester closes,
comme le disait Guardini ; il y a des biens qu'on peut partager,
d'autres dont on ne peut se dessaisir. On ne peut se livrer corps
et âme à l'autre, car jamais l'homme ne peut accomplir pleinement l'homme ; ce n'est pas la relation du moi à l'autre, qui,
en dernière analyse, me fait être et subsister en moi. On ne peut
se sacrifier totalement à l'autre et se river inconditionnellement
à lui, car il y a des réserves nécessaires. Le je est toujours un
je, un être autonome et qui doit s'appartenir.

Beaucoup d'hommes sont malheureux, parce qu'ils n'ont
jamais aimé ; beaucoup d'autres le sont, parce qu'ils ont trop
attendu de l'amour humain ; beaucoup d'hommes se sont perdus
parce que, en égoïstes, ils n'ont songé qu'à eux-mêmes ; beaucoup
d'autres se sont dégradés parce qu'ils se sont soumis sans réserve
aux *imperata* d'une communauté humaine.

Aujourd'hui l'idéal individualiste n'enchante plus et seul un
idéal communautaire répond aux aspirations du moment.
Ah ! ce qu'on en a attendu et ce qu'on en attend ! ce qu'on lui
a sacrifié et ce qu'on lui sacrifiera encore ! Mais il peut prêter
à autant de déceptions que l'idéal individualiste dont on se
détourne. Dès à présent, des expériences communautaires ont
été faites, et leurs conclusions sont nettement négatives. Le
collectivisme, c'est l'enfer ! Le jour viendra peut-être où l'homme
désirera vivre tout seul afin d'échapper à l'esclavage de l'autre.

On a beau dire que chacun existe par l'autre et pour l'autre !
N'empêche que chacun existe en-soi et qu'il ne peut renoncer
à sa personnalité sans renoncer à lui-même. Des paroles, des
gestes, des collaborations peuvent rapprocher les hommes :

mais, de par leur réalité nouménale, ne sont-ils point incommuni-
cables ? Ne sont ils pas séparés l'un de l'autre par des barrières
qu'aucun acte ne peut abolir ?

Dira-t-on — ce qui est vrai — que la communauté humaine
n'est pas seulement empirique, comme le disent les sociologues
positivistes, mais qu'elle est nouménale ? Dira-t-on que l'esprit
humain, dans ce qu'il a de plus intime, invoque l'autre, que,
par sa nature fondamentale, il est social, et que la vraie communauté, celle des personnes, est absolue et déifique ?

Il faudrait ici encore mettre des réserves à ce sociologisme
intempérant, fût-il spiritualiste et religieux. Le moi comme moi,
est étranger même à lui-même et ne peut se posséder partiellement que par sa relation à l'absolue immanence divine.
Dieu est donc le seul fondateur des communions authentiques,
des intimités véritables, qu'il s'agisse de l'intimité du moi avec
lui-même ou avec les autres. Il n'y a que Dieu auquel je ne puisse
d'aucune façon m'opposer, Dieu auquel je puisse me donner
sans conditions ni réserves ; il n'y a que Dieu qui, à aucun titre,
ne puisse ni ne doive me rester étranger. L'autre me limitera
toujours et ne me sera jamais tout-à-fait présent ; il me heurtera
inévitablement, et je ne pourrai jamais m'unir totalement à lui.
La personne n'est capable de coïncidence totale qu'avec Dieu
qui, comme le disait saint Augustin, lui est plus intérieur,
qu'elle-même ne l'est à elle-même.

Aucune communauté interhumaine, fût-elle sacrée, fût-elle
instituée par Dieu, ne peut être ni la source originelle, ni la fin
saturante de l'acte religieux, ni le principe qui intériorise la
personne. La fonction de l'Église est médiatrice. Dieu peut parler
par elle, vouloir par elle, résider en elle ; mais ce n'est jamais
elle qui, en dernière analyse, illumine intérieurement l'esprit ou
qui dynamise le vouloir, ou qui enfante par elle-même à la vie
de Dieu. Dieu est le seul Seigneur, le seul Sauveur. C'est par
Dieu seul qu'on peut connaître Dieu, par Dieu seul que le cœur
peut s'éveiller à l'amour divin, par Dieu seul qu'on peut devenir
ses fils.

Aucune Église ne peut se substituer à Dieu. Elle est l'organe
de la divinité, mais non la divinité elle-même. Comme organe

580 MÉDIATION DE L'ÉGLISE

nous la déclarons indispensable, mais elle n'est qu'un organe,
qu'un instrument. Ce n'est pas elle qui agit ; mais Dieu qui
agit par elle. Quand un fidèle croit ou espère ou est enflammé de
charité, l'Église ne peut s'attribuer en propre ces actes déifiques.
Quoiqu'ils s'accomplissent par son intermédiaire, ils ne procèdent
pas d'elle, mais d'une grâce dont Dieu seul est l'auteur et qui
unit immédiatement le fidèle à Dieu.

Il en est qui ne veulent ni du ministère ni du magistère de
l'Église, parce qu'ils trouvent son action indiscrète, parce que,
pensent-ils, elle s'interpose entre l'homme et Dieu. Ils n'ont
compris ni la nature ni la fonction organique de l'Église. Je vois
par mon œil, cependant ce n'est pas à mon œil que ma vision
s'arrête ; elle embrasse le monde. Un organe ne s'interpose point
entre le sujet et l'objet comme un écran ou un principe de subjectivité ; il rend l'objet visible et fait communier immédiatement
le sujet à l'objet. Il en est de même de l'Église qui est l'organe de
Dieu. Ce n'est pas à elle que les fidèles s'unissent immédiatement ;
elle n'est ni le principe premier ni le terme ultime de l'acte
religieux. L'Église n'est pas Dieu, mais son humble créature ;
elle serait idolâtrique et impie, si elle prétendait être plus qu'un
moyen, si elle ne s'anéantissait point devant la majesté divine,
si elle ne s'effaçait point, pour ne laisser paraître et agir que
Dieu.

Dieu et moi, disait Newman. Celui qui n'a pas réalisé l'immédiateté du rapport de l'âme à Dieu n'a rien compris à l'acte
religieux, tout comme celui qui conteste le caractère immédiat
de la vision n'a jamais ouvert les yeux pour contempler la
nature. Ce n'est pas parce que je vois par mon œil, que mon
intuition est médiate ; ce n'est pas parce que je connais Dieu
par le magistère de l'Église que mon union à Dieu devient
médiate. En fait ce n'est jamais l'Église qui pense ou qui veut,
mais Dieu qui pense et qui veut par son Église ; c'est donc
immédiatement à Dieu que je m'unis quand je m'unis à l'Église.
Et c'est ainsi que l'Église sera maîtresse de la vie intérieure
et mystique, qu'elle rendra Dieu infiniment présent à l'âme.

Qu'on veuille bien, dans les pages qui vont suivre, se souvenir
de cette mise au point. L'Église est absolument nécessaire,

mais seulement comme organe de Dieu, comme un instrument entre les mains de l'artiste, comme des couleurs sur la palette du peintre, comme de la glaise entre les doigts du sculpteur. Sans elle, il n'y aurait pas d'image de Dieu, ni de connaissance divine, ni de symphonie intérieure ; et pourtant elle n'est rien par elle-même et n'agit point par elle-même. Elle n'est qu'un moyen, moyen indispensable — il est vrai — pour que Dieu puisse se révéler et sauver le monde.

Nous commencerons par démontrer les insuffisances de l'individualisme ; et après avoir établi ainsi la nécessité de l'Église, nous entreprendrons de la définir. Quelle doit être sa nature, quelles doivent être ses fonctions pour que Dieu, par son entremise, puisse se donner totalement aux hommes et régénérer le monde ?

C — LA NÉCESSITÉ DE L'ÉGLISE

L'histoire, la psychologie et la philosophie s'accordent aujourd'hui à souligner les faiblesses de l'individualisme religieux.

1. L'*histoire*, car la religion naturelle — du moins si on l'entend au sens du dix-huitième siècle — est un mythe. Les époques où elle fut pratiquée, sont des époques de décadence religieuse. A ces époques, au nom du Dieu intérieur, on se révolte contre les préceptes autoritaires, venus du dehors ; on brave les excommunications de la communauté ; or, émancipé du pouvoir religieux qui semblait abusif, le Dieu intime des philosophes s'évanouit ; il devient humain, si humain que rien de céleste ne s'y réflète plus. L'antiquité, disait A. Loisy, « aussi bien que les temps modernes, a connu des sages qui ont prétendu enfermer la religion dans les limites de la raison, se flattant de construire par leurs propres moyens une philosophie générale de l'univers à laquelle s'articulerait un régime de conduite tant pour le gouvernement des individus que pour celui de la cité. Mais jamais, autant que nous informe l'histoire, la religion n'a pu naître dans le cerveau d'un philosophe ». [1]

2. *Psychologiquement* l'individualisme ne se justifie point non

[1] A. LOISY, *La Religion*, p. 80, Paris, 1917.

plus. En effet, des activités individuelles n'unissent pas à Dieu. Dans chacune de nos pensées et de nos vouloirs, l'autre interfère. Nous ne pouvons nous trouver sans son concours, nous rencontrer sans sa présence, nous perfectionner sans son aide. C'est la communauté sociale qui alimente la pensée, qui dynamise la volonté, qui rend intime à soi-même. Aussi si la plupart des hommes sont fort peu religieux, ce n'est pas à cause de je ne sais quelle incapacité foncière, faute d'intelligence ou de volonté, c'est parce qu'ils n'ont pas entendu la Parole de Dieu, parce qu'ils n'ont pas été aimés en profondeur, parce qu'ils vivent en dehors de l'Église dans laquelle l'Esprit de Dieu se concentre et qui enfante à la vie d'En-Haut.

Religieusement, ce sont des isolés qui souvent se complaisent dans leur solitude, qui redoutent toute influence ecclésiastique, qui s'en affranchissent pour sauvegarder leur autonomie. A cause de cet individualisme ombrageux, Dieu leur demeure étranger ; ce sont des terrestres sans goût, ni désir, ni intuition, ni amour des choses divines.

Vae soli ! Malheur à celui qui se sépare et s'excommunie de l'Église de Dieu, car il n'aura pas d'intériorité véritable. La vérité que chacun possède, la liberté dont il jouit, doit être confirmée, soutenue, approfondie. Un regard d'affection, une parole sincère sont indispensables pour que je pénètre en moi-même. Rien n'est meilleur que d'être aimé par ceux qui vivent en la présence de Dieu et qui s'inspirent de son amour. Le cœur de Dieu a besoin de la médiation du cœur des hommes. C'est toujours à travers les sentiments et les pensées des autres que chacun choisit Dieu ou le renie, qu'il l'adore ou l'abandonne.

Pas de religion sans représentants de Dieu ; car c'est grâce à eux que la vie religieuse devient effective. L'échange fraternel et gracieux est la condition de l'épanouissement intérieur. Dieu se communique à tout être, mais l'immédiateté de cette action ne supprime pas la nécessité de la médiation des créatures. Toute certitude et tout vouloir supposent des affirmations et des engagements sociaux. S'ils sont solitaires, l'engagement est irréel et l'affirmation sans force. Ce n'est pas seulement la vie temporelle qui nous vient du dehors et qui est conférée

par autrui à une date du calendrier ; la vie spirituelle nous vient
aussi par autrui ; nous avons besoin d'être engendrés à la vie
de Dieu. L'histoire ontologique de l'homme est l'histoire de ces
échanges concrets, de ces contacts sociaux qui élèvent ou qui
dégradent, qui frappent Dieu d'ostracisme, ou qui le font
naître dans le monde.

3. *Philosophiquement* l'individualisme provient d'une méprise,
d'une confusion entre la nature de la personne et celle de la chose.
Les choses sont extérieures l'une à l'autre ; elles ne se possèdent
qu'en s'extraposant et en s'isolant ; quand elles entrent en
contact, elles se heurtent et se détruisent ; dépourvues d'intériorité, elles ne peuvent se donner et se communiquer sans se
perdre ; pour subsister, elles doivent se refouler, se séparer,
demeurer étrangères l'une à l'autre.

Les personnes, au contraire, sont douées de conscience, elles
sont intérieures à elles-mêmes ; immanentes à tout ce qu'elles
sont et à tout ce qu'elles font, elles disposent d'elles-mêmes.
Si elles sont distinctes, ce n'est pas qu'elles soient impénétrables ;
elles sont distinctes en tant qu'elles ont une plénitude d'être,
qui leur donne le pouvoir de communier à tout ce qui est. Un
esprit ne peut se vouloir et se penser qu'en faisant appel à tout
l'être. Plus donc il se réalise comme esprit, plus il doit se sentir
un avec le cosmos, car le cosmos n'est qu'une projection de
l'esprit créateur.

Cependant l'esprit de l'homme n'est pas créateur ; passif
autant qu'actif, avant de faire être la nature, il en dépend ;
avant de donner la vie aux autres, il doit en recevoir la vie.
La conscience, malgré sa transcendance, dépend des rochers
et des prairies, des vivants et des eaux ; elle en surgit et ils la
façonnent, l'alimentent. Ce n'est qu'après avoir accueilli le don
de la nature que l'esprit règne. Pareille à une amante silencieuse
et stérile, la nature attend la visite féconde de l'esprit. Muette
et aveugle, l'homme qui la pense, lui donne une voix et la fait
chanter ; inerte et brutale, l'homme qui l'intègre dans sa finalité
existentielle, lui donne d'être réalisatrice et bonne.

Inscrite dans l'univers matériel, la personne est également
insérée dans l'humanité dont elle est encore plus solidaire que

de la nature. Elle n'est un produit de la nature qu'à travers l'homme qui la modèle physiologiquement, psychologiquement et spirituellement. Son immanence et son intimité sont faites de dépendance. Le moi ne serait pas lui-même, il ne pourrait ni se dire ni se vouloir, isolé de ses frères. Sans eux il n'est rien ; il ne peut être que par eux et pour eux.

Celui qui se prend la tête entre les mains et cherche la solitude, ne se retrouve lui-même que par les autres et dans les autres qui lui fournissent le plus clair de ses pensées et ses sentiments les plus personnels. C'est le langage qui cisèle la pensée et ce sont les courants sociaux qui spécifient les désirs. Qu'on pense ou qu'on agisse, c'est toujours en s'adjoignant à autrui ou pour s'en adjoindre d'autres.

L'individu a beau fermer les issues ; l'autre pénètre en lui d'une façon si habituelle qu'il ne remarque plus les sourdes infiltrations qui le transforment. Centre de convergence des générations passées, il reproduit la parole, le sourire ou le haussement d'épaules de ceux qui ne sont plus et dont il a perdu le souvenir ; les générations de l'avenir germent en lui et il crée les convictions, la haine ou l'amour de ceux qui lui survivront.

L'unité est donc la marque de l'esprit qui le distingue de la matière. Un corps pour un autre corps est un dehors ; un esprit pour un autre esprit est un dedans, Un corps s'extrapose un autre corps et ne peut le pénétrer ni le posséder ; un esprit se communique à autrui sans cesser d'être lui-même. La propriété des biens matériels est toujours exclusive ; les biens spirituels au contraire doivent être partagés, et on les possède d'autant plus qu'on les répand sans mesure. Ils sont inséparables de l'acte qui les crée et qui les diffuse.

L'universalité est le symptôme et le critère de la pensée : elle est valable quand elle fait communier. Une action, pour être morale, doit être désintéressée ; pour être bonne, elle doit être agglomérante. Sans rapport et sans communion avec autrui, il n'y a ni vérité ni moralité. L'homme, par le fait qu'il se spiritualise, se socialise. Pour se réaliser et devenir ce qu'elle doit être, la personne a un plus grand besoin d'autrui, que la plante n'a besoin des sucs de la terre, du soleil et de la pluie.

La religion ne peut donc exister sans une communauté qui lui donne naissance et qui lui permette de se développer. Pour que Dieu soit présent au monde, il ne suffit pas qu'il visite l'esprit individuel, il faut encore qu'il institue une Église qui engendre ses membres à la vie divine. Une religion, sans instrument de communion, est stérile. Celui qui n'a pas le souci du salut de son frère est irréligieux ; l'excommunié est le damné. Tout comme la société construit l'individu comme être temporel, ainsi l'Église édifie la personne dans sa réalité spirituelle. Dieu est l'unité ; et l'unité est le signe irréfragable de sa présence. Il cesserait d'être lui-même, s'il sauvait les hommes sans les unifier dans un organisme communautaire. L'infrasocial est l'infrareligieux, comme il est l'infrapersonnel, l'inframoral, l'infrarationnel.

On dit que l'homme est pourvu de facultés divines, et que, par conséquent, il peut s'unir à Dieu par lui-même et dédaigner tout concours extrinsèque. [1] On confond une possibilité théorique et abstraite avec une possibilité effective et réelle. Un enfant intelligent est théoriquement capable de se façonner par lui-même une langue, d'inventer un alphabet et de créer une géométrie. Pourtant il est moralement certain que, sans éducation, il mourra sans avoir fait aucune de ces découvertes ; et que, sans enseignement, son savoir sera pareil à celui du pithécanthrope.

Il n'en va pas autrement quand il s'agit de vérités religieuses. L'humanité a mis non moins de temps à connaître la nature de Dieu et ses relations avec l'homme qu'à découvrir la pierre à feu et les forces cachées de la nature. Que de tâtonnements avant que Dieu cessât d'être un monstre grimaçant, embusqué

---

[1] Les influences sociales, dit-on, dégradent l'esprit. « Chacun pris à part, disait Schiller, est raisonnablement doté de sagesse et d'intelligence. Prenez-les « in corpore », du coup vous n'avez plus que des imbéciles. » « Quand les hommes s'assemblent, notait Madame Roland, leurs oreilles s'allongent. » Est-ce bien vrai ? Si des médiocres qui se réunissent ne peuvent que devenir plus médiocres, une réunion d'hommes d'esprit ne crée-t-elle pas une intellectualité très supérieure ? Des chenapans qui s'assemblent, commettront des brigandages auxquels nul d'entre eux n'aurait osé penser ; mais inversement des êtres religieux, qui s'associent pour le service de Dieu, ne sont-ils pas, en vertu de leur vie commune, capables d'une sainteté héroïque à laquelle aucun d'entre eux, pris isolément, n'aurait pu prétendre ?

dans les sentiers de la vie ! Que de siècles avant que les prescriptions légales ne devinssent morales ! Que de générations ont vécu dans l'affolement ou le cynisme, avant qu'on eût acquis le sentiment de la Bonté secourable de Dieu ! De gaîté de cœur peut-on faire abstraction de ces progrès, de la tradition qui totalise les expériences religieuses du passé et qui permet de posséder sans effort et comme en se jouant ce que l'humanité a mis des siècles à acquérir ? Que dire d'une société qui le ferait, si ce n'est qu'elle perdrait autorité et droit au respect, puisqu'elle cesserait de remplir sa fonction qui est de relier le présent au passé et d'assurer la collaboration fraternelle ?

Sans doute, l'individu, doué d'intelligence et de volonté, demeure théoriquement capable de Dieu. Mais ces facultés ne peuvent se réaliser, passer d'un sens religieux vague et non évolué, que possèdent même les primitifs, à l'amour et à la connaissance explicite du vrai Dieu, sans le secours d'une tradition externe. Dieu est le terme transcendant d'une faculté qui chez l'homme n'est pas intuitive. Comment celui-ci passera-t-il du visible à l'invisible et s'orientera-t-il dans les régions ténébreuses de la métaphysique ? Comment, sans le secours d'une tradition, ne s'égarera-t-il pas dans ce labyrinthe, sillonné par mille sentiers divergents, alors qu'à chaque pas il est acculé à résoudre l'énigme d'une alternative troublante ? Eût-il réussi à les résoudre, il ne connaîtrait encore que des nécessités abstraites ; aucune parole extérieure ne venant confirmer ses vues, sa certitude demeurerait vacillante, car, en fait, les convictions absolues sont presque toujours sociales.

Le problème de la connaissance n'est d'ailleurs pas le seul point crucial de la religion. Nous avons vu qu'il se double d'un problème moral, intimement lié au premier. Si l'homme ne désire pas Dieu, il est pratiquement certain qu'il ne le connaîtra jamais, et, l'eût-il connu, cette croyance ne serait ni stable ni salutaire sans adhésion personnelle. Or, on le comprend, et la crainte instinctive de Dieu est là pour l'établir, l'homme a mille raisons de redouter cette entrevue divine. Voir Dieu, c'est mourir. La volonté, dont la finalité pressent vaguement l'approche d'un holocauste, laissera-t-elle l'intelligence poursuivre sa marche, ou bien — inconsciemment peut-être, mais efficacement — ne va-t-elle pas l'entraver ? Consentirait-elle à ce détachement initial, y restera-t-elle fidèle, lorsque Dieu révélera l'universalité de ses exigences ? ou bien ne tentera-t-elle pas de limiter son domaine en élevant des idoles face à son autel ? Car l'homme est obsédé d'égoïsme ; il doit songer à lui-même, étant cousu de misères. Pourra-t-il faire abstraction des déceptions de la vie ? Aura-t-il l'héroïsme de chercher Dieu en tout, partout, par-dessus tout, de mettre en lui tout son espoir, de ne pas douter de son secours, alors que l'expérience éprouve si durement les croyants, les pèlerins de l'Absolu ?

Ce n'est pas aux penseurs isolés qu'on doit s'adresser, lorsqu'on cherche Dieu. La philosophie moderne, malgré l'éminence de ses docteurs, n'a pas réussi à fournir à l'humanité un enseigne-ment religieux cohérent, et cela parce qu'elle a prétendu s'isoler de toute tradition ecclésiastique. Étudier son histoire, c'est constater que rares sont les systèmes logiques, et que la logi-que des grands génies ressemble souvent à celle des derviches tourneurs. Les philosophes, a-t-on dit, sont toujours raisonneurs et rarement raisonnables. Non seulement ils divergent dans leurs assertions, mais, après des millénaires de culture intellec-tuelle, leur accord n'est point fait sur la méthode de la recherche philosophique. Qu'attendre alors de leurs spéculations si ce n'est des doutes et des méprises en des matières où la vie réclame impérieusement la vérité et la certitude ? Ils croient déchiffrer aisément l'énigme de l'homme ; or, comme le disait Nietzsche, « chacun est pour lui-même l'être le plus distant. » Ils espèrent s'unir sans peine à l'Absolu ; or ils oublient qu'entre l'homme et Dieu il y a un abîme.

Pour le franchir il ne faut pas être seul ; il faut tenir compte des expériences du passé et être éclairé par une tradition histo-rique et sociale. Le premier souci d'un philosophe qui veut parler de Dieu en connaissance de cause, doit être de s'adresser à ses grands serviteurs, aux mystiques et aux saints. Eux seuls pourront lui fournir des hypothèses de recherche valables ; et c'est à leur contact, plus qu'au contact des penseurs profanes, que Dieu deviendra une lumière immanente à leur pensée et à leur vie. Aussi longtemps qu'ils spéculeront sur l'Absolu avec l'unique préoccupation de leur autonomie individuelle, sans autre souci que celui de s'abstraire de tout contact avec la communauté vivante des croyants, ils n'arriveront jamais à comprendre la nature de la religion, et contribueront encore moins à la spiritualisation et à la déification de l'homme.

D. — DÉFINITION DE L'ÉGLISE

I. L'ÉGLISE CONCRÈTE ET SPIRITUELLE

1º *Sa Nature*

Mais quelle est la fonction, quels sont les caractères de la société religieuse que nous disons indispensable et sans laquelle l'individu ne peut ni devenir ni demeurer religieux au sens plénier et objectif du mot ? Sa fonction devra être synthétique, puisque la religion ne peut s'accomplir par aucune des activités isolées de l'homme. De là des notions insuffisantes de l'Église.

Pour les idéalistes elle est invisible. [1] C'est par la corrélation des esprits qu'elle s'établit. On méprise donc le culte, le coude-à-coude fraternel, les observances extérieures, les professions dogmatiques, les religions autoritaires. Il n'y a qu'une autorité légitime, celle de la conscience ; et la conscience n'est pas conditionnée par les œuvres. C'est l'intention qui fait l'acte honnête et non son exécution. Pour les positivistes, pas de religion sans société, mais l'Église, d'ou dérive le sacré, est une chose, un fait. La personne n'est qu'un moyen, un produit, une pièce du mécanisme universel ou une force diffuse du grand organisme. Ni

---

[1] C'est ainsi que parlaient les esprits forts : l'Église visible est relative, utile seulement au peuple. L'humanité se divise en deux classes : celle des libres penseurs, dont ils se disent et qui ont le droit, le devoir de reconstruire librement l'univers dans leur tête, d'accorder ou de refuser l'existence à Dieu ; la classe des ilotes, destinés à obéir sans rien comprendre. Les mœurs démocratiques ayant rendu délicate cette classification, il est entendu aujóurd'hui que la religion extérieure ne convient plus à personne si ce n'est aux ignorantins et aux sauvages ; on l'accuse de superstition, de magie, d'idolâtrie ; on oppose la subjectivité religieuse à son objectivité, le dedans au dehors, d'après un petit schème qui n'a rien de transcendantal.

ses pensées ni ses vouloirs n'ont rien d'absolu ; elle doit se soumettre à l'emprise sociale, se subordonner à la société, réalité
concrète et externe qui n'a — ou qui du moins ne peut avoir —
aucune existence idéale. L'Église est, cette fois, un groupe
purement empirique.

Ces deux notions sont l'une et l'autre incomplètes. Les idéalistes affirment très justement que le terme de la vie religieuse
est Dieu, Esprit pur, et la possession spirituelle du monde. Ils ne
se trompent pas en proclamant que ni les observances légales
ni les formulaires dogmatiques ni le culte ne valent par eux-
mêmes, qu'ils ne peuvent donc sanctifier sans que l'esprit y
intervienne par la droiture de ses intentions, par la sincérité de
ses convictions personnelles. Cependant, dans l'ordre temporel,
la matière a une priorité sur l'esprit. C'est par adhésion à une
Église visible et extérieure que la conscience religieuse doit se
former et, alors même qu'elle est formée, jamais elle ne peut
s'émanciper du courant social qui l'a fait naître. L'individu,
quel que soit son degré de culture et de sainteté, reste toujours
un être historique, social et matériel. Du jour où, s'estimant
autonome à cause de ses hautes pensées, de ses nobles desseins,
il croit pouvoir se détacher de la communauté, son sublime
idéal et ses pieuses intentions s'évaporent.

La vie religieuse dépend donc de l'apport social — c'est ce
que les positivistes ont mis en lumière. Toutefois ils se trompent
quand ils croient pouvoir définir son influence par des fonctions
extérieures, un culte empirique et une législation concrète.
Premières dans l'ordre temporel ou d'exécution, les fonctions
visibles de l'Église doivent se subordonner à des fonctions
spirituelles ; la communauté physique et historique des individus
doit engendrer la communauté spirituelle des personnes. L'homme dépend de l'homme et communie à l'humanité parce qu'il
a un corps : d'où nécessité d'une Église concrète. Néanmoins
la matière, en unissant les hommes, les oppose non moins qu'elle
les unit ; l'unité sociale qui en résulte est donc précaire, aléatoire. Il faut que l'esprit intervienne pour coordonner ontologiquement les fidèles. L'Église n'est ni une chose, ni un esprit

pur ; elle doit avoir un corps et une âme, être un fait et un idéal.

Et remarquons qu'il ne suffit pas d'affirmer la nécessité d'une Église visible et d'une Église invisible qui seraient juxtaposées. Les spiritualistes dualistes, pas plus qu'ils ne nient l'existence du corps et de l'âme, ne contestent la nécessité de deux communautés religieuses, l'une empirique et l'autre spirituelle. Mais, dans leur conception, tout comme les activités spirituelles de l'individu se juxtaposent à ses activités somatiques et en sont indépendantes, ainsi entre l'Église historique et l'Église idéale, il n'existe aucune relation intrinsèque ; l'une serait purement humaine et relative, l'autre divine.

Pour nous, au contraire, dans l'homme qui est un, les opérations immanentes dépendent des activités externes et réciproquement, si bien qu'il n'y a rien en lui qui soit ou purement spirituel ou purement matériel. De même, entre les activités visibles et invisibles de l'Église, il existe une connexion nécessaire. Pour penser et être moral, il n'est pas souhaitable de s'évader de la matière ; ces évasions, si elles étaient possibles, ne mèneraient qu'au royaume des ombres. Pour être religieux, il n'y a pas davantage à s'isoler de la communauté visible pour émigrer dans une communauté irréelle. La véritable Église doit être une, à la fois empirique et métempirique. La subjectivité de la religion ne porte aucun préjudice à son objectivité, pas plus que sa matérialité n'exclut sa spiritualité. Il n'y a pas à choisir entre une Église extérieure ou une Église intérieure, entre une religion individuelle, qui serait sainte, et une religion sociale, qui serait superstitieuse. Ces antithèses sont vaines et, quand on y réfléchit, dénuées de sens.

Il n'y a qu'une Église qui a deux aspects essentiels. Pas d'âme qui n'ait un rapport intrinsèque à un corps. C'est grâce au corps qu'elle se développe, s'instruit et se valorise. Sans rapport à un corps défini, elle ne peut ni penser ni vouloir. La matière n'est pas hostile à l'esprit ; elle le nourrit et l'éveille ; l'esprit la dépasse, mais, pour la dépasser, il doit s'appuyer sur elle. De même l'Église spirituelle a un rapport intrinsèque à une Église concrète ; détachée de cette Église, elle est sans vie et sans conscience ; elle n'existe point. L'Église visible, tout comme le corps, a un rôle essentiel à jouer dans l'engendrement de l'esprit et il est aussi absurde de vouloir s'unir à Dieu par soi-même et sans son aide que de vouloir s'instruire par soi-même sans fréquenter l'École. Il ne suffit pas d'appartenir à l'âme de l'Église ; pour être sauvé, il faut encore s'insérer dans son corps.

Quand un homme prétend devenir religieux, sans être membre de l'Église visible, il s'illusionne. En fait, il renonce à être religieux, car une communauté empirique est la condition de sa spiritualisation, tout comme l'École est la condition de son instruction, et la loi sociale la condition de sa moralisation.

On peut souffrir de l'Église à laquelle on appartient, tout comme l'âme peut souffrir du corps auquel elle est liée ; mais, quand, à cause de l'insuffisance de l'Église, on renonce à en faire partie, on se décide au suicide. Coûte que coûte, il faut une Église, une Église concrète et active, une Église qui soit promotrice de tout ce qui est divin, qui éveille et qui éclaire, qui encourage et qui commande, et qui par son action concrète rende l'homme capable de Dieu.

On ne peut espérer un renouveau de la vie religieuse, si la génération présente ne se distingue pas de la précédente par un attachement passionné et par un service ardent voué à l'Église. Notre siècle, qui est social d'intention, n'a créé que des communautés matérielles, la communauté de l'homme et de la machine qui est souvent dégradante, des communautés économiques qui s'avèrent souvent tyranniques et égoïstes ; il n'a pas eu le souci de créer des communautés spirituelles. Tout en se disant religieux, il a dédaigné l'Église ; souvent il a tout fait pour la ruiner, la rendre odieuse, l'empêcher de remplir sa mission. Voilà l'origine concrète de la décadence spirituelle de l'Occident et il n'y a qu'un renouveau d'esprit communautaire et ecclésiastique qui puisse y porter remède.

2º LES FONCTIONS

La Liturgie

Fonction concrète. — Une communauté idéale ne peut se constituer sans une communauté matérielle qui la prépare et qui la rende

effective. Dans l'œuvre de formation et d'éducation des âmes, le
rôle de l'Église est d'abord extérieur. Avant de sanctifier l'esprit,
elle doit sanctifier la matière, acheminer le fidèle « per visibilia
ad invisibilia », faire des sens les complices de la conversion
spirituelle.

L'Église n'est pas une idée, mais quelque chose qui se voit
et qui existe, une demeure bien bâtie et qui se fonde sur la pierre ;
un clocher qui surplombe les corniches, une cloche qui appelle
à la prière. La religion surgit de cette Église de pierre ; et celui
qui sait à quoi sert cette demeure, est déjà initié à la religion ;
celui qui la fréquente et qui, après avoir poussé la porte du
temple, se prosterne et joint les mains, celui dont le cœur bondit
vers le tabernacle, celui-là n'est plus un profane. L'Église, avant
d'être une communauté spirituelle, est un lieu où l'on se rassemble, où l'on se sent coude-à-coude ; elle est la coprésence des
fidèles au pied de l'autel, leur participation au même culte.

Le culte n'a pas seulement une valeur symbolique : dans ce
cas, il ne serait utile qu'aux philosophes et aux mystiques ;
il remplit sa fonction, alors même que la pensée religieuse n'est
pas encore formée et que l'acte reste opaque à la raison. Le rite
est comme la pénombre qui prolonge le jour ou comme l'aurore
qui le précède, une aurore brumeuse où une lumière blafarde
et hésitante lutte avec des ténèbres. Avant que les esprits ne
soient d'accord dans la profession d'une vérité universelle, il
faut que les corps et leurs gestes concordent. Dans l'ordre
génétique ce n'est pas la pensée qui engendre le culte ; c'est au
contraire le culte qui engendre la pensée ; l'acte précède le
concept. [1] On pourrait, comme le pensaient les philosophes
du siècle des lumières, se passer du culte si la liturgie n'était

---

[1] « La fondation d'un culte et la fondation d'une religion, dit C. Hauter, sont
une seule chose. » Et R. Will : « Le sentiment religieux appelle le culte ; le culte
crée la conscience religieuse… Une fois constituée, la conscience religieuse devient
le fondement solide du culte, et le culte continue à affirmer la conscience religieuse. Mais en la concrétisant, le culte ne se contente pas de donner une forme
intelligible à son contenu amorphe, aux représentations sans contours arrêtés,
aux sentiments superficiels, aux pensées ébauchées ; il en renouvelle aussi sans
cesse les saintes émotions ; il leur donne de la permanence et de l'intensité. Il
élargit ainsi la conscience religieuse en une expérience religieuse. » (R. WILL,
Le Culte, pp. 22, 23, Paris, 1925).

qu'un décalque ou une reproduction ; car on n'a que faire d'une pensée confuse quand on a une idée claire. En réalité elle est l'initiatrice de l'idée claire. C'est elle qui lui donne son étoffe et sa tonalité ; sans elle les certitudes de la pensée vacillent. Les idées qui ne sont pas vécues peuvent toujours se discuter ; les spectateurs d'une revue ont des opinions diverses sur le drapeau, tandis que le troupier, qui bombe la poitrine et cadence le pas au son des fifres, n'a pas le choix, il ne doute pas. « Douter, disait Alain, est comme découdre... Quand les hommes reconnaissent les signes et s'accordent sur les signes, comme il arrive à la messe, ils goûtent quelque chose du bonheur de penser. Ne leur demandez pas à quoi ils pensent, ni sur quoi ils s'accordent ; il leur suffit de s'accorder... Il faut comprendre que l'accord est le plus ancien signe du vrai et le premier pour tous. Car puisqu'il faut d'abord apprendre les signes, chacun commence par s'accorder aux autres, de tout son corps, et répéter ce que les autres signifient jusqu'à ce qu'il les imite bien. »[1]

Participer à l'acte liturgique, c'est se soumettre à un ordre et à une finalité qui dépassent l'individu, c'est braquer le regard sur le monde, s'intéresser au salut de l'Univers, c'est enlacer le moi à l'autre, se déprendre de soi, se centrer sur le Tout ; c'est entrer en contact avec un Dieu qui n'est pas une idée claire mais qui est dense et profond. La liturgie, qui est objective, délivre des brumes du sentiment et insère l'esprit dans le réel ; elle l'universalise concrètement, car ce n'est pas l'esprit désincarné qu'elle unit à Dieu, mais l'esprit concret.

Tout comme l'artiste se crée par son œuvre, ainsi l'être religieux se réalise par ses actes. L'acte extérieur n'est pas seulement manifestation de la vie intérieure ; il la suscite et c'est par lui que les certitudes s'ébauchent et que naissent les sentiments mystiques.[2] C'est cela même que nous faisons qui nous

---

[1] ALAIN, *Propos sur le Christianisme*, pp. 71, 59, 60, Paris, 1924.

[2] « L'expression est le seul sacrement fondamental. Elle est le signe visible d'une grâce spirituelle intime. D'où il suit que, au cours de l'élaboration d'une expression commune à partir de l'intuition directe, il y a d'abord à franchir une étape primaire de l'expression. A ce stade l'expression se fraie un chemin par le truchement d'une expérience sensible... Cette expérience primaire revêt généralement la forme de l'action et du langage, mais elle prend en partie aussi

devient immanent. La liturgie assure une communauté réelle avec Dieu ; par elle la divinité assume le groupe. Le chant et la parole, la poésie et les actes s'y succèdent, pour figurer le drame religieux et pour sanctifier. La prière, l'offrande, le sacrifice, l'engagement, l'espérance et la joie, la crainte et le remords, tous les sentiments religieux, tous les actes qui sauvent, émanent de l'assemblée des fidèles. Dieu se fait présent dans l'âme de son peuple, et c'est ce peuple saint, devenu l'organisme mystique de Dieu, qui joint les mains et qui adore, qui espère et qui se repent, qui remercie et qui aime.

L'Église implique donc un coude-à-coude fraternel, des gestes partagés, un chant à l'unisson. *Una voce dicentes* : *Sanctus, Sanctus, Sanctus.* Mais elle est plus qu'un cérémonial, une représentation ; elle est l'acte qui sanctifie. Par son ministère, les fidèles s'unissent efficacement à Dieu. Toute religion, à des degrés divers, est sacramentelle et croit à l'efficacité objective de certains rites. Aux idolâtres de l'abstraction de se gausser ! Pour eux les choses n'existent que par l'esprit et pour l'esprit. L'esprit en les pensant, les suscite ; en les voulant il les charge de valeur. Alors, comment attendre quelque chose des rites ? Comment pourraient-ils agir sur l'esprit ? Décidément toute pratique sacramentelle est magique, et *l'opus operatum* est un non-sens.

Mais la religion est simple ; c'est faute de simplicité qu'on n'en a plus ; l'homme a oublié qu'il est né de la terre, que la terre est sa nourricière, que c'est du limon de la terre que Dieu a tiré l'esprit. Les choses sont plus que des pensées ; elles existent avant l'esprit ; elles sont réelles, possèdent quelque chose par elles-mêmes et ont quelque chose à donner. Dieu agit en elles et est présent en elles ; elles sont des présences actives, des sources de vie, des puissances qui dynamisent. Nous vivons

le visage de l'art. Sa valeur expressive pour autrui provient de ce que ceux à qui elle s'adresse peuvent interpréter au moyen de leurs propres interprétations... Mais tout signe expressif est plus qu'interprétable. Il est créateur. Il fait jaillir l'intuition qui en donne la clef.... De même encore, pour user du langage des théologiens, le signe agit *ex opere operato*, mais sous la seule réserve que le preneur soit en état de subir les bienfaits de l'action créatrice du donneur. » (A. WHITE-HEAD, *Le Devenir de la Religion*, pp. 155-157).

avec elles et par elles ; elles nous font être. Dieu ne pourrait
se rendre présent à l'homme charnel, si d'abord il n'était présent
dans les choses.

La pensée et l'amour ont des origines bien humbles ; la sainteté
en a de pareilles. Sans instincts les sentiments moraux n'existe-
raient point ; sans images la pensée serait défaillante ; pareillement, sans rites efficaces qui disposent l'esprit, il n'y aurait
point de sainteté humaine. Le monde est la parole visible de
Dieu et c'est en contemplant les lis des champs que l'on connaît
le Père. Le monde est le premier et le plus indispensable des
dons de Dieu et c'est en contact avec lui, que nous devenons
intimes avec Dieu. Les choses, agies par Dieu et porteuses de sa
grâce, enfantent à la vie d'En-Haut. C'est avec les choses qu'il
faut prier et par elles qu'il faut se sanctifier. Il ne faut point s'en
détourner pour s'unir au Créateur du ciel et de la terre. Le ciel
et la terre sont apparentés ; c'est de la terre que le ciel doit
germer.

Sans sacrements toute religion est vaine. L'homme ne pourrait s'unir totalement à Dieu, si les choses étaient profanes.
Pourquoi laïciser les choses ? Ne sont-elles pas de Dieu ? Pourquoi séparer Dieu du monde ? Une religion purement spirituelle
est une fiction ; elle est non seulement creuse et vide, mais
impie et sans intériorité. La religion mystique, profonde, vécue
et intime est la religion incarnée et sacramentelle. Les sacrements
sont plus opérants que des acrobaties savantes. Quand dix
mille professeurs auront trouvé dix mille théories nouvelles
sur l'essence de la religion, Dieu ne sera ni plus présent ni mieux
compris. Mais quand dix mille hommes communient au « Pain
de Vie », alors le rapport de l'homme avec Dieu change [1]. C'est
« in fractione panis » que les yeux des disciples se dessillèrent
et que devant eux se dressa le Seigneur, le Dieu vivant.

---

[1] Aujourd'hui on espère beaucoup d'un renouveau liturgique et on n'a pas
tort ; car c'est la liturgie qui forme la communauté chrétienne. L'esprit se
construit par le bas ; c'est groupée physiquement autour du Maître, que l'Église
s'est formée ; groupés autour du tabernacle et louant tous ensemble le Seigneur,
les Chrétiens retrouveront l'unité. Là où les querelles théologiques se sont avé-
rées inopérantes, la liturgie réussira, resserrant dans un seul corps les *membra
disjecta* de la chrétienté.

Bien connaître les choses et bien s'en servir, discerner celles qui, par institution divine, sont porteuses de présents déifiques, voilà qui est essentiel à quiconque veut s'unir objectivement à Dieu. L'Église, guidée par l'enseignement de son Maître, sait quels sont les rites efficaces du salut, et elle y recourt.

Elle n'est pas, comme on le pense parfois, une assemblée pieuse où des femmes chantent et exhalent des soupirs ; elle n'est ni une salle de concert où l'on se délecte de musique, ni une clinique où l'on se suggestionne ; elle est l'acte efficace de sanctification de la communauté par des sacrements qui, par institution divine, disposent réellement les âmes à la grâce de Dieu. Sans ce ministère sacramentel, le Culte ne serait que vaine parade ; sans lui, il n'existerait aucune communauté effective, sans lui les cloches ne pourraient convoquer impérieusement les fidèles à l'Église.

Fonction spirituelle. — L'Église doit s'adjoindre à l'homme alors que son âme n'est pas encore formée, alors que les instincts prévalent encore sur la raison, alors qu'il voit plus qu'il ne comprend ; elle doit créer des réflexes, des images, avant de créer des esprits. Cependant l'esprit doit rester le terme et la fin de son humble pédagogie. « L'individu, écrit Guardini, est membre du tout, mais il n'est point que cela ; il ne se dissout pas dans le tout ; il lui est subordonné et y est inséré, mais de telle manière que sa personnalité demeure intacte et respectée, continuant de se reposer en elle-même. » [1] L'Église, communauté physique et historique des corps, doit créer la communauté spirituelle des personnes.

Qu'est-ce à dire ? L'eau bénite n'a pas pour fin d'abêtir un être intelligent. Le culte n'est pas un dressage destiné à des fauves qu'on veut façonner à quelques réflexes ; il n'est pas pareil à je ne sais quelle gymnastique imposée à des criminels récalcitrants qui s'insurgent contre le régime de la geôle et dont on assouplit la volonté à force de pirouettes. Son but n'est pas d'amener le fidèle à renoncer à toute initiative personnelle, à toute autonomie intérieure, pour l'assujettir bon gré mal gré aux fins empiriques d'un groupe contingent.

[1] R. GUARDINI, *L'Esprit de la Liturgie*, p. 152, Paris, 1930.

Le culte serait superstitieux, si, au lieu d'éveiller l'âme, il se donnait pour tâche de l'assoupir. On ne peut opposer les pratiques collectives à l'oraison spirituelle ; car la piété intime, au lieu d'être entravée, est soutenue par la liturgie. Dans le cadre du catholicisme, les mystiques sont plus nombreux que dans les sectes individualistes, où l'on trouve beaucoup de religiosité et peu de religion, beaucoup de mysticisme et peu de mystiques. Par ailleurs on ne peut non plus opposer le culte social qui serait de valeur absolue, à la dévotion personnelle qui serait proscrite. La prière orale et collective doit amorcer la prière silencieuse du mystique. On confond parfois piété personnelle et individuelle ; on sacrifie la méditation silencieuse à l'office collectif. La première serait individualiste et daterait de la Renaissance ; le second serait la vraie prière. C'est oublier que la fin de la prière liturgique est le contact spirituel avec Dieu : la musique et les mots doivent introduire à une musique qui n'a plus rien de terrestre, à une mélodie sans parole. C'est oublier que la prière intérieure n'est pas individuelle, mais qu'elle implique une communion à tout l'être. Que sont les relations sociales d'un fidèle qui tout haut récite des prières, en comparaison des relations qui s'établissent entre le mystique en extase le cosmos et Dieu ? Les gestes et les paroles de la liturgie, parce qu'elles ne varient point, perdent bien vite leur sens et leur contenu. A force d'entendre la Parole de Dieu on ne s'étonne plus ; le corps s'agenouille et l'esprit ne se prosterne pas ; il ne clame plus vers Dieu et ne le bénit plus. Il existe des gestes de fantômes et des mots dévitalisés.

La liturgie, malgré ses prodigieuses ressources, n'est pas efficace à elle seule. Il y a des Églises mortes qui gardent une incomparable liturgie, tout comme il existe des empires défunts qui maintiennent le faste de leur cérémonial ; il y a des époques où l'Église était décadente et où les chanoines remplissaient les stalles des cathédrales et chantaient l'Office divin. Un formalisme glacé menace la vie de la communauté religieuse dont la cohésion ne procède plus d'un principe organique et interne.

La liturgie est l'Acte de Dieu qui assume l'homme, mais l'homme n'est jamais divinisé malgré lui. La religion suppose une conversion intérieure ; il ne suffit pas que Dieu se donne, il faut que l'homme se donne à son tour ; le oui de Dieu ne se passe pas du oui de l'homme, le sacrifice de Dieu du sacrifice de l'homme. Se signer au nom du Père et du Fils et du Saint Esprit est un geste efficace de soi, mais est-il encore efficace, quand en se signant on ne réalise point l'infinie bonté du Père, la générosité du Fils, l'amour de l'Esprit-Saint ? Ne faut-il pas comme broyer les formules, les vivre dans son cœur, les contempler dans le silence, pour que l'âme pénètre vraiment en Dieu et noue avec Lui des relations vivantes ?

La tendance de l'être fini est de retomber dans le néant d'où l'acte créateur le fait surgir, au lieu de répondre activement à la grâce qui l'aspire hors de lui-même, comme la fleur tirée hors du sol par la magie du soleil. On subit, on s'abandonne à la dérive ; on adopte la solution la plus facile, On se laisse duper par quiconque prétend avoir découvert une méthode efficace, une formalité dont on s'acquitte une fois pour toutes et qui dispense du courage et du contrôle de soi. Comment dans ces conditions les sacrements seraient-ils efficaces ? La communion divinise de soi, mais comment diviniserait-elle celui qui se refuse à être hostie avec l'Hostie ? « C'est l'esprit qui vivifie, la chair ne sert de rien » [1] dit le Seigneur.

L'Église devra donc être une maîtresse de vie intérieure. Elle devra tourner vers Dieu et le corps et l'esprit de ses fidèles ; elle devra les rendre attentifs à la voix de l'Esprit Saint, dociles à ses inspirations. L'Église est action et contemplation ; elle séjourne activement dans la vérité et la paix.

Le Magistère

Fonction concrète. — Des hommes se sont détachés de l'Église et ont vécu isolés ; au lieu de se pencher sur les choses et d'en cueillir le don, ils ont fermé les yeux et, la tête entre les mains, se sont concentrés sur des idées abstraites. La religion est devenue une métaphysique. Aussi, en matière religieuse, que de gyrovagues aujourd'hui ! Ce sont les petits qui voient Dieu, car à la différence de ces penseurs absconds, ils ouvrent les yeux et

[1] Saint. Jean, VI, 63.

aiment les histoires. Or, la Religion est une histoire : non une histoire banale, une histoire comme il y en a tant, mais une histoire sainte, miraculeuse et qui est arrivée. Dieu existerait-il pour l'homme, s'il n'apparaissait point ? Une religion qui ne serait pas historique, ne serait-elle point illusoire ?

L'Église raconte donc l'histoire des gestes de Dieu. Un Saint, un Prophète, l'envoyé du Trés-Haut a paru ; il a parlé comme aucun homme n'a jamais parlé ; il a fait des choses inouïes ; il a révélé Dieu. Des disciples se sont groupés autour de lui et il leur a conféré ses propres pouvoirs, le pouvoir de prophétie et de miracle, le pouvoir de sanctifier et d'illuminer, le pouvoir d'engendrer les hommes à la vie d'En-Haut. L'Église, fondée par Dieu, est née ainsi. Elle adore le vrai Dieu, Celui qui a parlé, qui a agi, qui a sauvé l'homme par le moyen de son Prophète. L'Église demeure fidèle à la Parole divine ; et, pour ne pas l'oublier elle l'a consignée dans des Livres Saints et elle la formule dans ses professions de foi.

L'Église enseigne, car si Dieu est inépuisable, il n'est point insaisissable, comme le disait P. Charles ; il s'est dit et ses paroles sont claires. L'Église enseigne donc au nom de Dieu, avec autorité ; elle ne prétend pas élucider les mystères, car un Dieu qui n'étonne pas, n'est pas le vrai Dieu. On sait toutes les objections qu'on a faites à son « Credo ». On lui a reproché d'être inintelligible pour les simples, ou au contraire de n'avoir aucun sens acceptable pour les philosophes. Des intellectualistes, victimes des préjugés régnants, auraient souhaité qu'on ne parlât plus de Dieu comme du Père, car ce terme est empirique et comme tel sans valeur. [1] D'autres — question de tempérament — les ont trouvés trop obscurs et se sont mis à les simplifier en les traduisant en langage psychologique. Cette fois ils étaient pleinement intelligibles, mais ne signifiaient plus rien. En réalité, la fonction d'un « Credo » n'est pas de débiter l'Absolu en tranches. Seuls les absolutistes peuvent avoir la sotte prétention de dépe-

---

[1] « Père », « Roi », « Seigneur », « Créateur », tous ces vocables peuvent dans une certaines mesure porter secours à notre imagination paresseuse. Mais chacun d'entre eux ouvre des sentiers dérivés qui prêtent à la liturgie ou à des enquêtes réflexives et qui peuvent égarer l'esprit religieux. » (B. BOSANQUET, *What is Religion*, pp. 68-69)

cer la divinité. Il n'a pas davantage comme but d'expliquer le relatif en termes de relativité : il n'y a que les terrestres qui puissent se contenter de cela. Dans l'homme, il n'y a rien, ni une pensée ni un désir qui soient absolument absolus ou absolument relatifs ; il n'y a rien en quoi l'homme soit identique à Dieu et rien qui puisse s'en abstraire. Une formule dogmatique a pour but d'unir l'homme concret à Dieu et par conséquent d'unir à Dieu ses pensées et ses images.

La religion s'exprime humainement et simplement. Une vérité accessible à tous les esprits ne manifeste-t-elle point sa transcendance ? Pourquoi tant raffiner ? Les métaphysiciens déclarent que Dieu est l'Acte pur — et c'est fort exact — mais sans ce concept, n'y aurait-il pas de religion ? Entre ce concept quintessencié et la réalité divine, comme entre la chose concrète et Dieu, n'y a-t-il pas toujours un abîme ? Dieu ne transcende-t-il pas tout concept comme il transcende toute image ? L'image tout comme le concept ne peut-elle servir de véhicule à la foi ? Si Dieu est transcendant, n'est-il point par le fait même l'immédiat, présent à l'image concrète, comme à la pensée abstraite ?

Reproche-t-on au contraire, à l'enseignement dogmatique de l'Église l'emploi de vocables dont le commun des fidèles ne peut pénétrer le sens ? Sans doute, ces vocables sont obscurs et opaques, mais leur opacité n'est-elle pas évocatrice ? Ne signifie-t-elle point la transcendance de l'objet religieux, et n'introduit-elle pas au mystère de Dieu ?

Le langage souvent crée la pensée ; il la soutient toujours. [1] Parfois l'idée suggère le mot, parfois aussi le mot suggère l'idée et la prépare. Le mot est l'obscurité qui annonce la clarté. Savoir nommer une chose, c'est déjà d'une certaine façon la saisir. La locution précède la compréhension, comme l'avantgarde précède le gros de l'armée et lui livre passage, de façon

---

[1] « Chaque dogme vrai, par là-même qu'il formule adéquatement les faits se rapportant à une expérience religieuse complexe, est fondamental pour l'individu considéré et ce dernier ne s'en détourne jamais sans dommage. Car toute formulation accroît l'intensité de notre emprise sur le réel et le danger est de perdre une aide dans l'accomplissement de la tâche ardue que représente l'ascension spirituelle ». (WHITEHEAD, *Ibid.*, p. 161).

qu'elle puisse prendre possession du pays et faire le relevé de ses ressources. L'Église donne à ses fidèles des vocables pour désigner Dieu, elle leur révèle le nom de Dieu ; et, en vertu de cette révélation, les fidèles pénètrent dans le domaine du sacré ; ils pourront en prendre possession ultérieurement, lorsqu'ils seront doués de plus de réflexion et d'une vie plus intérieure.

Un peuple doit défendre sa langue, car c'est elle qui le façonne, elle qui conditionne tous les échanges communautaires. Le barbare, l'étranger est celui avec lequel on ne peut parler et avec lequel, par conséquent, on ne peut s'entendre. La langue n'appartient pas à l'individu : il ne peut, selon ses fantaisies, en modifier les structures ; elle appartient au groupe dont elle est le principe constitutif. L'Église, comme communauté, doit avoir sa langue : elle doit en imposer le respect à ses fidèles. Traiter les mots avec déférence, bien les employer, ne pas galvauder leur sens, c'est respecter les idées. Un vocabulaire précis, son emploi rigoureux s'imposent en matière religieuse non moins qu'en matière scientifique. La science tout comme la religion est plus qu'une nomenclature. Le psittacisme est redoutable dans les sciences comme en théologie ; mais si les mots offrent des dangers et égarent parfois, on ne peut jamais s'en passer. L'Église le sait ; et voilà pourquoi elle impose à ses fidèles des formulaires.

Fonction spirituelle. — Ce n'est pas qu'elle ne leur impose que des mots et qu'elle les dispense de vivre intérieurement des vérités dogmatiques. On se représente parfois les mystères, écrivait J. Rivière, « comme certaines absurdités bien définies, proposées aux fidèles pour éprouver leur foi, pour briser leur indépendance d'esprit, pour les soumettre, pieds et poings liés, à l'Église. Les mystères, au lieu de contenter l'esprit, auraient pour mission de l'affronter, de le combattre, de le réduire. Ils seraient quelque chose à avaler, quelque chose d'absolument différent de toutes les autres croyances, auxquelles la raison ou le sentiment peuvent nous conduire, et qu'il faudrait accepter sans aucun autre motif que l'obéissance, non pas pour leur évidence, mais parce qu'on vous dit de le faire. Quelque chose en somme d'analogue aux vexations qu'on fait subir à un nouveau au lycée, et aux cérémonies arbitraires qui accompagnent toute initiation. En d'autres termes, l'Église chercherait par ses dogmes à mâter les esprits, à s'assurer d'avance contre leur ingéniosité et leur initiative, à préserver son domaine contre toute rébellion possible [1] ». Tels ne peuvent être les dogmes que l'Église propose. Un « Credo » n'est pas une formule magique qui opère des merveilles sans que l'esprit doive se mettre en peine de la comprendre, le « Sésame, ouvre-toi » de la légende qui automatiquement par la seule efficacité des mots ouvrirait les portes du Paradis. L'Église peut proposer des mystères à ses fidèles ; car le mystère se trouve activement présent dans tout esprit ; mais le mystère, sous peine d'être absurde, doit l'illuminer ; il faut que ses ténèbres soient explicatives [2].

On parle parfois de l'Église enseignante et enseignée. Le rôle de celui qui enseigne n'est pas d'empêcher le disciple de penser, mais de l'en rendre capable. L'Église qui enseigne doit attendre de ses fidèles une collaboration active. Elle n'est vraiment enseignante que si la foi du fidèle est plus qu'un « amen », consenti passivement à une autorité supérieure, plus qu'un « oui » paresseux arraché par le pédagogue à un élève qu'il n'ar-

---

[1] J. RIVIÈRE, *A la trace de Dieu*, pp. 34-35, Paris.

[2] Les mystères, disait justement J. Rivière, sont « comme une localisation de l'inexplicable, répandu et latent dans les choses. Mais au lieu que ce soit une localisation au principe, comme le font la science et la philosophie, c'est une localisation au sein même des choses, aux endroits mêmes où se trouvent les points obscurs, c'est la détermination aussi exacte que possible de leur position. Pas de réduction, pas d'escamotage… mais une condensation sur place de l'inconnu, une condensation qui permet simplement d'y voir clair. L'inconnu fixé : afin d'éviter qu'il ne répande du vague sur tout le reste, pour qu'on sache où est la chose « qu'on ne peut pas savoir comme les autres », et qu'ainsi, au lieu d'en recevoir seulement de l'incertitude, on en subisse au contraire l'influence explicative… Les mystères correspondent à un besoin de voir les choses avec précision, de les serrer d'aussi près que possible « partout ». Le vague est du côté de ceux qui mettent l'inexplicable à part, qui le transforment en Inconnaissable, et qui l'adorent comme une sorte de Divinité vraiment « incompréhensible », impossible à déterminer. Les dogmes catholiques sont au contraire le résultat de l'esprit de détermination, poussé jusqu'à ses extrêmes conséquences. (Ils forment non pas un agrandissement mais une réduction du champ de l'inconnu ; l'esprit chrétien tend à limiter l'incertitude au minimum. Ainsi il ressemble dans sa tendance à l'esprit scientifique ; et on ne peut pas lui reprocher de chercher l'obscur pour lui-même, de répandre le vague dans notre vision de l'univers). » (*Ib.*, pp. 42, 45, Paris).

rive pas à intéresser. La foi qui sauve n'est pas celle qui, évitant toute recherche indiscrète, se blottit dans un recoin obscur de la conscience, comme un fossile vénérable que pourraient gâter le soleil et le grand air. La foi dans l'enseignement extérieur doit être plus qu'une contrainte physique ; elle doit être adhésion intellectuelle, et par conséquent, être réfléchie, assimilée, contrôlée, critiquée. Elle n'est pas un don qu'on peut ensevelir pour le mieux conserver ; elle est un talent qui doit fructifier, un capital qui, sans dispenser de l'effort, le rend fécond et productif. L'Église ne peut décharger le fidèle du souci de la pensée ; car un esprit qui peut penser par lui-même et juger par lui-même, serait avili par une autorité, si haute qu'elle soit, qui lui demanderait de renoncer à la recherche intellectuelle et de se contenter de recettes. Le dogme ne peut justifier le fidèle qu'à la condition qu'après l'avoir reçu, il en fasse une vérité personnelle. [1]

Habitué dès l'enfance à voisiner avec les vérités surnaturelles, le fidèle finit par ne plus les réaliser. On lui a dit maintes fois que Dieu s'est incarné ; or cette formule n'alerte plus ses énergies, n'émeut plus son cœur ; il ne comprend plus ni son actualité ni son étrange nouveauté. Que Dieu se soit fait homme, cela lui paraît aussi naturel que d'être né en Europe et non au Thibet. Combien y en a-t-il qui saisissent qu'il s'agit d'un événement qui bouleverse tout et qui ne laisse rien en place ? Combien y en-a-t-il qui, en récitant la formule de la foi, sont pris d'enthousiasme, l'enthousiasme d'être homme ? Tant d'événements dépriment, tant de vulgarités dégoûtent. « Et Verbum Caro factum est » ! Comment après cela, mépriser l'homme ? Comment ne pas tout en attendre et tout en espérer ?

L'Église doit être la Parole vivante de Dieu, cette parole qui étonne et transforme, cette parole prophétique qui annonce l'avenir prodigieux de l'homme, celle qui l'exalte et le rend existentiel. Il ne suffit pas de regarder la vérité ni même de la comprendre ; il faut l'intérioriser ; or elle s'intériorise par la

---

[1] « L'intériorité de la vérité n'est pas l'intériorité de deux camarades, de deux amis intimes qui se promènent bras-dessus, bras-dessous, mais la séparation par laquelle chacun existe pour lui-même dans la vérité. » (KIERKEGAARD, *Post-Scriptum*, p. 164.)

prière. La vérité pensée est abstraite et morte ; la vérité priée s'atteste vivante dans l'âme du fidèle et le libère ; elle ne relie pas seulement idéellement une pensée à la Pensée, mais insère la personne humaine dans l'Être personnel de Dieu. Il ne suffit point d'agréer la vérité, il faut l'assumer activement de façon que le Dieu vivant dans la communauté devienne notre Dieu, le Dieu voulu et aimé. Il faut que la croyance dogmatique, au lieu d'éliminer le mystère de Dieu et de lui enlever son impénétrable densité, sauvegarde sa transcendance, immerge en lui et plonge dans l'adoration silencieuse.

La Morale

Fonction concrète. — L'Église n'enseigne pas seulement ; elle apprend aussi à bien agir. C'est le doigt levé de la maman qui initie l'enfant aux arcanes de la morale. Des enfants polis, propres, qui se tiennent bien, ont des chances d'être un jour d'honnêtes gens. La mère, dans son œuvre éducatrice, a d'ailleurs ses règles propres, règles dont les philosophes souriraient peut-être, parce qu'ils ne savent point toujours ce que sont des enfants. Les hommes sont toujours devant Dieu comme de tout petits ; il faut eux aussi les éduquer, les préparer, les présanctifier. Avant qu'ils ne puissent être régis par la loi pure de l'Amour, il faut leur apprendre à ne pas être égoïstes, à savoir se soumettre, à s'imposer pour Dieu de modestes sacrifices. Le « Tout ou rien » n'a jamais été la devise de l'Église, pas plus qu'elle n'est celle de la maman qui demande à son enfant de petites choses et qui est fort satisfaite, quand elle les obtient ; car, capable des petites choses, le bambin sera un jour capable des grandes.

L'Église doit donc adapter concrètement son idéal à la capacité concrète de ses fidèles. Il y a des juges qui ne tiennent compte que de la loi, de ce qui doit être ou de l'idéal ; et ce sont des sectaires, des bourreaux, des malfaiteurs. Il y en a qui ne tiennent compte que du réel ; et ce sont les complaisants, les indulgents, les sceptiques. Il y a enfin ceux qui prennent en considération et l'idéal et le réel ; et ce sont les équitables, les sages, les charitables, dont la justice est concrète, qui ne sacrifient ni la personne à la loi, ni la loi à la personne.

L'Église a ses lois ; elles ne coïncident point avec celles de la morale qui règle essentiellement les rapports intrahumains ; elle se propose d'unir l'homme à Dieu : or ceci est autre chose. Tout idéal moral paraît bien médiocre quand on le compare à l'idéal religieux. Nous le constaterons ultérieurement quand nous parlerons de la mystique de la charité, loi fondamentale de l'Église, loi dont les exigences dépassent celles de toute justice humaine.

Mais pour le moment nous nous occupons du rôle pédagogique de l'Église et de ses fonctions les plus humbles ; nous parlons de sa législation concrète et positive. Cette législation, on l'a dénigrée comme son « Credo ». Elle rebute les uns à cause de son intransigeance : elle ne tiendrait pas compte des exigences actuelles de l'homme ; elle jonglerait avec des principes qu'elle appliquerait arbitrairement aux situations concrètes. Elle dégoûte les autres à cause de l'esprit de compromission qui l'inspire : les œuvres ne suppléent pas à l'amour pur de Dieu.

C'est fort mal la comprendre. Leur but est de faire descendre l'idéal religieux de ses hauteurs éthérées dans les sphères réelles de l'action humaine concrète. Elles n'ont pas à se déduire de la conscience religieuse, comme des corollaires d'un théorème de géométrie ; elles ne sont pas davantage des lois arbitraires. Elles répondent à la nécessité de faire pénétrer la religion dans des régions qui ne paraissent pas immédiatement sous son obédience, de créer en marge du royaume de l'amour pur de Dieu des zones d'approche. [1] Les supprimer, ce serait juxtaposer la religion pure et ses principes irréels à des activités profanes et relatives.

A la suite de Pascal qui était sincère sans doute mais passionné,

---

[1] Un père de famille, qui fixerait le repas à sept heures, se tromperait sans doute en disant à son fils que son ordonnance est un corollaire du droit naturel ; mais il n'y a pas de droit naturel sans droit positif, pas de conscience familiale sans détermination concrète de ses obligations. Les philosophes du dix-huitième siècle virent dans les commandements de l'Église les abus d'un cléricalisme tyrannique. Aucune société, qu'elle soit religieuse ou profane, ne peut se passer d'une législation positive. Les commandements de l'Église, pas plus que les ordonnances d'un père de famille, n'attentent à la liberté, alors même qu'ils ne sont pas réductibles à la loi abstraite du devoir.

trop de moralistes, sous les dehors flatteurs de l'intégrisme, ont désespéré les âmes à force de vouer à la géhenne les prédicateurs d'une morale qui n'impose pas « hic et nunc » à tout homme le renoncement sublime des saints. On voudrait dans l'Église ne trouver que des parfaits ; on repousse les médiocres qui ne consentent pas à faire le « grand pas ». Ce rigorisme méprisant est irréligieux, parce qu'il procède de cœurs féroces et sans charité, parce qu'il impose au prochain un joug trop lourd à porter. Il ne faut pas l'attendre de l'Église.

On ne rejette pas le cocon parce qu'il est une larve informe, on attend plutôt le grand soleil qui lui donnera des ailes d'azur ; on ne coupe pas l'arbre parce qu'il est sans fruit, mais on attend les brises fécondantes du printemps prochain. C'est de la sorte que l'Église doit traiter ses fidèles avec patience et charité. Pour les supporter, elle tient compte non seulement de ce qu'ils sont aujourd'hui, mais des progrès que la mort et la vie leur prédestinent. Il y a, dans cette charité qui patiente, plus de vérité et plus d'amour de Dieu que dans la critique orgueilleuse qui condamne ; il y a dans cette bonté plus d'efficacité que dans l'austérité qui désespère. L'homme englué dans la matière, obsédé par son intérêt, ne peut se donner à Dieu sans renoncement ; or le renoncement, il ne peut s'y décider que s'il est imposé par des mains aimantes. Ceux qui parcourent le monde en prophètes de la justice et de l'intransigeance, ne peuvent que susciter partout le désordre. La paix, la paix divine, celle qui réconcilie le pécheur avec Dieu, l'Amour seul peut la signer, et la miséricorde doit être son parlementaire.

L'Église doit acheminer à l'Amour pur de Dieu et des hommes. Les *œuvres* ne suppléent pas à la charité. La prière orale et les pèlerinages ne dispensent pas de la contemplation ; mais la prière des lèvres et des muscles est parfois le prélude indispensable de l'oraison pure. Donner l'aumône au prochain ou porter secours aux infirmes, ce n'est pas toujours se donner sans réserve ; c'est du moins se donner un peu et, avant de pouvoir se livrer tout entier, il est sage d'essayer de renoncer à quelque chose de soi-même.

Selon Kant, les pratiques religieuses sont absurdes à moins

d'être des corollaires de la loi abstraite. Pourtant le sentiment de valeur et l'autorité de la loi morale présupposent des développements psychologiques ; son « doit être » absolu ne retentirait pas dans la conscience, si des autorités extérieures n'exigeaient elles aussi respect et soumission.

Les actions, dit-on, sont saintes par les dispositions d'un sujet préalablement sanctifié ; les observances extérieures sont inutiles, voire superstitieuses. Erreur ! l'action est déjà sanctifiante, quand elle ne procède pas encore de l'esprit ; elle opère une conversion externe qui conduit à la conversion spirituelle. L'action morale et ses intentions supposent un esprit déjà évolué ; l'observance légale les prépare ; elle est comme une semence de moralité ; elle dénote un état parfois prémoral, sans être pour cela un état superstitieux. Le fidèle qui récite un formulaire, ne peut définir les mots qu'il épèle ; cette récitation l'introduit néanmoins aux mystères de l'esprit. Le croyant, qui agit par conformisme, ne connaît pas la raison d'être de telle prohibition bizarre ; toutefois la rectitude de l'action matérielle dispose à la rectitude du vouloir. Dans le geste et la parole, dans l'acte et la soumission extérieure, se trouvent préfigurés le devoir moral et la vérité spéculative.

L'action est morale, dit-on encore, par son intention ; l'acte extérieur s'y attache comme un appendice accessoire, une dépendance subalterne. Seul le vouloir importe ; le sentiment religieux justifie sans les œuvres ; les œuvres, qui sont concrètes et qui donc limitent l'Amour pur de Dieu, sont humaines et relatives. Assurément il n'y a pas d'action réelle qui ne restreigne ; nulle observance ne peut témoigner adéquatement de l'amour pur du mystique. Pourtant un sentiment inerte est trompeur et stérile. « Comme, écrit M. Blondel, le philosophe ou l'artiste que la servitude des signes et des formes empêche de se complaire en des intuitions confuses, l'âme religieuse trouve dans la rigueur assujettissante de la lettre, un secours contre elle-même ; sous cette contrainte, elle se renouvelle ; et, loin de se perdre en une vague et flottante aspiration à l'infini, elle approfondit et vivifie ces sentiments qu'elle craignait de profaner ou de tuer, en les jetant au dehors dans le corps d'un acte. »

« Aussi dans la simplicité des pratiques les plus populaires, y a-t-il plus d'infini que dans les plus hautes spéculations ou dans les sentiments les plus exquis. Et l'humble, qui se conforme littéralement à des préceptes de dévouement qu'il juge tout clairs encore qu'il ne les comprenne pas, a bien plus de sens de la vérité que tous les théosophes du monde. Dans la lettre il a l'esprit sans y prétendre. Ils y prétendent sans la lettre et ne l'ont pas. Qui donc prouve sa fécondité spirituelle, ou celui qui a l'onction du discours, ou celui qui, même sèchement, sait faire ce qu'il ne saurait dire ? Et pourtant c'est le dialecticien du sentiment intérieur qui se glorifie de l'abondance de sa piété ; et c'est le fidèle de la lettre qui reçoit le reproche d'une dévotion toute en façade. Ce qui est extérieur encore, ce sont les sentiments et les pensées ; ce qui est le plus intime, ce qui manifeste le mieux la vie et la transfigure, ce sont les œuvres. Qu'importent les fuyantes merveilles de la dialectique ou les ravissantes émotions de la conscience : il faut une conclusion, c'est l'action. « In actu perfectio ! »

Fonction spirituelle. — Les œuvres c'est quelque chose, mais elles ne sanctifient que si elles sont plus que des routines, si l'intention droite les inspire. Il existe en morale un double formalisme également faux : le formalisme de l'intention vertueuse qui se passe de l'action, et le formalisme de l'action qui se passe d'intention.

Peu importent, dit-on, les sentiments du cœur, la conversion intime, la vie spirituelle. Dieu ne demande à l'homme que de rester fidèle à des formules, de se plier à des rites, de se conformer à des « imperata ». Au delà s'étend ce que certains nommeraient des bigoteries, la mystique avec son lyrisme factice, le moralisme avec ses finasseries, ses scrupules et ses inquiétudes malsaines. Or, comment l'acte purement matériel, celui dans lequel ni l'intelligence ni la volonté n'interviendraient, pourrait-il sanctifier à moins que Dieu ne soit matière ? Comment une pratique purement extérieure pourrait-elle, sinon par une

---

[1] M. BLONDEL, *L'Action*, p. 409, Paris, 1893.

intervention spéciale de Dieu, [1] être efficace de soi, à moins que
Dieu ne soit assujetti aux lois des corps ? Comment, sans désin-
téressement, avec un cœur purement servile, pourrait-on posséder Dieu, à moins qu'il ne soit un esclave qui se laisse réduire
par la contrainte ?

Toute religion doit donc être intérieure. Les actes qui ne
procèdent aucunement des facultés spirituelles, ne peuvent
ni perdre l'homme ni le sauver. Pour que l'acte soit humain,
c'est-à-dire imputable, pour qu'il mérite ou démérite, il faut
qu'il soit connu et consenti. Ce n'est pas la lettre qui importe,
mais l'esprit. Ce n'est pas du corps que procède la vertu ou le
vice, mais d'une volonté consciente. Paix et joie ! La personne
acquiert ainsi la maîtrise de son destin ! La matière à elle seule
ne peut la contaminer ; Jésus l'a dit : « Ecoutez-moi tous
et comprenez. Rien de ce qui est hors de l'homme et entre dans
l'homme, ne peut le souiller. » [2] Libération qui d'ailleurs ne va
pas sans contre-partie : car « ce qui sort de l'homme, voilà ce
qui peut le souiller ». Entendez par là non seulement les pensées
et les désirs, mais aussi les actes matériels, dès qu'ils procèdent
du cœur, dès qu'ils sont personnels. D'une part, l'homme est
émancipé de l'esclavage d'observances extérieures, obligatoires
en toutes circonstances et dont les manquements même invo-
lontaires seraient imputés ; d'autre part, il est responsable
non seulement de la loi, mais encore de l'intention avec laquelle
il l'accomplit. Car « Dieu est esprit, et ceux qui l'adorent doivent
l'adorer en esprit et en vérité. » [3] Dieu est roi des esprits. Ce qui

---

[1] Les catholiques pensent que les sacrements sont efficaces de soi ; mais ils
ne sont efficaces que par institution divine et parce que Dieu en fait l'instrument
de sa grâce. Ils ne sont donc pas des pratiques magiques, comme le disent des
philosophes. En effet, la pratique magique prétend contraindre Dieu malgré lui ;
or l'efficacité des sacrements provient d'une condescendance divine ; la pratique
magique subordonne l'esprit à la matière ; or ce n'est pas à la matière, mais à la
matière, instrument de l'activité divine, que le fidèle se subordonne.

Notons de plus que, dans l'acte sacramentel, le don de Dieu est reçu soit pour
le salut, soit pour la perdition, selon les dispositions bonnes ou mauvaises du sujet.
Ainsi il ne dispense nullement les fidèles de l'effort personnel. L'acte de la liberté
humaine reste décisif et de portée infinie.

[2] Saint Marc, VII, 14-16, 20-23.

[3] Saint Jean, IV, 24.

l'intéresse, ce n'est pas le geste à lui seul, c'est le cœur, les dispositions intérieures. La foi ne peut débarrasser le fidèle du souci des œuvres ; les œuvres ne peuvent davantage l'exempter de la foi. [1] Elles ne sont pas un succédané qui dispense de l'effort moral.

Il y a un « Je veux » créateur qui a fait jaillir l'être du néant et qui l'a projeté vers des cieux épanouis. Cette volonté de puissance, irrésistible et efficace, s'est déployée au début des temps ; elle se déploie encore davantage aujourd'hui. Si tout vit et se meut, si le monde matériel est agité par de grands remous qui perpétuellement le transforment, s'il est un carrefour de forces infinies, de telle sorte que tout agit et réagit, c'est qu'à tout moment Dieu veut. Si la vie persiste et n'est jamais vaincue, si à chaque printemps, tout se renouvelle et dans le ciel et dans les eaux et sur la terre, si tout s'étale au soleil et se féconde, c'est que Dieu veut. Si malgré l'angoisse, il y a encore des hommes à croire à un monde meilleur, c'est que Dieu veut. Dieu est le moteur universel, le lanceur de toutes les énergies, le désir inassouvi et sans cesse renaissant d'existence.

C'est ce vouloir qui a vaincu le néant ; c'est lui encore qui sauve le monde. Dieu voulut une force qui dynamisât le cosmos et le fasse jaillir jusqu'à lui ; or cette force est non seulement l'élan vital qui fait l'évolution créatrice de la nature ; il diffusa aussi une vie divine en incorporant l'homme à l'Homme-Dieu. Être religieux et chrétien, c'est récapituler l'acte créateur et sauveur de Dieu ; or comment le récapituler si ce n'est en voulant, en choisissant, en agissant librement ? Lucrèce définissait la

---

[1] « On a raison de prétendre, écrit M. Blondel, que les œuvres sont indispensables au sentiment intérieur : elles doivent être vivifiantes pour lui. On a raison, en même temps, de prétendre que les œuvres spontanément issues du sentiment intérieur sont inadéquates à ce qu'elles expriment, et que chercher dans des actes humains l'aliment divin, c'est retourner à la superstition : ils seraient meurtriers pour le sens religieux. Ainsi une pratique est absolument nécessaire à la foi ; et la pratique qui naît naturellement de la foi, dans la mesure où la foi même est un principe d'action, demeure radicalement insuffisante et vaine. A ceux qui soutiennent que ce ne sont pas nos actes qui nous sanctifient, mais que c'est nous qui sanctifions nos actes, il faut opposer que l'action seule peut être salutaire. A ceux qui soutiennent que leurs bonnes œuvres sont pleinement salutaires, il faut opposer que la foi seule est sanctifiante. » (*Ib.*, p. 414).

liberté : « *Fatis avulsa potestas* », l'être émancipé de la fatalité, que cette fatalité provienne de l'action nécessitante de la nature ou des dieux.

Ici encore nous constatons chez des fidèles des défaillances possibles. Inconsciemment ils gardent au Dieu fatal, à la moira des païens, un culte idolâtrique et stérilisant. Inertes, ils ne sont pas des forces déployées et ne se transcendent point. Pour agir et se sanctifier, ils attendent passivement la grâce efficace et déterminante. Ainsi ils sont victimes d'une mortelle illusion. Ceux qui connaissent la nécessité inéluctable de Dieu et qui ne l'ont point choisi, se nomment les damnés. On ne s'unit à un Dieu, qui est l'Acte libre, qu'en agissant librement, au Dieu-Amour qu'en aimant. Dieu veut être l'Élu, choisi non une fois pour toutes, mais réélu à tout moment, à tout moment voulu. Pas d'espérance fondée, pas de confiance légitime, si on ne se démène pas, si on ne cherche pas activement Dieu, si malgré les ténèbres et l'atonie du sentiment, on ne cesse de joindre les mains et d'espérer, si on n'est point capable d'un engagement courageux et fidèle. Le destin de l'homme est incertain. La religion n'est ni commode ni facile, elle ne dispense pas d'héroïsme. L'homme ne peut se laisser faire, ni se laisser aller, s'il veut vivre et se sauver.

L'Église doit donc rendre ses fidèles dynamiques ; elle doit leur apprendre à vouloir, à vouloir avec ténacité et courage, car on ne peut vouloir Dieu, sans dire non à tout ce qui diminue et à tout ce qui dégrade, sans dire oui à tout ce qui déploie et à tout ce qui grandit. Les moralistes ont essayé eux aussi de rendre l'homme courageux, noble et réalisateur ; ils se sont appliqués à lui apprendre à vouloir et à bien vouloir. Mais leurs tentatives furent inefficaces, car ils unissent l'homme à une loi ou à des valeurs qui souvent manquent de transcendance, ou qui étant transcendantes sont abstraites et donc non réalisatrices. La morale religieuse au contraire est universelle et concrète, normative et réalisatrice. Elle montre à l'homme ce qu'il doit faire et le rend capable de l'agir, car elle associe l'acte de l'homme à l'Agir même de Dieu et rive sa volonté défaillante à la volonté divine.

L'Église, c'est Dieu concrètement présent à la conscience,

un Dieu qui n'est ni une idée qu'on raisonne, ni un sentiment qu'on savoure, mais qui juge et que l'on ne peut juger, qui ordonne et dont les ordres ne peuvent être discutés, un Dieu qui est le glaive qui divise et l'exigence qui bouleverse. L'Église doit faire retentir dans le monde le « Tu dois » de Dieu, un « Tu dois » qui n'est point pareil à celui des hommes, qu'on peut toujours esquiver, bien supérieur à celui de la conscience qu'on peut toujours déformer, exigence infinie qui ne revendique pas seulement tel ou tel des avoirs de l'homme, mais l'intégrité de son être, commandement impérieux et éternel qui lie à Dieu non seulement telle ou telle activité de l'homme, mais qui le lie totalement et à jamais [1].

Devant ce Dieu authentique, l'homme prend conscience de son péché, ce vouloir secret, mais combien réel, de ne pas être, ce sourd désir de s'appartenir et de ne pas se donner, cette nolition congénitale de l'Absolu, cette adhésion spontanée au médiocre, cet engluement au terrestre, ce dégoût des choses d'En-Haut, cet obstacle, tenace, permanent, qui fait l'hostilité inavouée de l'homme à l'égard de l'Existence.

L'Église révèle aux hommes leur péché, mais ce n'est point pour les abaisser, c'est pour les relever ; ce n'est pas pour les enchaîner, c'est pour les libérer. Toutes les religions authentiques sont des religions du salut, d'un salut qui provient non de l'homme, mais de Dieu dans lequel on espère et qui rend l'impossible possible, l'irréalisable réel. L'Église a foi dans l'acte divin de la Rédemption qui réconcilie l'homme avec Dieu ; elle est la communauté d'un peuple qui espère et que sa foi et son espérance rendent fort, courageux, capable de sacrifice.

Aussi c'est en elle que s'accomplit le mystère de Dieu, mystère de sa Transcendance et de sa Bonté, mystère de son Sacrifice et

---

[1] « Nul roi venant de signer la capitulation la plus rigoureuse, nul journalier qui se lie à la journée, nul précepteur qui se lie à l'heure n'est aussi lié. Ces gens là peuvent au moins dire dans quelle mesure ils sont liés ; mais à Dieu le cœur doit être lié sans limites, s'il veut être pur. Et il n'y a pas de puissance terrestre qui puisse lier ainsi, car le roi peut échapper par la mort au traité juré ; le maître peut mourir, relevant ainsi le journalier de son obligation, et l'heure d'étude peut s'écouler ; mais Dieu ne meurt pas et le lien qui lie à Lui ne casse jamais. » (S. KIERKEGAARD, *Vie et Règne de l'Amour*, p. 164.)

de son Salut. Ses actes sont multiples, ses croyances diverses, ses préceptes variés. Ce n'est pas une dialectique humaine qui les engendre ; tous procèdent de Dieu et ont Dieu pour terme. Le « Tu dois croire » s'arc-boute à un « Tu dois espérer », le « Tu dois espérer » à un « Tu dois te renoncer », et tous ces commandements se résument dans le devoir suprême d'aimer. Car c'est parce que Dieu aime qu'il s'est révélé, et qu'il a sauvé, et qu'il s'est immolé. Le principe mystérieux, qui constitue l'Église, est un Amour qui transcende l'homme et qui néanmoins, grâce à la médiation de l'Église, lui demeure présent, Amour qui ne défaille pas, qui ne s'épuise jamais, qui fait subsister la communauté des fidèles dans l'intimité de Dieu et les rend confraternels entre eux.

Humanisme et Culture

Fonction concrète. — « Par ce mot de culture, nous entendons la synthèse de toutes les valeurs dues à l'effort de l'homme et tendant à imposer à la vie un ordre, une forme, qu'il s'agisse de science, d'art, d'institutions sociales. La mission propre de la culture consiste à s'emparer du trésor de vérités, d'institutions, d'actes spirituels que Dieu a donné à l'homme au moyen de sa Révélation, à en ouvrir à l'humanité la richesse par un effort continu, à en extraire le contenu, à le mettre en commucation et en jonction avec l'abondante variété de la vie. La culture par elle-même est impuissante à créer une religion, mais elle fournit à la religion les moyens de développer la plénitude de son action et de son bienfait... Toute vie spirituelle qui veut durer et être féconde, a besoin, non pas d'une certaine mesure, mais d'un haut niveau de vraie et profonde culture... La culture donne à la religion le moyen de s'exprimer ; elle l'aide à voir clair sur elle-même, à discerner l'essentiel de l'accessoire, le moyen du but, la route de l'objectif. » [1]

Religion et culture doivent s'appuyer mutuellement. Si la nature déchoit, si les mœurs déclinent, si une race vient à perdre son équilibre intérieur et ses vertus humaines, si elle n'a plus de confiance dans l'esprit, d'opiniâtreté dans le vouloir, si elle

[1] R. GUARDINI, *L'esprit de la Liturgie*, 133-135, Paris, 1930.

se décompose tristement, incapable d'engagement et de fidélité, sans fierté et sans courage, la religion s'en va. Un christianisme sans humanisme est une religion morte, étrangère à l'homme, et dont il ne peut rien attendre.

Le christianisme authentique n'a donc ni à bouder, ni à se
retrancher, ni à se désintéresser de la vie. La culture, sous toutes
ses formes, qu'elle soit politique ou esthétique, économique ou
philosophique, a ses règles propres, ses méthodes, ses valeurs
qui ne sont pas immédiatement religieuses ; elle est autonome
dans son ordre. Mais ce n'est pas à dire qu'elle puisse s'achever
sans religion ; ce n'est pas à dire que la religion puisse se développer sans son appoint. L'humain et le divin certes ne sont pas
homogènes — il est essentiel de les distinguer — mais ils ne
sont pas non plus hétérogènes, et par conséquent, on ne peut
les isoler. L'humain peut unir au divin, car la nature qui est
l'œuvre de Dieu a des messages à transmettre et diffuse des
forces.

L'attitude de la Réforme, écrit P. Tillich, est de dire non à
toute culture. [1] En cela est-elle chrétienne ? Faut-il se désincarner
pour s'unir au Verbe fait chair ? N'est-ce point la nature humaine, qui, par suite de l'Incarnation, est devenue le point de suture
entre l'homme et Dieu ? Comment d'ailleurs la religion de l'homme pourrait-elle se soustraire à tout humanisme ? Tillich remarque que, ayant rompu avec la hiérarchie, le Protestantisme
fut contraint de se lier au Prince, le Calvinisme à la Société
en attendant qu'en des temps plus proches une Université
souvent areligieuse devienne l'oracle de Dieu. Il ne pouvait
en être autrement : déshumaniser le divin, c'est en fait huma-
niser le divin. L'Église ne remplit plus sa tâche essentielle, n'est
plus religieuse, quand elle renonce à diviniser l'humain, à assumer l'homme tout entier. Si l'humain et le divin sont incom-
patibles, qu'on avoue en toute franchise la vanité de toute
religion, car qu'est-elle si ce n'est l'union de la réalité humaine
à Dieu ?

Ce n'est pas à dire — et nous y insisterons ultérieurement —
que l'humanisme n'offre des dangers. Ce sont ces dangers qui

---

[1] P. TILLICH, *Die religiöse Lage der Gegenwart*, pp. 131-133, Berlin, 1926.

frappèrent les Réformés ; ils voulaient d'un christianisme pur et sans tache ; ils ne voulaient plus du moyen âge où le christianisme, par suite de ses adhérences trop étroites à une culture concrète, perdit quelque chose de sa transcendance et s'agglutina à des institutions, à des pratiques, à des façons de penser qui ne relèvent pas du christianisme éternel.

Le christianisme doit toujours transcender la culture ; et ceci est vrai du christianisme du moyen âge comme du christianisme à toutes les époques de l'histoire ; mais comment garderait-il sa transcendance, comment discernerait-il le divin de l'humain sans un organe interne qui maintienne sa cohérence et sa structure propres ? Privée de cet organe, la religion doit couper autant que possible ses rapports avec le dehors, se maintenir dans l'isolement ; car tout contact humain l'expose à se contaminer et à se corrompre. Douée au contraire d'un organe d'unité, l'Église n'a plus les mêmes raisons de redouter la culture, car elle peut l'assimiler ; elle peut aussi s'y opposer. Le christianisme transcende la culture; et quand cette transcendance est maintenue, comme dans le catholicisme, elle rend possibles les contacts humains. Une Église transcendante est une Église qui peut se rendre universellement présente.

Fonction spirituelle.-—Le christianisme tend à assumer l'homme tout entier, et, par conséquent, ne peut se désintéresser de la culture. Cependant le christianisme dépasse tout humanisme ; et l'Église doit veiller à maintenir l'intégrité de la Révélation. Le Dieu des chrétiens n'est pas le Dieu appauvri des philosophes ; il n'émane pas de la subjectivité humaine et ne se laisse point emprisonner par des concepts ; il est étonnant, il est inouï ; il est l'Autre.

Le christianisme et l'humanisme sont irréductibles ; ils s'appuient l'un sur l'autre, s'appellent l'un l'autre, mais ne coïncident jamais que partiellement l'un avec l'autre. Le christianisme dépend de la nature, mais la dépasse ; il est tragique parce qu'il oppose et déchire, parce que l'humain et le divin, la culture et la religion sont deux activités qui s'affrontent et qui ne s'équilibrent jamais pleinement. Pour que la religion soit parfaite, il faudrait qu'elle compénètre tout l'homme ; or, en fait, bien des domaines lui demeurent étrangers. Pas plus que la morale qui fixe les lois générales de l'agir humain, ne peut suppléer aux règles techniques qu'elle ne peut formuler elle-même, ainsi la religion qui détermine les relations générales de l'homme et de Dieu, ne peut définir les règles concrètes de la culture humaine.

On ne peut absorber le divin dans l'humain ; d'où l'erreur de l'immanentisme. Mais de même l'humain ici-bas ne peut être résorbé totalement dans le divin ; d'où l'erreur de la théocratie et de l'intégrisme. L'Église ne peut en fonction de sa mission divine ni gouverner l'État, ni imposer aux sciences leurs méthodes, ni s'agglutiner à une philosophie ou à un régime économique. Les diverses branches de la culture se sont depuis deux siècles nettement différenciées ; chacune possède ses procédés particuliers de travail ; c'est grâce à cette différenciation des méthodes que la culture et l'agir de l'homme ont progressé. Certains souhaitent un retour au moyen âge ; un retour en arrière est toujours une régression. Le problème de la culture se pose aujourd'hui en termes nouveaux ; à l'Église de le résoudre d'une façon nouvelle, en n'oubliant jamais que le temporel n'est pas l'éternel, que l'humain n'est pas le divin, et qu'il est aussi dangereux de se conformer au siècle que de s'en abstraire. L'Église doit toujours être un oui et un non, la valeur suprême qui force l'homme à se transcender ; elle doit être partout présente comme un au-delà du présent.

Le salut de l'homme est plus qu'une promesse ; dès à présent le Royaume de Dieu s'établit, fondant entre les hommes et Dieu une communauté sainte. Cependant l'humanité reste toujours sujette au péché ; ce n'est qu'à la fin des temps que Dieu l'intégrera pleinement en Lui, c'est alors seulement que l'Église sera tout-à-fait pure, sainte et sans tache. Les Réformés ont tort de séparer l'Église idéale de l'Église historique, car le temps s'apparente à l'éternité, la terre au ciel. Dès maintenant Dieu sauve et agit, dès maintenant le Corps mystique du Christ se forme ; cependant l'Église terrestre n'est pas l'Église céleste ; dans cette dernière la communauté des saints est pleinement unifiée en Dieu par le Christ ; dans la première, aidés par le Christ, des hommes, c'est-à-dire des pécheurs, luttent pour se dégager du mal et pour se parfaire. Résidant dans l'Église, ils ont la capacité de devenir meilleurs, de tendre à la perfection, quoiqu'ils ne soient pas des parfaits.

Le Christ a appelé les pécheurs ; l'Église les rassemble ; elle est la communauté des humains qui, agenouillés aux pieds du Maître, écoutent sa Parole, accueillent sa grâce et se purifient. Elle n'exclut de son sein que les satisfaits, les pharisiens ; elle n'excommunie que les orgueilleux ; elle accueille tous ceux qui ont faim et soif de justice, tous ceux qui espèrent et qui vivent de cette espérance, tous ceux qui acceptent de souffrir persécution pour la justice. L'Église est une société de petites gens et d'apprentis, d'imparfaits qui veulent se parfaire ; la modestie et l'humilité conviennent à ses pasteurs, non moins qu'à ses fidèles ; elle doit de haut en bas se réformer sans cesse, se purifier sans cesse, se dépasser sans cesse. Elle espère et croit fermement à cette espérance ; elle lutte avec vaillance pour se libérer du péché ; or ce n'est pas une petite chose ! L'œuvre du salut, elle l'accomplit, parce que, jusqu'à la fin des temps, Dieu lui demeure présent, Dieu qui supprime l'affolant vertige du néant, et qui de pécheurs fait des justes.

L'Autorité.

Fonction concrète. — Ces activités liturgiques, dogmatiques, pratiques et culturelles, comment pourraient-elles émaner de l'Église, si concrètement elle manquait d'autorité ? L'individu a besoin d'être acheminé à Dieu ; et il ne peut l'être que par une volonté sociale qui commande, et par une intelligence sociale qui définit. Une loi psychologique veut que toute réalité spirituelle, qui ne trouve aucun correspondant visible dans la société, disparaisse. Sans incarnation de l'Autorité de Dieu, on cesse de croire à la malice absolue du péché et aux obligations inconditionnées de la conscience ; sans incarnation de sa Vérité, les hommes se façonnent des vérités à leur image. Dieu sera une relation pour les intellectuels, un sentiment pour les émotifs, une loi pour les légistes, un totem pour les empiristes. Il n'y a pas de religion réelle qui puisse se passer d'autorité. Quand le dogme est abandonné à l'interprétation du fidèle, quand le culte est livré à la dévotion du particulier, la religion s'étiole. Il faut à l'Église comme à tout organisme une coordination des parties au Tout. Cette coordination ne peut se faire par je ne sais quelle harmonie préétablie et céleste ; elle exige une subordination effective et extérieure des membres aux fins supérieures de la société religieuse, c'est-à-dire une Autorité concrète.

Fonction spirituelle. — Mais cette autorité concrète devra être divine. En effet il est manifeste que, pour remplir les fonctions que nous lui avons assignées, l'Église doit être non seulement instituée par Dieu, mais, à tout moment, assistée par Dieu. C'est au théologien d'établir ses caractères et de la définir concrètement. En philosophe, nous nous contentons de quelques remarques.

Il y a des pouvoirs autoritaires et des abus d'autorité — qui le niera ? — ; néanmoins tous les abus d'autorité n'ont jamais supprimé la nécessité absolue de l'autorité. Ceux qui, au nom des droits de la liberté individuelle, se sont donné comme tâche de détruire l'autorité religieuse, n'ont pu que détruire la religion. Une religion, qui prête à quelques défauts, vaut mieux après tout qu'un défaut absolu de religion ; un corps malade vaut mieux qu'un corps décapité.

Il n'est personne aujourd'hui qui conteste la souveraineté de l'État. Et pourtant l'État, qui a pour fin le temporel, n'a pas le respect des personnes et des valeurs suprêmes. L'État moderne est une société extérieure qui coordonne ses membres dans le relatif. Par ses principes il est pragmatique et ne cherche que l'utile ; le compromis ne l'effraie pas et la vérité absolue est son moindre souci. Sa justice est faite d'approximation et d'accommodement. Il est sage, quand il est réaliste et que les abstractions ne le retiennent pas. Faire de cet État le centre d'émanation de la vie religieuse, comme le souhaiteraient les doctrines totalitaires, ce serait donc avilir la religion, remplacer la vérité par des vérités, la morale par des morales, Dieu par des dieux. L'Église, société de personnes, organe suprême de la vie religieuse, ne peut s'identifier à l'État, société empirique ; il faut que, à la différence de l'État, elle soit spirituelle, que le temporel ne soit que son objet secondaire, qu'aux valeurs de l'esprit elle subordonne et sacrifie profits et réussites terrestres.

Le citoyen qui doit payer l'impôt et verser son sang pour le pays, n'a pas le droit de s'insurger contre l'autorité qui le contraint. L'État a une fonction essentielle, celle de coordonner les intérêts de la nation. Mais les citoyens ne sont pas seulement des choses ; ils sont des personnes. Une personne dont les actes sont immanents, qui pense par elle-même et qui est libre, ne peut être traitée comme un simple moyen. On ne peut lui demander de renoncer à son autonomie, l'assujettir comme à un idéal ultime soit aux intérêts économiques d'une classe, soit aux intérêts empiriques d'une race. Les états autoritaires qui prétendent se subordonner totalement leurs sujets, sont conduits fatalement à tarir les sources de la vie intellectuelle, morale, religieuse de la nation. Car, dès qu'un homme pense, il juge ; dès qu'il est religieux, il subordonne la société empirique dont il est membre, à une société idéale, sa patrie à la patrie des esprits, l'humanité concrète, divisée par les contingences des races, de la langue, de la géographie et de l'histoire, à une humanité, unifiée dans la profession d'une même vérité, dans la pratique d'une même justice et le culte d'un même Dieu. Or qu'est-ce que cette humanité spiritualisée sinon l'Église, l'Église qui, étant donné sa fonction essentielle et originale, est dans son ordre aussi indispensable que l'État ?

L'État est une communauté empirique, une mise en commun des activités biologiques, culturelles et géocentriques de l'homme ; l'Église est une communauté spirituelle, une mise en commun des activités éternelles et théocentriques de l'homme. L'État réalise le droit de la communauté par des contraintes et par la force ; la loi organique de l'Église est la charité et l'amour. Pas un amour statique, pas un amour d'indifférence et de tolérance, mais un amour créateur ! Un amour qui tient compte de ce que les hommes sont et des mille entraves qui les arrêtent, car sans cela son amour ne serait pas réel ; mais un amour propulsif aussi, qui les mène à être ce qu'ils doivent être, des enfants de Dieu.

« On ne peut pas comprendre une abeille sans la ruche, écrit

P. Charles, on ne peut même la définir en dehors de cette institution pour laquelle et avec laquelle elle vit. Conçue indépendamment de la ruche, l'abeille est un petit monstre ininitelligible, un tissu d'absurdités. Ni sa structure organique, ni ses mœurs, ni son activité, ni ses colères ne s'expliquent à moins qu'on ne considère l'abeille comme une fonction de la ruche elle-même. La feuille ne se comprend pas en dehors de la plante, la fourmi n'a aucun sens, si ce n'est dans et par la fourmilière. C'est le tout qui donne la forme aux parties [1]. » Quand il s'agit de l'homme, l'individu lui aussi ne se comprend pas par lui-même ; il ne se réalise empiriquement que par la cité terrestre ; il ne se réalise ontologiquement que par une cité spirituelle. Isolée de la ruche, l'abeille meurt ; sans une société qui ordonne les individus à une communauté idéale, la vie religieuse périt de même ; et c'est la raison de l'attachement que l'individu doit à l'Église.

On a voulu expliquer cet attachement par des contraintes et des ruses ; on s'est dit que le fidèle est ligoté et vinculé par le clergé, qu'il suffit de réduire à rien cette action néfaste pour anéantir l'Église. On s'est trompé. On a voulu expliquer l'Église par l'emprise normale de la société extérieure sur l'individu ; pourtant la religion est précisément ce par quoi l'individu se sent supérieur à tout groupement empirique.

Le fidèle ne peut se passer de l'Église, pas plus que la fourmi ne peut se passer de la fourmilière, pas plus que le bon citoyen ne peut se passer de patrie, quoique son attachement à l'Église ne soit pareil ni à celui de la fourmi pour sa fourmilière, ni à celui du citoyen pour son pays. Ici des connexions physiques et relatives assurent des valeurs biologiques et vitales ; là des connexions absolues et spirituelles engendrent le vie religieuse, l'union objective à Dieu.

La raison d'être d'une phrase, ce ne sont pas les mots ; les mots n'agissent sur l'esprit que parce qu'ils ont un sens. Ainsi le culte, les observances, les « « credo » n'expliquent pas à eux seuls l'autorité de l'Église. Le fidèle doit aimer et servir l'Église parce qu'elle est divine, parce qu'elle l'illumine et le moralise, et, plus que cela, parce qu'elle l'enfante à la vie de Dieu.

---

[1] P. Charles. *La Robe sans Couture*, p. 129, Louvain, 1923.

De là les sévérités nécessaires de l'Église qui sont des actes de bonté ; de là sa bonté qui n'a rien de fade, qui transforme et revitalise, qui appelle à l'héroïsme et à la sainteté. Dieu est un extrême, une extrémité de justice, un paradoxe de vérité. C'est à ce Dieu transcendant dont la vérité et la grâce visitent le monde que l'Église a pour mission d'unir le fidèle. Elle ne peut chômer, elle ne peut s'abandonner, elle ne peut se décourager ; elle doit être l'espérance et le courage. Quand elle patiente, elle ne peut renoncer à son idéal ; quand elle tolère, elle ne peut s'acoquiner avec le mal.

C'est Dieu qui est l'objet de sa visée, le songe de ses nuits. Si sa pensée venait à s'obscurcir, si son cœur cessait de veiller, ce serait la grande nuit qui envahirait le monde, ce serait Dieu qui se mourrait. Si elle cessait d'aimer Dieu par-dessus tout et devenait terrestre, ce serait la chute sans arrêt, la fin de la rédemption, la néantisation de l'homme. Tout comme le chef de la nation doit veiller et agir, puisque le sort de tous est entre ses mains, ainsi le chef de l'Église doit être la conscience universelle et vigilante qui prévoit le danger et qui le prévient, la pensée prophétique qui annonce et prépare l'avènement de Dieu en ce monde. « Veni Domine Jesu », c'est collectivement et fraternellement que les chrétiens attendaient le Sauveur du monde ; et c'est cette attente communautaire qui en faisait des êtres célestes et religieux. L'Église voit Dieu qui s'approche pour assumer l'homme, pour l'assimiler à lui ; elle est l'annonce et l'aurore de Dieu.

II. L'Église Personnelle

1º *Sa Nature*

La solidarité des hommes n'a pas comme ultime fondement un sentiment psychologique, sympathie ou bienveillance, mais la réalité ontologique d'une orientation ou d'une participation du moi à l'autre. L'homme est constitué en communauté avec d'autres êtres ; il ne peut se réaliser lui-même que dans et par cette communauté. Si nous pouvons et devons connaître et aimer notre prochain, cette relation existentielle et théorique provient en dernière analyse, de l'être en commun que nous avons avec lui. [1]

Cependant le rapport originel du moi à l'autre peut être conçu de façons diverses. Si l'être est constitué par l'essence, c'est la pensée qui les reliera. On dira — et c'est la théorie idéaliste — que l'affirmation du moi implique l'affirmation d'autrui, l'idée étant le principe ontologique de la communauté. Si, au contraire, on déclare que l'être est existence, on les reliera par leur subjectivité, la liberté étant le principe originel du social. Dans le premier cas, l'autre sera l'objet nécessaire ; dans le second cas il sera le sujet qui valorise. Pour l'idéaliste, ce sera par la contemplation que le moi arrivera à prendre possession d'autrui ; pour l'existentialiste, ce sera par une diffusion active. De ces deux théories métaphysiques découleront des conceptions fort diverses de l'Église, qu'on s'accordera néanmoins à considérer comme une réalité à la fois empirique et transphénoménale. Les uns diront que son principe d'unité est l'Idée qui se réfléchit et qui prend conscience d'elle-même ; d'autres diront que son principe constitutif est la Liberté qui se déploie et qui se transcende.

Pour nous, le principe constitutif de l'Église est à la fois idéel et existentiel ; elle subsiste en soi comme le dynamisme structurel dont participent ses membres ; elle est cause médiatrice non seulement de leurs actes, mais même de leur intériorité ou de leur sainteté.

a) La Théorie intellectualiste.

Ce qui lie le moi à l'autre, c'est la conscience. Le je, en effet, privé d'universalité ne peut s'objectiver et manque de vérité. Descartes attribue au moi la conscience immédiate de lui-même et n'échappe point au solipsisme. D'après Hegel, la prise de con-

---

[1] « Les expériences psychiques, écrivait Scheler, montrent qu'étant donné la structure essentielle de la conscience humaine, la société existe pour ainsi dire à l'intérieur de chaque individu ; que si l'homme fait partie de la société, celle-ci à son tour fait partie de l'homme auquel la rattachent des rapports substantiels ; que si le « moi » est un élément constitutif du « nous », le « nous » est un élément constitutif non moins nécessaire du moi. » (M. SCHELER, Nature et Formes de la Sympathie, pp. 335-336, Paris, 1928).

science du moi suppose l'interférence de l'autre. Je ne puis me poser sans m'opposer, et, par conséquent, dans l'acte où le sujet s'affirme, il affirme une pluralité de consciences. De cette liaison logique, dont Kant aurait conclu à l'unité des moi dans l'expérience, Hegel conclut à leur unité ontologique. Le moi et l'autre sont donnés simultanément, car je ne puis m'affirmer que dans la mesure où je puis être affirmé par un autre. Ce qui relie les êtres, c'est l'idée ou l'essence.

Hegel a esquissé une théorie de l'Église, plus qu'il ne l'a développée. Pourtant elle s'enchâsse logiquement dans son système et dans sa métaphysique de la religion. Son dessein est de réconcilier la philosophie et la théologie, la raison et la foi que le rationalisme et le romantisme avaient opposées. Son Dieu ne sera donc ni le Dieu abstrait de l'Aufklärung, ni le Dieu subjectif du sentiment. A l'encontre des rationalistes, il affirme que le Dieu proche, vivant, intime des chrétiens est supérieur au Dieu lointain des philosophes. Il prône une religion positive et concrète. L'histoire engendre l'esprit et lui révèle le vrai Dieu, Celui en qui les natures humaine et divine s'unissent immédiatement et réellement. La croyance du chrétien n'est pas symbolique ou relative mais objective et absolue. A l'encontre, des romantiques il affirme que le Dieu de la foi ne transcende pas la raison qui exige l'Incarnation et qui préside à l'indissoluble alliance du fini et de l'infini. L'absolu, c'est l'esprit qui relie les croyants à l'Église, qui relie l'Église à Dieu et Dieu à l'Église.

L'idée constitue donc les relations et fonde la communauté. Si l'Église existe, c'est parce que c'est par elle que les croyants prennent conscience de l'Incarnation ou de l'Absolu véritable qui est l'Universel-concret. Si Dieu est présent à l'Église, c'est parce qu'Il ne peut prendre conscience de lui-même que par elle. En faisant de la connaissance le principe de corrélation des êtres, Hegel les lie intrinsèquement l'un à l'autre et montre qu'ils sont immanents les uns aux autres. Décrocher l'homme de Dieu ou Dieu de l'homme, décrocher le croyant de l'Église et l'Église de Dieu, paraît impossible dans la perspective hégélienne.

La question est de savoir si dans cette théorie les objets de la pensée gardent encore une transcendance. L'idéaliste explique parfaitement la relativité des êtres, mais méconnaît leur subsistance interne. Il fonde une théorie de l'identité et non une théorie de la communauté. Au stade de la religion, qui, on le sait, n'est pas le stade ultime de la métaphysique hégélienne, le moi se distingue encore de l'autre, le croyant de l'Église, l'homme de Dieu ; mais au terme de la dialectique, quand la pensée a dévoré tous ses objets et qu'elle les a réduits à ne plus être que des relations logiques, quand la philosophie a résorbé la religion, il ne reste plus ni fini ni infini ni croyant ni Église, mais l'acte d'une pensée impersonnelle qui s'identifie à elle-même dans le néant de tous ses objets.

L'idée à elle seule ne peut créer de communauté réelle. Comme idées, les êtres ne sont que des possibles, des automates sans liberté, des fantômes sans consistance qui s'évanouissent dans la brume de l'esprit. La transcendance est condition de toute saisie du réel. Sans elle on ne peut concevoir ni le rapport de l'homme à Dieu qui fait la religion, ni le rapport des fidèles entre eux qui constitue l'Église.

Un Dieu purement immanent à l'homme est un Dieu mort. Celui qui s'y adjoint mécaniquement et sans le choisir, séjourne tristement en lui-même et n'est point religieux. L'Église serait morte elle aussi, elle manquerait d'intériorité, si les relations qui la nouent n'étaient subjectives et personnelles. La pensée isolée de l'acte qui la rend existentielle, n'unit pas effectivement à l'autre. Quand des membres d'une communauté cessent de se vouloir unis, ils deviennent étrangers les uns aux autres. Une Église cesse d'être sainte et fraternelle, quand son lien est purement idéel. C'est l'amour qui engendre des fils et des frères. Seul l'acte d'amour de Dieu — Hegel le reconnaissait dans ses écrits de jeunesse — peut extraposer le monde en dehors de Dieu ; seul l'acte d'amour ramène le monde à Dieu et crée la religion et l'Église.

b) La Théorie volontariste

Après Hegel, on en revient à Kant. On sait qu'il n'attend pas grand'chose de l'Église ; il la subordonne à la morale. Par des promesses hypothétiques d'au-delà, l'Église doit améliorer le rendement de l'impératif catégorique.

Pour ses successeurs, cependant, l'impératif catégorique, loi purement formelle, ne peut être la fin ultime de l'acte humain. La source existentielle du vouloir du bien est, d'après Jacobi, Dieu, l'Acte pur auquel on s'unit par la foi. Dans cette perspective nouvelle, l'Église, organe de la foi, sera aussi principe constitutif de la moralité. Qui veut le bien, doit vouloir Dieu ; or ce vouloir de Dieu, fondement de l'éthique, s'éveille, se développe et se parachève dans la communauté des croyants. L'Église a donc une fonction ontologique essentielle, quoiqu'elle soit purement pratique.

A l'époque du positivisme, l'histoire remplace l'ontologie ; le relativisme s'impose et on n'a plus foi en l'Absolu, fût-il moral. L'Église devient alors un dynamisme polymorphe, dont l'histoire établit les variantes ; elle n'est plus l'interprète autorisée de l'Ordre divin, mais une communauté où chacun expérimente des valeurs relatives. Le protestantisme libéral et le modernisme se situent à mi-côte, également soucieux d'histoire et de morale, également incapables de métaphysique. L'Église devient une nébuleuse, un organisme humanitaire ; elle n'a plus à professer sa foi ni à la définir ; plus la foi est indéterminée et plus elle est divine. La religion est une tendance vers le mieux ou vers l'Idéal.

Pourtant cet humanisme relativiste cessa de plaire et on se préoccupa de nouveau de métaphysique. L'analyse phénoménologique discerne les valeurs profanes des valeurs religieuses ; la sacré a des catégories qui lui sont propres ; elles ne sont ni logiques, ni morales, ni relatives. La religion est théocentrique et a pour visée immédiate la sainteté, valeur qui transcende toutes les autres valeurs ; elle se distingue donc de la métaphysique aussi bien que de l'éthique. Aussi dans l'ouvrage de Scheler, *Das Ewigen im Menschen*, nous voyons apparaître une théorie très haute et très juste de l'Église. Il la définit comme la communauté d'amour qui assortit la personne humaine à un Dieu personnel, communauté qui subsiste en soi, ayant une fonction propre et indéclinable, celle de la sanctification ; fonction supérieure d'où dérivent ses activités dogmatiques et morales. Mais Scheler n'arriva point à imposer ses vues, et lui-même n'y demeura point fidèle.

L'existentialisme d'aujourd'hui veut fonder la communauté interhumaine sur la seule liberté. Le principe d'unité qui fait la communauté humaine n'est pas formel ; il est existentiel, déclare Jaspers. Certaines relations appauvrissent : celles qui manquent d'engagement profond, celles où des formules s'affrontent, sans que les âmes se mêlent. Tout rapport avec autrui peut faire jaillir l'existence, alors même qu'il manifeste le dissentiment des pensées, si dans ce dissentiment ce ne sont pas deux savoirs impersonnels, mais deux croyances personnelles qui s'opposent. « En croyant, je me heurte, comme la vérité que je suis moi-même, à la foi d'autrui, comme à une vérité autre ; ce n'est que dans cet entre-choc que ma foi devient réelle et que je deviens réel moi-même » [1]. La solidarité des convictions, la convergence des croyances est accidentelle et n'est pas indispensable pour que les hommes communient entre eux. On pourrait en dire autant des sentiments unanimes, des efforts concertés, des actions coordonnées, des solidarités qui proviennent des situations.

Par tous ces actes on s'unit à autrui d'une façon extrinsèque, en tant qu'il est objet et non en tant qu'il est sujet ; on lui assure des avoirs, on ne le secourt pas dans son être. La communication existentielle est celle qui ne met pas seulement l'avoir de deux moi en relation, mais celle où deux libertés se livrent l'une à l'autre ce qu'elles ont de plus secret, où elles consentent à se susciter mutuellement.

La communication ne doit donc pas éliminer les divergences qui permettent au sujet de se faire sa foi dans le rapport d'une autre foi que la sienne. Toute certitude authentique étant libre demeure incommunicable. La seule communauté véritable qui puisse s'établir entre les hommes est dynamique et non spéculative. Une pensée objective ou abstraite peut se communiquer ; l'intuition qui est individuelle, ne peut se référer qu'à elle-même. Il n'y a ni propositions ni normes valables pour tous.

[1] *Philosophie*, II, p. 434.

La communauté entre les hommes est indéchiffrable, et il n'y a pas d'entr'aide positive. Chacun tout seul se fait son existence, et l'absolu de l'un ne coïncide pas avec celui de l'autre. La seule unité indispensable est celle du choix et de la liberté dont il procède. Un Dieu unique n'existe pas et ne doit pas exister. Il ne vaut que pour autant qu'il est l'élu ; il doit être mon Dieu, le Dieu du moi et non celui de tous.

c) La Théorie personnaliste et chrétienne

Critique de l'Idéalisme. — La dialectique idéaliste fait du moi et du toi des concepts ; elle fait abstraction du caractère subjectif des êtres, et par conséquent les unit d'une façon fictive. Des concepts s'ajustent automatiquement l'un à l'autre. L'union d'un possible à un autre possible se fait inéluctablement, sans résistance et sans choix. En fait, dans la dialectique spéculative, le « je » s'unit à la pensée d'autrui, au lieu de s'unir à l'autre concret qui existe.

Ainsi le principe de la communauté humaine n'est pas établi, lorsqu'on a démontré le rapport nécessaire de toute conscience à une conscience générale, ou la relation logique de la pensée à une pensée impersonnelle. Une communauté réelle exige une mise en contact de la conscience concrète avec d'autres consciences concrètes, du moi qui existe et qui est libre, avec d'autres « je » concrets et réels. La pensée pure et nécessitante ne peut établir ce lien sans le concours de la liberté.

La présence réelle du non-moi au moi suppose l'interaction de deux existences ; il est impossible de les relier effectivement s'ils ne sont l'un et l'autre actifs. Autrui ne peut exister comme indépendant de moi, comme doué d'intériorité véritable, d'irrécusable valeur, que parce qu'il me fait exister, parce que sa liberté est principe de ma subjectivité. Le rapport existentiel fait que je ne dépends pas seulement de l'autre comme d'un principe de conscience, mais aussi comme d'un principe de valeur ; il répond à ma finalité subjective qu'il accomplit, et se pose comme élément de mon actualité. Je manque de densité pour être par moi-même. Non seulement je m'explique par autrui et ma conscience est liée à la sienne, mais encore j'existe par autrui et mon existence est solidaire de la sienne.

La relation interhumaine se définit par une dépendance causale, cette dépendance que les philosophes déterministes ont mise en relief ; elle se définit aussi par un mutuel engagement du moi au non-moi qui fait leur conditionnement existentiel. Je ne puis me valoriser que par autrui, tout comme je ne puis connaître que par autrui. La spontanéité de la personne ne peut se réaliser et demeurer dynamique que si elle est en contact avec d'autres libertés. Le don appelle le don et la réciprocité est la loi des échanges. Impossible d'aimer sans vouloir être aimé ; tout acte libre appelle une liberté, tout choix attend un choix. Se vouloir, c'est donc toujours vouloir autrui ; car en me posant comme sujet de mon acte, j'exige d'autres sujets capables d'autonomie et de donation. L'intériorité du moi et sa subjectivité exigent sa communion existentielle avec d'autres moi.

Critique de l'Existentialisme. — D'ailleurs une dialectique purement subjective ne peut fonder à elle seule la communauté humaine. Pour s'en rendre compte, il suffit de s'en référer aux conclusions négatives des existentialistes. [1]

Si l'être est existence et non essence, dès que je le détermine il m'échappe et mon rapport avec lui s'évanouit. Comment pourtant s'unir à autrui si dans sa réalité ontologique il est indéterminable, s'il est sujet sans être objet ? Mon action sur autrui ne doit-elle pas, pour être efficace, tenir compte de sa nature, et, si cette nature demeure un X inconnaissable, mon action ne risque-t-elle pas d'être meurtrière ? Comment unir deux libertés si elles ne se projettent pas l'une et l'autre vers des fins dé-

[1] « Si l'existentialisme n'avait pour signification que de rappeler le sens tragique de l'homme et de son destin, contre l'optimisme léger de l'expansion libérale, nous ne pourrions que nous sentir accordés avec lui. Mais le discrédit qu'il jette sur tout ce qui n'est pas une liberté pure et comme gratuite, au moins à son jaillissement, tend à dévaluer toute existence consolidée, celle du monde, celle de l'histoire, celle des sociétés organisées, celle même des fidélités personnelles. Pessimisme actif, certes. Mais une action qui donne l'intensité en refusant l'espoir, qui peut-elle séduire si ce n'est une minorité éprouvée et nourrie de mépris ? Elle se met dans une sorte d'incapacité congénitale de retrouver une certaine force de vie, une certaine ingénuité d'espérance, qui sont sans doute nécessaires aux grands desseins et aux vastes communions. » (E. MOUNIER, *Qu'est-ce que le Personnalisme*, pp. 93-94).

finies qui les coordonnent ? Comment pourraient-elles s'accomplir si en s'objectivant, elles cessent d'être ? Mon prochain ne doit-il pas me demeurer radicalement étranger si je ne peux le connaître ; le dissentiment des pensées ne rend-il pas impossible l'unanimité des vouloirs ?

Dira-t-on que l'union des convictions et de l'action n'importe guère, qu'une union purement existentielle suffit à créer la communauté ? Mais deux ennemis qui se haïssent et qui se pourfendent de leurs épées, convergent existentiellement l'un vers l'autre, tous leurs gestes étant spécifiés par une répulsion consentie et voulue. Ce contact de deux subjectivités libres est-il social ? Déclarer un acte social parce qu'il est libre, n'est-ce pas consacrer l'anarchie, la lutte implacable, la guerre sans merci et sans fin ?

Pour que les hommes arrivent à s'entendre, il faut certes qu'ils soient libres, mais leurs actes libres s'opposeront toujours si la raison ne les guide. Qui dit raison, dit liaison, possibilité de communication. Il n'y a pas de dialogue qui n'ait un objet et les certitudes partagées unissent davantage les esprits que des interrogations qui restent sans réponse. Comment une communication d'homme à homme serait-elle possible si leur structure n'était pareille ? [1] Des divergences ne peuvent être saisies sans consonance, des diversités sans unité. Sans alliances communes, sans participation de l'esprit à une même forme, sans universalité, tout dialogue resterait sans écho et il n'y aurait pas de langage. La théorie qui définit l'être par son unicité et son irréductibilité à tout autre, rend toute communion impossible.

On dit que les relations doivent être concrètes. Fort bien ! Mais les relations, pour être concrètes, ne doivent-elles pas être idéelles ? Il semble qu'une amitié purement existentielle, étant indéterminée, est incurablement abstraite et creuse. Toute amitié doit être libre ; c'est l'amour qui la rend vivante, mais c'est la raison qui la rend possible. On ne peut s'entendre sans se comprendre. La sympathie, pour être durable, doit

---

[1] Si Platon communique plus intimement avec Socrate qu'avec son âne, c'est grâce à la raison et à la médiation des idées.

être compréhensive, et la compréhension sympathique. Sans le concours de l'intelligence, autrui reste impénétrable : je le heurte, l'offense et le blesse ; sans le concours de la sympathie, il me reste indifférent et étranger.

L'amour même créateur, doit tenir compte de ce que l'être est ; en le rendant existentiel, il doit proroger sa forme et son essence, ou il est néant d'amour. Que dire de l'amour existentialiste ? C'est un amour sans donation, un amour qui veut dominer et qui n'accepte pas d'agréer et de recevoir ; il est, comme le disait E. Mounier, refus et défi orgueilleux [1], ou du moins il est échec.

Qui aime se donne, qui aime se laisse informer par celui qu'il aime. Sans cette donation et cette soumission, il n'y a qu'égoïsme. Pour être religieux, il ne suffit point de siffloter un petit air à la liberté et à l'amour ! Ces cantiques, souvent, n'ont rien que de charnel et de profane. Pour s'unir à Dieu, il faut se lier et se désapproprier. La plupart des existentialistes ne dépassent pas la zone trouble de la suffisance humaine et des passions orgueilleuses. Leur existentialisme, au lieu de les ouvrir, les enclôt en eux-mêmes ; ils font de la religion une mystique et ne comprennent point qu'avant d'être une mystique, elle doit être un service ; qu'avant d'être une extase, elle est un sacrifice, une immolation de la volonté humaine à la volonté de Dieu dont il faut agréer les paroles et exécuter les ordres.

Une religion existentialiste est une religion sans adhésion réelle à Dieu, car Dieu est précis et objectif. Celui qui prétend le saisir sans le connaître, ne saisit pas Dieu mais son ombre ; celui qui soutient qu'une Église puisse être divine, alors qu'elle ne sait rien de Dieu, livre sa destinée au caprice d'une aveugle ; il se résigne à tourner en cercle, mais jamais il ne rejoindra Dieu.

Qu'il s'agisse d'une société profane ou religieuse, la commu-

---

[1] « Notre liberté occidentale est trop légère, trop insoucieuse, trop repliée. Elle ne se sent plus que dans l'abstention, le refus ou le défi. Il y a pourtant au cœur même de la liberté un besoin de se donner à plus que soi, d'assumer autre chose que soi, de collaborer. Elle est invocation autant et plus que provocation ; c'est cette vérité de fond qui a toujours opposé les théologiens chrétiens au libéralisme. » (E. MOUNIER, *Qu'est-ce que le Personnalisme*, p. 71).

nion existentielle suppose toujours une communion idéelle ;
ni une liberté, ni un sentiment, ni un amour aveugles ne peuvent
ni constituer ni assurer de cohésion à l'Église. [1]

La Théorie Personnaliste et Chrétienne. — Le rôle de l'existence
et de la liberté est d'extraposer, de réaliser ; le rôle de l'essence
est d'unifier, de coordonner. Une union purement existentielle
oppose irréductiblement le moi à l'autre ; une union purement
idéelle les identifie. La communion authentique exige une
unité originelle à la fois subjective et objective, une participation à la fois formelle et dynamique. Une relation purement
idéelle avec autrui ne l'atteint que d'une façon abstraite ; une
relation purement dynamique ne l'atteint que comme réalité
informe. En fait il me rejoint, parce qu'il est la forme qui me
détermine et la fin qui me vivifie ; parce qu'il est élément de
certitude pour mon esprit et de valeur pour ma volonté. Autrui
est à la fois pour moi un témoin auquel je me réfère, et un
moteur qui me meut.

Je me raccorde à lui par la totalité de mon être, soit que je
me pense, soit que je me veuille. Dès que je prends conscience
de moi-même, il paraît ; dès que j'affirme, c'est tout esprit qui
fait écho à mon esprit, car la vérité, qui n'est jamais ma vérité,
est l'acte et le bien commun à tous. Dès que je pense, je réside
dans l'universel ; un chemin s'ouvre entre moi et l'autre ; une
communauté s'établit, communauté infrangible comme l'acte
nécessaire de la pensée qui lui sert de lien.

Autrui hante non moins mon vouloir, car comment vouloir
sans vouloir l'autre ? Ma liberté est immanente à la sienne ; nos
deux subjectivités se conditionnent. L'existence qui dynamise
mes actes et qui m'attire, n'est pas mon existence, mais l'existence du Tout. L'acte bon n'est pas celui qui réalise mon bien,
mais celui qui de par sa nature peut réaliser le bien de tous.

Ce n'est donc pas seulement physiquement que je dépends
des autres ; j'en dépends aussi spirituellement. Mon acte le plus

---

[1] « Quand, disait Hegel, l'homme du sens commun se réfère à son sentiment,
à son oracle intérieur… il foule aux pieds la racine même de l'humanité. Car la
nature de celle-ci est de tendre à l'accord avec les autres et son existence n'est
que dans la réalisation d'une communauté des consciences. »

intime et le plus personnel est visité par l'autre. Soit que je pense,
soit que je veuille, il est là. La conscience que je prends de moi-
même me renvoie à d'autres consciences. Comment atteindre
la vérité sans lui donner comme soutien une pluralité infinie
d'esprits ? Comment agir librement sans me référer à d'autres
libertés ? Tout acte spirituel est communautaire et implique
l'intercession perpétuelle de l'autre.

L'amour fait surgir l'autre comme sujet ; la pensée le pose
comme objet. C'est par l'enlacement de ces deux actes, qui en
fait ne s'isolent jamais l'un de l'autre, que la communauté
s'établit. Son fondement n'est ni la pensée ni le vouloir, mais la
personne qui fait l'unité de l'idéel et du réel.

L'autre est le centre de gravitation de la personne, centre qui
vivifie sa liberté ou sa diffusion en dehors d'elle-même, centre
qui détermine sa pensée ou son retour sur soi, centre dont participe son aséité. Le moi est par soi ou libre dans la mesure où
d'autres libertés lui portent secours ; il est pour soi ou conscient
pour autant que d'autres pensées l'éclairent ; il est en-soi comme
partie du tout, comme membre vivant d'un organisme qui fait
la subsistance des personnes.

Ainsi l'Église doit coordonner les personnes dans une unité
métaphysique et organique dans laquelle elles subsistent.
Comme les personnes dont elle est le principe d'achèvement,
avant d'être une pensée ou une charité, elle doit être une réalité
transobjective et transsubjective, un principe d'unité ontologique. Πᾶσα κοινωνία ἀγαθοῦ τινὸς συνέστηκεν, écrit Aristote.
La participation à une valeur est le principe de toute communauté ; et plus la valeur sera haute, plus la communion sera intime. Dieu, étant la valeur suprême, l'Église doit être de toutes les
sociétés la plus unitaire. Elle devra être le foyer dont l'intériorité
fondera l'intimité de chaque être, la médiatrice de la personnalité authentique et de tous les actes qui en dérivent. C'est
en vertu de cette immanence primordiale que la pensée de
l'Église sera réalisatrice et son amour lumineux. Elle ne peut
posséder le monde qu'en se donnant au monde, mais pour se
donner pleinement au monde, il faut d'abord qu'elle se possède
et subsiste en soi.

L'Église doit être personnelle, parce qu'elle doit rassembler les hommes dont la personnalité est l'élément radical ; elle doit être personnelle, parce qu'elle doit être médiatrice entre les personnes humaines et la Personnalité divine. Une Église impersonnelle ne pourrait être un organe de médiation humano-divine. On la définit parfois par ses actes, le magistère ou le ministère ; si elle n'avait que ces fonctions, elle unirait extrinsèquement les fidèles ; elle ne les ferait point subsister en Dieu ; elle serait une lumière et une vie, mais ses membres demeureraient des monades solitaires, qui ne communiquent pas entre elles par leur réalité fondamentale.

L'Église authentique doit non seulement éclairer et encourager, elle doit sanctifier, c'est-à-dire que, par son entremise, Dieu doit transformer la personne, l'insérant en son propre être, diffusant son Être dans l'être même de la créature, la faisant participer, par la grâce sanctifiante, c'est-à-dire par cette grâce qui affecte la substance de l'être créé, à la nature même de Dieu. Voilà quelle nous paraît être, si l'on se place à un point de vue rigoureux, l'Église idéale et parfaite. Elle doit être principe médiateur de liberté et d'existence, principe médiateur de vérité et de certitude, principe surtout de personnalité et de sainteté.

Cette Église parfaite, qui sauve et qui assortit à Dieu non seulement les actes de l'homme, mais sa réalité substantielle, existe-t-elle, et quelle est sa nature concrète ? Le philosophe ne peut ici se prononcer. C'est au théologien, dont l'étude est historique, de découvrir la religion qui satisfasse aux postulats les plus hauts de l'esprit. Ni le philosophe ni le moraliste ne peuvent fonder la religion, car si l'un peut enseigner la vérité et l'autre le devoir, ils ne peuvent transformer l'homme, c'est-à-dire agir sur le tréfonds secret d'où surgissent les actes, ils ne peuvent sanctifier. La sainteté transcende la morale et la métaphysique ; elle n'est pas humaine mais divine.

L'Absolument Saint peut seul instituer une religion authentique, car lui seul, étant infiniment intérieur à lui-même, pourra intérioriser l'homme. Aussi c'est autour de lui que l'Église se groupe. Les religions sont fondées par des inspirés, des prophètes, auxquels Dieu parle et en lesquels il manifeste sa miracu-

leuse présence. Parmi les religions le christianisme est hors-pair,
car il procède de Jésus, l'Infiniment Saint. Dans le Christ, Dieu
assume la nature humaine. A la suite de l'Incarnation la divinité
se diffuse dans l'humanité et la religion s'instaure. En dehors
du Christ les hommes peuvent entrevoir quelque chose de Dieu,
le rencontrer à la dérobée, mais ils ne possèdent pas la plénitude
de Dieu qui nous est révélée et communiquée par le Christ.
Celui qui adhère au Christ, participe par la Foi à la vision intuitive de celui qui a contemplé le Père, s'insère par l'Espérance
dans l'acte créateur qui fait le salut, s'agrège par l'Amour au
Corps mystique du Fils de Dieu, qui est l'Église.

L'union des fidèles dans l'Église n'est pas seulement accidentelle mais nouménale. Ils sont rattachés l'un à l'autre, comme le
disait Benson, non comme les bougies accrochées à un arbre
de Noël, mais comme des branches qui s'alimentent d'une même
sève et sont entées sur le même tronc. Ils sont unis non seulement
parce qu'ils adhèrent à la même foi ou partagent la même charité ;
l'unité des actes implique une unité antérieure, prélogique et
prédynamique qui se nomme la communion des saints.

Nous nous représentons volontiers les esprits comme des
monades et entre elles nous établissons des relations contingentes,
relations de pensée ou d'amour. En fait les esprits, tout en étant
distincts l'un de l'autre, subsistent intrinsèquement liés l'un à
l'autre dans le Christ. L'homme appartient au Christ par ses
actes, mais aussi par sa réalité première. Quoi qu'il fasse, quoi
qu'il pense, il sera toujours membre du Corps mystique du
Christ. Son essence comme son existence s'inscrivent et se
dynamisent en Celui qui est la source infinie de l'élan créateur,
l'infinie possession de la vérité, l'infinie sainteté. Le Christ est
premier en tout ordre ; Il précède chacun de nos actes dont Il
est l'aurore et l'accomplissement ; Il est l'Homme parfait dont
nous participons et qui nous rend unanimes avec le monde,
intimes à nous-mêmes, fraternels à l'égard des hommes, filiaux
à l'égard de Dieu.

Pour devenir vraiment religieux, il faut donc s'associer à
Jésus, et on s'associe à lui en étant membre de l'Église qu'il a
instituée et dans laquelle il continue à résider. Voulant se

donner à l'homme et en faire son fils, Dieu a décidé, pour accéder à notre intimité, de s'incarner, de se révéler extérieurement, de se dire comme un homme se dit à un autre homme, d'établir une communauté à la fois historique et ontologique, idéelle et existentielle, personnelle et cosmique, qui soit médiatrice de sa vérité et de son salut. C'est par elle et en elle que l'homme peut s'unir concrètement et spirituellement à un Dieu Sauveur qui l'assume dans la mystérieuse intimité de sa Vie personnelle.

2° Ses Fonctions

a) La Fonction Existentielle

Douée de cette immanence, l'Église sera principe existentiel. Supprimer le contact dynamique des fidèles, les maintenir dans un rapport d'indifférence, c'est détruire leur personnalité religieuse, autant qu'on le peut, et les retrancher de Dieu. Jetée en dehors d'elle-même, tendue vers l'autre, la conscience religieuse se crée et se divinise. Le souci spirituel du moi étouffe quand il se prend lui-même pour objet ; on n'est soi-même, on ne se possède soi-même que par le mouvement de transfert à autrui. C'est grâce à cette charité diffusive, que le moi retrouve son équilibre. Il se conserve en se dépassant ; il s'enrichit en s'oubliant. L'intériorisation et l'universalisation ne s'opposent pas. Ce sont deux mouvements solidaires qui se soutiennent et se dynamisent mutuellement. Plus un être est intime à lui-même, et plus aussi il est disponible, plus il est capable de donation. Quand il se donne sans réserve, c'est alors surtout qu'il est doué de vie intérieure. Contemplation et donation sont les deux ailes de la vie religieuse.

L'Église sera ainsi une coopérative de soutien mutuel, un entraînement collectif à l'agir, qui confirme chacun dans l'espérance, où tout se fait en commun, de telle sorte que l'action sainte comme le péché seront indéfiniment diffusifs ; société d'effort et de salut où les victoires et les défaites sont partagées, société de charité et d'amour où la fraternité de tous les hommes est vécue, et dans le souci que chacun a d'autrui, et dans le dévouement qu'il lui consacre, et dans le sacrifice qu'il lui consent, et dans l'amitié qu'il lui porte. [1]

Elle sera l'autel où se consument les péchés, l'autel de l'offrande et du sacrifice ; elle sera le pardon qui purifie, l'alliance réelle avec Dieu. Un père s'engendre en engendrant son enfant ; dans l'Église les fidèles s'engendrent mutuellement, se créant l'un l'autre en vertu de la communauté qui les lie comme des membres le sont au corps, comme des parties le sont au tout. Quand un fidèle agit, le tout en est affecté ; s'il est menacé, le tout s'en préoccupe et cherche à le défendre ; quand il est malade, c'est le tout qui se porte à son secours ; quand il se meurt, le tout s'en afflige et tente de le ressusciter ; s'il se sanctifie, c'est le tout qui triomphe et qui chante. On n'atteint Dieu que par la médiation de la communauté en laquelle Il réside, à laquelle Il se communique, par laquelle Il suscite le miracle de la totale charité et de l'absolue certitude.

b) La Fonction Idéelle.

Car l'Église doit avoir une fonction idéelle comme elle a une fonction existentielle. Toutes les activités de la personne sont communautaires et se rattachent à l'organisme tout entier. C'est lui qui sanctifie, lui qui vivifie, lui aussi qui doit être l'organe de la foi. La foi, comme l'espérance et l'amour, est l'acte du corps tout entier.

Scheler considère l'Amour comme le principe radical de l'Église. Le fondement ultime de son action, la raison de sa valeur ne seraient en dernière analyse ni la Toute-Puissance de Dieu, ni même son Omniscience, mais sa Bonté diffusive. Cependant, ajoute-t-il, on ne conçoit pas que Dieu puisse aimer et être présent à la communauté sans que sa vérité y réside. L'Église, pour être une création d'amour, doit posséder la vérité divine et en être l'organe infaillible. Celui, disait-il, qui ne se préoccupe que de biens relatifs ou même des biens spirituels de la culture, doit considérer cette autorité et cette infaillibilité comme un

---

[1] « François, écrivait Thomas de Celano, appelait frères toutes les créatures et, d'une manière totalement inconnue et inaccessible aux autres ; il savait, grâce à la perspicacité de son cœur, pénétrer jusqu'au fond le plus intime de chaque créature, comme s'il avait déjà joui de la glorieuse liberté des enfants de Dieu. »

non-sens radical, mais la carence d'une autorité infaillible dans les choses saintes serait absurde dans un univers créé et façonné par un Dieu dont la Bonté et la Vérité sont plénières. [1]

En effet, comment l'amour de l'Église pourrait-il être divin et divinisant s'il n'était lumineux et illuminant ; comment son action serait-elle efficace si elle était aveugle ? Tout organisme doit avoir une structure et, quand il est spirituel, il doit en être conscient. Organisme humano-divin, l'Église doit connaître la nature de Dieu et de l'homme et les lois qui président à leur union. Sans ce savoir elle cesserait d'être médiatrice ; elle serait l'aveugle qui dirige des aveugles.

L'Église doit donc spécifier l'objet de la foi et donner à ses fidèles la puissance de croire, l'élan et la certitude de la foi. Non pas qu'elle soit le principe de la foi, car c'est Dieu qui en est l'auteur, c'est la lumière de Dieu qui éclaire tout homme, mais l'Église est médiatrice de cette lumière. C'est par le moyen de sa parole que Dieu se révèle et par son témoignage qu'il se fait connaître. Aussi, dès qu'elle abandonne sa fonction doctrinale, dès qu'elle cesse d'avoir la vue prophétique de l'avenir, l'intuition de l'invisible, dès que ses certitudes fléchissent, l'Église cesse d'être l'organe de Dieu. Quand elle succombe à l'hérésie, rompant son unité idéelle, elle rompt aussi l'unité des cœurs, viole la loi d'amour, aliène les hommes l'un à l'autre et les détache de Dieu. L'hérétique est celui qui a brisé la communauté humano-divine. Car la fraternité des hommes comme la filiation divine exige plus que des aspirations et des sentiments, elle exige une structure commune, un fondement objectif. Pas d'union à des frères sans convictions partagées, pas de filiation divine sans certitudes surnaturelles.

Mais comment l'Église pourra-t-elle remplir ce magistère sacré ? Puisque Dieu s'est incarné, la révélation est historique. Ce n'est pas que le magistère de l'Église doive être livré aux historiens. Les historiens décrivent l'aspect multiforme du phénomène religieux et leurs travaux tiennent souvent du jeu et d'un jeu destructeur. Ils peuvent, à la condition de rester dans le vague, définir l'essence des religions et se faire les champions d'un syncrétisme

---

[1] M. SCHELER, *Vom Ewigen im Menschen*, p. 700.

qui ne retiendrait que des racines communes. Ils ont peu de chan-
ce de se faire écouter, car un syncrétisme n'a jamais pu satisfaire personne. Pas plus que l'espéranto ne peut être utile à deux
personnes qui ont une communication précise à se faire, ainsi une
religion syncrétique ne peut établir de communauté intime entre
les hommes ni d'union réelle à Dieu.

L'Église, tout comme les historiens, doit avoir le souci du
passé, mais sa tradition doit être une tradition sélective et ontologique. Grâce à l'assistance de l'Esprit Saint qui l'illumine et
qui lui donne de comprendre de mieux en mieux les paroles
du Maître, elle juge et choisit, condamne et approuve. Elle n'a pas
à déterminer une moyenne, un juste milieu, un équilibre relatif.[1]
Sa tradition ne doit pas niveler ; elle doit exalter. Elle doit aimer
ce qui est fort, concilier les antithèses non pas en les annihilant,
mais en les poussant à l'extrême. Il faudra que l'Église soit,
plus que les rationalistes, assoiffée de vérité ; il faudra par ailleurs que son âme vibre de charité et d'amour plus que l'âme
des romantiques. Elle doit proposer aux fidèles un idéal qui,
de premier abord, tiendra de la contradiction et de la folie,
tellement il est riche ; mais qui est viable pourtant et réel.

Normalement le culte extérieur dégénère en formalisme,
l'intellectualisme en rationalisme, le volontarisme en sentimen-
talisme, le sens de Dieu en panthéisme. L'Église ne livrera pas
sa tradition à des empiriques, car les gestes ne suppléent pas à
la vie spirituelle ; elle ne la livrera pas aux intellectuels et se
défiera du vertige des dialectiques abstraites, car la pensée
s'égare quand l'amour ne la guide pas ; elle se défiera non moins
des mystiques, car les élans du cœur et l'action tournent à rien
sans le contrôle de la raison qui leur assigne un objet réel.

Son critère ultime ne sera donc pas un fait, car un fait comme
tel n'a ni signification ni valeur absolue ; son critère ne sera
exclusivement ni spéculatif ni pratique, car la vérité isolée de
son dynamisme et l'action isolée de la pensée sont des pseudo-

---

[1] On chante parfois les louanges de l'équilibre. Un cancre peut être équilibré
dans sa nullité, tandis que le génie parfois ne l'est point. Une balance peut être
en équilibre quand ses plateaux ploient sous des richesses, et aussi quand ils
sont vides.

absolus ; son critère sera la sainteté, la sainteté telle qu'elle est apparue dans le Christ-Jésus qui se manifeste progressivement dans son Corps mystique, l'Église.

Les historiens ne s'occupent que du passé et c'est leur droit. Or, le passé comme tel est mort, ou s'il vit dans le présent, il ne peut, selon la conception mécaniste, être qu'une redite. L'Église, dynamisme vivant de l'humanité en marche, n'a pas seulement à vivre le regard tourné vers le passé, en marchant à reculons ; elle peut et doit regarder l'avenir, car la vie divine qu'elle possède doit s'épanouir toujours plus riche. Tout comme un organisme meurt sans puissance d'assimilation nouvelle, ainsi l'Église serait un corps mort, si l'esprit de Dieu qui est infini ne la vivifiait et ne la faisait progresser.

Pourtant le progrès est un terme équivoque. L'Église doit être l'organe de Dieu et, et par conséquent, son unité ne pourra être pareille à celle d'un organisme matériel qui se corrompt et se décompose. Inspirée par Dieu, vivant en Dieu, elle doit témoigner de sa présence par l'unité d'une croyance qui doit s'enfler, s'étendre, prendre les dimensions de l'univers, sans se morceler ni se briser, par l'unité d'un amour fidèle et loyal qui à travers des modulations infinies, chante toujours le même thème, exalte toujours la même Personne.

Le temps mutile et semble devoir opposer le présent au passé et l'avenir au présent. L'Église doit en subir les vicissitudes ; elle n'est pas une substance immobile autour de laquelle s'agiteraient des apparences éphémères qui ne la modifieraient pas. Elle doit se développer, être neuve et ancienne ; elle doit être l'humanité réelle et concrète qui progresse historiquement dans la connaissance et l'amour de Dieu. Dans son témoignage devra se trouver condensée l'expérience religieuse universelle. Ce qui est mort doit vivre encore en elle. Les réflexions des docteurs et le sang des martyrs, l'ascèse des saints et la contemplation des mystiques ; tout ce que les générations travaillant en commun ont compris et vécu ; ce qu'elles se sont passé fidèlement comme le résidu de leur foi, comme la lumière indispensable de leur vie, comme la source et le principe de leur union à Dieu et aux hommes, tout cela elle doit en témoigner. Ce qui n'est pas encore né, elle doit le pressentir comme la mère féconde qui réserve son cœur et son dévouement à de nouvelles tâches. Elle doit être comme la conscience de l'humanité, assumée par Dieu, qui participe à la Vision intuitive de l'Esprit immuable et éternel.[1]

c) La Fonction Sanctificatrice.

Bien des philosophes se croient obligés, de par la méthode critique, à partir de données simples et d'en déduire les complexes. On analyse donc les éléments premiers de la religion et on essaie d'en déduire le sacré. Entreprise bien délicate et presque toujours condamnée à l'échec : car le sacré est irréductible au profane ; s'il en dérive, c'est par émergence. Aussi les philosophies critiques méconnurent-elles la nature du phénomène religieux ; elles réduisirent la religion à ne plus être elle-même ; elles la laïcisèrent et la détachèrent de Dieu. Kant fit de la sainteté du juridique, le vouloir de la loi ; d'autres en firent du logique : ils résorbèrent le divin dans l'humain.

La méthode phénoménologique qui renonce à construire et qui part de l'intuition de l'essence dont elle tâche de saisir le principe structurel, a compris l'insuffisance du criticisme. Aujourd'hui on distingue nettement le profane du sacré. La Religion, dont la catégorie fondamentale est la sainteté, intègre l'homme dans un ordre de valeurs qui transcende les valeurs humaines.

Être religieux, ce n'est pas avant tout penser à Dieu et en faire un objet : ce n'est pas exclusivement agir pour Dieu et le poursuivre comme une fin. Une métaphysique et une morale, quand bien même elles seraient religieuses, ne peuvent constituer la religion, car la religion a ses lois, ses exigences, son idéal qui ne sont ceux ni du logicien ni du moraliste. Elle présuppose des pratiques morales, un savoir métaphysique, mais elle

---

[3] Le temps est allié à l'éternité, parce que dans le présent le passé comme l'avenir se rejoignent. L'Église doit être éternelle, c'est-à-dire simultanéité du passé et de l'avenir dans le présent. Le souvenir doit lui permettre de totaliser le passé, la pensée prophétique doit lui permettre d'anticiper l'avenir. C'est par la conjonction de ces deux consciences, l'une assimilatrice, l'autre créatrice que la religion progresse sans se corrompre, que l'avenir enrichit le présent sans anéantir le passé.

exige plus que cela ; elle est une vie en Dieu et avec Dieu ; elle
est la sainteté, c'est-à-dire le rapport immédiat de la personne
à un Dieu subsistant en soi, d'un moi à un Toi.[1] On se souvient
des pages fulgurantes où saint Paul affirme le néant de tout
savoir, fût-il prophétique, de tout acte, fût-il miraculeux et
héroïque, pour exalter l'Amour qui sauve et sanctifie, parce
qu'il intériorise Dieu dans l'homme et l'homme en Dieu.

Ce qui juge la valeur d'une Église, ce n'est pas la qualité
de ses docteurs, ni l'honnêteté de ses mœurs ni ses succès intra-
mondains. Tombât-elle en discrédit chez les philosophes, devînt-
elle l'apanage des illettrés, elle serait encore la véritable Église,
l'Église authentique, si elle continue à sanctifier ses fidèles et
si elle les intériorise dans l'amour de Dieu et du prochain.

Certes le sacré et le profane, le divin et l'humain sont interdépendants. Il n'y a point de sainteté sans efforts, sans savoir, sans
moralité et sans réflexion ; mais les vouloirs et les spéculations
de l'homme ne remontent point jusqu'à Dieu, à moins que Dieu
ne se donne et ne sanctifie. La sainteté, c'est Dieu ; et Dieu ne
se crée point et ne se construit point ; il faut l'agréer et l'accueillir ; il est le principe qui fait le dépassement de l'homme, la
transcendance active qui le fait émerger de soi. La religion
véritable doit centrer l'homme en dehors de lui-même ; elle ne
monte pas de la terre, mais descend du Ciel qui inspire l'homme
et le déploie au-delà de ce qu'il est. La religion est théocentrique.
Le saint ne séjourne pas en lui-même, mais en Dieu ; il a du
monde une vision nouvelle, est intérieur à lui-même, parce qu'il
communie à Dieu. La sainteté est le don que Dieu accorde à
l'âme en la faisant participer à son immanence ou à sa perfection. Dieu sanctifie l'homme en l'intériorisant, en lui donnant
une plénitude de subsistance personnelle.

---

[1] « La religion, écrit Westcott, dans sa plénitude est l'harmonie de la philosophie, de l'éthique et de l'art, fusionnés et unifiés par une Force spirituelle, par une
consécration à la fois personnelle et absolue. Le but de la philosophie est la
théorie et son terme est la vérité. Le but de l'art est une représentation et son
terme est le beau. Le but de la morale est la pratique et son terme est le bien.
La religion inclut ces fins particulières, mais leur ajoute celle dans laquelle
elles trouvent leur consommation, la sainteté ». (Cité par W. R. INGE, *The Philosophy of Mysticism, Philosophy*, october, 1938, p. 390).

Pour intérioriser l'homme, il faut un miracle, car l'homme sans Dieu ne peut subsister en soi. Quand il descend en lui-même, l'homme se découvre pauvre et dénué de tout ; pour échapper à la vue de sa misère, il doit se divertir ; il doit s'aliéner pour remplir son vide intérieur. Il semble que, pour être humainement heureux, il soit nécessaire de ne pas se scruter, de ne pas s'approfondir, de demeurer étranger à soi-même. Il y a des pensées qui sont trop lourdes, des ambitions qui dévorent. Un tête à tête, un seul à seul avec soi-même, une rencontre loyale, sincère, clairvoyante et plénière doivent être différés. L'illusion vaut mieux que la vérité, disent des sages ; car ceux qui ouvrent es yeux tout grands, s'exposent au désespoir. L'homme est trop pauvre pour qu'il puisse se suffire. Un monde extraposé le conditionne ! Se replie-t-il sur lui-même et réfléchit-il, la vérité plénière lui échappe ! Entreprend-il de se libérer, aucun choix ne l'accomplit !

Et pourtant, comme esprit, il a la vocation de la vie intérieure et de la possession plénière de soi. Le relativisme peut le distraire, il ne l'accomplit point. Il n'y a qu'une relation qui puisse le réaliser, c'est la relation vivante à un non-relationnel, à l'Être, qui subsistant en soi, lui donne de subsister en soi. Par cette relation il cesse d'être un phénomène qui se néantise, devient un esprit, une personne au sens plénier du mot, c'est-à-dire un sujet qui se pense sans se dissoudre dans l'impersonnel, qui se projette en dehors de soi sans se détruire comme moi.

La religion achève l'esprit, car elle le rend immanent à lui-même. En contact avec Dieu, l'homme devient capable de recueillement ; il peut résider en soi et ne doit plus se fuir. Le saint demeure en Dieu et Dieu demeure en lui ; il Le possède et se possède ; il subsiste en Lui et s'intériorise en Lui ; Dieu lui est plus intérieur qu'il ne l'est à lui-même ; Il lui donne de se rejoindre en s'adjoignant à Lui, de s'unifier en se totalisant en Lui.

Le religion a donc une fonction indéclinable. Ni la métaphysique ni la morale ne peuvent y suppléer ou accomplir son œuvre. Elle seule peut recueillir l'homme en lui-même et le sanctifier, car son Absolu est l'Infini présent et vivant, le Dieu-Un qui unifie. La religion parfaite est une association, une affinité, une intimité, un amour, une co-présence ; elle est l'âme intériorisée par Dieu et en Dieu.

Or nous devons démontrer que l'Église est principe de sanctification. Et ceci, je l'avoue, semblera paradoxal à tous ceux qui ont de la nature de l'Église ou de son action une notion imparfaite. On peut comprendre aisément qu'elle puisse proposer à ses fidèles les vérités de foi et rendre leur assentiment dynamique, mais peut-elle être principe de sanctification, alors que nous avons défini la sainteté comme cette relation immédiate qui rend la créature immanente à son Créateur ? Bergson opposait la religion mystique à la religion sociale. L'Église peut-elle intervenir dans l'acte qui unit immédiatement l'esprit à Dieu ?

Avant de répondre à cette question, souvenons-nous d'une remarque antérieure. Dieu, disions-nous, est toujours le seul Auteur et le Terme unique de l'acte religieux. Quand le fidèle croit, le motif formel de sa foi est l'autorité de Dieu qui se révèle, si bien que Dieu est non seulement l'objet de sa croyance, mais qu'il est aussi son principe. On ne peut connaître Dieu que par Dieu, dans l'irradiation de la lumière divine. De même, quand le fidèle espère, c'est en Dieu immédiatement qu'il espère, et non en lui-même ni dans l'Église ; quand il obéit aux commandements, c'est à la volonté de Dieu qu'il se soumet et non à son propre vouloir ni au vouloir de l'autorité ecclésiastique. A fortiori dans l'acte de la contemplation, c'est Dieu qui est immédiatement saisi. Aussi une Église qui s'interposerait entre Dieu et l'homme, comme un écran, serait impie ; elle dégraderait l'esprit qui réclame Dieu et ne peut se subordonner qu'à lui.

Mais l'Église n'est pas un écran ; elle est un organe. Un organe n'est pas opaque mais translucide. Tout comme l'œil me fait communier immédiatement au monde, ainsi l'Église me donne de communier immédiatement à Dieu ; tout comme l'œil n'est rien par lui-même et qu'il n'est à lui seul ni le principe ni le terme de la vision, ainsi l'Église n'est rien par elle-même ; elle n'agit que par Dieu. Néanmoins elle est, comme l'œil, principe essentiel de médiation. En dehors de l'Église et sans l'Église, pas plus qu'il n'y a de possibilité réelle de foi authentique et d'espérance divine, il n'y a de possibilité de sainteté ou d'amour déifique.

Oui, même l'acte le plus secret et le plus immanent de la religion, l'acte de sanctification s'accomplit en union avec l'Église. L'Église est non seulement l'école où des néophytes apprennent l'alphabet, une pédagogie qui forme aux bonnes mœurs ; elle est le cénacle, la maison paternelle où les âmes se recueillent en Dieu, un foyer de vie intérieure et mystique. Quand le saint, saisi par la grâce, contemple Dieu ; quand libéré des contraintes du dehors, il s'intériorise en Dieu et que, dégagé du temps et de l'espace, sa connaissance n'est plus conceptuelle ni son vouloir téléologique, quand son être devient extatique, à ce moment encore, il demeure de l'Église. L'Église, société des corps est non moins la communauté par laquelle et dans laquelle l'esprit se lie si intimement à Dieu, qu'ils deviennent comme corrélatifs, l'acte souverain et transcendant de Dieu enveloppant et débordant l'agir, le penser, l'être de sa créature, l'acte de la créature refluant en Dieu, faisant être Dieu dans le monde, réalisant l'espérance divine, prorogeant son amour. L'Église organisme extérieur est non moins un organisme spirituel ; organisme spirituel, principe médiateur de moralité et de vérité, elle est aussi un organisme mystique ; elle est la gouvernante qui éduque, et aussi l'épouse qui enfante et qui préside à l'insondable mystère de la naissance à la vie de Dieu.

Si, comme certains le soutiennent, elle était une société purement idéelle ou existentielle, elle ne pourrait les intérioriser ni les sanctifier ; elle insérerait en Dieu ou la pensée de l'homme ou son vouloir, mais l'être de l'homme demeurerait profane ou s'il était religieux, il le serait indépendamment de la médiation de l'Église. Cependant, nous l'avons établi, l'Église authentique n'est pas le « on » dont parlent les existentialistes ou les idéalistes, une société qui absorbe le moi dans l'autre ; elle est personnelle, en ce sens que ce ne sont pas seulement les actes des hommes qui s'unissent en elle, mais qu'elle unit leur être premier, si bien qu'ontologiquement ils sont relatifs l'un à l'autre, formant la communion des saints, le Corps mystique du Christ. C'est dans le corps mystique du Christ que se situent les personnes, c'est pour Lui, par Lui et en Lui qu'elles subsistent, et, subsistant en Lui, elles peuvent subsister en Dieu, car le Dieu-homme est infiniment Saint.

Ainsi, quoique la sainteté, à la différence de la vérité et de la valeur qui qualifient des actes, surgisse du rapport immédiat de l'être de la créature à l'Être du Créateur, et qu'elle fasse participer la nature de l'homme à la nature de Dieu, il n'en reste pas moins que c'est dans l'Église, rattaché au Christ, alimenté par le Christ, assumé par le Christ, que l'esprit devient déifique et mystique.

Dans l'Église, ce ne sont pas seulement les pensées et les actes qui interfèrent, mais les personnes elle-mêmes sont conjointes, chaque moi n'étant que par les autres moi, et tous les moi humains subsistant en Dieu par le Christ. D'où il suit que personnalité et communauté ne s'opposent pas et que l'Église, comme réalité communautaire ne réduit ni ne menace la personnalité de ses membres, mais au contraire qu'elle la forme et la suscite. C'est dans le Corps mystique du Christ que les âmes s'intériorisent ; c'est en Lui que la pensée et l'action qui dans l'expérience s'opposent, peuvent se rejoindre dans la contemplation intuitive et mystique. C'est dans l'Église, Corps mystique du Christ, que Dieu sauve, illumine et sanctifie ; elle est la source médiatrice de la foi, de l'espérance et aussi de la charité, Dieu faisant être l'homme en Lui par elle. Aussi s'en retrancher, c'est se perdre, car c'est renoncer à la vérité divine et à l'élan créateur, et plus que cela renoncer à la sainteté.

Quand on quitte l'Église, on peut garder le souci de la vérité et du bien, mais on dit un adieu définitif à la sainteté ; or c'est à la sainteté que l'homme est appelé. N'en déplaise à ceux qui voudraient rester à mi-route et ne pas réaliser la vocation plénière de l'esprit, la vérité et le bien ne sont pas l'Absolu authentique. Dieu est celui qui subsiste en lui-même et qui dans son amour veut que nous subsistions en Lui. Pour être vraiment homme, pour être esprit, il ne faut rien moins que la sainteté. Aussi longtemps qu'il ne s'est point réalisé en Dieu, l'homme ne peut subsister en soi ; discordant et misérable, sans cohésion ni dynamisme, il n'est point.

L'Église du Christ, c'est la sainteté qui appelle, la sainteté accessible à tous, la sainteté qui se commence déjà sur la terre, et à laquelle l'Église prépare ses fidèles, patiemment en tenant compte des délais nécessaires.

C'est elle qui dit : « Crois et Obéis » ; elle qui dit : « Espère et Sacrifie-toi », elle enfin qui dit : « Aime », donnant au chrétien de faire l'expérience mystique de Dieu. Comme l'écrit justement E. Rideau, « bien loin d'être un jaillissement isolé dans les sables, la gerbe mystique est l'échappée et comme l'explosion d'une nappe souterraine. Les âmes privilégiées de l'Amour sont les cellules les plus vivantes, les plus saines, d'un corps spirituel d'où elles tirent le meilleur de leur sève. L'effusion mystique est le prolongement imprévisible et localisé, favorisé d'ailleurs par des circonstances contingentes, d'une vie qui court dans l'organisme entier. » [1]

Échappant au schématisme du temps et de l'espace, rassemblés en Dieu, les contemplatifs sont les membres les plus vivants et les plus dévoués de l'Église. Ils lui demandent confirmation de leurs intuitions extatiques ; ils sont passionnés pour son service. En eux chante l'Amour du Dieu qui s'est incarné, la Charité merveilleuse de Celui qui, pour sauver les hommes, les a entés sur le Corps mystique de son Fils, qui est l'Église.

---

[1] E. RIDEAU, *Le Dieu de Bergson*, p. 126, Paris, 1932.

CINQUIÈME SECTION

LA MÉDIATION DE LA RÉVÉLATION

A. LE PROBLÈME

Au moyen âge, la vision spirituelle de l'homme était théocentrique ; la religion descendait d'en-haut et procédait de la Révélation. Le chrétien agréait la Parole de Dieu, respectait son ineffable mystère, et s'y soumettait. L'humanisme de la Renaissance a modifié cette perspective. La religion, au lieu d'être le rapport de Dieu à l'homme, devient le rapport de l'homme à Dieu, si bien qu'elle émane d'en-bas, de la pensée et du vouloir humain. Désormais la religion révélée, dont les préceptes paraissent superstitieux et les représentations mythiques, est remplacée par une religion de la nature dont les philosophes définissent le contenu et dont ils déduisent les vérités et les lois.

Pendant trois siècles, ce philosophisme religieux a régné et certains croyants se plièrent à ses exigences. Quand ils parlaient de l'Évangile, ils l'accommodaient à la philosophie de l'heure et le vidaient de ses paradoxes : Dieu devait procéder de l'homme. L'homme le construisait, il réduisait sa transcendance, rejetait sa parole quand elle était mystérieuse, se révoltait contre ses exigences, quand elles ne se conformaient pas à sa subjectivité. D'où l'anthropomorphisme, la disparition de l'objet religieux qui doit être transcendant ; d'où la ruine de la religion, réduite à n'être qu'une projection humaine de la pensée ou de l'action, de la communauté ou de l'individu, de l'art ou de la politique, de l'économie ou de la culture.

Quand un savant ne cherche plus le savoir pour lui-même, il déchoit et devient un agent commercial ; quand la poésie n'est plus pure, elle dégénère en un genre inférieur, l'épigramme ou la rhétorique ; de même quand la religion n'a plus pour visée

immédiate Dieu, elle se dégrade, devient une métaphysique
ou une morale, une poésie ou une philanthropie ; elle cesse
d'être divine. Quand Hegel s'intéresse au christianisme parce
qu'il prête au petit jeu logique de la thèse, de l'antithèse, de
la synthèse ; quand Schleiermacher en fait une piété, un sentiment ineffable ; quand Kant le réduit à n'être qu'un corollaire
de l'éthique ou que James ne retient que sa fonction pragmatique, tous se méprennent sur sa nature. La religion est faite
pour elle-même, a sa raison d'être en elle-même. Son centre
n'est pas l'homme, mais Dieu. Elle vaut non parce qu'elle rapporte ceci ou cela, ou parce qu'elle répond à tel ou tel besoin
humain ; elle vaut parce qu'elle unit à Dieu, Valeur qui transcende toutes les valeurs.

La religion est irréductible à de l'humain ; elle doit mettre
en contact avec un Dieu qui étonne et qui est Tout. La philosophie a tenté de créer une religion dans les limites de l'humanité.
Elle a façonné Dieu à son image, lui a imposé ses pensées, lui a
prescrit ses devoirs. Toutes ces tentatives, également raisonnables
et vaines, échouèrent.

Quand on étudie les philosophies de la religion qui se sont
retranchées de tout contact avec la Révélation, on constate
que Dieu est devenu pour elles ce qu'Il était pour le païen : ou
bien un Être distant et inconnaissable dont on n'a plus à se
préoccuper, ou un Dieu réduit et dégradé, sans majesté ni grandeur, qu'on juge et qui ne juge pas, qui sert à l'homme et que
l'homme n'a plus à servir. On pose des questions à Dieu ; il
doit se justifier ; il faut qu'il rende ses comptes. On lui accorde
l'existence, à la condition que le monde tourne bien, mais, si
ses rouages viennent à s'enrayer, Dieu n'existe plus ! L'homme
n'est-il pas la raison d'être de Dieu ?

Le Dieu insipide et plat des philosophes est un double de l'homme. En songeant à lui, Feuerbach avait raison de déclarer qu'il
n'est qu'une ombre, un écho de la subjectivité humaine. Il
n'est plus cet Être prodigieusement paradoxal dont parlait
le Christ, l'infini de la justice et de l'amour, l'infini de la présence
et du mystère. On l'a ramené à l'échelle humaine ; on n'a accepté
de lui que ce qu'on en comprenait ou ce qu'on en attendait ;

on l'a résorbé dans la pensée de l'homme, on l'a asservi à ses intérêts. Raisonnable, trop raisonnable, abstrait et banal, il ne suscite plus ni surprise ni admiration, ne déroute plus l'esprit, ne renverse plus les valeurs. Il n'est plus le Saint des Saints, Celui qui subsiste séparé de tout autre, sans rien qui le conditionne. Il ne se fonde plus en lui-même et par lui-même ; il subsiste par l'homme et pour l'homme.

Cette vaine idole, c'est le XVIIIe siècle, siècle d'irréligion, qui la hissa sur son piédestal. Elle se soutint aussi longtemps que le christianisme lui prêta son appui. Dès la fin du siècle, elle gisait par terre. Les romantiques la trouvaient odieuse, intolérable. Il fallut la rembourrer et les philosophes de toutes les écoles s'y mirent. L'esthétique et la métaphysique, la morale et le sentiment, la sociologie et l'histoire, furent tour à tour appelées au secours. Tous les toniques furent employés, tous les remèdes utilisés pour insuffler un souffle de vie à cet avorton mort-né. La religion de la nature, il y a quelque deux siècles, pouvait encore faire illusion ; aujourd'hui l'illusion n'est plus possible. Cette religion est morte si tant est qu'elle a jamais vécu. Les philosophes qui avaient porté sur les fonts baptismaux cette momie, sont unanimes aujourd'hui à annoncer son décès.

Car aujourd'hui ils ne veulent plus d'un Dieu immanent ; ils le considèrent comme l'Absolue Transcendance. « Le fondement de la religion, écrivait Hamann, réside dans notre existence prise dans son ensemble, en dehors de la sphère de nos connaissances intellectuelles qui, même rassemblées, ne composent que le mode le plus contingent et le plus abstrait de notre existence ». A la raison s'oppose la croyance qui a pour objet la révélation historique. « L'idéalisme et le réalisme ne sont que des êtres de raison ; le christianisme et le luthéranisme sont des choses de fait, des organes vivants de la divinité et de l'humanité ». Dieu se donne ; il ne se conquiert pas ; il est l'Au-delà Transcendant. La foi, union immédiate qui procède de Lui, ne se justifie pas.

Kierkegaard, de son côté, déclare que la vraie religion se passe de la médiation de l'esthétique, de la logique, de l'éthique.

L'apologétique suscite plus de doutes qu'elle n'en résout. La raison qui rend le christianisme vraisemblable, fait oublier ses paradoxes ; or ce sont eux qui font du christianisme une religion dynamique et divine. Le christianisme doit être polémique, doit s'opposer à la culture, à la morale et à la raison. On ne peut atteindre Dieu comme objet, mais seulement comme sujet dans l'actualité de sa parole révélatrice. La foi, assentiment libre, doit être indépendante des « par conséquent donc » de l'esprit, comme des aspirations du cœur. Le divin et l'humain ne sont pas homogènes ; il faut un saut infini, une rupture radicale, un arrachement à tout l'humain, pour devenir chrétien. Ce n'est ni l'intelligence ni la volonté qui donne à l'esprit son essor, mais la grâce de Dieu. La théologie, pareille à la courtisane penchée à la fenêtre pour séduire les passants, s'est corrompue en mendiant des sourires, et ses liaisons faciles avec l'histoire, la critique et la philosophie l'ont contaminée. Qu'elle cesse de sourire, qu'elle garde son chez-soi, qu'elle se rive à la parole de Dieu, dédaignant tout le reste ! « Une réponse donnée par Dieu lui-même, même si elle broie l'homme, est cependant plus belle que tous les bavardages de la sagesse et de la lâcheté humaine sur la justice divine. » [1]

Dans la perspective idéaliste, puisque les plans différents de l'être correspondent à des déterminations nécessaires de l'idée, la notion du surnaturel, d'un don gratuit qui émane de la spontanéité divine, devait paraître contradictoire. Dans la perspective existentialiste, puisque c'est la liberté qui constitue l'être, Dieu, pas plus que la nature, n'est régi par le déterminisme. Tout ce qui existe suppose un engendrement, une initiative, une contingence ; le réel c'est le voulu, le terme d'une décision subjective. Aussi la Révélation qui se présente comme un événement merveilleux et gratuit, dont l'apparition et le contenu n'ont rien de nécessaire, le mystère qui l'enveloppe, le caractère non-rationnel de son message n'ont plus rien qui rebute la mentalité philosophique présente.

La philosophie existentialiste prend comme point de départ non un concept, mais une expérience. Or dans cette expérience

---

[1] S. KIERKEGAARD, *Gesammelte Werke*, III, p. 182, Iena, 1923.

— qui en fait est l'expérience chrétienne — Dieu paraît Mystérieux et Impénétrable. Il est la voie qui s'ouvre sur une Transcendance et c'est d'elle que le croyant attend la réconciliation, la délivrance, le salut. La Révélation est la réalité qui se trouve au delà de toutes les possibilités de l'homme. L'homme existe parce qu'il est libre, et sa liberté est élan vers la Transcendance, vers une Liberté que rien ne peut conditionner.

Une communication naturelle entre l'homme et Dieu n'existe pas, car Dieu demeure toujours l'Impensable et l'Irréalisable. La philosophie de la religion est irréligieuse, puisque, en vertu de la méthode d'immanence qui lui est propre, l'esprit qui se pense et qui se veut, ne sort pas de lui-même et ramène l'Absolu au relatif. L'Absolu est l'Au-delà du savoir et du vouloir ; il exclut tout rapport. L'homme ne peut nourrir l'espoir de s'apparenter à Dieu par ses propres forces. Celui qui prétend conquérir Dieu et donc se subordonner Dieu, porte sur Dieu une main sacrilège.

La religion doit être théocentrique et non anthropocentrique. Pour qu'elle ait Dieu comme terme, il faut qu'elle surgisse d'une initiative divine. Comment connaître Dieu sans Dieu ? Comment le saisir si ce n'est dans la Révélation qu'il fait librement de lui-même ? La vie religieuse n'est pas en la puissance de l'homme ; elle est conditionnée par le don divin. Dieu ne peut être pensé, aimé et possédé de plein droit que par Dieu ; il échappe à toute étreinte. S'il ne se communique pas, il ne peut ni être connu, ni être aimé, ni être possédé. Une volonté sainte n'est pas celle qui se conforme à la nature, mais celle qui se conforme à l'ordre de Dieu ; une pensée sainte ne surgit pas de l'esprit de l'homme, mais procède de l'Esprit-Saint. Pas de religion sans illumination divine, sans grâce divine, sans cette naissance nouvelle qui ne provient ni de la chair ni du sang, mais de Dieu lui-même. Aussi renonce-t-on à la religion philosophique qui semble comme a priori vouée à l'échec ; il existe un mouvement de retour au christianisme qui enseigne la Parole transcendante de Dieu.

Ce qui autrefois faisait scandale dans le christianisme, ses paradoxes, son dogmatisme, n'arrête plus. On réclame un Dieu authentique, un Dieu qui étonne et qui bouleverse, un Dieu qui aime d'une façon inouïe, qui parle avec autorité, en se moquant des exigences de la critique, en défiant les catégories de la raison, sans souci des aspirations subjectives. Dieu seul peut se dire et se révéler. Qu'il parle et on l'écoutera ! Sa révélation doit être transcendante ; on l'agréera sans preuve ; on s'y soumettra sans réticence. Telle est la tendance qui prévaut aujourd'hui dans certains milieux religieux.

Elle provient de la révolte du chrétien, trahi par les philosophes, déçu par ces pénibles épistémologies qui n'aboutissent à rien, dégoûté de ces constructions conceptuelles et logiques de l'Absolu, de ces fades sentiments sans émergence, de ces philosophies de la religion qui se sont multipliées depuis un siècle et qui, au lieu d'unir l'homme à Dieu, n'ont fait que l'en éloigner. La raison et le cœur sont des instruments faussés qu'on rejette. L'homme veut s'évader de lui-même, car il est péché ; or c'est de Dieu seul que peut venir son salut. Aussi c'est à lui qu'on s'adresse, sa Parole qu'on écoute, son ordre souverain qu'on attend et auquel on se lie. La théologie trop longtemps a été sous la tutelle des philosophes ; il faut la libérer de ce joug. « C'est la fin, disait Hendrie, de cette longue époque de captivité de Babylone où la théologie capitulait devant la pensée moderne. » [1] Et un néoréaliste écrivait : « Le mouvement qui domine en Allemagne comme en Amérique, montre que nous allons d'une religion de l'humanité à une religion de Dieu. » [2]

Je n'oserais d'ailleurs pas dire que le surnaturalisme de Barth et de son école, provienne d'une source exclusivement religieuse. Bien qu'il se dise fort dégagé de toute théorie, c'est la situation présente, le nihilisme agnostique contemporain qui lui ouvre la route et qui lui assure audience ; c'est lui qui l'inspire quand il interprète la Parole de Dieu, si bien que le théologien qui prétend se libérer de toute philosophie, pourrait être la victime inconsciente d'un nouveau conformisme philosophique, qu'il dénonce pourtant comme si néfaste. Le Réforme est née au XVIe siècle sous le signe d'Occam et elle a expliqué la doctrine chrétienne en fonction du nominalisme régnant. Le renouveau calviniste, tel qu'il se présente aujourd'hui, naît sous le signe du

---

[1] G. S. HENDRIE, *God the Creator*, London, 1937.
[2] *Neorealism*, H. R. NIEBUHR, p. 42, New-York, 1931.

désespoir de l'homme qui renonce à ses propres valeurs, qui n'a plus confiance ni dans la pensée ni dans l'action. Quoiqu'il renie toute attache philosophique, c'est le subjectivisme qui orchestre les commentaires de Barth sur la Pure Parole de Dieu.[3]

En l'écoutant parler de la Souveraineté de Dieu, de la Transcendance de son message, du salut par le Christ, il n'est aucun chrétien qui ne vibre à l'unisson de sa parole. Quand par suite de son Transcendantalisme absolu, il déclare que dans l'homme rien ne peut accueillir Dieu, que le Christ qu'on dit le Sauveur lui reste en fait étranger, que même le croyant continue à séjourner dans le péché ; quand il professe que le contenu du message du Christ est insaisissable, que le Dieu des chrétiens qu'on pensait, par un miracle de son amour, proche de l'homme, demeure l'Autre, le Séparé, le Dieu qui ne se donne pas, ce n'est plus l'Évangile qu'on entend, mais un interprète très humain des Grands Gestes de Dieu, l'homme moderne qui par suite des conjonctures actuelles et du nihilisme courant, juge l'homme essentiellement mauvais et dépourvu de toute capacité idéelle ou existentielle de Dieu.

Ce surnaturalisme extrinséciste est fictif et néfaste, car il est impossible de séparer la grâce de la nature, la révélation de la philosophie, le divin de l'humain. Une doctrine de la pure Transcendance qui en philosophie mène logiquement au nihilisme, mène également au nihilisme de la Révélation, de la Rédemption et du Christianisme.

---

[3] L'Ancien Testament insiste particulièrement sur la transcendance de Dieu ; le Nouveau Testament sur son immanence. Que des philosophes qui songent à coordonner ces deux notions, puissent en venir, s'ils sont radicaux, à supprimer l'un ou l'autre de ces aspects du même vrai Dieu, ou s'ils sont équilibristes, à attribuer à Dieu une demi-immanence ou une demi-transcendance, cela n'a rien d'étonnant. Mais le christianisme n'est une métaphysique que subsidiairement ; il se fonde sur des faits historiques, sur des données qu'on ne peut rationaliser, sur la Parole de Dieu qu'il faut agréer sans l'accommoder à nos concepts. Barth en convient mais ne l'oublie-t-il point ? Ne rationalise-t-il point la Révélation, n'est-il pas une victime inconsciente du philosophisme ? L'évangile de saint Jean n'est-il pas aussi inspiré que les synoptiques ? Pourquoi agréer le message des seconds et non pas celui du premier ? Pourquoi choisir quand il s'agit de la Parole de Dieu ? Pourquoi la subordonner à notre subjectivité et à des préjugés philosophiques qui sont d'autant plus redoutables qu'on n'en a point fait le relevé et qu'ils agissent inconsciemment.

Que la philosophie ne se suffise pas, que la religion de la nature soit une idole, aucun croyant ne le conteste. Mais, s'il n'existe pas de philosophie de la religion, si l'homme comme esprit n'a aucune capacité de Dieu, si ses activités spirituelles sont vouées à l'échec, dans ce cas le salut que le christianisme promet à l'homme, est vain. Qui maudit l'homme, maudit Dieu ; qui désespère de l'homme, désespère de Dieu ; qui médit de la nature, médit de la grâce ; qui condamne totalement la philosophie, renonce définitivement à la Révélation.

Dans les pages qui suivent, nous exposons sommairement la théorie de Barth. Ensuite nous déterminons les rapports de la philosophie et de la théologie, de la religion naturelle et surnaturelle. Quoiqu'elles soient distinctes par leur méthode et par leur contenu, elles ne peuvent s'isoler l'une de l'autre. Tout philosophe, consciemment ou non, est guidé par une intuition originelle. S'il veut bien parler de Dieu, qu'il s'inspire de l'intuition du Christ. Tout théologien, bon gré mal gré, est philosophe. Il ne pourrait interpréter correctement les données révélées, sans tenir compte des lumières de la raison. Le philosophe qui se soustrait à toute influence de la Révélation et la rejette au nom d'une doctrine de l'immanence est voué à l'anthropocentrisme. Le théologien qui se passe de philosophie, rend contradictoires les énoncés de la foi et fait de Dieu l'Absurde. L'immanentisme et le surnaturalisme sont également néfastes à la philosophie et à la théologie, disciplines distinctes certes, mais qui doivent se prêter un mutuel appui.

B. L'EXTRINSÉCISME SURNATURALISTE

I. L'Exposé

D'après K. Barth, E. Brunner et F. Gogarten, Dieu est l'Absolue transcendance, située au-delà de tout l'humain. Une religion humaniste tient du non-sens, car il n'y a rien de commun entre l'homme et Dieu. La philosophie ne peut unir à Dieu ; car aucune faculté humaine ne lui est assortie. Seule la révélation peut établir une relation entre la créature et le Créateur dont les pensées, les vouloirs, les sentiments n'ont rien d'homogène et qui ne sont nullement apparentés l'un à l'autre.

Cependant, malgré cette conviction partagée et cette communauté fondamentale de principes, ces théologiens diffèrent entre eux par plus que des nuances, et leurs divergences furent telles qu'ils crurent devoir rompre entre eux. Parmi eux Barth est le plus farouche, celui qui soutient de la façon la plus radicale l'absolue incapacité de la nature et l'extrinsécisme total de la Révélation. C'est sa doctrine que nous examinerons particulièrement, car elle permet mieux que toute autre de juger de la portée et des conséquences d'un surnaturalisme intégral.

I. *Gogarten* insiste sur la transcendance de Dieu qui est l'Autre et dont l'Être est absolument différent de celui de l'homme. Quand l'homme se réfère à Dieu, il prend conscience de l'abîme infranchissable qui l'en sépare, se reconnaît pécheur et implore le pardon. Il n'y a que l'option active qui puisse nouer des relations entre l'homme et Dieu. Mais cette option doit être divine. Ce n'est pas l'homme qui peut assumer Dieu, c'est Dieu qui doit assumer l'homme. L'Acte de Dieu est seul efficace, et fonde la religion authentique.

Cet acte, nous ne pouvons le connaître comme procédant de Dieu que par Dieu. D'où la valeur de l'acte de foi qui a simultanément Dieu pour objet et Dieu pour cause. Un assentiment rationnel n'est pas religieux, car il est spécifié par le mouvement fictif de l'homme vers Dieu. L'assentiment de la foi est religieux parce qu'il répond à l'acte de Dieu qui se communique à l'homme.

Cet acte créateur donne à l'homme un être nouveau. « En vérité, en vérité, je te le dis, nul, s'il ne naît de nouveau, ne peut voir le royaume de Dieu ». Pourtant Dieu, en se communiquant ainsi à l'homme, reste l'Autre, celui que ni nos sentiments, ni notre vouloir, ni notre intelligence ne peuvent saisir. Tout ce qui procède de l'homme demeure irréligieux, voué à la mort et au péché. La religion chrétienne n'est donc ni une théologie, ni même une mystique ; car dans la mystique c'est toujours la volonté de l'homme qui tâche de s'unir à Dieu ; or la révélation de Dieu dépasse toute expérience subjective, et toute possibilité d'expérience humaine, « Jenseits des Erlebnisses ».

2. *E. Brunner* dans son ouvrage « Die Mystik und das Wort »
critique vivement Schleiermacher. Les états affectifs procèdent de l'homme et n'ont aucune portée. On n'accède pas à Dieu
par le sentiment esthétique, par la piété. Toute démarche
humaine est vaine, car l'homme ne peut par lui-même passer
de la mort à la vie, du péché à la réconciliation. Il ne faut pas
confondre la rédemption subjective ou la religiosité et la rédemption objective qui justifie, les données subjectives de l'expérience
religieuse et la foi objective à la Parole de Dieu, l'optimisme qui
émane de l'homme et l'espérance qui se fonde sur la promesse
divine.

La religion et la foi s'opposent. L'une se construit dans le
cœur ou l'esprit de l'homme, l'autre est spécifiée par la locution
et l'ordre de Dieu ; l'une a pour principe et pour terme l'homme,
de l'autre Dieu prend l'initiative. L'acte de foi est une réponse à
un acte de Dieu. Toute religion, qu'on la conçoive à la façon
des primitifs ou des philosophes, qu'elle soit grossière ou spirituelle, est magique, car elle prétend capter et conquérir Dieu
malgré lui. Dans l'acte de foi, le croyant connaît Dieu par Dieu
et ainsi communie effectivement avec Lui.

Dieu s'exprime dans la Transcendance de sa Parole à laquelle
nos pensées, nos désirs et nos sentiments doivent s'attacher
comme à l'unique source de vie divine. La croyance implique
des pensées, mais ces pensées ne sont pas humaines ; elles
ne proviennent pas d'une réflexion de l'esprit sur lui-même,
mais d'une réflexion de l'esprit humain sur une donnée qu'il ne
peut dépasser, qui est son fondement originel et son point
terminal. Il ne faut pas agréer la Parole de Dieu, parce qu'elle
émerge du moi, parce qu'elle répond à une expérience personnelle, parce qu'elle est rationnelle et se justifie par une dialectique spéculative. Elle s'impose comme l'au-delà de la pensée, du
sentiment et de tout l'humain. Le romantisme et l'idéalisme
sont antichrétiens, parce qu'ils enferment l'homme en lui-même,
au lieu de l'immerger dans la vie divine.

La pensée philosophique pose le problème religieux et le
résout par elle-même. Dieu est mis à la question et est jugé.
Dans la foi, c'est Dieu qui questionne, l'homme qui entre en crise

et qui est jugé. L'homme est assuré de son salut dans la mesure où il accueille Dieu, dans la mesure où il franchit les limites de l'humanité. Il ne faut pas considérer le mystère comme une excroissance, comme une prolifération malsaine de la religion. L'acte est religieux et salvifique, quand l'Au-delà fait irruption dans l'homme, quand il est contraint de choisir entre l'immanence et la transcendance, entre une pseudo-religion où l'homme reste maître de lui-même et prisonnier de lui-même, et une religion authentique où Dieu, à savoir l'Autre-Absolu, pénètre dans l'homme, l'appelle à reconnaître son néant, son irrémédiable péché, à tendre les mains vers le Salut qui ne peut venir de lui, mais de Dieu seul.

Nous ne nous attardons pas à décrire la vie chrétienne telle que la conçoit Brunner. Le chrétien est justifié, mais sa justification est extrinsèque ; il est grâcié, mais la grâce n'est pas une réalité qui le transforme intérieurement et qui l'assortisse à Dieu. En cela il demeure rigoureusement fidèle à la doctrine protestante. L'interprétation nominaliste de l'Évangile lui est commune avec Barth.

Cependant il s'en sépare parce qu'entre la nature et l'état surnaturel il admet une certaine relation, *Anknüpfungspunkt* [1]. La raison, la vision de la mort inéluctable, une certaine connaissance naturelle de Dieu, la conscience morale peuvent amorcer l'acte de foi. [2] Elle demeure pourtant — et aucun catholique ne le conteste — un acte qui transcende totalement la nature et qui provient du don gratuit de la grâce.

3. Le principe fondamental de *Barth* est l'hétérogénéité absolue du fini et de l'infini. Dieu signifie la négation de l'humain. Ce sont deux êtres équivoques dont ni la structure ni l'existence n'ont aucune analogie, qui sont irréductiblement séparés.

La philosophie a méconnu cette altérité radicale ; elle a entrepris de déduire l'Infini du fini, et tour à tour elle s'est servie de la médiation de la pensée, du sentiment et de la morale, pour

---

[1] E. BRUNNER, *Die Frage nach dem Anknüpfungspunkt* (Zw. d. Z. pp. 505-9, 1932).

[2] L. MALEVEZ, *La Pensée d'E. Brunner sur l'Homme et le Péché*, (R. S. R. pp. 407-453, 1947).

unir à l'Absolu la réalité humaine. Elle s'est même emparée de la Parole divine et en a fait la parole de l'homme. De là le subjectivisme et le rationalisme, la grande misère du protestantisme moderne. [1] Barth s'oppose violemment à toute philosophie religieuse et à ses représentants : Schleiermacher, Ritschl, Herrmann, Troeltsch, Schaeder, Wobbermin. Ce qu'il leur reproche, ce n'est pas seulement leur anthropocentrisme : Schaeder adopte un point de vue théocentrique et lutte contre le subjectivisme. Il leur reproche tout simplement de faire de la philosophie de la religion, alors qu'il est impossible de philosopher sur Dieu qui est l'absolument Autre.

Les philosophies de l'idée lui sont odieuses, parce que, au lieu de prendre comme point de départ le péché qui est la réalité concrète de l'homme, elles s'imaginent pouvoir s'apparenter à Dieu par la pensée. Ainsi le Christ, au lieu d'être la lumière qui éclaire tout homme, la lumière première et originelle d'où toute vérité religieuse procède, devient un pâle lumignon, un reflet, le symbole de la Pensée Absolue.

L'Absolu philosophique, qu'on le nomme l'Esprit ou la Nature, est un faux-dieu, un dieu qui n'a rien de commun avec le Dieu de l'Évangile. On n'entre pas en contact avec Lui par la méthode d'immanence, en se repliant sur soi, en cherchant à découvrir la loi secrète de l'univers ou la fin ultime de l'élan créateur. Le Dieu véritable surgit du dehors, brise le cercle infernal dans lequel le moi veut s'enclore ; il est l'Autre dont les ordres sont souverains, la Parole salvifique. L'homme n'a pas à résoudre un problème qui, étant donné l'hétérogénéité de Dieu, est insoluble ; il a à se sauver. On ne trouve pas Dieu en soi, mais en dehors de soi.

Dieu n'a ni pourquoi, ni comment, ni aucun fondement en

---

[1] « La grande misère du protestantisme moderne commençait : dans l'orthodoxie, cristallisation de la doctrine détachée de ses origines ; dans le piétisme fuite dans l'expérience chrétienne confondue à tort avec son origine ; dans la philosophie des lumières, réduction de la doctrine que l'on ne comprend plus, qu'on ne peut plus comprendre, à des maximes morales et sentimentales ; enfin, chez Schleiermacher et chez ses successeurs de droite et de gauche, réduction de l'expérience chrétienne elle-même à l'expression suprême de l'instinct religieux universel. » (BARTH, *Parole de Dieu*, p. 243).

dehors de lui-même. Comment l'esprit pourrait-il Lui assigner une raison ? Relativement à Lui, l'intelligence est acculée au silence, à l'adoration muette de son mystère ; la volonté est réduite à l'impuissance, à une soumission inconditionnée et aveugle. Les philosophes n'aiment pas à faire silence ni à renoncer à leurs ambitions ; ils veulent expliquer Dieu, assignent des lois à sa volonté. En fait ils ne le respectent pas. Un Dieu qui offre une prime d'assurance aux honnêtes gens ou une garantie de certitude aux métaphysiciens, est une idole. Un Dieu authentique doit forcer l'homme à se dépasser, doit surgir comme un miracle qui ne se comprend pas et qui rend l'impossible possible.

Les philosophies du sentiment et de l'éthique ne sont pas meilleures. Les aspirations de l'homme ne rejoignent pas Dieu ; les désirs qui procèdent du moi, retombent sur lui comme la flèche que l'enfant bande vers les étoiles. Le moraliste subordonne Dieu à la justice, au lieu de subordonner la justice à Dieu. Aussi convoque-t-il Dieu devant le tribunal de la conscience ; il Le soumet au verdict de l'homme et Le condamne. La justice de Dieu est déclarée injuste, quand l'homme veut la comprendre et la soumet à ses normes. « Nous réclamons la justice de Dieu et cependant nous ne la laissons pas pénétrer dans notre vie, dans notre monde. Car, depuis si longtemps, nous avons mis de côté la seule chose nécessaire, nous l'avons ajournée à plus tard, à des moments plus favorables. Et, cependant, nous nous sommes rendus plus malades par nos palliatifs... A l'appel de notre conscience, nous répondons par une grande échappatoire... En face de la justice de Dieu, il s'agit d'un « oui » ou d'un « non », terriblement exclusifs, à prononcer en face d'une vie et d'un monde entièrement neufs. Nous avons peur de la justice de Dieu... Et c'est là notre désespoir. Et parce que nous sommes si orgueilleux et si désespérés, voici que nous bâtissons la Tour de Babel. La justice de Dieu que nous avons approchée, se change, entre nos gauches mains, en toutes sortes de justices humaines. » [1]

« La volonté de Dieu n'est pas notre volonté continuée jusqu'au bout, élevée à son sommet. Elle est hors de nous, totalement

---

[1] *Parole de Dieu et Parole humaine*, pp. 18-20, Paris, 1933.

autre ; vis à vis d'elle il n'y a pour notre volonté qu'une possibilité : subir une radicale rénovation. Aucune réforme, une recréation. Une rénovation, une recréation, car la volonté qui se révèle à nous dans notre conscience comme la volonté de Dieu, est pureté, bonté, vérité, fraternité. C'est une volonté qui ne connaît ni subterfuge, ni réserves, ni compromis provisoires. C'est une volonté fondamentalement et uniquement sainte. » [1]

« Le problème de l'éthique consiste dans ce mystère que l'homme tel que nous le connaissons est impossible ; que cet homme ne peut en présence de Dieu que mourir. » [2] Aucune création de la culture, aucune action si spirituelle qu'on la suppose, aucun effort, aucun vouloir ne peuvent porter remède à l'extrême misère de l'homme. La justice pas plus que la raison ne sont des alliées de la foi, mais des ennemies. Elles prétendent jouer le rôle de Dieu, se substituent à Lui ; elles sont des usurpatrices. La philosophie rend Dieu problématique : existe-t-il ou n'existe-t-il pas ? Dans la foi, c'est l'homme qui devient problématique : oui ou non, lui qui est pécheur est-il pardonné ?

C'est dire que l'opposition de Barth à l'égard de la philosophie est irréductible. Ce qu'il lui reproche, ce n'est pas telle ou telle erreur, telle ou telle tendance. Fût-elle théocentrique, fît-elle bon accueil à une révélation qui la dépasse et dont elle avouerait la transcendance, il la rejetterait encore, car, si modeste qu'elle soit, elle prétend acheminer à Dieu ; or il n'y a nul chemin de l'homme à Dieu, l'homme n'a aucune capacité religieuse, son intelligence est aveugle et sa volonté impuissante. Ses facultés peuvent avoir des activités intra-mondaines, temporelles, mais non religieuses et éternelles. Mortellement frappées par la faute originelle, elles ne peuvent aider ni à connaître ni à aimer Dieu.

La philosophie est un danger, une puissance ténébreuse et pleine de suffisance qui nourrit l'orgueil de l'homme. Elle critique, analyse, décompose, met en péril la foi qui est pure soumission à la Parole de Dieu. Quand bien même elle serait déférente et humble, elle n'en cesse pas moins d'être idolâtrique, car elle entreprend toujours de faire de l'humain du divin. Dieu est tota-

[1] *Ibid.*, pp. 25-26.
[2] *Ibid.*, p. 160.

lement par lui-même. « Quand il s'agit de Dieu, il n'y a pas de pourquoi. Ce qu'Il veut, ce qu'Il dit, ce qu'Il fait n'a de fondement qu'en Lui. »

« Tu es le Seul, l'empire et la puissance sont à Toi. » [1] Dieu est l'Unique ; rien ne lui est pareil ; seul donc il peut se révéler et rien d'humain ne le révèle. « L'Esprit n'est connu que par l'Esprit ; Dieu seul fait connaître Dieu. » [2]

Seule la Parole de Dieu est absolue et, pour maintenir sa transcendance, il faut l'isoler de tout ce qui relève de la nature. Ni la raison, ni la volonté, ni la mystique ne lui sont assorties ni n'en rapprochent, ne fût-ce que d'une ligne. La Révélation est indépendante de toute théologie naturelle ; elle ne s'en alimente aucunement et ne lui fait aucun emprunt. La foi exige une rupture. On n'y accède pas progressivement par une série de démarches humaines. « Ce qui est né de la chair est chair. Ce qui est né de l'Esprit est esprit. » Il n'y a là ni transition, ni mélanges, ni états intermédiaires, mais changement absolu, dénouement, nouveauté. »[3]

Se confier en soi-même, c'est la perdition. La foi est une possibilité non de l'esprit humain, mais de l'esprit illuminé par la grâce. « In tuo lumine videbimus lumen » (Ps. 36.10.). L'homme est pécheur ; une réalité extrinsèque, un don gratuit le rendent capable de Dieu. Il ne peut se sauver par lui-même, en usant des ressources qui lui sont propres. C'est un autre qui le sauve, qui répare, qui justifie ; il est sauvé en vertu de l'alliance éternelle, de la bonté inouïe de Dieu. Dieu est présent dans son Fils Jésus. Comment serait-il l'ennemi de l'homme, alors qu'Il nous voit rattachés au Christ ? L'homme est racheté quand il ne met plus sa confiance en soi, mais dans le Seigneur ; et cet acte de confiance ne provient pas de sa propre liberté, mais de l'élection divine qui le provoque. La révélation signifie qu'il n'existe aucune voie qui conduise de l'homme à Dieu, mais qu'il y a une voie de Dieu à l'homme ; or cette voie c'est le Christ par qui le « non » se transforme en « oui », le jugement en grâce, la mort

---

[1] *Ibid.*, p. 241
[2] *Ibid.*, p. 140.
[3] *Ibid.*, p. 121.

662 MÉDIATION DE LA RÉVÉLATION

en vie. « Aux hommes cela est impossible, mais à Dieu tout est possible. » (Mt. 19.26)

Jésus-Christ ne doit pas seulement être l'aboutissement d'une route dans laquelle on s'engage et où l'on aboutit sans lui : « Il n'y a aucun chemin qui conduise à ce chemin ; sinon ce chemin lui-même. Je suis le chemin. Tous nos chemins conduisent ailleurs. Jésus-Christ n'est pas la clé de voûte qui couronne l'arc de notre pensée. Jésus-Christ n'est pas un miracle surnaturel que nous pourrions entreprendre de penser. Jésus-Christ n'est pas le but que nous trouverions à la fin de nos histoires de cœur, de conscience ou de conversion. Jésus-Christ n'est pas une figure de notre histoire à qui nous pourrions rapporter notre vie. Et surtout Jésus-Christ n'est pas un objet d'expériences religieuses et mystiques. Dans la mesure où il est pour nous tout cela, il n'est pas Jésus-Christ.... Dieu s'est révélé à l'homme en Jésus-Christ. Que savons-nous sans cela de Dieu, du monde et de l'homme et de leurs rapports réciproques ? Tout devient mythe confus et métaphysique effrénée, dès que nous nous écartons du texte qui proclame que Dieu lui-même a confirmé, expliqué et énoncé ces rapports et l'ordre qui les régit. »

On a peur de découvrir Dieu, et c'est pour cela qu'on ne veut pas de la révélation, d'une vérité qui n'est pas humaine et qui est tragique. L'homme voudrait s'accommoder Dieu, s'y adapter sans devoir se condamner. La Révélation annonce à l'homme qu'il se trouve être contre Dieu, qu'il est son ennemi ; elle l'accuse, le condamne. « Croire, c'est découvrir le péché dans toute son horreur et du même coup l'impossibilité de nous en délivrer nous-mêmes » [1]. Croire, c'est reconnaître notre radicale impuissance, tendre les mains vers le Sauveur, agréer sa Parole et être pardonné.

Mais quelle est la nature, quelles sont les sources, quels sont les critères de cette Parole ?

Serait-ce l'histoire qui révèle Dieu ? Barth affirme l'hétérogénéité absolue du temps et de l'éternité. Le monde évolue, mais cette évolution n'a rien de divin et ne rapproche pas de Dieu. Quand bien même le monde subsisterait encore durant des

---

[1] *Ibid.*, p. 193 ; *Connaître Dieu et le servir*, pp. 79, 76, Paris, 1945.

millénaires, sa situation à l'égard de Dieu ne serait nullement modifiée ; il en demeurerait infiniment séparé. Il n'y a pas à proprement parler d'histoire du christianisme ou d'histoire de la rédemption. Le Royaume de Dieu est sans croissance ; s'il se développe comme un organisme, il est « non le Royaume de Dieu mais une tour de Babel. » [1] Le Royaume de Dieu est eschatologique et suppose l'abolition du temps, car le temps n'apparente point à l'éternité.

Occam suppléait à son nominalisme en recourant à l'Église qui, comme organe de la Révélation, a autorité pour prescrire la loi et définir le dogme. Selon Barth, il n'y a aucune connexion entre l'Église communauté visible et terrienne et l'Église communauté céleste et divine. Le Christ et l'Église, l'Évangile et l'Église font deux. [2] L'Église rend la religion humaine ; elle cherche à entrer en possession de la Parole de Dieu ; elle organise, elle définit, elle rend Dieu présent : Beati possidentes ! Mais Dieu n'est présent à l'homme que par son absence, par le péché qui n'affecte pas moins la communauté sociale que l'individu.

On connaît la Révélation par l'Écriture Sainte et grâce à l'illumination de l'Esprit-Saint. La formule classique de la Réforme est maintenue ; mais le commentaire de Barth l'affaiblit singulièrement. Il ne conçoit plus ni l'inspiration, ni l'orthodoxie, à la façon des réformateurs. Entre eux et lui s'interposent la critique biblique, l'agnosticisme philosophique, ces sciences profanes dont on veut s'abstraire, qu'on combat sans trêve, et qui semblent pourtant imposer leurs conclusions négatives.

Il prétend ne rien leur accorder ; en fait il leur concède tout. La Révélation, comme la critique scientifique et philosophique,

---

[1] *The Epistle to the Romans*, p. 457.

[2] « Dans l'Église, l'homme n'est ni le dépositaire d'une surnaturelle procuration, connaissance ou puissance comme l'admet le catholicisme romain, ni cette libre personnalité religieuse qu'imagine le modernisme protestant. Et dans l'Église, Dieu n'est pas cette essence surnaturelle qui, par l'intermédiaire de méthodes sacrées, deviendrait, sous telle ou telle condition, l'objet de la considération ou de la jouissance humaine… L'Église est plus profane que le reste du monde qui l'entoure… Il appartient à l'essence de l'Église que rien d'humain ne lui reste étranger, qu'elle soit toujours et partout l'Église de l'homme, l'Église de certaines époques, de certaines langues et de certaines cultures. » (BARTH K., *Révélation, Église, Théologie*, pp. 25, 38-29).

affirme qu'entre l'homme et Dieu il y a une distance infinie, qu'ils sont irrémédiablement séparés. Le but de la Révélation n'est pas d'unir l'homme à Dieu, ce qui est impossible, mais de révéler l'infranchissable abîme qui les disjoint. L'agnosticisme et le pessimisme, doctrines qu'on croyait païennes, deviennent ainsi les pourvoyeuses de la foi.

Le contenu de la Révélation est indiscernable. Il n'y a pas de coïncidence entre la Parole de Dieu et la Bible. Dieu s'y exprime en vocables humains ; son langage s'adapte à une situation concrète, à une culture définie, à une époque historique dont il doit subir les contingences. Dans la Bible, la parole de Dieu s'humanise et comment une réalité humaine pourrait-elle révéler Dieu ? L'Écriture Sainte n'est pas la pure Parole de Dieu qui transcende toute expression, fût-elle biblique.

Aussi il n'y a pas de révélation positive. Naturellement l'homme n'a aucun organe pour saisir Dieu. Le fait de la Révélation ne supplée pas à cette carence. Entre le dogme et la Parole il y a autant de distance qu'entre la terre et le ciel. Dieu demeure totalement extrinsèque à l'esprit. Il lui est extrinsèque, parce qu'il ne peut le connaître et en avoir une idée même analogique ; il lui est extrinsèque, parce que la lumière de l'Esprit-Saint ne renouvelle pas son regard ni sa vision. L'esprit du croyant comme celui de l'incroyant est enténébré et manque de lumière.

Le croyant se soumet à la Parole de Dieu et obéit. [1] La foi est salvifique parce qu'elle est imposée par Dieu, à cause de la promesse divine, mais non en vertu de son contenu interne, de sa réalité objective qui assortirait la pensée humaine à la pensée divine. Elle n'est pas, comme le disait saint Thomas, *inchoatio vitae aeternae*, un acte humano-divin d'où germe la vision éternel-

---

[1] Certains comme Bultmann interprètent la Parole de Dieu dans le sens existentiel : « La Parole de Dieu, c'est Dieu se rendant sensible, présent à l'homme, Dieu appelant l'homme à l'existence devant lui et le limitant par ses impératifs souverains. La parole de Dieu n'est pas une théologie, une doctrine sur Dieu et sur le monde, ni une Theôria, contemplation du divin détachée du monde extérieur ; mais elle est une mise en demeure de l'homme par Dieu et une prise de position de l'homme devant Dieu ; c'est un appel et un ordre divins qui font surgir du néant l'existence humaine et en dehors de quoi l'homme n'existe pas, mais s'écroule. Obéir à cette parole, c'est vivre ; ne pas l'écouter, c'est être déjà mort. » (L. MALEVEZ, *Théologie dialectique*, R. S. R., 1935, p. 406).

le. Le Christ dans l'Évangile se dit lumière ; et Barth interprète cette parole d'une façon purement nominaliste, en lui enlevant son sens obvie et réaliste. Jésus se dit Vie ; l'interprétation encore une fois sera appauvrissante. Ne nous en étonnons pas ! Elle découle logiquement de son anti-humanisme. Le Calvinisme ne connaît que l'infinie détresse de l'homme et son irréductible néant.

Dieu pardonne et justifie le croyant. Qu'est-ce à dire ? Qu'il le revitalise et le rend capable d'actes déifiques ? Qu'il crée un être nouveau, un vrai fils de Dieu ? Nullement ! La justification se réduit à une déclaration juridique et ne transforme pas le pécheur. Le chrétien est pécheur à l'égal du païen. « *Semper peccator, peccator manens,* c'est ainsi qu'il est *sanctus,* saint, c'est-à-dire appartenant à Dieu. » [1] « Le sujet *peccator* n'est pas supprimé par le prédicat *justus...* notre péché est pardonné, mais il ne cesse pas pour cela d'exister.»[2] L'amour de Dieu est donc sans efficace ; ses paroles creuses et vaines. Dieu aime l'homme mais ne se donne pas à lui ; il le dit son fils mais ne lui infuse pas la grâce de filiation ; il le dit justifié et le laisse pécheur. La vie chrétienne n'est pas un effort, un progrès, une réussite, un acheminement si lent, si minime qu'on le suppose, mais pure négativité. Dans la mesure où le néant absolu de la vie, l'impossibilité de tout progrès sont reconnus, l'homme est sauvé. Dieu ne triomphe que dans la défaite et la totale impuissance de l'homme. « Tout ce que nous sommes est contre Dieu. Il n'y a dans notre vie aucune étape où nous serions autre chose. Il n'y a dans notre existence aucun domaine où nous pourrions affirmer : ici il n'y a plus de danger, car ici je suis pour Dieu... D'un point de vue humain, le fil par lequel ma vie tient à Dieu devient toujours plus ténu. Nous n'avançons jamais. Nous reculons plus misérables... Aussi longtemps que nous serons des hommes dans le temps et que nous vivrons sur cette terre, avons été et serons toujours en infinie contradiction avec Dieu. » [3]

[1] *Culte Raisonnable,* p. 87.
[2] *Ibid.,* p. 85.
[3] *Ibid.,* pp. 26, 29, 39.

« Le monde entier dans sa forme actuelle est placé sous la malédiction de Dieu. Sans doute cette malédiction est éternellement supprimée par Jésus-Christ, mais l'accomplissement de cette suppression n'est pas encore réalisé... [1] La volonté de l'homme est et demeure serve ; l'homme reste et restera jusqu'à la fin de ses jours sous l'influence annihilante de la chute ; ses buts, du plus bas au plus haut, sont et seront toujours hétérogènes au but dernier, son activité mauvaise, son accomplissement non seulement imparfait mais contradictoire. » [2]

Quand on sert le Christ on ne vit pas d'une vie nouvelle. L'oblation héroïque et pure d'une vierge n'unit pas au Christ plus qu'un acte égoïste. Dieu exige des sacrifices, mais ces sacrifices, même faits en son nom, ne nous insèrent pas en Lui. Il n'y a aucune continuité entre les actes de Dieu et ceux de l'homme. D'un côté l'homme demeure cloué en lui-même, rivé à son péché ; de l'autre Dieu demeure Dieu, à savoir le Séparé. Pas de communion ! L'homme est toujours et également *peccator* ; il l'est au terme d'une vie sainte comme à ses heures les plus mauvaises. « Être réconcilié avec Dieu, ne signifie pas participer à quelque croissance de la grâce... Nous ne devenons pas Christ, même par moitié, même pas un tout petit peu. » Nous n'avons pas à bâtir le Royaume de Dieu. L'histoire de l'humanité avant comme après le Christ est également sombre ; il n'y a rien à espérer de l'avenir. « Que votre règne arrive » peut avoir un sens eschatologique ; sur la terre ce souhait est irréalisable et fictif.

Telle est la théorie de Barth. Son postulat est, comme nous le disions, l'hétérogénéité absolue de la nature et de la grâce, du temps et de l'éternité, de l'homme et de Dieu. Ce postulat auquel il se conforme rigoureusement, lui fait condamner toute philosophie de la religion ; il lui substitue la Révélation, mais la Révélation, la Foi et la Vie chrétienne sont à leur tour vidées de tout contenu. N'est-ce pas que la doctrine de la pure transcendance est aussi néfaste au christianisme qu'à la philosophie ? Le

[1] *Ibid.*, p. 44.
[2] *Parole de Dieu*, p. 184.

nihilisme philosophique n'a-t-il pas comme corollaire logique le nihilisme chrétien ?

II. La Critique

Critiquer, c'est discerner ; or, dans la doctrine de Barth, on discerne bien des vérités. On lui sait gré de son opposition au philosophisme immanentiste ; on lui sait gré de son exaltation de la Révélation et de son admirable foi dans le Christ-Jésus. Ce qu'on lui reproche, c'est son extrinsécisme surnaturaliste qui coupe tous les ponts entre la philosophie et la théologie, qui isole la nature de la grâce, l'homme de Dieu.

1. *Critique de l'Immanentisme humaniste.*

La religion n'est pas le lieu de l'éthique, de la spéculation ou du sentiment. Dieu n'existe pas pour qu'il y ait de la moralité ; mais la moralité existe subordonnée à la volonté de Dieu ; Dieu n'existe pas comme fonction de la pensée, mais la pensée est liée à une Pensée qui la dépasse ; Dieu n'existe pas parce qu'il fait vibrer le cœur ; l'homme doit se dépouiller de sa subjectivité, car Dieu est l'Objectif.

Trop de philosophies ont été irréligieuses pour avoir oublié le caractère transcendant de Dieu. Elles ont essayé de le conquérir malgré lui et de lui ravir ses secrets ; elles en ont fait le valet de l'homme, l'inculpé qu'on juge. L'homme s'est fait la mesure de Dieu, sa raison d'être. Il ne lui a accordé l'existence que pour autant qu'il le dominait et le possédait, se faisant son égal, lui fixant des conditions et des lois. On a transformé la méthode d'immanence, qui est un procédé de recherche, en une doctrine de l'immanence. Ainsi la philosophie a rejeté a priori la Révélation ; ou quand elle s'en est occupée, elle l'a trop souvent rationalisée.

D'après les rationalistes, la philosophie serait non seulement dernière dans son ordre, c'est-à-dire dans l'ordre du savoir humain qui a Dieu pour objet, mais aucun savoir au sujet de Dieu ne pourrait s'acquérir que par son entremise. La Révélation elle-même relèverait de sa judicature et la foi ne serait légitime que pour autant que ses vérités apparaîtraient rationnelles. Mais comment justifier une telle prétention ? Dieu, tel qu'il est en lui-même, ne demeure-t-il pas au terme d'une dialecti- que, si poussée qu'elle soit, l'Irréalisable et l'Impensable ? Si la philosophie peut se prévaloir de certitudes, ne doit-elle pas aussi faire l'aveu de son indigence et l'inventaire de ses carences ? « Les doctrines philosophiques, écrit M. Blondel, à quelque degré de développement qu'elles parviennent, peuvent- elles, doivent-elles viser à être suffisantes... à procurer par elles- mêmes... toute la lumière et toute la force nécessaires à la pensée et à la vie, en sorte qu'elles seraient, même sous leur forme transitoire, le viatique et la suprême explication ? Ou bien, par raison, par devoir, constitutionnellement, si l'on peut dire, la philosophie doit-elle aboutir, quel que soit le stade de son évo- lution, à reconnaître en quoi elle est normalement incomplète, comment elle creuse en elle et devant elle un vide préparé non pas seulement pour ses découvertes ultérieures et sur son propre terrain, mais pour des lumières et des apports dont elle n'est pas par elle-même et ne peut devenir l'origine réelle ?... [1] D'une part, nous sommes travaillés par l'active présence en nous de cette vivante idée du parfait, sans laquelle nul sentiment de notre imperfection, de notre aspiration, de notre existence ne serait possible ; et, d'autre part, nous ne pouvons, tout inac- cessible que semble pour nous le terme divin où nous tendons, renier et refouler l'élan d'où procède toute notre pensée et qui nous porte invinciblement à cette fin infinie. »

« Nous n'avons ni le pouvoir d'abolir notre être et ses aspira- tions incoercibles, ni le droit de repousser la vocation ascension- nelle qui nous est imposée, ni la faculté d'évasion qui permettrait de fuir un don gratuit sous prétexte qu'il est onéreux... Com- ment, en effet, pourrait-on raisonnablement et sans se manquer à soi-même, manquer à l'appel, à la générosité qui fournit à l'être imparfait le moyen de la perfection et de la béatitude auxquelles son vœu le plus spontané, le plus raisonnable, le plus consenti est de tendre ? Soutenir que l'homme devrait rester impunément maître de refuser cette offre pour demeurer dans

[1] *Bulletin de la Société française de Philosophie,* 1931, p. 88.

sa propre nature, alors que cette nature a conscience de son indigence métaphysique et de sa déficience morale, ce serait commettre un illogisme monstrueux... [1] Tous les essais d'achèvement de l'action humaine échouent ; et il est impossible que l'action humaine ne cherche pas à s'achever et à se suffire. Il le lui faut, elle ne le peut pas. D'une part, c'est une nécessité de faire sol ras de toutes les inventions qui, partant de l'homme et sorties du plus intime sanctuaire de son cœur, ont pour objet ridicule et touchant d'accaparer le divin. D'autre part, le sentiment de l'impuissance comme du besoin qu'a l'homme d'un achèvement infini, demeure incurable. Ainsi, autant toute religion naturelle est artificielle, autant l'attente d'une religion est naturelle. » [2]

On semble redouter qu'une vie surnaturelle ne vienne à ruiner les valeurs humaines. Il n'en est rien. Tout comme l'esprit, en informant le corps, surélève la vie biologique et sensible et ne la détruit pas, ainsi de la vie divine. Elle accomplit les exigences de la nature, n'abolit pas les certitudes rationnelles, ne supprime pas l'activité morale, mais les prolonge et les intègre dans une finalité supérieure.

On semble supposer que les vérités naturelles forment un tout achevé qui satisfasse pleinement l'intelligence et au-delà duquel il serait vain de chercher quoi que ce soit. La religion surnaturelle serait une réalité tout à fait étrangère à l'homme, dont rien dans la nature n'attend la venue. Mais, comme le disait le Cardinal Dechamps, « en rejetant la grâce au nom de la nature, nous résisterions à la voix qui gémit dans la nature. » Nous désirons Dieu, avons un besoin urgent de Dieu ; or toute religion naturelle s'avère insuffisante. Le Dieu du philosophe se révèle présent en nous comme l'Absent, celui qui appelle et qu'on ne peut rejoindre. « Sans contact avec la révélation mystique, disait Bergson, l'esprit tournoie sur place... La philosophie parle de Dieu, mais il s'agit si peu du Dieu auquel pensent la plupart des hommes que si, par miracle et contre l'avis des philosophes, Dieu descendait dans le champ de l'expérience, personne ne le

[1] M. BLONDEL, *La Pensée*, pp. 301-9.
[2] M. BLONDEL, *L'Action*, p. 321.

reconnaîtrait » [1] La religion philosophique est anthropocentrique, elle ne s'évade pas jusqu'à Dieu et retombe pesamment sur elle-même.

L'homme de par sa nature tend à posséder pleinement, c'est-à-dire surnaturellement, Dieu. Le P. de Broglie dans une étude remarquable et s'inspirant de saint Thomas écrivait : « Si l'intelligence a pour objet l'être et non pas seulement telle forme de l'être, et si d'autre part l'être est de soi illimité, il est clair que nulle forme particulière et finie ne pourra jamais combler par elle-même l'avidité sans mesure de l'intellect même le plus humble ; ce qui revient à dire que ses désirs naturels ne pourront être entièrement assouvis que par la possession de l'Être absolu, et non d'une image de cet Être. Étant d'autre part facile à établir qu'une telle possession, qui est un bien spécifiquement divin, ne saurait être conquise par les forces d'aucune créature, il reste que toute intelligence porte en soi un désir que peut seule combler une initiative spécifiquement divine. »

« La définition la plus rigoureuse de l'esprit est d'être la puissance propre dont Dieu peut se faire, s'il lui plaît, des fils adoptifs... Un être spirituel, ce n'est pas autre chose qu'un sujet susceptible de participer, si Dieu le veut, à la vie divine ; et cette notion est la plus haute et la plus complète qu'on s'en puisse former... Son intelligence est le pouvoir d'accueillir Dieu en soi comme son bien suprême ; et son vouloir est l'instrument animé offert en lui à l'action divine pour y réaliser ce dessein... Comme la harpe qu'un musicien mettrait aux mains d'un enfant, ne se définit qu'imparfaitement par les sons quelconques que l'enfant en tire, et ne livre que sous la touche de l'artiste le dernier secret de ses capacités musicales, ainsi nos facultés spirituelles ne vont au bout de ce qu'elles peuvent rendre que si, au lieu de les abandonner à notre médiocre initiative autonome, Dieu daigne les saisir par la grâce et la gloire, pour qu'elles commencent à résonner sous les doigts de Celui qui les a faites. » Ainsi la grâce « ne doit pas se penser comme une intrusion toute étrangère dans une nature adéquatement intelligible sans rapport à elle. » [2]

[1] H. Bergson, *Les deux Sources*, p. 258.
[2] G. de Broglie, R. S. R., 1924, pp. 230, 236, 239, 241.

Sans doute cette tendance de la nature humaine au surnaturel est conditionnelle et inefficace. Comment l'homme pourrait-il entrer en possession de Dieu sans Dieu, comment pourrait-il le connaître tel qu'il est en lui-même sans que Dieu ne consente à se révéler ? Dieu est capable d'un silence absolu et nul être ne peut par lui-même pénétrer dans le cercle fermé de la vie divine. Pour qu'il y participe, il faut que Dieu se donne librement. Il se donne si tel est son bon plaisir ; et se donne à la façon dont il l'entend, sans que nous ayons à lui imposer les modalités de sa donation.

Il aurait pu assumer immédiatement l'esprit, et, dans ce cas, l'homme aurait trouvé Dieu au-dedans de lui, dans la lumière intérieure de son intuition, dans l'élan extatique de son cœur, dans son immanence personnelle.

En fait il s'est incarné et se découvre concrètement et historiquement dans la personne de son Fils et dans l'Église en laquelle il est présent jusqu'à la fin des temps. Ne pas vouloir de cette révélation, c'est refuser un don, dont l'homme a un inéluctable besoin, car il n'y a de salut, d'union réelle à Dieu que dans et par le Christ.

2. *Transcendance du Christianisme*

Barth veut d'une religion authentique, instituée non par l'homme, mais par Celui dont la Souveraineté est absolue. Ce Dieu il le trouve dans la Révélation chrétienne dont il maintient l'irréductible originalité, [1] le caractère mystérieux. Elle se présente comme un scandale pour l'esprit et exige une rupture ; elle est un acte que Dieu garantit de son autorité [2] et que l'homme doit

[1] La Révélation de Dieu « interdit cette vaine et dangereuse imagination que l'homme pourrait, dans cette rencontre avec Dieu, entrer en lice et collaborer comme s'il était le partenaire de Dieu, pourvu d'une capacité de Dieu, naturellement disposé à Dieu, comme s'il y avait continuité entre ce que l'homme connaît et fait naturellement et ce que Dieu lui donne à connaître et lui commande de faire. La connaissance de la Révélation, c'est toujours la connaissance du miracle de cette rencontre, à savoir de la grâce, de la miséricorde, de l'abaissement de Dieu. » (BARTH, *Révélation, Église, Théologie*, p. 14,)

[2] « La Révélation est autorité, c'est-à-dire une vérité qu'aucune véracité, fût-elle la plus profonde et la plus véridique, ne rend vraie ; une vérité de laquelle au contraire dépend, et dépend sans cesse à nouveau, toute véracité conceva-

agréer avec respect, un don gratuit qu'il ne peut récuser sans se perdre. Ce n'est pas l'homme qui se justifie, mais c'est le Christ, le Fils de Dieu qui prend sur Lui les péchés du monde, qui les répare, qui pardonne et qui sauve.

Quel est le chrétien qui ne trouve dans cette confession des pensées fondamentales de sa foi, des sources objectives de son espérance ? La Révélation est un acte transcendant de Dieu. Dieu se révèle dans l'Évangile comme capable d'être accueilli par l'homme, mais sa Parole est décisive et catégorique ; il faut y adhérer sans réserves. On ne peut ni médiatiser le pardon, ni médiatiser la révélation, ni médiatiser le Christ, ni médiatiser Dieu. Les pensées de Dieu ne sont pas les nôtres ; elles ne peuvent être saisies que dans l'acte concret où il les dévoile ; ces actes sont spontanés, imprévisibles, tiennent du miracle. Le miracle est un bondissement de l'être au-delà de ce qu'il est, la naissance d'un être nouveau, une surprise, une merveille, un étonnement, un mystère. On ne fabrique pas un vivant avec de l'inorganique, ni l'homme avec de la matière. Quand le vivant, quand l'homme paraît au monde, il y a émergence de l'être au delà de ce qu'il est ; un être nouveau est né ; il y a miracle, c'est-à-dire acte d'une Spontanéité Créatrice qui fait jaillir l'être au delà de ses limites naturelles.

L'Incarnation est le Miracle des Miracles, l'Acte totalement imprévisible, totalement merveilleux, totalement surnaturel, car dans cet acte l'être fini n'est pas seulement prorogé au-delà de telle ou telle limite ; c'est l'abîme infini qui sépare l'homme de Dieu qui est franchi. Non seulement le péché est pardonné, mais l'homme est surélevé au-dessus de toute nature finie, recevant un don qui n'appartient en propre qu'à Dieu et qui l'affilie à la divinité. On ne construit pas une religion divine avec de l'humain. Les religion naturelle et surnaturelle ne sont pas homogènes mais qualitativement irréductibles. On ne devient chrétien, fils de Dieu, que par le plus grand des prodiges, par l'union de

ble ; la vérité donc, sans la reconnaissance de laquelle la plus profonde et la plus véridique véracité ne peut que mentir et tromper. Et c'est pourquoi la Révélation, parce qu'elle est Dieu lui-même, est jugement de dernière instance sur l'homme. » (*Ib.* p. 16)

la nature divine et humaine dans la personne de Jésus, union que rien ne détermine, qui procède d'un Amour indicible.

3. Critique de l'Extrinsécisme surnaturaliste.

Ce que nous reprochons à Barth, ce sont des méprises philosophiques dont il n'a certes aucun souci, mais qui en fait sont de conséquence et qui entraînent des hérésies théologiques.

Et d'abord la notion de transcendance dont on abuse aujourd'hui autant qu'on a abusé autrefois du concept d'immanence. Il semble vraiment, à entendre l'auteur, que, pour que Dieu reste transcendant, il doit demeurer le Séparé. Peut-on séparer la créature de son Créateur ; peut-on l'isoler de l'acte divin qui la fait être ? Quand Dieu crée, quand Dieu se donne, il se donne certes librement, il crée sans y être contraint par indigence, besoin, ou nécessité ; il crée parce qu'il veut créer. Tout ce qui participe à l'être est intrinsèquement conditionné par ce vouloir qui est commencement absolu et fin absolue de toute existence. Mais enfin, quand librement et par amour il crée, ne se communique-t-il pas à sa créature, ne lui est-il pas présent ? Sans cette présence, sans cette immanence de Dieu au monde, le monde pourrait-il subsister ? L'en retrancher ne serait-ce pas l'anéantir ? Sans doute Dieu se possède totalement lui-même par lui-même, mais en vertu de cette possession plénière de lui-même, ne peut-il se rendre infiniment intime au monde ? Soli Deo Gloria ! La gloire de Dieu est-elle d'autant plus grande que Dieu demeure solitaire et qu'il est plus avare de ses dons ? Est-il un dieu jaloux qui maintient les distances ou un dieu magnifique qui triomphe en se donnant ?

Ce que nous reprochons à l'auteur, c'est sa conception anthropocentrique de Dieu. A l'entendre, Dieu pardonne et ce pardon ne transforme pas l'homme. Il le justifie et le laisse pécheur, Il le gracie et cette grâce ne le change pas ; Il le sauve et le laisse sous la malédiction de Dieu. De qui parle-t-on ? Est-ce bien de Dieu ? Une volonté divine n'est-elle pas efficace et créatrice ? Y a-t-il quelque chose, fût-ce le péché, qui puisse la mettre en échec ?

Ce que nous lui reprochons, c'est l'agnosticisme, le pessimisme.

L'homme comme tel, dit-il, est incapable de toute union à Dieu. Et pourtant un esprit peut-il se concevoir sans Dieu ? Est-il possible de penser et d'aimer sans s'y référer ? Pourquoi mépriser l'homme ? L'avilir n'est-ce pas avilir Celui qui l'a créé ?

Ce que nous lui reprochons, c'est sa conception du péché originel qui aurait privé l'homme non seulement des dons surnaturels qui ne lui sont pas dus, mais qui l'aurait totalement privé de Dieu. Ne voit-on pas qu'il y aurait là une injustice et n'est-il pas blasphématoire de l'attribuer à Dieu ? Ce que nous lui reprochons enfin, c'est d'avoir mal défini le rapport de la nature à la grâce, de la philosophie à la Révélation. Distinctes et subordonnées l'une à l'autre, elles sont néanmoins solidaires, ne peuvent subsister l'une sans l'autre.

L'être a des structures diverses. La matière et l'esprit, la nature et la grâce ne sont pas homogènes mais ontologiquement diverses. Pourtant, dans l'unité concrète de l'homme, elles sont une et se compénètrent. Pas d'activité spirituelle qui ne dépende de la matière ; pas d'acte surnaturel dont le substrat ne soit la nature. La nature et la grâce ne se juxtaposent pas comme deux entités complètes et sans lien, comme deux ordres de vérité ou comme deux forces extrinsèques l'une à l'autre. Dans l'ordre présent qui est celui de la Rédemption, tout acte naturel a une finalité surnaturelle et aucun acte surnaturel n'est sans attache naturelle. La vie de l'esprit s'effondre quand orgueilleusement on la retranche de la vie organique qui l'alimente ; de même la vie surnaturelle devient irréelle sans la synergie et le concours actif de la nature. Sans cette médiation il n'y a possibilité ni de foi ni de sainteté ni de vie chrétienne.

En effet, on nous dit qu'il faut croire à la Révélation, mais peut-on croire sans avoir des raisons de croire ? Il est vrai que, lorsque Dieu parle, il faut lui obéir. Cependant il reste à établir que Dieu a parlé, ce qui rend l'apologétique indispensable. Sans doute sous l'influence du rationalisme déterministe, on en a peut-être trop attendu. Elle n'a pas la vertu magique qu'on lui prêtait autrefois ; ses preuves donnent à l'homme la possibilité de croire. La foi transcende les motifs de la foi ; elle exige une autogénération de la vérité, l'Acte qui illumine et qui rend l'esprit capable d'assentiment divin, l'acte libre de l'homme, qui, après avoir été élu par Dieu, l'élit à son tour et opte pour lui.

Cependant l'apologétique, si elle ne détermine pas mécaniquement la foi, y achemine néanmoins. Or, c'est ce que Barth conteste ; la foi n'a aucun antécédent humain et ne présuppose rien ; aucune pensée n'y conduit, car Dieu est une Réalité totalement extrinsèque. L'esprit de l'homme n'a sur Lui aucune prise, ne peut Le connaître en rien. Il est l'Autre.

Pourtant la perception de l'absence de Dieu n'implique-t-elle pas sa présence ? Un au-delà de la pensée humaine peut-il être connu sans une orientation intrinsèque vers cet Au-delà ? Toute opposition présuppose une participation ; quand on déclare un objet distant d'un autre objet, c'est que l'espace, qui les sépare, les relie ; quand on oppose deux êtres, leur altérité implique toujours leur fraternité ou leur filiation. Pour que Dieu paraisse comme l'Inconnaissable et Irréalisable, ne faut-il pas que l'esprit ait une faculté divine, faculté qui tout en étant conditionnée par l'agir de Dieu, est effective.

Le surnaturaliste ne veut ni d'une apologétique historique ni d'une apologétique philosophique, car il est entendu qu'on ne peut être historien sans succomber aux erreurs de l'historicisme et philosophe sans être idolâtre. On abandonne donc l'histoire aux savants et l'Écriture Sainte aux exégètes. Ces petites sciences conjecturales n'ont pas d'importance et leurs conclusions n'ont rien de décisif, car Dieu qui est éternel n'a aucun rapport avec le temps et la fidélité à la lettre de la Bible expose la foi chrétienne à des méprises. Ainsi on en revient au système dualiste des deux savoirs, l'un profane, l'autre religieux, qui se contredisent. C'était l'expédient auquel les Protestants libéraux avaient eu recours, et, de ce chef, on les accusa de subjectivisme, car, disait-on, deux affirmations contradictoires ne peuvent être simultanément admises sans qu'on renonce à toute idée de vérité. En fait était-ce la peine de leur faire ce reproche et de s'indigner ?

D'une apologétique philosophique il ne peut davantage être question. Barth fit autrefois une fort belle conférence sur la conscience qui appelle Dieu ; il semble qu'il la regrette aujourd'hui comme un péché de jeunesse. Le vouloir de l'homme est impuissant ; les désirs, les aspirations, l'éthique sont vaines. On rejette aussi — cela va de soi — toute dialectique spéculative car elle suppose la doctrine de l'analogie de l'être ; or l'homme et Dieu sont deux réalités équivoques et sans lien.

Cependant, comment le Dieu de la foi peut-il paraître absolu à l'homme s'il ne répond à aucune finalité, s'il n'a aucun sens pour sa pensée, s'il paraît absurde et sans valeur? Agir à l'encontre de sa finalité, c'est faire le mal ; penser à l'encontre des lois de la pensée, c'est errer. Pour être chrétien faut-il renoncer à la vérité et au bien ? Dieu est-il l'Absurde et le Mal ? De quel droit forcer un homme à s'élancer vers ce royaume de la mort, vers ce qui est pur néant de vérité et de valeur ? Que des nihilistes consentent à ce suicide on le comprend, mais comment celui qui est vraiment homme y consentirait-il ? Le néant, le déclarât-on divin, ne demeure-t-il pas toujours le néant ?

Encore si, après cette immolation de tout l'humain au surnaturel, le croyant devenait capable de certitudes divines, d'actes déifiques. Mais du nihilisme de la nature résulte le nihilisme de la connaissance et de la vie qu'on dit chrétiennes.

Le Dieu qui se révèle au croyant est un Dieu caché ; il est caché, non seulement parce que sa parole est mystérieuse et dépasse l'entendement, mais aussi parce qu'il est impossible de le discerner. L'histoire, nous l'avons vu, n'est pas son organe, car l'humain s'y mêle au divin. L'Église, n'en parlons pas ! Elle est sainte et infaillible à la condition de n'être ni historique ni concrète. Dès qu'elle est humaine, l'assistance de Dieu lui fait défaut. L'Église réformée pas plus que l'Église catholique n'est mandatée par Dieu. Dieu perdrait sa souveraineté s'il déléguait son pouvoir ; il règne seul, sans faire appel à l'homme. L'Écriture sainte sans doute est inspirée, mais les mots dont elle use, les genres qu'elle utilise sont bien humains. Aussi, pour trouver la Parole de Dieu, il faut la chercher au delà de la Bible, derrière la Bible ! Mais alors comment connaître la Révélation avec certitude ; comment la foi serait-elle absolument certaine, comment serait-elle divine ?

Pour maintenir la transcendance de la Parole de Dieu, Barth

déclare que Dieu seul en est le sujet et qu'elle n'est d'aucune façon l'acte du croyant. Mais dans ce cas, si elle est extrinsèque à l'esprit, s'adresse-t-elle encore à l'homme ? Une parole, à moins de priver ce mot de tout sens, doit s'adresser à quelqu'un qui a la faculté de la saisir ; elle doit mettre en communication deux sujets. Peut-on parler à quelqu'un qui n'a aucun organe pour vous entendre, aucune faculté pour vous comprendre ? Or l'homme, au dire de Barth, n'a aucune faculté divine ; mais alors, comment Dieu peut-il lui parler ? Puisque la Parole de Dieu est un Acte dont Dieu seul est le sujet et qui ne peut nullement être intériorisé par l'homme, elle cesse d'être une parole, un dialogue, et devient un soliloque de Dieu avec lui-même. Dieu se parle à lui-même, Dieu dit quelque chose à lui-même ; mais il ne peut plus être question d'une révélation dont l'homme serait le terme et qui lui apprendrait quoi que ce soit.[1]

Dira-t-on que, dans l'acte de foi, l'Esprit-Saint donne à l'homme une faculté surnaturelle et qu'Il l'illumine ? Telle est l'explication catholique, mais dans la théologie de Barth, l'Esprit saint ne compénètre pas l'esprit de l'homme et ne renouvelle pas son regard. L'illumination du Saint-Esprit, comme la Parole de Dieu, demeure étrangère à l'esprit, la grâce et la nature étant deux réalités extrinsèques.

Le rapport de Dieu à l'homme, de la grâce à la nature, est irréversible. A l'acte de Dieu ne correspond aucun acte de l'homme, à la relation de Dieu à l'homme ne correspond aucune relation de l'homme à Dieu. Cette relation unilatérale tient du non-sens, mais, quand bien même elle serait intelligible, elle ne rendrait pas l'homme religieux, car, pour qu'il le soit effectivement, il ne suffit pas qu'il dépende de Dieu, il faut encore qu'il soit capable de s'y unir. [2] Dans la théorie surnaturaliste

---

[1] Aucune connaissance, qu'elle soit naturelle ou surnaturelle, ne peut se passer d'être subjective. Une connaissance purement passive, une connaissance dont le sujet n'est nullement le principe, une connaissance où le sujet est dépourvu de toute activité, de toute illumination interne, est un néant de connaissance.

[2] D'après la doctrine catholique une grâce *gratis data* est corrélative à une grâce *gratum faciens*. Dieu est transcendant et ne peut être conquis par l'homme ; Dieu peut pourtant assumer la réalité humaine. Ce n'est pas parce qu'un don est gratuit, non-nécessaire, qu'il est extrinsèque.

toute union à Dieu est fictive ; elle est fictive quand il s'agit de la Révélation qui est totalement extrinsèque à l'intelligence, elle est fictive aussi quand il s'agit de la grâce qui demeure extrinsèque à la volonté. Ici encore il n'y a aucune conjonction du divin et de l'humain.

L'homme, dit-on, est sauvé, mais, en fait et objectivement, il est perdu ; il est justifié, mais, en fait et objectivement, il est pécheur ; sanctifié, mais, en fait et objectivement séparé de Dieu. On nomme cette contre-vérité le paradoxe du christianisme ; c'est bien d'une absurdité qu'il s'agit : affirmer qu'un être totalement pécheur est juste, qu'un être est sanctifié quand son intelligence, sa volonté, son être sont totalement retranchés de Dieu, c'est se contredire. Dès qu'on affirme l'hérérogénéité absolue du fini et de l'infini, de la nature et de la grâce, il faut renoncer à toute religion qu'elle soit naturelle ou surnaturelle ; car toute religion doit être humano-divine.

Ce qui est incroyable, c'est que Barth attribue naïvement à l'Évangile son principe philosophique de l'hétérogénéité absolue de l'homme et de Dieu. On sait qu'on peut faire dire à des textes à peu près tout ce qu'on veut, à la condition de ne pas être trop regardant et de ne pas contrôler ses préjugés ; on sait que l'interprétation d'un texte est toujours spécifiée par une intuition originelle. L'intuition originelle des Réformateurs fut spécifiée par la doctrine nominaliste de leur époque ; celle de Barth s'inspire de l'agnosticisme, du pessimisme et du nihilisme contemporains.

Sans entrer dans le détail d'une exégèse que cet ouvrage ne comporte pas, il est manifeste que la donnée centrale de l'Évangile est le dogme de l'Incarnation et que ce dogme exclut radicalement le postulat de l'hétérogénéité absolue de l'humain et du divin, puisqu'il établit entre le temps et l'éternité, la matière et l'esprit, la réalité humaine et la réalité divine, une indissoluble unité. [1] En vertu de cette unité ontologique, Dieu devient

---

[1] La figure de Jésus-Christ, écrit Wobbermin nous renseigne aussi sur l'histoire de l'homme et ne doit pas en être isolée. La pensée chrétienne de la Révélation présuppose qu'un Dieu vivant agit dans l'histoire. Il n'existe d'ailleurs d'histoire qu'en relation avec un monde extérieur, avec la nature, avec les événements

effectivement la Lumière qui éclaire, la Vie qui sanctifie. De la réalité de l'Incarnation découle la réalité de la Révélation et de la Rédemption, l'apparentement objectif de tout l'humain à Dieu. « Le christianisme, écrit E. Mersch, est la reprise de tout l'univers humain dans l'unité de Dieu par l'unité du Christ. »[1]

Barth se veut uniquement théologien ; en fait, il est philosophe et, hélas, pauvre philosophe. C'est à cause de préjugés philosophiques que, pour ce croyant sincère et intègre, le Dieu chrétien redevient ce qu'il était pour le païen, l'Inconnaissable, l'Irréalisable, le Séparé. Le Dieu Charité et Amour, celui qu'aucune déchéance n'arrête, qui franchit toutes les barrières, qui recrée le monde et le transforme, se heurte désormais au péché de l'homme comme à un obstacle absolu ; il ne peut dès à présent ni sauver l'homme, ni le sanctifier, ni l'éclairer, ni s'unir à lui. Le Dieu de la foi qu'on croyait présent, proche et intime, devient un Être lointain qu'on ne rencontre nulle part, qu'on ne trouve ni dans l'expérience ni dans l'histoire ni dans l'Église, auquel nulle pensée, nul vouloir, nul acte n'unit. A la fin du temps, quand la nature humaine ne sera plus, Il viendra et les croyants pourront s'unir à Lui. En attendant cette heure, Dieu est impuissant, ou ne veut porter secours ; sur la terre il n'y a pas de religion, pas d'union effective à Dieu. [2]

---

naturels. Aussi le Dieu dont parle l'expérience religieuse de la foi chrétienne est un Dieu qui compénètre d'une façon vivante le monde tout entier... Aussi pour la foi chrétienne l'idée d'immanence n'a pas moins d'importance que l'idée de transcendance. Dieu trône au-dessus du monde, comme la Majesté dominatrice du monde ; et cependant, simultanément, d'une façon vivante, il le travaille de part en part. » (*Anschauung*, pp. 361, 362, Berlin, 1911).

[1] E. MERSCH, *La Théologie du Corps mystique*, I, p. 44, Paris, 1944.

[2] « On doit reconnaître, écrit H. Leenhardt, l'intérêt de la réaction qui s'est fait jour pour rendre à la révélation divine l'autorité absolue qu'elle possède. Mais on peut déplorer que cette réaction amorce une désaffection pour les valeurs morales et un schisme intérieur dans l'homme. Il se creuse un fossé entre la philosophie et la théologie, entre la morale et la religion, entre la vie et le salut. Or l'homme ne pouvant répudier, ni la pensée, ni la morale, ni la vie, ces valeurs essentielles se trouvent à la dérive, écrasées sous le mépris hautain qui tombe des sommets d'une révélation absolument transcendante. Dès lors, au lieu d'être alignées dans la perspective de l'œuvre de Dieu, ces valeurs restent à la discrétion des tendances humanistes, qui seules peuvent les coter. Il ne peut que s'ensuivre un affaiblissement de la foi. » (*Connaissance religieuse et Foi*, Montpellier, 1941.)

Aujourd'hui, certains penseurs ont tendance à se désintéresser de la philosophie de la religion et la trouvent inutile. En lisant Barth, on se persuade qu'elle est indispensable, car bon gré mal gré tout homme, fût-il théologien, est philosophe. C'est toujours en philosophe qu'on interprète la Révélation ; et souvent on l'interprète bien ou mal selon qu'on l'interprète en fonction d'idées philosophiques fausses ou justes. La philosophie n'a pas cessé et ne cessera jamais d'être indispensable, car elle donne à la religion ses substructures fondamentales et lui fournit des notions sommaires sans doute, mais exactes sur le rapport de l'homme à Dieu.

C. CONCLUSION

A l'encontre des immanentistes et des surnaturalistes, nous ne croyons donc pas qu'il faille sacrifier ou la Révélation à la philosophie, ou la philosophie à la Révélation. L'une et l'autre donnent une réelle connaissance de Dieu ; l'une et l'autre, dans des mesures diverses, unissent à Lui. La Révélation manque de fondement et son contenu devient inintelligible, quand elle se passe du concours indispensable de la raison ; la philosophie est tronquée et ne s'achève pas, quand, au terme de ses recherches, elle n'accueille pas avec respect la Parole transcendante de Dieu.

Ces deux disciplines sont distinctes et autonomes dans leurs sphères respectives. Ni la philosophie ne doit être dogmatique, ni la théologie rationaliste. La méthode de l'une est l'analyse intrinsèque, l'engendrement interne de l'esprit par une dialectique tantôt spéculative tantôt existentielle. La méthode de l'autre est extrinsèque. « L'autorité et la révélation, écrivait E. Bréhier, sont pour l'homme religieux ce qu'est l'expérience pour le savant, cette donnée brute et impénétrable que toute « philosophie systématique » s'efforce en vain de réduire, et que, par simple respect de la vérité, on doit reconnaître comme un fait ultime. »[1]

Aussi longtemps qu'elles demeurent strictement fidèles à leurs méthodes et ne débordent pas le domaine qui leur est assigné,

[1] RMM, 1925, p. 372.

la philosophie et la révélation ne peuvent entrer en conflit. Il n'y a pas à craindre que ce qui est absurde pour un vrai philosophe, puisse devenir vrai pour un théologien authentique. Il n'existe pas deux dieux, celui des philosophes et celui des croyants, mais un seul Dieu que les uns et les autres perçoivent sous des aspects différents.

Néanmoins — comment le nier — il existe des conflits entre ces deux disciplines.[1] Ils proviennent presque toujours de ce que le théologien n'est nullement philosophe ou de ce que le philosophe n'est nullement théologien. Aussi, autant il est indispenpensable d'insister sur la distinction et l'autonomie de la philosophie et de la théologie, autant serait-il dommageable de les séparer. Car la philosophie qui s'isole de la Révélation et se soustrait totalement à son influence, ne connaît pas le vrai Dieu. Elle ignore sa personnalité et sa puissance créatrice, elle méconnaît son immanence ou sa transcendance, vérités qui relèvent certes de la raison, mais auxquelles elle n'accède en fait que si l'intuition chrétienne l'inspire. *Philosophia veritatem quaerit, religio possidet*, disait un philosophe de la Renaissance.

Il en est de même pour la théologie. Pour la garder divine et pure, des théologiens souhaitent la libérer de la raison ; ils rêvent d'énoncés dogmatiques qui ne se formulent pas en concepts philosophiques, de valeurs surnaturelles indépendantes de toute activité naturelle. Ainsi on en vient à faire de Dieu l'absurde, et de la vie surnaturelle une vie immorale où la foi dispense des œuvres. Toute théologie se détruit, rend Dieu haïssable et odieux, quand, au lieu de prolonger la philosophie en la dépassant, elle prétend s'édifier sur ses ruines. Pas de philosophie sans théologie, pas de théologie sans philosophie ! Grâce à un peu de culture philosophique, le théologien évitera d'attribuer à Dieu des non-sens et des injustices ; grâce à un peu de théologie, le philosophe évitera de vaticiner a priori sur les dogmes

---

[1] « Nul homme religieux, écrivait Schopenhauer, ne parvient à être philosophe : il n'en a pas besoin. Et nul homme vraiment philosophe n'est religieux ; il marche sans lisières, non sans péril, mais librement. » Il disait encore : « Toute religion positive est proprement l'usurpatrice du trône qui appartient à la philosophie ». (Cité par L. LAVELLE, *La Philosophie française entre les deux guerres*, p. 191).

et sur les modalités d'une Révélation qui ne peuvent être connus que dans l'acte contingent où Dieu les révèle.

Cependant si, malgré cela, les certitudes de la raison et de la foi venaient à paraître discordantes, le chrétien n'hésitera jamais à subordonner les premières aux secondes, les certitudes humaines aux certitudes divines. Il sera fidèle en cela à la règle infaillible énoncée par Descartes : « Surtout il faut insérer dans notre mémoire comme règle suprême que ce que Dieu a révélé doit être cru et est beaucoup plus certain que tout le reste. Et quoique peut-être la lumière de la raison, fût-elle des plus claires et des plus évidentes, puisse sembler nous suggérer autre chose, nous devons accorder notre assentiment à l'autorité divine plus qu'à notre propre jugement. »[1] Dans les choses de Dieu, un chrétien se fiera toujours à l'intuition du Christ, plus qu'à sa propre intuition.

[1] DESCARTES, *Œuvres*, VIII, p. 39, Paris, 1905.

CONCLUSION GÉNÉRALE

Dans ces prolégomènes d'une philosophie de la religion, notre tâche était double : il nous fallait d'abord démontrer la nécessité du phénomène religieux ou de la relation de l'homme à l'absolu ; il nous fallait ensuite faire la genèse de cette relation.

Il nous parut que, pour qu'elle fût correcte, elle devait respecter les termes en présence, car toute relation réelle suppose la réalité de ses termes. Ainsi nous avons successivement écarté les solutions qui suppriment soit le relatif, soit l'absolu.

Les empiristes dérivent la religion de l'expérience. Ils sacrifient l'absolu au relatif, et conséquemment le relatif n'a plus ni objectivité ni valeur.

Les idéalistes veulent absorber le concret dans l'abstrait, le relatif dans l'absolu, et conséquemment leur absolu est irréel.

Les rationalistes n'accordent de valeur qu'à l'idée et lui sacrifient l'acte ; or une idée sans actualité est un concept statique. Le possible est un pseudo-absolu.

Les dynamistes font de l'absolu l'acte existentiel ; or l'existence qui est indéterminée est non moins relative que l'idée abstraite ; et, une nouvelle fois, on méconnaît les données du problème.

Nous en avons conclu que ce n'est ni par l'histoire isolée d'une métaphysique, ni par une casuistique isolée d'une morale, ni par une synthèse de l'empirique et du métempirique dans un système panlogique ou irrationnel, que l'homme peut communier à l'Absolu. Tant que des activités et des facultés on ne remonte pas au centre ontologique qui les coordonne, impossible de justifier la valeur absolue de la connaissance ou de l'action, ou même d'établir leur valeur relative. On dit couramment qu'il est absurde d'opposer l'intelligence et l'être, la pensée

et le vouloir. C'est certain. Mais l'action semblera toujours
devoir s'opposer à la spéculation et « vice versa » aussi longtemps
que l'on n'aura pas mis en évidence leur communion substantielle,
leur appartenance à un sujet qui subsiste en soi par une relation
à l'En-Soi.

Puisque la dépendance de l'intelligence et de la volonté est
intrinsèque et qu'elles ne peuvent atteindre l'être qu'en étant
rivées l'une à l'autre, la personne, principe de leur unité ontologique est donc le fondement ultime de l'acte religieux. Les philosophies religieuses d'inspiration rationaliste ou intuitioniste
doivent échouer, quand elles font soit de la pensée, soit
de l'action des hypostases, quand elles n'accordent pas la primauté à la personne, sujet commun de l'action réalisatrice et
de la pensée objective. Seule est réaliste et synthétique une
philosophie qui considère l'antithèse pensée-action comme
dérivée et qui en fait la synthèse dans l'unité de l'être en soi.
L'être ne peut exister pour soi et par soi que parce qu'il
est en-soi. Ce qui donc assortit primordialement l'homme à
Dieu, ce n'est pas son acte, mais son aséité, son être. L'intelligence et la volonté atteignent l'en-soi, parce qu'elles sont les
facultés de la personne. C'est la personne ou la substance spirituelle [1] qui est le fondement indispensable et ultime de la
connaissance objective, de l'action réalisatrice, de la vie
divine.

Qu'est-ce alors que la religion ? La religion est l'union sociale,
vitale, spéculative de la personne à Dieu, Être Personnel et Créateur. Elle n'est pas constituée exclusivement par une morale
ou une métaphysique, par des actes ou par des sentiments.

---

[1] La philosophie du dix-huitième siècle, de tendance empiriste, a éliminé le
concept de substance. De fait ce concept n'a pas en sciences de portée euristique ;
mais en philosophie il demeure essentiel. Sans lui tout système philosophique est
incapable d'une synthèse harmonique. A défaut de la substance, dont on ne veut
plus, on parle de l'Idée ou de l'Élan vital qu'on transforme en hypostases. A tout
prix — car toute philosophie doit être systématique et assigner un terme ultime
à la réalité — on veut absorber l'idée dans l'élan vital ou l'élan vital dans l'idée.
Dès qu'on substitue le primat de la Pensée ou le primat de la Valeur au primat de
l'Être, l'antithèse rationalisme-dynamisme devient irréductible ; on ne peut la
trancher que par amputation du réel.

Elle exige une union non seulement extérieure et psychologique, individuelle et collective, spéculative et dynamique, mais substantielle et ontologique. Dieu est présent dans notre vouloir-être et dans notre assimilation de l'être, dans nos gestes extérieurs et dans l'émotion du cœur, parce que nous sommes des êtres qui participons à son Être.

De prime abord, rien n'est déroutant pour le philosophe comme les mémoires des convertis. Les uns se convertissent parce qu'ils souffrent ou parce qu'ils sont frappés par un prodige ; d'autres parce qu'ils entendent un appel, un appel sourd. Les motifs lucides sont pauvres. Interrogez-les ! Ils vous répondront qu'ils ont conscience d'une mission, qu'ils ont la certitude d'un devoir supérieur... et c'est tout. Quelques-uns se convertissent en raisonnant, et ces philosophes ne sont pas le grand nombre.

Les rationalistes et les dynamistes, les empiristes et les idéalistes ne peuvent comprendre qu'un seul groupe de ces conversions. Et c'est logique, car pour eux le principe de la relation de l'homme à l'absolu est une activité déterminée, privilégiée au détriment de toutes les autres, que ce soit la perception ou l'instinct, la pensée ou le vouloir.

Les dynamistes croient à l'élan vital et mésestiment les théodicées spéculatives ; les rationalistes ne croient qu'à la logique et dédaignent l'action morale. Leur exclusivisme à tous deux est arbitraire ; car l'alliance de l'intelligence et de la volonté dans l'être n'est pas psychologique et accidentelle, mais essentielle. Toute pensée nécessaire a une valeur absolue et atteint donc non seulement le formel mais le réel. Tout devoir moral est lui aussi objectif et vrai.

Les idéalistes n'ont que mépris pour les théodicées populaires. Un prodige, une guérison, la finalité de la nature, le sourire bienveillant d'un saint peuvent-ils révéler Dieu ? Qu'y a-t-il de commun entre le phénomène et le noumène ? Les données sensibles sont des parasites qui troublent les concerts de l'esprit. Erreur encore ! C'est la personne qui admire la nature et c'est elle qui s'étonne. Le phénomène n'existe pas en dehors du noumène. De l'événement concret à l'Absolu nécessaire, du bien relatif au Bien absolu, il y a cheminement continu. Dieu est

présent à la fleur éphémère comme à l'axiome abstrait ; il vivifie
le sentiment de valeur et aussi l'instinct.

Quand on a saisi que toute action émane de la personne et
que la personne communie incessamment à Dieu, on comprend
que Dieu puisse avoir accès dans une âme par des voies multiples et que son contact soit universel. Aussi, après avoir souligné
la complexité de la religion, il faut mettre en lumière sa simplicité ; après avoir soutenu qu'aucune action arbitrairement
isolée n'est absolue, il faut établir que toute activité personnelle
peut et doit être sainte. Ce n'est pas à quelques moments espacés
que l'homme peut s'unir à Dieu ; c'est à tout instant. Ce n'est
pas seulement par le raisonnement ou l'effort moral qu'il se
raccorde à la divinité ; c'est aussi quand il ouvre les yeux pour
contempler la nature et qu'il s'inquiète de gagner son pain.

Dieu est proche, infiniment proche. Il est l'Immédiat ! Ce
qui fait l'immédiateté du rapport de l'homme à l'Absolu, ce ne
sont pas nos actes comme tels, mais l'insertion de notre être
dans son Être. C'est par notre aséité qui dérive de l'Aséité
divine que nos pensées vibrent sans cesse sous les ondes divines
et que nos désirs sont à tout instant vivifiés par l'Actualité de
Dieu.

Si telle est la grandeur de l'homme qu'il est uni à Dieu non
seulement par ses actes éphémères, mais par sa réalité qui
subsiste, une dernière question se posait. Uni immédiatement
à Dieu ne peut-il se suffire ? Possédant Dieu par lui-même ne
peut-il se passer de tout ? Sa relation à Dieu est immédiate ;
pourquoi alors se soucier d'autrui ? Sa relation à Dieu étant
nécessaire, ne peut-il donc se passer de l'Église ? « Dieu et moi »,
« Rien entre moi et Dieu », n'est-ce pas la devise de la vie mystique ? La personne n'est-elle pas un tout ?

Non ! La personne n'est pas un tout ; elle est partie, membre
de l'Église, organisme à la fois extérieur et spirituel. L'individualisme, qui élague le sarment du cep, le retranche de la vie.
Ce n'est qu'en s'associant à une communauté historique que
la personne peut développer ses virtualités divines. La presque
totalité de son capital intellectuel, moral et religieux lui a été
léguée en héritage. Savoir, c'est apprendre d'autrui ; être moral

c'est se conformer à l'idéal commun ; être religieux, c'est révérer celui que tous doivent adorer. On ne devient un maître qu'après avoir été un élève assidu ; on ne commande bien que si on a beaucoup obéi ; on ne peut s'unir à Dieu en esprit et en vérité que si, en fidèle d'une communauté extérieure, on s'est soumis à ses directives et conformé à sa tradition. Seule l'Église peut enfanter l'individu à la vie religieuse.

Mais, dira-t-on peut-être, une fois formé, ne peut-il s'en émanciper comme l'enfant s'émancipe de sa mère, le disciple du maître ? Non, car l'Église, société extérieure et historique qui initie l'individu au sacré, est aussi une communauté idéale et divine. Dans notre enfance religieuse, notre dépendance à l'égard de l'Église est encore superficielle ; plus on progresse, plus on vit en Dieu, plus on prend racine en Lui, et plus la solidarité des âmes se resserre. Trompés par l'imagination qui nous montre des corps extraposés et indépendants l'un de l'autre, nous croyons que les relations des âmes sont aussi externes ; nous croyons même qu'en nous spiritualisant, qu'en nous évadant de la matière, nos vies seraient isolées et isolables. Non, ce qui fait l'unité des hommes, c'est moins leur matérialité et leur indigence que leur qualité d'êtres spirituels. Plus les êtres sont et plus ils sont un. Le saint, le mystique véritable, ne sera jamais un égoïste, ramassé en lui-même, savourant sa béatitude ; plus que tout autre, il vivra pour la communauté et dans la communauté ; plus que tout autre, il se sentira débiteur de l'Église, responsable du monde, obligé de se consacrer au salut de tous.

Ainsi les limites de la personnalité humaine qui se forme historiquement et par tradition extérieure, non moins que sa valeur absolue, lui imposent l'amour et le service de l'Église. Dieu, l'Église, mon âme, telle doit être la filière des pensées religieuses non seulement des imparfaits, des « minores », mais aussi des parfaits, des « maiores ». En se sanctifiant, les hommes ne s'isolent pas ; au contraire ils renforcent leurs connexions. Communier à Dieu, c'est communier à ses frères, car Dieu est l'unité.

Dès que Dieu se donne, il réunit et rassemble. Il ne pourrait réellement aimer les âmes en dehors de l'Église, car en ne les coordonnant pas entre elles, il les priverait de l'unité, c'est-à-dire de l'être qui est le don de sa bonté ; il doit les vouloir dans l'Église, tout comme le vigneron doit vouloir le sarment rattaché à la vigne ; il doit aimer l'Église plus que le fidèle, car le tout vaut plus que la partie et l'organisme plus que le membre. Quand il se communique à une personne, il en fait une puissance diffusive, car Dieu n'est pas un reclus solitaire, il chemine dans le monde comme l'Amour, principe d'universelle expansion.

Ce Dieu communautaire et existentiel, transcendant de par son essence, immanent au monde de par sa bonté, c'est le Dieu des chrétiens. Le philosophe connaît Dieu comme le Transcendant, l'Inconditionné que la pensée ne peut déterminer et que le vouloir de l'homme ne peut capter. Cercle fermé, immanent en lui-même, Dieu, tel qu'il est en lui-même, ne peut être connu que dans la mesure où il se révèle, possédé que dans la mesure où il se donne. Il se révèle déjà dans la nature, mais demeure lointain et abstrait ; il se révèle autrement en s'incarnant, dans le Christ où la réalité humaine et divine se rejoignent dans l'unité d'une Personne.

Aucun acte de Dieu ne peut être déduit a priori, car tout acte divin procède d'une Liberté absolue, d'un Être qui est Commencement absolu et Fin absolue de tout ce qu'il est et fait. La création ne peut apparaître que comme un fait, comme une donnée dont aucun esprit fini ne peut pénétrer le mystère ; l'Incarnation est plus mystérieuse encore, car elle procède d'une donation plus gratuite, plus immanente de la divinité. On constate la présence créatrice de Dieu dans le monde ; on ne peut a fortiori que constater son Incarnation rédemptrice.

L'existence ne peut se médiatiser, car elle n'est pas une détermination, mais surgit d'une projection subjective. La révélation et la rédemption chrétiennes qui surgissent d'un acte existentiel de Dieu ne sont donc pas nécessaires. La dialectique philosophique est sans prise sur elles. C'est dans l'histoire, la réalité temporelle et contingente que doit se découvrir le geste spontané d'Amour d'un Dieu qui assume librement l'homme et qui le libère de sa finitude et de son péché. Aussi la philosophie, science des essences ou du nécessaire, ne peut-elle à elle seule établir une communion réelle entre l'homme et Dieu, ni être à elle seule médiatrice d'une religion authentique. Son Dieu demeure abstrait et sans vie, sa religion velléitaire et sans efficace. Elle peut avoir un rôle propédeutique, car elle peut allumer les désirs, éveiller l'espérance, définir schématiquement les relations de l'homme et de Dieu. Mais pour que cette velléité devienne réalité, pour que le désir du salut soit efficace, pour que les rapports de l'homme et de Dieu deviennent intimes et concrets, il faut un Acte et une Parole qui procèdent non de l'homme mais de Dieu ; il faut un fait divin, une initiative divine, une histoire sainte. Ainsi la religion d'anthropocentrique deviendra théocentrique, ainsi une force et une lumière divine investiront l'homme de puissances surnaturelles. La philosophie ne se suffit donc point ; elle doit faire appel à la révélation, science du surnaturel, science des actes et des paroles divines, science de l'Incarnation.

ANNEXE

LA GENÈSE DE LA RELIGION SELON LES PHILOSOPHES CONTEMPORAINS ET BIBLIOGRAPHIE

A. L'EXPLICATION SPÉCULATIVE.

I. — L'IDÉALISME MÉTAPHYSIQUE.

G. W. HEGEL. — (1770-1831)

« La religion est la connaissance de Dieu, la plus haute sphère de la conscience de l'homme, la connaissance par l'esprit fini de son essence comme esprit absolu... La vraie religion, la religion de l'esprit doit avoir un « credo », un contenu. L'esprit est essentiellement conscience, et conscience d'un contenu qui est devenu son objet. En tant que sentiment, il est ce même contenu qui ne s'est pas objectivé, qui ne s'est que qualifié, pour me servir de l'expression de Jacob Boehme, et il constitue le degré le plus infime de la conscience, cette forme de l'âme qui appartient aussi à l'animal. »

« La religion est la région où toutes les énigmes de la vie et toutes les contradictions de la pensée trouvent leur solution, où s'apaisent toutes les douleurs du sentiment, la région de l'éternelle vérité, de la

---

[1] Au sujet de la délicate question, dont traite ce chapitre, j'ai sollicité l'avis de MM. R. Aubert et M. F. Sciacca et des RR. PP. M. d'Arcy, G. de. Broglie, F. C. Copleston, J. Daniélou, R. Garrigou-Lagrange, A.-D. Sertillanges. On trouvera aux dernières pages de ce chapitre leurs réponses. Plusieurs de mes collègues ont bien voulu se charger de la rédaction de certaines notices. Citons MM. les Professeurs L. Malevez (K. Barth et Brunner), R. Debauche (J. Maréchal), H. L. van Breda (E. Husserl), L. Stinglhamber (J. Balmes). Je leur suis fort reconnaissant de cette précieuse collaboration.

paix éternelle. Là coule le fleuve de Léthé où l'âme boit l'oubli de tous les maux ; là toutes les clartés du temps se dissipent à la clarté de l'infini. Dans la conscience de Dieu, l'Esprit est délivré de toute forme finie ; c'est la conscience entièrement libre, la conscience de la vérité absolue. »

Bibliographie : G. W. F. HEGEL, *Werke*, 19 vol. Berlin, 1832-45 — *Theologische Jugendschriften, hrs. Nohl*, Tübingen, 1907. — HEGEL, *La Phénoménologie de l'Esprit*, 2 vol. trad. Hyppolite, Aubier, Paris — *Leçons sur la Philosophie de l'Histoire*, trad. Gibelin, 2 vol. 1937 — *Morceaux choisis*, trad. Lefebvre et Guttermann, 1939 — *Esthétique*, 4 vol. 1944 — *Les Preuves de l'Existence de Dieu*, trad. et introd. de Niel, Paris, 1947 — *Logique*, trad. Véra, 2 vol. Paris, 1879 — *Philosophie de l'Esprit*, trad. Véra, 2 vol. 1867-70 — *Philosophie de la Nature*, trad. Véra, 3 vol. 1863 — *Philosophie de la Religion*, trad. Véra, 2 vol. 1876 — *Logique subjective*, trad. Sloman, 1854 — *La Poétique*, trad. Bénard, 2 vol. 1855 — R. HAYM, *Hegel und seine Zeit*, 1857 — H. W. VAN DEN BERGH VAN EYSINGA, *Hegel en Schopenhauer*, Amsterdam, 1904 — J. WAHL, *Le Malheur de la Conscience dans la Philosophie de Hegel*, 1919 — G. W. CUNNINGHAM, *Thought and Reality in Hegel's System*, New-York, 1910 — K. FISCHER, *Hegels Leben, Werke und Lehre*, 2 vol. Heidelberg, 1901 — P. ROQUES, *Hegel, sa vie et ses œuvres*, 1912 — R. KRONER, *Von Kant bis Hegel*, 2 vol. 1921-1924 — B. HEIMANN, *System und Methode in Hegels Philosophie*, Leipzig, 1927 — T. L. HÄRING, *Hegel sein Wollen und sein Werk*, 2 vol. Leipzig, 1928-1938 — W. MOOG, *Hegel und die Hegelsche Schule*, München, 1930 — *Hegel-Heft, Kant-Studien*, Bd. XXXVI, 1931 — K. NAEDLER, *Die dialektische Widerspruch in Hegels Philosophie und das Paradox des Christentums*, 1931 — *Hegel nel Centenario della sua morte*, Milano, 1931 — N. HARTMANN, *Hegel et la Dialectique du réel*, (RMM, pp. 285-316, 1931) — H. GLOCKNER, *Hegel-Lexikon*, 4 vol. Stuttgart, 1934-1940 — Th. STEINBÜCHEL, *Das Grundproblem der Hegelschen Philosophie*, Bonn, 1935 — L. PELLOUX, *La Logica di Hegel*, Milano, 1938 — H. NIEL, *De la Médiation dans la Philosophie de Hegel*, 1945 — J. HYPPOLITE, *Genèse et Structure de la Phénoménologie de l'Esprit de Hegel*, 1946 — Fr. GRÉGOIRE, *Aux Sources de la Pensée de Marx, Hegel, Feuerbach*, Louvain-Paris, 1947.

V. GIOBERTI. — (1801-1852)

La pensée se justifie par elle-même sans appel. Comment juger de la pensée, en dehors de la pensée ? Comment l'éviter ? Comment la dénigrer sans lui rendre hommage ? Or qu'est-ce qui assure à la pensée cette indéclinable primauté ? C'est qu'elle a pour objet l'être qui n'est point du logique, un phénomène de conscience, mais qui est saisi par l'esprit comme une synthèse immanente de l'idéel et

du réel, en rapport immédiat avec l'acte créateur. Gioberti, comme
Malebranche, attribue à l'esprit l'intuition de Dieu ; mais il n'est
pas déterministe. Dans le système de Malebranche, Dieu paraît
comme l'Intelligible qui détermine, mais qui n'accorde à sa créature
aucune activité. Gioberti, au contraire, dérive de Dieu et l'universalité de la pensée et sa concrétion, son existentialité et sa nécessité.
Créer, c'est produire de l'existentiel déterminé, subsistant en soi dont
les modalités comme le fonds originel apparaissent dynamiquement
et nécessairement liés à l'Être. Quiconque fait de l'acte créateur l'objet
immédiat de l'intuition spirituelle peut expliquer l'union et la distinction des êtres, l'immanence et la transcendance de Dieu. Celui qui en
fait une vérité dérivée, s'engage dans des impasses sans issue. L'idéalisme échoue parce qu'il n'a pas conçu de cette façon le rapport originel de la pensée à l'être. Comment échapper au logicisme, affirmer
simultanément la réalité de l'Absolu et celle du relatif, éviter le
panthéisme sans recourir à la doctrine de la création ? Dans le système
de Hegel, la pensée ne peut s'achever ; car dans ce devenir le néant
joue un rôle positif, alors qu'il est en fait négativité pure. Affirmer
la création, c'est au contraire croire à la primauté absolue de l'Être
dont dépendent et la réalité et les limites de l'être.

La création, étant l'acte qui fait subsister aussi bien l'esprit que
l'être en lui-même, ne peut ni ne doit être prouvée ; elle est la vérité
première que toutes les affirmations de l'esprit présupposent et qui
n'en présuppose aucune autre. « Toute notion abstraite doit se fonder
sur du concret ; et si, d'une part, sans abstraction, il est impossible
de réfléchir et de raisonner, d'autre part, il faut dire que l'abstraction, à son tour, n'est possible que par une intuition qui la précède…
En tant qu'être intelligent, notre esprit reçoit de Dieu l'impulsion
parce qu'il est créé par Dieu, parce que, en vertu de l'intuition, il
perçoit l'acte créateur, parce qu'il en est le témoin et le spectateur
continuel, parce qu'il le voit directement et immédiatement du
regard de l'âme, de la même manière qu'avec les sens il saisit les
propriétés des corps. » (Del Bello, pp. 30-31). L'esprit saisit l'acte
créateur non tel qu'il est en Dieu — car l'esprit ne peut pénétrer
l'essence divine — mais tel qu'il paraît dans son actuation concrète ;
il assiste au fiat divin quoiqu'il ne comprenne point la nature intrinsèque de ce fiat.

Les néo-hégéliens ont tenté de faire de Gioberti un panthéiste :
ils ont argué de certains de ses écrits posthumes où il affirme l'incroyable intimité de Dieu et du monde, sans marquer suffisamment la

transcendance divine. Cependant, même dans ses derniers écrits, Gioberti reste fidèle à la doctrine de la création qui exclut radicalement le panthéisme. « Dieu, dit-il, est un être très réel, très personnel, une substance qui pense et qui veut, une activité qui crée, un foyer qui illumine les esprits, tout en restant distinct de chacun d'eux. » (Protologia, I, p. 137).

Dieu, malgré son intelligibilité intrinsèque, est obscurité et mystère pour l'esprit ; il est supra-intelligible. Ainsi une place est laissée au surnaturel et à la Révélation qui n'est pas considérée comme un produit de la raison. Gioberti n'est pas humaniste et distingue nettement la religion de la culture. Les formes et les exigences de la civilisation se modifient, tandis que la religion demeure immuable. Durant les dernières années de sa vie, Gioberti a pourtant tenté de rationaliser le dogme.

Bibliographie : V. GIOBERTI, *Teorica del Sovrannaturale*, Bruxelles, 1838 — *Del Buono*, Bruxelles, 1843 — *Del Bello*, 2e éd. Capolago, 1849 — *Introduzione allo studio di filosofia*, 4 vol. 1861 — *Filosofia della Rivelazione*, Turin, 1856 — *Protologia*, 2 vol. Torino, 1861 — V. GIOBERTI, *Introduction à l'Etude de la Philosophie*, trad. Tourneur et Défourny, 2 vol. 1847 — *Lettre sur les doctrines philosophiques et religieuses de M. de Lamennais*, Bruxelles, 1843. — B. SPAVENTA, *La Filosofia di Gioberti*, Naples, 1863 — L. FERRI, *Essai sur l'Histoire de la Philosophie au XIXe siècle*, Paris, 1869 — K. WERNER, *Die italienische Philosophie des neunzehnten Jahrhunderts*, 5 vol. Vienne, 1884-86 — F. PALHORIÈS, *Gioberti*, 1929 — I. RENIERI, *La Filosofia di V. Gioberti*, Genova, 1931.

O. PFEIDERER. — (1839-1908)

Dieu est une personne subsistant en soi en vertu de pensées et d'énergies qui lui sont propres et qui le rendent immanent à lui-même. Pfeiderer prétend éviter le panthéisme et le déisme. Dieu est le Tout qui enveloppe et se subordonne tout ce qui est. Rien ne subsiste en dehors de Lui, quoiqu'il subsiste distinct de tout, indépendant de toute médiation extrinsèque. La religion et la philosophie ont le même objet ; elles se distinguent comme la croyance du savoir, comme un savoir imparfait du savoir adéquat. La religion n'a pas pour but de résoudre le problème d'une façon théorique, mais d'orienter vers Dieu les désirs, les vouloirs et les sentiments, en tenant compte des particularités du moi et de sa relation concrète au monde.

Bibliographie : O. PFEIDERER, *Die Religion ihr Wesen und ihre Geschichte*, Berlin, 1869 — *Geschichte der Religionsphilosophie*, Berlin, 1892 — *Religion und Religionen*, München, 1911.

E. Caird — (1835-1908)

Dieu est l'Absolu, non l'Absolu inconnaissable, mais immanent à la pensée. L'homme est religieux parce qu'il est doué de raison, car, dans tout acte de conscience, Dieu est immédiatement présent comme principe suprême d'intelligibilité et d'unité. La religion « est toujours la conscience, sous une forme plus ou moins adéquate, d'une force divine comme principe d'unité d'un monde où nous ne sommes pas seulement spectateurs mais parties. En fait, la présence de cette unité comme élément ou comme prémisse de notre conscience est le seul motif qu'un homme ait d'être religieux » (Evolution of Religion, I, p. 235).

Dieu et l'homme sont corrélatifs comme l'unité et la pluralité. L'identité et la différence sont les conditions de la pensée et de la réalité. Dieu n'est pas une unité abstraite, mais différenciée, organique et concrète. Dieu est l'Idée dont la raison peut prendre possession et non la Transcendance à laquelle elle accéderait par la foi ou par le sentiment.

Bibliographie : E. Caird, *Hegel*, 1883 — *The Critical Philosophy of Immanuel Kant*, 2 vol. 1889 — *The Evolution of Religion*, 2 vol. (Gifford Lectures), 1893 — *The Evolution of Theology in the Greek Philosophers*, (Gifford Lectures), 2 vol. 1904 — H. Jones and J. H. Muirhead, *The Life and Philosophy of E. Caird*, Glascow, 1921 — J. H. Muirhead, *Contemporary British Philosophy*, London, 1925 — R. Metz, *Die philosophischen Strömungen der Gegenwart in Grossbritannien*, Leipzig, 1935.

W. Wallage — (1944-1897)

« La religion est la foi ou une théorie qui donne de l'unité aux faits de la vie... une conviction dominante qui donne le sens de la réalité. » (Hegel's Philosophy of Mind, p. 27) L'homme est le point de suture entre la Nature et l'Esprit. Le dogme de l'Incarnation est le symbole visible de l'immanence de Dieu dans le monde, et du monde en Dieu.

Bibliographie : W. Wallace, *Lectures and Essays on Natural Theology and Ethics*, 1898.

B. Bosanquet — (1848-1923)

L'Individualité ou l'Absolu est l'Universel-concret, ou l'intégration plénière et harmonique de l'unité et de ce qui la différencie ; elle est simultanément Vérité et Valeur. La personne n'est pas l'Individualité authentique, car la personne ne peut s'enclore en elle-même et oscille sans équilibre et sans repos.

Être religieux, c'est vouloir le salut ; on se sauve en cessant d'être seul, en se vouant à une valeur suprême. La foi sauve. « Toutes les ressources du savoir peuvent contribuer à la foi. Mais la foi s'oppose à la vue, car il lui est essentiel de nous élever à un autre monde, alors que nous demeurons ici... Vous ne pouvez devenir un Tout qu'en vous adjoignant à un Tout, voilà je pense ce qu'est la religion. A parler en toute rigueur, nous n'avons pas besoin d'aller plus outre. » (What religion is, pp. 1-12).

La religion positive, si spiritualisée qu'elle soit, manque de portée métaphysique ; car son Dieu est transcendant, alors que l'Absolu n'est pas un Au-delà, mais un principe immanent à l'esprit. C'est par la pensée systématique, qui relie la partie au Tout et qui élimine l'irrationnel, que l'homme s'unit à l'absolu.

Bibliographie : B. BOSANQUET, *The Civilization of Christendom and other Studies*, 1893 — *Psychology of the Moral Self*, 1897 — *Logic or the Morphology of Knowledge*, Oxford, 2ᵉ éd. 2 vol. 1911 — *The Principle of Individuality and Value* (Gifford Lectures), 1912 — *The Value and Destiny of the Individual* (Gifford Lectures), 1912 — *What Religion is*, 1920 — *The Meeting of Extremes in contemporary Philosophy*, London, 1920 — H. BOSANQUET, *B. Bosanquet*, London, 1924.

F. H. BRADLEY — (1846-1924)

L'homme veut émerger du chaos et se reposer dans une vérité plénière. La philosophie a pour but de l'y aider.

L'homme agit ; son action morale se constitue par le rapport infrangible du particulier à l'universel ; il est aussi vain de chercher le plaisir pour le plaisir comme le souhaitent les utilitaires, que de vouloir le devoir pour le devoir comme le prescrit Kant ; ces deux vouloirs isolés l'un de l'autre sont irréels et abstraits. Il n'y a point de dualité entre la norme universelle du vouloir et son terme concret, entre le devoir et l'être. Le devoir doit réaliser l'homme, le rendre utile, l'insérer dans les situations concrètes que la société lui impose.

Cependant la moralité n'accomplit pas définitivement l'esprit, car le devoir connote une inadéquation à l'être. Le rôle de la religion est d'achever la morale. De par son essence la religion répond à des besoins pratiques ; pour les satisfaire elle recourt à Dieu comme à un être personnel. De ce fait le Dieu du croyant n'est pas l'Absolu authentique, car tout être personnel est affecté de limites.

Bradley oppose la Réalité à l'Apparence. La Réalité est l'Absolu, l'unité qui ne s'oppose point à une pluralité, la plénitude de cohérence et de vérité, la totalité non brisée. Le sentiment en donne comme une anticipation, car il est possession sans opposition, repos dans une totalité non ébréchée et sans fissure. L'apparence, au contraire, est ce qui est chaotique, multiple, antithétique.

L'homme peut-il atteindre l'Absolu ou séjourne-t-il dans le monde des apparences ? A l'encontre de Hegel, auquel il se rattache pourtant, Bradley affirme la transcendance de l'Absolu. En effet, toute pensée est relationnelle et discursive ; le jugement fait la synthèse du donné et d'un élément idéel, d'un *that* et d'un *what*. Aucune de ces synthèses n'est plénière et ne supprime l'opposition entre le sujet et l'objet. L'activité spéculative est sujette à l'erreur, tout comme le vouloir est sujet au mal : le caractère personnel de l'homme, non moins que ses actes, le limitent. L'Absolu dans lequel le bien ne s'oppose pas au mal, la vérité à l'erreur, le moi au toi, est donc inaccessible et hors de portée ; il demeure étranger au métaphysicien, tout comme il l'est au croyant.

Bradley se montra satisfait de son système : il avait raisonné éperdument et avec une magnifique rigueur. Son âme n'était pas particulièrement religieuse. Son humour lui fit fausser compagnie à Hegel ; mais il se retrouva nez à nez avec Spencer. L'Absolu fut pour lui ce qu'il avait été pour ce dernier, l'Inconnaissable. Les Anglais, à la suite de cette prodigieuse aventure, se défièrent plus que jamais de l'idéologie et crurent qu'il était sage de subordonner les idées aux faits.

Bibliographie : F. H. BRADLEY, *Essays on Truth and Reality*, Oxford, 1914 — *The Principles of Logic*, 2 vol. 2e éd. Oxford, 1922 — *Ethical Studies*, Oxford, 1927 — *Appearance and Reality*, Oxford, 9e éd. 1930 — *Faith* (Phil. Review, XX). — McTAGGART, *Appearance and Reality* (RMM, pp. 98-112, 1894) — G. F. STOUT, *Bradley's Theory of Jugement*, (Proc. Ar. Soc., 1903) — H. STURT, *Idola Theatri*, 1906 — H. RASHDALL, *The Metaphysic of Bradley*, London, 1912 — C. A. CAMPBELL, *Scepticism and Construction*, London, 1931 — T. K. T. SEGERSTEDT, *Value and Reality in Bradley's Philosophy*, Lund, 1934 — R. G. ROSS, *Scepticism and Dogma*, 1940.

J. McTAGGART — (1866-1925)

La dialectique est la méthode essentielle dont les synthèses successives assurent à l'esprit sa croissance organique et sa vérité plénière. La philosophie peut se déployer en mystique quand elle arrive à son terme ; mais sa méthode ne doit pas être mystique. L'essence de l'être doit être établie par une déduction apriorique, déduction qui se fonde sur une donnée existentielle absolument certaine dont la dialectique n'a pas à mettre en doute l'évidence. La dialectique ne progresse point exclusivement en vertu de nécessités déterminantes, quoiqu'elle doive pourtant se développer rationnellement.

Il existe des substances ; elles ne sont ni simples ni rentrées en elles-mêmes ; elles ont des qualités et des relations. L'univers est un système de substances corrélatives à un Tout, présent en elles et qui les relie. Cependant elles sont plus que des relations et leur rapport mutuel ne peut compromettre leur aséité. Le monisme fait de la personne une modalité du Tout ; McTaggart, en pluraliste, subordonne le Tout à la personne, dont il veut à tout prix sauvegarder l'autonomie. La personne subsiste en soi, distincte de toute autre ; la relation au Tout que le philosophe nomme l'Absolu, et le croyant Dieu, ne peut dissoudre la personne. Elle est l'être immuable et éternel qui ne peut être ni créé ni détruit ; elle préexiste au temps et est douée de survivance. Elle n'est pas, comme l'idéaliste le soutient, constituée par la conscience, car celle-ci dérive de la personnalité comme de sa source. La personne est une réalité ultime et l'Absolu ne la domine pas. La croyance en Dieu n'est pas légitime quand on lui attribue une puissance illimitée et qu'on en fait un Créateur. Le monisme sacrifie la personne à l'Absolu ; McTaggart croit devoir sacrifier l'Absolu à la personne.

Le système se termine par un hymne mystique à l'Amour qui rend immédiat et extatique le rapport entre les personnes. L'Amour ne se définit ni par la sympathie, ni par la vertu, ni par la beauté, ni par aucun sentiment particulier ; il est cette puissance fondamentale et de portée métaphysique, qui est si intense et si immédiate, qu'elle est inexprimable. « La Religion est une émotion qui se base sur la conviction de l'harmonie entre nous-mêmes et l'Univers. » (Some Dogmas of Religion, p. 3, London, 1906.)

Bibliographie : J. McTaggart, *Studies in the Hegelian Dialectic*, Cambridge, 1896 — *Studies in Hegelian Cosmology*, Cambridge, 1901 — *Some Dogmas of Religion*, London, 1906 — *A Commentary on Hegel's Logic*, Cambridge, 1910 — *The Nature of Existence*, 2 vol. 1921-1927 — *Philosophical Studies*, London, 1934 — C. D. Broad, *Examination of McTaggart's philosophy*, Cambridge, 1933 — R. Metz, *Die philosophischen Strömungen in Grossbritannien*, Leipzig, 1935.

O. Hamelin — (1856-1907)

Pour justifier la valeur de la pensée, Hamelin déduit d'une façon systématique les représentations et adopte une dialectique synthétique qui montre la corrélation des concepts. Sa méthode — contrairement à ce qu'il pense — n'est pas essentiellement différente de la méthode de Hegel, mais les conclusions des deux philosophes divergent notablement.

En effet, au terme de sa dialectique, après avoir fait l'ultime synthèse de la causalité et de la finalité, Hamelin affirme que la Personnalité est le terme suprême de la vie de l'esprit. L'esprit se révèle comme un système agissant, comme un rapport de soi à soi, comme un être concret, doué d'existence propre. « Manifester son indépendance et sa suffisance par un caractère interne, c'est se faire ou être libre. » (Essai, p. 356).

« L'être est conscience, mais la conscience est simultanément théorique et pratique, pensée et liberté, présence d'un objet à un sujet. Il ne faut pas confondre la conscience avec l'idée de la conscience ; elle est acte au même degré qu'elle est idée. C'est dans et par l'acte libre que l'être concret pleinement réel se pose et entre en possession de soi-même. » (Ibid p. 455.) Ce qui est premier, ce n'est donc ni la pensée ni la liberté qui sont des abstractions, mais c'est la personne. On ne peut absorber la liberté dans l'idée. La nécessité implique une contingence ; l'être est non seulement une essence qui se détermine, mais réalisation d'une essence. « Ce qui est voulu possède sans conteste une détermination de plus que ce qui ne l'est pas. C'est cette détermination qui est pour nous... le fondement véritable de la réalité proprement dite... Exister, c'est être voulu (pp. 429, 430). Pareillement, on ne peut absorber l'idée dans la liberté. « Si la contingence était la source unique de la volonté, il faudrait qu'elle se fît elle-même volonté ; et pour cela qu'elle commençât par se donner une conscience et une intelligence. Mais cette génération de la raison est bien difficile à comprendre ; car le déterminé ne sort pas sans peine de l'indéterminé... Le pur volontarisme lui-même, qui est un empirisme sublimé, ne saurait nous satisfaire. D'un commun accord, l'empirisme et le volontarisme définissent l'existence par le fait pur : par le fait de tomber sous la perception ou par le fait de se produire comme un accident primordial. Bref, ils font de l'existence une position absolue. Nul passage analytique ou rationnellement synthétique entre l'intelligence et l'actuel. A la vérité, le volontarisme prétend bien que les déterminations de l'être sont une suite de l'acte vide, de l'existence pure, posée d'abord, mais on ne suit pas sans peine cette procédure, de sorte qu'elle équivaut à un néant de passage. » (Ibid. pp. 414, 432-433.)

Quand on analyse la conscience, on constate que la causalité et la finalité, la pensée et l'action sont solidaires : la liberté implique la conception des possibles ; la pensée n'atteint l'objectif que par la médiation d'une subjectivité. Elles sont néanmoins distinctes, car une dialectique purement idéelle oppose des contraires qui se concilient automatiquement dans la synthèse logique, tandis qu'une dialectique pratique oppose des contradictoires irréductibles : être ou ne pas être.

Aussi la source originelle et le terme ultime de l'être est l'Esprit, système agissant, qui fait la synthèse de la cause et de la fin, du motif et de l'acte, de l'existence et de l'essence : « C'est la collaboration de la contingence et du déterminisme, avec l'unité caractéristique des collaborations et des solidarités, une unité qui rassemble sans identifier à la rigueur ni jusqu'à confondre. » (Ibid. p. 422.) La personne c'est la pensée qui s'actualise par la volonté et la volonté qui se détermine par la pensée.

De cette déduction de la conscience ou de l'être découle logiquement ce qu'il appelle « l'hypothèse théiste ». Certes les preuves de l'existence divine prêtent à des difficultés. Une action de Dieu, révélant d'une manière irréfragable son auteur, pourrait suppléer à leur faiblesse. « Mais l'acte créateur initial ne tombe pas sous l'observation, et l'intervention libre de Dieu dans l'histoire du monde, le miracle, pour l'appeler par son nom, n'a jamais été constaté avec une vraie certitude. » (Ibid. p. 493.) A défaut de preuves ou d'indices positifs pleinement probants, Hamelin justifie le théisme par des raisons négatives.

En effet qui nie le théisme fait de l'Absolu de l'infrahumain. L'Absolu ne peut être ni une Inconscience impersonnelle ni une Idée impersonnelle. Car, d'une part, pour admettre un Absolu inconscient, il faudrait renoncer radicalement à l'idéalisme ; d'autre part, l'idée ou la nécessité à elle seule n'intériorise pas l'esprit en lui-même.

Le panthéisme idéaliste a sa source dans la déduction kantienne qui rattache la pensée à un Je transcendantal et impersonnel. L'infini devient ainsi le général, l'incomplet même dans sa notion ; il est inférieur à la conscience finie qui est acte.

Dieu est étendue et durée (Hamelin a fait de l'espace et du temps des catégories de la pensée) ; il est surtout liberté : « L'esprit c'est, en même temps que le déterminisme, la liberté, la liberté qui suppose le déterminisme totalisé et dépassé. » (Ibid. p. 486.) Suivent quelques développements sur la création et la chute que Renouvier et Secrétan inspirent à Hamelin.

On peut admirer la rigueur de cette construction d'ensemble. On peut se demander pourtant à propos du personnalisme de Hamelin comme à propos de celui de McTaggart, s'ils restent encore dans la ligne de l'idéalisme. L'idéalisme fait de l'être une relation idéelle, mais en scrutant la pensée ceux-ci n'arrivent-ils pas à découvrir que la pensée est plus qu'une relation et donc que l'être est plus que l'idée ? En fait le personnalisme des néo-hégéliens sonne le glas de l'idéalisme et ouvre la voie à une métaphysique réaliste.

Bibliographie : O. HAMELIN, *Essai sur les Éléments principaux de la Représentation*, 1907 — *Le Système de Descartes*, 1911 — *Le Système d'Aristote*, 1920 — *Le Système de Renouvier*, 1927 — A. DE BEAUPUY, *La Philosophie d'O. Hamelin* (Études, pp. 513-32, 1909) — D. PARODI, *La Philosophie contemporaine en France*, 1925 — L. J. BECK, *La méthode synthétique de Hamelin*, 1935 — A. DE WAELHENS, *Sur les Origines de la Pensée de Hamelin*, (RNP, pp. 21-45, 1926).

G. GENTILE (1875-1943)

La philosophie de Gentile est un idéalisme métaphysique. Toutes les formes de la culture et de la vie se rattachent au moi transcendantal. Le moi empirique est sous la loi du temps et ne peut se rassembler en lui-même ; le moi métempirique, au contraire, se recueille en lui-même et atteint le «toujours». D'ailleurs ces deux moi sont entés l'un sur l'autre ; ils forment l'esprit dont l'acte est toujours synthèse du concret et de l'universel.

Cet idéalisme est un actualisme. Ce qui n'agit point, l'inerte, est néant d'être ; la pensée ne se comprend et ne comprend le monde que dans l'acte où elle se fait être. Il ne s'agit pas de cataloguer des concepts, d'analyser la pensée-pensée, mais de saisir la pensée pensante et agissante qui se comprend parce qu'elle se pose (conceptus sui), et qui, en se comprenant, se transcende. L'être doit être résolu dans l'acte vivant de la conscience ; il faut dépasser la logique conceptuelle d'Aristote, ne pas se contenter d'une analyse des produits de l'intellection, mais remonter à l'acte qui les engendre et qui les proroge au-delà de ce qu'ils sont. La pensée pure n'est pas creuse, mais elle doit s'alimenter du concret et informer le concret. Ainsi elle sera à la fois métaphysique et historique, science des valeurs, agir conscient et illimité, mouvement, conquête, éthique, pédagogie, communion intrinsèque des esprits dans une communauté spirituelle et divine.

La pensée est liée à la nature qui est le tremplin, lequel la relance au delà d'elle-même. Rien n'existe qui soit élément de pure négation ou de mort, obstacle infranchissable. Pas de mal absolu ! pas d'erreur absolue ! Tout s'apparente à l'esprit et l'esprit peut rendre toutes choses bonnes ou vraies.

Les activités de l'Esprit sont l'Art, la Religion, la Philosophie. L'art est subjectif, non conceptuel, création infinie qui ne se heurte point aux limites de l'extériorité. La religion au contraire est objective et se bute à une transcendance. Cette transcendance sans doute n'est pas totale, sinon il n'y aurait nulle conscience de l'Absolu. Cependant la conscience religieuse ne peut faire la synthèse du sujet et de l'objet dans l'acte religieux. Le sujet crée l'œuvre d'art et ne s'aliène pas en lui. Dieu au contraire est l'autre : il ne dérive point du sujet ; il lui est antérieur et le conditionne. En face de Dieu l'activité du sujet s'émousse ; il se sent passif, impuissant ; il s'agenouille, prie, s'anéantit devant l'infinité de l'Être suprême. « Le poète trouve son monde en son cœur, le saint n'y trouve que le vide et tourne les yeux vers un ciel lointain. » (RMM, p. 491, 1923). L'art est immédiateté, vision ; la religion est médiateté, mystère.

L'art et la religion, moments abstraits de l'esprit, sont par eux-mêmes statiques et atomiques. L'artiste s'immobilise dans son monde imaginaire et subjectif ; la religion, de son côté, rivée à une transcendance, est incapable d'expansion. La philosophie les rend l'une et l'autre expansives, elle rend l'art religieux et l'intériorise ; elle rend la religion esthétique, historique, dynamique. « L'art est la conscience du sujet ; la religion la conscience de l'objet ; et la philosophie la conscience du sujet et de l'objet... L'art est en lui-même contradictoire et a besoin d'être intégré dans la religion : celle-ci à son tour contradictoire par elle-même a besoin d'être intégrée dans l'art. Leur intégration mutuelle constitue la philosophie. » (Il Mod. p. 232, 1909)

Gentile s'estime religieux, chrétien, voire catholique. Il se dit religieux, parce qu'il a le culte de l'esprit ; il se dit chrétien, parce que sa religion est à la fois métaphysique et historique, universelle et concrète, parce qu'il croit à l'Incarnation et se dit personnaliste, parce qu'il n'a nulle sympathie pour les formules fades et équivoques des modernistes ; il s'estime catholique parce que le monadisme spirituel lui répugne et qu'il ne conçoit pas l'Esprit en dehors de l'Église, communauté ontologique qu'il veut organique, pourvue des institutions spirituelles et concrètes qui lui assurent l'unité.

Et certes — pourquoi le contester ? — le système de Gentile, comme celui de Hegel, est religieux par orientation. Peut-on être philosophe, se recueillir, vivre en soi sans chercher Dieu ? Admettons même que la conception religieuse de Gentile, à la différence de celle de Hegel, soit catholique d'inspiration. Cependant, pas plus que le protestantisme authentique ne peut se reconnaître dans la doctrine de Hegel, ainsi le catholique ne peut se rallier à l'immanentisme de Gentile. Tout idéalisme est irréligieux, car subordonnant l'homme à Dieu, il subordonne pareillement Dieu à l'homme. Ainsi il détruit le rapport religieux, qui se définit toujours par une transcendance. Le chrétien ne connaît la vérité surnaturelle que par le Christ, et, s'il affirme l'Incarnation, s'il croit à l'Église, c'est à cause de la Parole du Verbe Incarné dont l'amour gracieux est imprévisible et dont le témoignage garantit la certitude du croyant. Quand la philosophie résorbe la foi dans la raison et la dérive des catégories de la pensée, elle dégrade la parole divine. Un christianisme rationaliste est un christianisme diminué et humanisé.

Bibliographie : G. GENTILE, *Scritti filosofici*, Bari, 1921-1926 — *Introduzione alla Filosofia*, Firenze, 1933 — *La mia Religione*, Firenze, 1943. — G. GENTILE, *L'Esprit, acte pur*, trad. Lion, 1925 — *Art et Religion*, (RMM, pp. 477-596, 1923). — E. CHIOCHETTI, *La filosofia di G. Gentile*, 1921 — Fr. DE SARTO, *Gentile e Croce*, 1925 — J. BAUR, *G. Gentiles Philosophie und Pädagogik*, Langensalza, 1925 — M. SCIACCA, *Il Problema di Dio e della religione nella Filosofia attuale*, Brescia, 1946.

II. — L'Idéalisme phénoménologique.

E. Husserl. — (1859-1938)

1º « Comme philosophe Husserl n'a pas traité de façon explicite du problème de Dieu. Les quelques indications parsemées dans ses ouvrages édités n'ébauchent même pas une doctrine religieuse. Il faut bien tenir compte des endroits où elles se trouvent, et ne pas oublier que Husserl y parle plutôt du problème théologique *per transennam* et à titre d'exemple concret. Pareillement aucun grand manuscrit inédit ne traite longuement du problème de Dieu. Husserl exprime plusieurs fois sa conviction qu'une théologie naturelle ne pourra être élaborée de façon vraiment scientifique qu'après un long travail préparatoire d'études phénoménologiques. Lui-même ne se croit pas encore capable de la commencer. »

2º. « Les travaux édités de Husserl sont des ouvrages où il étudie la méthode de l'analyse phénoménologique et essaie d'en montrer les bases philosophiques. A l'exception des *Logische Untersuchungen*, les analyses qu'il donne ne sont que des exemples. Les analyses concrètes et complètes qu'il a élaborées par centaines en appliquant la méthode exposée, (tout en la corrigeant), se trouvent surtout dans ses inédits. Une des corrections les plus importantes qu'apportent ces inédits, c'est précisément l'importance beaucoup plus grande de l'intuition, et ainsi du réel objectif donné dans la perception. C'est ainsi qu'il pose implicitement le problème de l'existence, et il n'est donc pas étonnant qu'un nombre considérable d'existentialistes soient des disciples de Husserl. »

3° « Le point de départ de toute analyse phénoménologique est le monde donné ; ce qui veut dire, pour Husserl, la totalité de l'être conscient, *für mich Seiende*. L'analyse intentionnelle va nous apprendre l'histoire intentionnelle (c'est-à-dire la formation des sens) de ce monde donné. Le but de cette analyse est donc de retrouver la donnée authentique et primordiale, en partant de la donnée complexe et constituée (le monde). Après avoir terminé cette analyse (elle ne sera, en principe, jamais terminée), le philosophe pourra exposer la constitution de ce monde à partir des données primordiales. Husserl enseigne explicitement que cette donnée primordiale nous est fournie par l'intuition, dont le type le plus fondamental est la perception (dans son sens ; pas la « perception » de l'École, mais l'intuition intellectuelle) ».

4° « Dans le monde constitué au sens dit plus haut, apparaît la religion et une conception de Dieu. Cette conception sera typique pour chaque *Kulturkreis* ; pour le phénoménologue européen, le point de départ sera la conception de notre milieu culturel. Husserl est convaincu qu'il y a à l'intérieur même de ce monde culturel constitué, un noyau authentique, qui est en principe identique aux différents types de culture. Il faudra donc d'abord retrouver par l'analyse intentionnelle, ce noyau qui appartiendra à ce que Husserl appelle, dans sa dernière période, le *Lebenswelt* en opposition avec le *Kulturwelt*. Partant de ce noyau, il faudra encore étudier sa constitution. Pour la religion et pour Dieu, le but sera donc de retrouver d'abord la conception authentique de ces deux contenus à l'intérieur du *Lebenswelt* ; puis, partant de là, on va rechercher la base intuitive, contenue à l'intérieur même de ce noyau, et qui est la source du sens de ce noyau constitué. »

5° « Husserl considère que, dans la conception tout aussi bien de la religion que de Dieu, il y a beaucoup d'éléments catégoriaux (discursifs, dirions-nous) qui sont des constitués au sens fort du mot. Ils le sont toujours sur la base d'un noyau intuitionné. *Pour Dieu, Husserl ne signale pas, à ma connaissance, ce qu'il considère comme ce noyau.* »

« On ne peut donc déterminer la pensée religieuse de Husserl que par déduction. On trouve un essai remarquable de déduction de ce genre dans le livre d'A. Brunner (La Personne incarnée, pp. 116-120). D'après cet auteur, Dieu ne serait pour Husserl, que l'Absolu idéel présent à la raison. Uniquement préoccupé de logique, ayant mis entre parenthèses le problème de l'existence, l'Absolu serait pour lui l'acte immanent de la pensée humaine, et manquerait de transcendance. ».

« Cette interprétation sévère peut se justifier ; elle n'en reste pas moins conjecturale ; car que d'idéalistes, lorsqu'ils étaient croyants — et Husserl l'était — ont cru pouvoir démontrer philosophiquement l'existence d'un Dieu transcendant! De plus l'idéalisme de Husserl ne semble pas aussi radical qu'on le suppose. Husserl admet l'existence d'une intuition prérationnelle qui l'oblige à tenir compte de l'existence des choses et des réalités, antérieurement à notre travail constitutif et catégorial ».

6° « Comme homme, Husserl a accepté le fait d'une Révélation. Il n'est pourtant pas possible de spécifier ce qu'il comprenait au juste par là. Comme philosophe, il n'a pas raccordé sa foi à ses conceptions philosophiques. Son estime pour le Christianisme, qu'il considère comme une des bases de la culture, était extrêmement grande ; mais il ne l'a pas considéré comme une des sources de la pensée philosophique. Certes il a toujours gardé une forte répulsion philosophique pour le terme « dogme », terme qu'il ne comprenait pas dans le sens que lui assigne la théologie catholique. »

H. L. VAN BREDA.

Bibliographie : E. HUSSERL, *Logische Untersuchungen*, 3 vol. Halle a. S. 1913 — *Ideen zu einer reinen Phänomenologie und phänomenologischen Philosophie*, (Jahrbuch für Philosophie und phän. Forschung, 1913) — *Formale und Transcendentale Logik*, (*Ibid*. 1929) — *Nachwort zu Meinen Ideen* (*Ibid*. 1930). — E. HUSSERL, *Méditations Cartésiennes*, trad. Peiffer et Levinas, Paris, 1931. — V. DELBOS, *Husserl*, (RMM, pp. 685-698, 1911) — J. GEYSER, *Neue und alte Wege der Philosophie*, Münster, 1916 — J. HERING, *Phénoménologie et Philosophie religieuse*, Paris, 1926 — G. GURVITCH, *Les tendances actuelles de la Philosophie allemande*, 1930 — E. LEVINAS, *La Théorie de l'Intuition dans la Phénoménologie de Husserl*, 1930 — J. MARÉCHAL, *Phénoménologie pure ou Philosophie de l'Action* (Festschrift für J. Geyser, Regensburg, I, pp. 377-444, 1931 — H. J. POS, *Descartes en Husserl* (TW. XXXI) — *La Phénoménologie, Journées d'Études de la société thomiste*, 1932 — W. KEILBACH, *Zu Husserls phänomenologischen Gottesbegriff*, (Phil. Jahrbuch, 1932) — E. FINK, *Die phänomenolo-*

gische Philosophie E. Hursserls, (KS. pp. 319-383, 1933) — A. DE WAEL HENS, *Phénoménologie et Réalisme.* (RNP, pp. 497-517, 1936) — G. BERGER, *Husserl et Hume* (RIP, pp. 342-353, 1939) — P.-L. LANDSBERG, *Husserl et l'Idée de la Philosophie*, (RIP pp. 317-325, 1939) — E. FINK, *Das Problem der Phänomenologie E. Husserls* (RIP, pp. 226-270, 1939) — G. BERGER, *Le Cogito dans la Philosophie de Husserl*, 1941 — H. L. VAN BREDA, *De transcendenteel phaenomenologische reductie in Husserl's laatste periode*, Louvain, 1941 — M. FARBER, *The Foundation of Phenomenology*, Cambridge, Massachusetts, 1943 — H. L. VAN BREDA, *Het Husserl-Archief te Leuven* (T. P. 1945) — A. BRUNNER, *La Personne Incarnée*, 1947.

III. — LE DÉTERMINISME POSITIVISTE.

A. COMTE — (1798-1857)

Dans l'histoire de la civilisation on peut distinguer trois stades : le stade théologique (fétichisme, polythéisme, théisme), le stade métaphysique (forces impersonnelles), le stade positiviste où l'on renonce aux réalités occultes et illusoires pour s'en remettre à la science positive. Cette science a pour mission de coordonner les activités des hommes et de créer les structures sociales. Comte voulut fonder une religion dont l'Humanité serait la fin suprême et dont les savants seraient les créateurs.

Bibliographie : A. COMTE, *Cours de Philosophie positive*, 6 vol. 1830-1842 — *Catéchisme positiviste*, 1852 — *Système de Politique positive*, 4 vol. 1851-54. — E. LITTRÉ, *Auguste Comte et la Philosophie positive*, 1863 — J. STUART MILL, *Auguste Comte and Positivism*, 1865 — H. SPENCER, *Reasons for Dissenting from the Philosophy of M. Comte*, 1684 — A. LÉVY-BRUHL, *La Philosophie d'A. Comte*, 1905 — E. SEILLIÈRE, *Auguste Comte*, 1905 — E. CAIRD, *Philosophie sociale et religion d'A. Comte*, trad. Crum, Préface Boutroux, Paris, 1907 — J. PETER, *Auguste Comte*, Stuttgart, 1936 — H. GOUHIER, *La Jeunesse d'A. Comte et la formation du Positivisme*, 3 vol. 1933-1941 — H. DE LUBAC, *Le Drame de l'Humanisme athée*, 1945.

H. SPENCER — (1820-1903)

« Dans toutes les directions, les investigations de l'homme de science l'amènent en face d'une énigme insoluble ; et plus il y réfléchit, plus il la trouve insoluble. Il saisit de suite la grandeur et la faiblesse de l'esprit humain — sa capacité à s'emparer de tout ce qui tombe dans le champ de l'expérience, et son incapacité à saisir tout ce qui est en dehors de l'expérience. Plus que tout autre, il sait, lui, en toute certitude, que rien ne peut être connu dans sa nature ultime... En examinant nos pensées, nous voyons combien il est impossible de nous débarrasser de la conscience d'une Réalité cachée derrière les apparences, et comment, par suite de cette impossibilité même, s'établit notre foi indestructible dans cette Réalité... Eh bien, cette conception d'un pouvoir incompréhensible que nous appelons omniprésent, parce que nous sommes dans l'impossibilité d'en fixer les limites, est précisément ce qui sert de base à la religion. » (Prem. Princ. pp. 105 sq.)

Puisque le connaissable et l'inconnaissable s'opposent dans l'acte de tout savoir comme le phénomène au noumène, ils existent l'un et l'autre et prêtent à deux disciplines dont l'indépendance est mutuelle. La science a pour objet le phénomène qui est connaissable ; la religion a pour objet le noumène inconnaissable. Que le savant renonce à spéculer sur l'absolu et à nier l'existence de Dieu ; que le théologien renonce à ses mythes et ne conditionne point l'inconditionné ! Ainsi l'entente entre la science et la religion sera parfaite.

Bibliographie : H. Spencer, *Education*, 1861 — *A System of Synthetic Philosophy*, 10 vol. London. 1862-1893 — H. Spencer, *Les Premiers Principes*, trad. Guymiot, 1930 — *Principes de Psychologie*, trad. Ribot et Espinas, 2 vol. 1874-75 — *Principes de Sociologie*, trad. Gaselles et Gerschel, 3 vol. 1880-83 — *Essais sur le Progrès*, trad. Burdeau, 1877 — *De l'Education physique, intellectuelle, et morale*, 1879 — *Les Bases de la Morale évolutionniste*, 1880 — *Autobiographie*, trad. de Varigny, Paris, 1907 — F. H. Collins, *Résumé de la Philosophie de H. Spencer*, trad. de Varigny, 1891 — E. Thouverez, *Herbert Spencer*, 1905 — J. Laminne, *La Philosophie de l'Inconnaissable*, Bruxelles, 1908 — J. A. Thomson, *H. Spencer*, London, 1906.

H. Taine — (1828-1895)

Le monde est constitué par des phénomènes dont la science détermine les relations nécessaires. Puisque l'être s'étale en surface, sans profondeur inaccessible, tout est connaissable ; puisque tout est relatif et qu'il n'existe aucune transcendance, rien ne peut faire obstacle à la science.

D'où naît la religion ? Elle surgit de la nature. « Les premières religions ne sont qu'un langage exact, le cri involontaire d'une âme qui sent la sublimité et l'éternité des choses, en même temps qu'elle perçoit leur dehors. » (Derniers Essais, p. 77) La nature est divine ; les dieux en émanent. La religion est une émotion, un rêve objectivé, un « poème tenu pour vrai », un mythe. Les mythes varient selon le milieu et la race qui leur donnent naissance. Aussi leur valeur n'est pas pareille. La mythologie grecque est belle, pleine de santé et d'équilibre ; les mythes chrétiens sont pessimistes et antinaturels. Ils surgissent d'un monde mauvais et gâté : « La vie présente n'est qu'un exil ; notre fond naturel est vicieux... L'expérience des sens et le raisonnement des savants sont insuffisants et trompeurs ; prenons pour flambeau la foi, la révélation divine. » (Phil. de l'Art, II, p. 145)

Taine n'aime pas le christianisme ; la religion de la science lui paraît plus objective et plus mystique. « La nature est Dieu, le vrai Dieu, et pourquoi ? Parce qu'elle est parfaitement belle, éternellement vivante, absolument une et nécessaire... Ceux qui nient que ce Dieu puisse être adoré, ignorent les ravissements de la science. L'homme qui, parcourant les lois de l'esprit et de la matière, s'aperçoit qu'elles se réduisent toutes à une loi unique, qui est que l'Être tend à exister ; qui voit cette nécessité intérieure, comme une âme universelle, organiser les systèmes d'étoiles, pousser le sang de l'animal dans ses veines, porter l'esprit vers la contemplation de l'infini ; qui voit le monde entier sortir vivant et magnifique d'un unique et éternel principe, ressent une joie et une admiration plus grandes que le dévôt agenouillé devant un homme agrandi. » Dieu est la loi impersonnelle et nécessaire qui relie toutes choses, et l'acquiescement du stoïcien à la nécessité est l'attitude la plus noble de l'homme.

« Au suprême sommet des choses, au plus haut de l'éther lumineux et inaccessible, se prononce l'axiome éternel, et le retentissement prolongé de cette formule créatrice compose par ses ondulations inépuisables, l'immensité de l'univers. Toute forme, tout changement, tout mouvement est un de ses actes... L'indifférente, l'immobile, l'éternelle, la toute-puissante, la créatrice, aucun nom ne l'épuise ; et quand se dévoile sa face sereine et sublime, il n'est point d'esprit d'homme qui ne ploie, consterné d'admiration et d'horreur. Au même instant, cet esprit se relève ; il jouit par sympathie de cette infinité qu'il pense, et participe à sa grandeur. » (Phil. français, p. 371)

A la fin de sa vie, souffrant des épreuves de la France, Taine ne garda pas cet optimisme souriant. Il s'aperçut que le mal est plus qu'un mythe créé par une imagination malsaine ; il en vint même à attendre du christianisme, ce qu'il ne pouvait plus attendre « ni de la raison philosophique, ni de la culture, ni le l'honneur, ni d'un code, ni d'une administration, ni d'un gouvernement. » Cependant jamais il ne crut, et mourut en souriant au destin qu'il chargeait de fonctions non relatives et idéelles, mais existentielles et absolues.

Bibliographie : H. TAINE, *Essais de Critique et d'Histoire*, 1855 — *Les philosophes français dn XIX⁰ siècle*, 1857 — *L'Idéalisme anglais*, 1864 — *Philosophie de l'Art*, 1865 — *De l'Intelligence*, 2 vol. 1870 — *Le Positivisme anglais*, 1878 — *Les Origines de la France contemporaine*, 12 vol. 1871-1894. — G. BARZELOTTI, *La Philosophie de Taine*, 1900 — V. GIRAUD, *Essai sur Taine*, 1903 — P. NÈVE, *La Philosophie de Taine*, Louvain, 1908 — A. CHEVRILLON, *Taine, La Formation de sa Pensée*, 1932.

E. RENAN — (1823-1892)

Positivisme historiciste et romantique. « La philosophie est cette tête commune, cette région centrale du grand faisceau de la connaissance humaine, où tous les rayons se touchent dans une lumière identique... Je crois comme Kant, que toute démonstration purement spéculative n'a pas plus de valeur qu'une démonstration mathématique et ne peut rien nous apprendre sur la réalité existante... Chaque être vivant a son rêve qui l'a charmé, élevé, consolé : grandiose ou mesquin, plat ou sublime ; ce rêve est sa philosophie. » (Av. Science, pp. 155, 149, 287.)

« Si l'on veut dire qu'il existe une science première, contenant les principes de toutes les sciences, une science qui peut à elle seule, et par des combinaisons abstraites, nous amener à la vérité sur Dieu, le monde, l'homme, je ne vois pas la nécessité d'une telle catégorie du savoir humain... Il n'y a pas de vérité qui n'ait son point de départ dans l'expérience scientifique, qui ne sorte directement ou indirectement d'un laboratoire ou d'une bibliothèque, car tout ce que nous savons, nous le savons par l'étude de la nature ou de l'histoire... La tentative de construire la théorie des choses par le jeu des formules vides de l'esprit est une prétention aussi vaine que celle du tisserand qui voudrait produire de la toile en faisant aller sa navette sans y mettre du fil... Sur toute la ligne, les sciences, soit historiques, soit naturelles, me paraissent destinées à recueillir l'héritage de la philosophie... La vraie théologie est la science du monde et de l'humanité, science de l'universel devenir, aboutissant comme culte à la poésie et à l'art, et par-dessus tout à la morale... Dans la nature et dans l'histoire, je vois bien mieux le divin que dans les formules abstraites d'une théodicée superficielle et d'une ontologie sans rapport avec des faits. » (Frag. philos. pp. 282, 281, 310 ; Essais, p. 82)

« Toutes les expressions dont se sert la théodicée pour expliquer la nature et les attributs de Dieu impliquent une psychologie finie. On rapporte à Dieu tout ce qui dans l'homme a le caractère de la perfection, liberté, intelligence, etc., sans remarquer que ces mots sont la négation même de l'infinité... La tentative d'expliquer Dieu, l'ineffable, par des mots est aussi désespérée que celle de l'expliquer par des récits ou des images : la langue condamnée à cette torture, proteste, hurle, détonne. Toute proposition appliquée à Dieu est impertinente, une seule excepté : il est... L'homme religieux est celui qui sait trouver en tout le divin, non celui qui professe sur la divinité quelque aride et inintelligible formule... Dieu sera toujours le résumé de nos besoins supra-sensibles, la catégorie de l'idéal. » (Frag. philos. p. 324 ; Ét. hist. relig. p. 419)

Bibliographie : E. RENAN, *L'Avenir de la Science*, 1890 — *La Vie de Jésus*, 1863 — *Essais de Morale et de Critique*, 1859 — *Dialogues et Fragments philosophiques*, 1876 — *Drames philosophiques*, 1888 — *Marc-Aurèle*, 1881 — *Nouvelles Etudes d'histoire religieuse*, 1884 — G. SÉAILLES, *E. Renan*, Paris 1895 — R. ALLIER, *La Philosophie d'E. Renan*, Paris, 1895 — P. LASSERRE, *La Jeunesse d'E. Renan*, 2 vol. Paris, 1925 — J. POMMIER, *La Pensée religieuse de Renan*, Paris, 1925 — H. PSICHARI, *Renan d'après lui-même*, Paris, 1937.

L. BRUNSCHVICG — (1869-1944)

Intellectualiste qui renonce à l'ontologie et qui exalte le savoir positif et mathématique. Pas d'irrationnel ni de dualité entre l'objet et le sujet ; l'objet n'existe que par et pour le sujet. Pas de mysticisme ni de dualité entre la finalité et la causalité : tout est nécessité, unité fonctionnelle des termes compénétrés par l'activité déterminante de l'esprit.

L'être est l'idée ; l'idée est le nombre. Cette découverte fondamentale fait le progrès de la conscience occidentale et la rend religieuse, voire chrétienne. La religion est purement immanente et naît de la corrélation rigoureuse des termes dans le jugement ; elle est la modalité de l'acte rationnel, sans avoir aucun objet propre. Dieu est l'idéal formel de la pensée qui inspire le travail scientifique. Se convertir, ce n'est pas adorer un Dieu transcendant, c'est-à-dire imaginaire, mais s'intérioriser dans la vérité, se transcender au dedans de soi-même.

Le rôle de la religion est de « nous révéler dans toute sa perfection l'idéal de la vie spirituelle, la communion de tous les êtres dans leur principe qui est l'unité même. Et c'est ainsi qu'elle transforme l'idée que nous nous faisons de notre destinée. Nous ne sommes plus un individu enfermé dans ses désirs et dans ses craintes, condamné à lutter pour conserver ou accroître sa vie physique. Nous sommes le centre universel, le centre de la pensée qui donne à toutes choses la vérité et la beauté, qui marque à toute activité sa loi et son but ; nous sommes l'esprit. » (Idéal. cont.p. 165.) Dieu est la vérité, « L'intériorité de la raison à la conscience », le Verbe impersonnel présent à l'esprit. L'acte est religieux, chaque fois qu'il est acte de pensée.

Il y a deux religions, celle de *l'homo religiosus* qui subordonne la vérité à une révélation extérieure, qui se crée des mythes imaginaires, qui s'adonne à des pratiques superstitieuses, recourant à des réalités nouménales, fondant sa foi sur la métaphysique, l'autorité, la tradition. A cette religion superstitieuse et charnelle s'oppose la religion de *l'homo sapiens* qui s'identifie à Dieu dans l'acte infini de la pensée. La pensée scientifique et mathématique est l'organe de la divinité, c'est « l'application de l'esprit à Dieu la plus pure et la plus parfaite dont on soit naturellement capable ». Le savant est le saint qui vit « sub specie aeterni ».

Bibliographie : L. BRUNSCHVICG, *L'Idéalisme contemporain*, 1905 — *Nature et Liberté*, 1921 — *Theology* (Enc. of Religion and Ethics, XII, 1921) — *L'Expérience humaine et la Causalité*, 1922 — *Le Progrès de la Conscience dans la Philosophie occidentale*, 1927 — *De la Connaissance de Soi*, 1931 — *La Raison et la Religion*, 1939 — *Héritage de mots, Héritage d'idées*, 1945. — L. CARBONARA, *L. Brunschvicg*, Napoli, 1931 — A. MESSAUT, *La Philosophie de L. Brunschvicg*, 1938 — A. D. SERTILLANGES, *Le Christianisme et les Philosophes*, II, pp. 488, sq. 1941 — L. LAVELLE, *La Philosophie française entre les deux Guerres*, pp. 179-200, 1942 — H. J. POS, *L. Brunschvicg en zijn betekenis.* (TW. XXXIX).

IV — LA PENSÉE CONCRÈTE.

B. CROCE.

Il en est qui abordent la philosophie avec des préoccupations morales, scientifiques ou religieuses. B. Croce l'aborde, préoccupé d'art, d'histoire, détaché de toute transcendance. L'acte le plus élevé de l'esprit est l'intuition lyrique et expressive de la beauté. La tâche de la philosophie est d'y préparer.

L'esprit est organique ; et par conséquent la totalité de ce qu'il est agit dans chacun de ses actes. Chacune des formes de la culture est solidaire des autres ; c'est d'une façon continue que l'esprit passe de l'une à l'autre, s'enrichissant et se diversifiant. Cependant l'esprit a des activités multiples d'où procèdent les diverses branches de la culture. Croce distingue les activités théoriques des activités pratiques. A leur tour les activité théoriques se subdivisent en connaissance intuitive ou expressive (l'esthétique) et en connaissance conceptuelle (la logique) ; les activités pratiques en activités économiques et morales.

Croce est intellectualiste et subordonne donc la pratique à la théorie, il est phénoméniste et par conséquent subordonne l'activité morale à l'activité économique, la logique à l'esthétique. Celle-ci est souveraine, se fonde en elle-même, saisit l'individuel en tant qu'individuel. De soi elle est amorale, désintéressée, alogique quoique la pensée et les valeurs y interviennent implicitement.

Qu'est-ce que la religion ? A l'encontre de la tradition philosophique, Croce — nous le constatons par la classification qui précède — ne fait pas de la religion une des formes essentielles de la culture. A l'encontre de Hegel qui affirme qu'elle est le terme suprême de la vie de l'esprit, à l'encontre des philosophies de la valeur, qui considèrent la sainteté comme le principe synthétique de toutes les valeurs, il ne considère pas davantage la religion comme le centre transcendant qui raccorde entre elles toutes les formes de la culture.

L'esprit est acte sans relation à une transcendance ; il s'identifie à lui-même dans sa réalité concrète, sans référence à aucune réalité nouménale. Il n'a pas des actes ni une histoire ; il est ses actes et son histoire ; il ne se subordonne ni à l'idée, ni à la valeur, ni à l'être ; l'être, la valeur, l'idée ne sont réels qu'en lui et par lui. La philosophie n'est pas une métaphysique, mais une méthodologie concrète qui doit immerger l'esprit dans l'histoire, l'exalter dans la contemplation artistique, le réaliser concrètement.

« La perfection de l'acte de philosophie consiste, si je ne me trompe, dans le fait d'avoir dépassé la forme provisoire de la théorie abstraite et de penser la philosophie des faits particuliers en racontant l'histoire, l'histoire pensée. » (RMM, p. 37, 1919) Les catégories de l'esprit ne valent que dans l'expérience, elles ont pour fonction d'étoffer les faits et de servir à l'interprétation historique. La métaphysique est creuse ; elle pose de faux problèmes. Le problème de Dieu est de ceux-là.

Mais, dira-t-on, la religion ne peut-elle être concrète, historique et esthétique ? Ne peut-elle à ce titre se justifier ? Croce — et il ne se trompe point en cela — se refuse à confondre la religion avec l'art ou l'histoire. Il faut distinguer l'activité esthétique de l'activité religieuse, car la première est intuitive et non conceptuelle, contemplative et non objective. L'esthète voit, jouit ; il ne juge point, ne dogmatise point, ne moralise point. An contraire, la religion affirme, exige l'adhésion absolue à la donnée révélée. Le mythe, qui pour

l'artiste est symbole, est pour le croyant objet d'assentiment. Il
apparaît comme un symbole à celui qui ne croit plus ; au fidèle il
s'impose, non comme une métaphore, mais comme la vérité divine.
De même la religion ne coïncide jamais avec l'histoire, car elle
s'énonce non comme un simple fait, mais comme explication d'un fait ;
elle transforme l'histoire en métaphysique. Qu'on examine le dogme
chrétien, la *Civitas Dei* de S. Augustin, voire le messianisme de Marx,
toutes ces idéologies subordonnent le réel à des abstractions, l'intuition
au concept. Il faut comprendre qu'il n'existe point de philosophie
de l'histoire, mais que l'histoire concrète, dégagée de toute transcendance, est la philosophie.

La religion, quand elle est historique, cesse d'être vraiment de l'histoire ; quand elle s'occupe d'art, l'art cesse d'être pur et intuitif.
Quelle que soit la forme qu'elle prenne, la religion se manifeste
comme un sous-produit de la culture, une activité humaine faussée,
déviée et illusoire. Elle fausse la logique en la séparant de l'esthétique,
l'esthétique en objectivant des mythes, la morale en la détachant de
l'économique. Le philosophe doit donc renoncer à la religion quoi qu'il
en coûte à son cœur. Il semble d'ailleurs que Croce s'en soit détaché
sans chagrin ni regret. Il avoue qu'à la différence de Spaventa, son
grand-oncle paternel, le problème religieux et théologique ne le
hanta pas longtemps. Esprit sans profondeur et sans âme, il vit dans
l'actuel et ne requiert aucun Au-delà.

Tout récemment il écrivit un article pour dire pourquoi il ne peut
être chrétien. Comme fils de l'histoire, tout penseur moderne dépend
du passé chrétien, mais il est fils non moins de tous ceux qui n'ont
pas cru et qui ont engendré sa culture. Le christianisme est un fait,
mais non un fait privilégié et absolu. Il émane comme tout fait non
de Dieu, mais de l'homme. L'humanisme seul est vrai et le théocentrisme est un faux mirage.

On pourrait comparer la théorie religieuse de Croce à celle de
Brunschvicg. L'un et l'autre sont des néopositivistes, l'un et l'autre
sont athées et ne laissent aucune place à la religion. Cependant Brunschvicg se soucie de la science, tandis que Croce se passionne pour
l'histoire : le premier garde encore en apparence le respect de la religion, le second s'en moque et la méprise.

Bibliographie : B. Croce, *Logica come Scienza del concetto puro*, Bari,
1909 — *La Filosofia di G. Vico*, Bari, 1911 — *Frammenti di Etica*, Bari,
1922 — *I carattere della filosofia moderna*, Bari, 1945 — *Discorsi di varia
filosofia*, 2 vol. Bari, 1945 — B. Croce : *Ce qui est vivant et ce qui est mort*

dans la Philosophie de Hegel, trad. Buriot, 1910 — *Esthétique*, trad. Bigot, 1904 — *Philosophie de la Pratique*, trad. Buriot et Jankélévitch, Paris, 1911 — *Philosophie de J.-B. Vico*, trad. Buriot-Darsiles et Bourgin, Paris, 1913 — *Bréviaire d'Esthétique*, trad. Bourgin, Paris, 1923 — *Critique de moi-même* (RMM pp. 1-40, 1919) — *La place de Hegel dans l'histoire de la philosophie* (RMM pp. 211-224, 1939) — P. E. CHIOCHETTI, *La filosofia di B. Croce*, 1915 — H. W. CARR, *The Philosophy of Benedetto Croce*, London, 1917 — A. ALIOTTA, *L'Estetica del Croce e la crisi dell' Idealismo moderno*, 1920 — Fr. DE SARTO, *Gentile e Croce*, 1925 — M. SCIACCA, *Il Problema di Dio e della religione nella filosofia attuale*, Brescia, 1947.

B. — L'EXPLICATION AFFECTIVE.

I. — L'INTUITION PURE DU SENTIMENT.

NOVALIS — (1772-1802)

« Tout sentiment absolu est religieux... Le cœur apparaît comme s'il était l'organe religieux. Peut-être que le ciel n'est rien d'autre que l'émanation supérieure qui procède du cœur. Quand le cœur, après s'être abstrait de tous les objets concrets et réels, se sent lui-même, se prend comme objet idéal, la religion naît ; toutes les tendances particulières s'unifient en une aspiration dont l'objet inouï est un être supérieur, une divinité ; d'où il suit que la véritable dévotion implique tous les sentiments et toutes les tendances. Ce Dieu de la nature nous dévore, nous engendre, s'entretient avec nous, nous élève, nous apaise, se laisse consommer, concevoir et mettre au monde par nous ; bref il étoffe à l'infini nos sentiments et notre activité. Faisons de l'aimé un dieu pareil, voilà la religion concrète. »

Cependant — il est essentiel de le noter — Novalis, à la différence des esthètes modernes, ne détache pas le sentiment esthétique du sentiment moral : « Plus on est moral, plus on est en harmonie avec Dieu, plus on est divin, plus on est uni à Dieu. Ce n'est que par le sens moral que nous pouvons saisir Dieu. Le sens moral est le sens de l'existence, sans impression affective, le sens du plus élevé, le sens de l'harmonie, le sens du choix libre et de la trouvaille, et cependant d'une vie communautaire et de la réalité nouménale, le sens divina-toire : la divination est un savoir sans médiation ni contact. » Novalis distingue aussi l'amour esthétique de l'amour religieux : « Dans la religion il n'y a point de place pour la virtuosité... Schleiermacher a annoncé une espèce définie d'amour et de religion, une religion esthé-tique.... L'amour (religieux) est inconditionné ; il choisit de préférence le plus pauvre et le plus indigne... La religion est l'amour absolu, indépendant du cœur et fondé sur la foi. »

Le croyant prie. « La prière est à la religion ce que la pensée est à la philosophie... A l'origine le même homme était poète et prêtre, et c'est dans des temps ultérieurs qu'ils se sont différenciés. Pourtant le vrai poète est toujours resté prêtre, tout comme le vrai prêtre est toujours demeuré poète. Est-ce que l'avenir ne ramènerait point la situation d'antan ? » (Schriften, II, p. 307 ; III, pp. 70, 150 289, 312, 322).

Bibliographie : NOVALIS, *Schriften*, Hrsg. *Kluckhohn*, 4 vol. Leipzig.—NOVALIS, *Les disciples à Saïs et Fragments*, intr. et trad. Maeterlinck, Bruxelles, 1909 — *Journal intime, suivi des hymnes à la nuit et de maximes inédites*, trad. et préface de Claretie, 1927 — *Hymnes à la Nuit, Cantiques*, trad. Bianquis, Paris, 1943 — R. HAYM, *Die romantische Schule*, Berlin, 1870 — H. DELACROIX, *Novalis, La Formation de l'idéalisme magique*, (RMM, 1903) — SPENLÉ, *Novalis*, 1904 — W. DILTHEY, *Das Erlebniss und die Dichtung*, Leipzig, 1906 — H. LICHTENBERGER, *Novalis*, 1912 — W. J. AALDERS, *Novalis*, Baarn, 1914 — J. NADLER, *Die berliner Romantik*, 1921 — K. FRIEDEMANN, *Die Religion der Romantik* (Phil. Jahrbuch, 1925) — M. BESSET, *Novalis et la Pensée mystique*, 1947.

F. D. SCHLEIERMACHER — (1768-1834)

« La somme totale de la religion est le sentiment que, dans son unité suprême, tout ce qui excite nos émotions est une seule et même chose en tant que sentiment ; c'est le fait de sentir que tout ce qu'il y a d'isolé et de particulier n'est possible que par le moyen de cette unité, c'est-à-dire de sentir que notre être et notre vie sont un être et une vie dans et par Dieu. » (Über die Religion, p. 50). Ce sentiment de l'unité ne peut se séparer de l'activité morale et spéculative, mais il leur est supérieur. Les dogmes dépendent de l'expérience religieuse, mais l'expérience religieuse est indépendante des dogmes. La religion se fonde donc sur une intuition synthétique et émotionnelle. N'importe quel objet peut devenir religieux quand il est senti en fonction du Tout. Panthéiste dans ses premiers écrits, Schleiermacher sembla attacher ultérieurement plus d'importance à la distinction du monde et de Dieu. La religion, amour de l'univers, devint le sentiment d'absolue dépendance à l'égard de Dieu.

Bibliographie : F. E. D. SCHLEIERMACHER, *Werke* : *I. Zur Theologie*, 13 vol. ; *II Predigten*, 10 vol. ; *III. Zur Philosophie*, 9 vol, Berlin, 1835-64 — SCHLEIERMACHER, *La Foi chrétienne* (adaptation par David Tissot), de Boccard, Paris — *Monologues*, trad. Segond, Genève, 1868 — *Discours sur la Religion*, trad. Rougé, Paris, 1944 — R. HAYM, *Die Romantische Schule*, 1870 — B. WEISS, *Untersuchungen über Schleiermachers Dialektik*, 1878 — E. CRAMAUSEL, *La Philosophie religieuse de Schleiermacher*,

Montpellier, 1908 — H. Süskind, *Christentum und Geschichte bei Schleiermacher*, 1911 — W. B. Selbie, *Schleiermacher*, 1913 — G. Wehrung, *Die Dialektik Schleiermachers*, 1920 — W. Dilthey, *Das Leben Schleiermachers*, Berlin, 1922 — D. W. Lütgert, *Die Religion des deutschen Idealismus und ihre Ende*, 2 vol. 1929 — R. B. Brandt, *The Philosophy of Schleiermacher*, 1941 — P. Jonges, *Schleiermacher's Anthropologie*, Assen, 1942.

F. H. Jacobi — (1743-1819)

« La foi en un être suprême, source de toute existence et de tout être, et la foi en Dieu sont données toutes deux à l'homme dans le fait insondable de sa spontanéité et de sa liberté... Je ne connais pas la nature de la volonté, c'est-à-dire d'une force créatrice qui se détermine et se gouverne elle-même ; je ne connais pas son essence intime, car je ne suis point par moi-même. Mais je sens qu'une force de ce genre est la vie la plus intérieure de mon âme ; j'ai par elle le pressentiment de mon origine... Nous faisons l'expérience qu'il y a un Dieu toutes les fois que la conscience morale fait sentir en nous sa puissance prépondérante, attestant de façon indélébile la personnalité... La foi en Dieu nous est donnée avant toute intuition du monde ; avec notre moi est déjà posé le moi originel. Tout au fond du cœur nous contemplons l'image originelle de la vie et la voyons se réfléter à travers la face voilée de la nature et nous sommes pris d'étonnement, nous aimons et adorons ; et cela c'est la religion. » (Œuvres, trad. Anstett, pp. 48, 49 ; 440)

Bibliographie : F. H. Jacobi, *Werke*, 6 vol. Leipzig, 1812-1925 — F. H. Jacobi, *Œuvres philosophiques*, trad. et intr. Anstett, Aubier, Paris. — L. Lévy-Bruhl, *La Philosophie de Jacobi*, 1894 — E. Schmidt, *F. H. Jacobis Religionsphilosophie*, Heidelberg, 1905 — R. Kuhlmann, *Die Erkenntnislehre Jacobis*, Leipzig, 1906 — A. Frank, *F.-H. Jacobis Lehre vom Glauben*, Halle, 1910 — C. F. Bollnov, *Die Lebensphilosophie F.-H. Jacobis*, Stuttgart, 1933.

J. F. Fries — (1773-1843)

« La religion est l'*ahndung* vivace et immédiat de l'apparentement du temporel et de l'éternel... La vraie foi, la confiance en Dieu ont le même fondement dans tous les hommes ; on la renforce uniquement par l'amour, lorsque la faculté du vouloir moral se sublime en piété, et jamais par un accroissement purement scientifique de la connaissance. » (Neue Krit, III, p. 231 ; Hand. prakt. Phil. p. 32)

N. B. Le terme de *ahndung* est trop complexe pour être traduit d'un mot. Fries le considère comme un pressentiment auquel ne correspond aucun concept et qui se traduit en jugements esthétiques.

Bibliographie : J. F. FRIES, *Wissen, Glaube, Ahndung*, Iena, 1805 — *Neue oder antropologische Kritik der Vernunft*, 3 vol. Heidelberg, 1807 — *Handbuch der praktischen Philosophie* (*I. Ethik, II. Religionsphilosophie*), 1818 — *System der Metaphysik*, Heildelberg, 1824. —— Th. ELSENHANS, *Fries und Kant*, 2 vol. 1906 — R. OTTO, *Kantisch-Friessche Religionsphilosophie*, 1909.

R. OTTO — (1869-1937)

La religion a un domaine qui lui est propre, le sacré. Le sacré est une « catégorie a priori d'interprétation et d'évaluation ». Il donne lieu à une connaissance, mais à une connaissance non-rationnelle ; il permet des appréciations, mais ses valeurs ne sont ni empiriques, ni esthétiques, ni morales. Il se manifeste de mille manières, mais toujours il procède d'une intuition mystique qui a pour objet un *arrêton*, quelque chose d'ineffable, quelque chose qu'on peut pressentir et non définir, évoquer et non comprendre.

Le numineux se traduit dans le « frisson devant le mystère », dans la « stupeur devant quelque chose qui est le « Tout Autre », le Transcendant, le Saint ; on le découvre dans le sentiment de la Majesté divine d'où découlent le respect et l'humilité du croyant qui, comme créature, s'abîme dans le néant ; il apparaît dans la communion dynamique et amoureuse de l'âme avec une Énergie Toute-Puissante qui fascine, d'où germe l'expérience du salut, de la conversion, de la régénération, la paix qui dépasse toute raison, le ravissement extatique et mystique.

Bibliographie : R. OTTO, *Naturalistische und religiöse Weltansicht*, Tübingen, 1905 — *Kantisch-Friessche Religionsphilosophie*, Tübingen, 1909 — *Das Heilige*, Gotha, 1917 — *Aufsätze, das Numinose betreffend*, Stuttgart, 1924 — *West-Östliche Mystik*, Gotha, 1926 — *Das Gefühl des Ueberweltlichen*, München, 1932 — *Sünde und Urschuld*, München, 1932. — R. OTTO, *Le Sacré*, trad. Jundt, 1929. — A. LEMAITRE, *La Pensée religieuse de R. Otto*, Lausanne, 1924 — C. HAUTER, *La Pensée religieuse de R. Otto* (Rev. hist. et phil. relig., pp. 264-282, 1924) — E. BUONAIUTI, *Le Modernisme catholique*, trad. Monnot, 1927 — Th. SIEGFRIED, *Grundfragen der Theologie bei R. Otto*, Gotha, 1931 — P. SEIFERT, *Die Religionsphilosophie bei R. Otto*, Düsseldorf, 1936 — J. M. MOORE, *Theories of religious Experience*, 1938.

II. — L'Intuition historique du sentiment.

A. Ritschl. — (1822-1889)

Vouloir fonder la religion sur la métaphysique, c'est faire retour au paganisme. Le savoir religieux et le savoir scientifique sont hétérogènes. La religion provient de ce que l'homme se distingue des phénomènes qui l'environnent, et se place au-dessus de la nature dont il subit l'action. Les jugements religieux sont des jugements de valeur, autonomes, qui réfèrent l'homme à Dieu. Ils sont joyeux ou tristes selon que l'homme se réjouit de la souveraineté acquise sur le monde grâce à l'intervention divine, ou selon qu'il invoque douloureusement l'aide de Dieu pour réaliser ses projets. C'est en contact avec la Révélation qu'ils se forment et deviennent concrets. (Christ. Lehre Recht. III, p. 190 sq.)

Bibliographie : A. Ritschl, *Über das Gewissen*, 1876 — *Theologie und Metaphysik*, 1881 — *Geschichte des Pietismus*, 1860-1886 — *Die christliche Lehre von der Rechtfertigung und Versöhnung*, 1888. — O. K. Ritschl, *A. Ritschls Leben*, 2 vol. Freiburg, 1892-1896 — M. Goguel, *La Théorie d'Albert Ritschl*, (Revue de Théologie et des questions religieuses, 1905) — E. Boutroux, *Science et Religion*, 1911 — A. Jundt, *Essai sur les Principes de l'Ecole de Ritschl*, Montbélliard, 1920 — G. Wobbermin, *Schleiermacher und Ritschl*, Tübingen, 1927 — G. Wobbermin, *Methodefragen der heutigen Schleiermacherforschung*, 1933.

A. Sabatier — (1839-1901)

« Ce que nous appelons la conscience religieuse d'un homme, c'est le sentiment d'un rapport dans lequel cet homme veut être avec le principe universel dont il sait qu'il dépend, et avec l'univers lui-même dans lequel il se voit engagé comme partie dans l'ensemble. Ce sentiment, filial à l'égard de Dieu, fraternel à l'égard des hommes, est ce qui fait le chrétien. » (Phil. Rel., pp. 183, 185)

Bibliographie : A. Sabatier, *Les Religions d'autorité et la Religion de l'Esprit*, 1903 — *Esquisse d'une Philosophie de la Religion*, 1905.

A. Loisy — (1857-1940)

La religion est « l'attitude morale, les formes et les pratiques de vie censée supérieure, moyennant lesquelles les hommes essayent de s'adapter aux conditions spirituelles de leur destin... Le sentiment du devoir est le respect du divin, l'intuition d'une volonté supérieure, plus légitime que nos appétits sensibles, de plus longue portée que notre activité matérielle et personnelle... Que la raison même y contribue, nul ne peut le nier ; qu'elle s'y porte d'elle-même, qu'elle en ait conçu l'obligation d'après ses propres expériences, qu'elle suffise à la faire observer, certainement non. Ce qui l'y pousse, ce qui l'attire et la presse en l'éclairant au delà de ses propres lumières, au delà de ses expériences exactes et matériellement vérifiées, c'est la puissance mystérieuse et sacrée que l'on a personnifiée dans les ancêtres, les esprits, les dieux, Dieu ; c'est la puissance de l'esprit, l'âme de justice et de bonté, l'âme d'humanité qui agit dans les sociétés humaines et dans les individus humains, cherchant à se réaliser davantage et y réussissant peu à peu, malgré mille défaillances. » (Rel. Hum. pp. 241, 166-167)

Bibliographie : A Loisy, *L'Évangile et l'Église*, 1902 — *Simples Réflexions*, 1908 — *A Propos d'Histoire des Religions*, 1911 — *La Religion*, 1924 — *Religion et Humanité*, 1926 — *La Morale humaine*, 1928.

G. Wobbermin. —

Wobbermin demeure dans la ligne de Ritschl et s'efforce de se frayer une voie moyenne entre le psychologisme et l'idéalisme. La psychologie pure ne se suffit point, car elle ne s'occupe point du contenu et de la vérité interne de l'expérience religieuse. Celle-ci se caractérise par des appréciations de valeur, par sa prétention à la vérité. La métaphysique s'occupe aussi des vérités ultimes, mais la religion s'en distingue par son intensité, son intériorité et sa subjectivité ; elle implique une décision personnelle, un acte de confiance.

Celui qui détacherait l'expérience religieuse de la vérité à laquelle elle prétend, la détruirait. Mais on ne peut faire d'une des conditions ou d'un des facteurs du phénomène religieux, son élément constitutif. La pensée ne joue qu'un rôle instrumental. L'essence de la religion est constituée par une active « Einfühlung ». La rationaliser, c'est lui faire violence, voire l'anéantir. Elle consiste dans la relation de l'homme à un monde supérieur que la foi lui laisse pressentir et dont il se sent dépendant. Le sentiment de transcendance et d'immanence apparaissent corrélatifs dans les religions les plus hautes. La religion chrétienne en particulier montre Dieu vivant et agissant dans le temps, présent dans le monde. Son Dieu est un Dieu de Majesté qui domine le monde, mais aussi le Dieu Incarné qui le sauve.

Bibliographie : G. Wobbermin, *Theologie und Metaphysik*, Berlin, 1901— *Der christliche Gottesglaube*, Leipzig, 1911 — *Die religiöse Erfahrung* *(Weltanschauung*, pp. 343-363, Berlin 1911) — *Systematische Theologie*,

3 vol. Leipzig, 1924 — *Schleiermacher und Ritschl*, Tübingen, 1927 — *Nature of Religion*, 1933.

W. DILTHEY — (1833-1911)

C'est la vie qui alimente toute intuition ; chacun a la sienne. Les différentes branches de la culture, la philosophie, la religion, l'art ont chacune des structures particulières. Cependant toutes ces intuitions s'inscrivent dans l'histoire et reflètent des situations d'ensemble ; elles sont spécifiées par l'histoire et relatives à elle. Le rôle du génie est d'adapter la vie à des conditions nouvelles ; le rôle du philosophe est de décrire l'intuition centrale et concrète qui fait l'unité d'un esprit, d'une époque ou d'une branche de la culture, voire de prophétiser la vision de l'avenir. L'étude des choses de l'esprit exige une méthode originale, distincte des méthodes scientifiques. Pour les saisir, chacun doit les réaliser subjectivement et les comprendre comme des émanations de la vie.

« Les intuitions religieuses surgissent d'une relation concrète de l'homme à la vie. Au delà de ce qu'il peut dominer, s'étend un domaine qui est inaccessible à son activité naturelle et que sa connaissance ne peut atteindre. » Cette relation à l'Au-delà qui spécifie déjà le culte des primitifs, les grands génies religieux lui donnent des formes nouvelles ; elle hante leur prière, alimente leur méditation et se formule dans les articles de la foi....Dans ces intuitions demeure un résidu obscur, proprement religieux, que le travail conceptuel du théologien ne peut jamais élucider ni fonder. » (Weltanschauung, pp. 17-20,)

Bibliographie : W. DILTHEY's, *Gesammelte Schriften*, 12 vol. Leipzig, 1923-1936. — W. DILTHEY : *Théorie des Conceptions du Monde*, trad. Sauzin, 1946 — *Introduction à l'Étude des Sciences humaines*, trad. Sauzin, 1942 — *Le Monde et l'Esprit*, trad. Rémy, 2 vol. Paris, 1947 — E. STRANGER, *W. Dilthey*, Berlin, 1912 — A. LIEBERT, *W. Dilthey, eine Würdigung seines Werkes*, Berlin, 1933 — C. Th. GLOCK, *W. Diltheys Grundlegung einer wissenschaftlichen Lebensphilosophie*, Berlin, 1939.

C — L'EXPLICATION DYNAMIQUE

I. — L'Intuition biologique.

L. A. Feuerbach — (1804-1879)

Humanisme matérialiste, dynamique et irréligieux. Feuerbach pense pouvoir prouver par une analyse psychologique que le phénomène religieux a pour principe et pour terme l'homme. En conséquence la religion qui subordonne l'homme à Dieu est fictive et mauvaise. L'homme doit cesser de s'aliéner. L'absolu, c'est l'homme.

I. — « Le sentiment que l'homme a de sa dépendance, voilà le fondement de la religion. L'objet de ce sentiment, ce dont l'homme dépend et se sent dépendant n'est dans l'origine rien d'autre que la nature ». La croyance en émerge ; c'est parce que la nature existe que Dieu apparaît ; c'est à elle que Dieu emprunte ses attributs.

L'homme invoque Dieu pour se réaliser, parce qu'il rêve de toute-puissance : il prie et fait des sacrifices afin que, par suite d'un miracle, ce qui lui est impossible devienne possible. Aucun être religieux, à aucun moment, ne se perd de vue ; l'immortalité qu'il souhaite, n'est que la prorogation d'un attachement égoïste à la vie. « L'essence des dieux n'est autre chose que l'essence du vœu... Qui n'a pas de désirs n'a pas de dieux ! Tel est ton cœur, tel est ton Dieu ; tels sont tes désirs, tels sont tes dieux. Le bonheur, la félicité, voilà le dernier mot de la religion et de la théologie. »

II. — Mais, puisqu'il en est ainsi, puisque l'homme est principe et fin de la religion, comment ne pas reconnaître que son centre est l'homme et non je ne sais quelle divinité extraposée ? « Nous vivons dans la nature, avec elle et par elle, et l'on voudrait que notre origine fût ailleurs ? Quelle contradiction ! » Cette contradiction, Feuerbach s'attache à la rendre manifeste en examinant les diverses religions.

Il y a d'abord les religions concrètes de la nature. Le polythéisme divinise telle ou telle force de la nature. Pourquoi ? Parce qu'il n'en connaît point la nature. « Dieu n'est qu'un mot court et commode par lequel l'homme embrasse l'infinie variété du monde réel pour se dispenser de la peine d'en apprendre et d'en connaître en détail les principes et les lois. » Comment d'ailleurs peut-on diviniser la nature si ce n'est en lui prêtant une personnalité humaine qu'elle ne possède pas et dont le croyant se dessaisit pour la lui conférer ? Les religions de la nature sont donc à base d'ignorance et ont pour résultat l'aliénation de l'homme qui accorde à des fétiches de vains sacrifices.

Viennent ensuite les religions abstraites : le monothéisme spiritualiste et philosophique. Leurs formules diffèrent, mais en fait le contenu de ces religions est pareil à celui des religions primitives. Le Dieu créateur qu'elles adorent et dont elles attendent du secours, demeure un double de l'homme, son ombre. La création est l'objet d'un désir fictif de l'homme qui voudrait modeler la nature d'après ses fantaisies. « Faire provenir la nature de la puissance et de la sagesse d'un créateur, c'est produire des enfants d'un regard, apaiser la faim avec l'odeur des mets, remuer les rochers par des sons harmonieux. » L'homme saisit sa propre autonomie, son propre pouvoir ; c'est dans la mesure où il est effectivement la fin de la création, qu'il croit au créateur. « L'être spirituel que l'homme suppose au-dessus de la nature comme son créateur et son maître n'est pas autre chose que l'être spirituel de l'homme lui-même. » Le fondement du monothéisme est la conscience que l'homme a de sa propre unité. « L'adoration de Dieu n'est qu'une conséquence, une manifestation de l'adoration que l'homme se porte à lui-même... La valeur que je donne à la cause de la vie ne fait qu'exprimer la valeur que, sans en avoir conscience, je donne à la vie elle-même. » Feuerbach reproche au dieu des philosophes d'être abstrait. « Un dieu qui ne manifeste plus son existence, pas même par le tonnerre du verbe, qui n'est perceptible pour aucun sens, pas même pour le plus spirituel de tous, l'ouïe, un tel Dieu n'existe plus du tout. »

Restent les religions qui prétendent résoudre le dualisme de l'esprit et de la matière, et qui se présentent à la fois comme historiques et métaphysiques. Tels sont le christianisme et le panthéisme hégélien. Feuerbach fait du christianisme une critique qui prélude à celle de Nietzsche ; il lui semble que le christianisme cumule à la fois les défauts des religions concrètes et des religions philosophiques. Des premières, il a l'arbitraire et les superstitions ; des secondes, il hérite un sens très vif de la transcendance divine qui lui fait opposer l'homme à lui-même et qui le déchire intérieurement. Le christianisme porte une haine sourde à la chair, à l'État, à la raison ; il engage l'homme à s'abaisser et à se dégrader.

Quant à Hegel, son immanentisme plait à Feuerbach, mais Hegel assigne comme principe à cette immanence l'idée ; or « ces idéalités ne sont autre chose que les phénomènes sensibles, idéalisés par l'abstraction. Que sont, par exemple, l'existence, la qualité, la quantité, ces catégories fondamentales de la logique de Hegel, si ce n'est des attributs des choses réelles ?... Le corps est le fondement de la raison, le lien de la nécessité logique... La seule existence véritable, réelle est l'existence sensible... Toutes les sciences abstraites estropient l'homme... Dieu a été ma première pensée, la raison ma seconde, l'homme ma troisième et dernière. Le sujet de la divinité c'est la raison, mais le sujet de la raison c'est l'homme. »

III. — Toute religion, à des degrés divers, est donc illusoire et malfaisante ; elle est malfaisante parce qu'elle distrait l'homme, le divise, le dépouille de biens qui lui appartiennent en propre, au profit de l'irréel et de l'imaginaire. « La seule providence de l'humanité est la culture et la civilisation... La vérité n'est ni le matérialisme, ni l'idéalisme, ni la physiologie, ni la psychologie ; la vérité c'est l'anthropologie. Pour elle, l'existence est la chose première, non pas l'existence dans le sens de la logique de Hegel, identique à la pensée, mais l'existence garantie par le témoignage des sens. » L'homme est homme parce qu'il est un sensualiste absolu, parce que tout est perceptible à ses sens. Il peut et doit garder le souci du parfait et de l'infini, mais ils ne subsistent pas en dehors de lui ; il faut que le souci de la perfection soit réalisateur, concret, dynamique. « Il s'agit maintenant, avant tout, de détruire l'ancienne scission entre le ciel et la terre, afin que l'humanité se concentre de toute son âme et de toutes les forces de son cœur sur elle-même et sur le présent ; car cette concentration seule produira une vie nouvelle... Autrefois la pensée était pour moi le but de la vie ; mais aujourd'hui c'est la vie qui est pour moi le but de la pensée. » (La Religion, pp. 85, 115, 150, 151, 322, 100, 332, 136, 127-8, 88, 172, 327, 329, 344, 348, 146, 331, 146, 342.)

Bibliographie : L. FEUERBACH, *Das Wesen des Christentums*, Leipzig, 1941 — *Grundsätze der Philosophie der Zukunft*, Leipzig, 1843— *Das Wesen der Religion*, Leipzig, 1845. — L. FEUERBACH, *Essence du Christianisme*, trad. Roy, 1864 — *La Religion*, trad. Roy, 1864. — K. GRÜN, *Ludwig Feuerbach*, Leipzig, 1874 — A. LÉVY, *Feuerbach*, 1904 — F. JODL, *L. Feuerbach*, Stuttgart, 1921 — Fr. ENGELS, *L. Feuerbach*, Stuttgart, 1921 — W. MOOG, *Hegel und die Hegelsche Schule*, München, 1930 — K. LÖWITH, *Von Hegel bis Nietzsche*, 1941 — Fr. GRÉGOIRE, *Aux Sources de la Pensée de Marx*, Louvain-Paris, 1947.

K. MARX — (1818-1883)

Il n'y a rien à attendre de la dialectique des idées, des constructions métaphysiques et fantaisistes de la raison pure. L'homme a besoin d'une carte non du ciel, mais de la terre. C'est à la raison concrète, logique, historique d'en faire le relevé. On ne se passe pas de philosophie, car la philosophie libère ; mais elle doit assurer, comme le disait Ruge, « la liberté de l'homme concret, à savoir la liberté politique, non je ne sais quelle liberté métaphysique, nuage bleu, dont on peut enfumer une chambre de travail, cette chambre fût-elle une prison. »

Marx considère comme définitive la critique que Feuerbach a faite de la religion. « Pour l'Allemagne, la critique de la religion est essentiellement achevée... L'homme crée la religion ; ce n'est pas la religion qui le crée. » Elle le prive au contraire de toute réalité authentique ; elle est « une prise de conscience fautive du monde ». On s'est occupé de l'au-delà ; il est temps de s'occuper de l'en-deça. « La critique de la religion doit se transformer en une critique du Droit, la critique théologique en une critique de la politique. ».

La philosophie s'est appliquée à l'étude de l'histoire, mais elle ne s'y est pas insérée comme un principe actif ; elle a parlé du présent sans s'y rendre présente ; elle a disserté, sans agir ; elle a manqué de contemporanéité. Désormais il faut qu'elle agisse, se révolte contre l'idéologie malsaine qui fait de l'homme un « être humble, asservi, méprisable ». La Réforme a émancipé l'homme de toute religion externe ; il faut le libérer non moins de la religion idéale qui sert de base à la société bourgeoise. Ce qui importe, c'est l'individu, dans sa vie concrète, les conditions de son travail, la répartition des biens. Le souci de l'économique doit prévaloir, car il est le facteur primordial qui détermine les événements de l'histoire et la lutte non moins fatale des classes. Les phénomènes de la culture, fussent-ils spirituels, tombent sous son incidence et en relèvent. L'humanisme, pour être réalisateur, doit soustraire l'homme à l'appel de toute valeur qui le transcende ; il doit être à la fois matérialiste, athée, concret, et social. L'homme sera véritablement homme, quand, par suite d'une évolution et d'une révolution, les biens économiques seront répartis équitablement entre tous ceux qui travaillent. Alors sera résolu le problème urgent de la justice, d'une justice, vraie, concrète et humaine ; alors le peuple sera libre.

Bibliographie : K. MARX, *Dissertation*, 1841 — *Kritik der Hegelschen Rechtsphilosophie*, 1844 — *Das Elend der Philosophien*, 1847 — MARX UND ENGELS, *Das kommunistische Manifest*, 1847 — K. MARX, *Zur Kritik der*

politischen Ökonomie, 1858 — *Das Kapital*, 3 vol. 1867-1894. — K.
MARX, *Œuvres complètes*, trad. Molitor, 1929 sq. — B. CROCE, *Materialismo
storico ed Economia marxista*, 1900 — M. ADLER, *Marx als Denker*, Berlin,
1908 — K. VORLÄNDER, *Marx, Engels und Lassalle als Philosophen*
Stuttgart, 1920 — A. CORNU, *La Jeunesse de K. Marx*, Paris, 1934 — ,
N. BERDIAEFF, *Problèmes du Communisme*, 1936 — *La Philosophie du
Communisme* (Archives de Phil. XV, pp. 145-233) — K. LÖWITH, *Von
Hegel bis Nietzsche*, 1941 — J. HYPPOLITE, *La Conception hégélienne de
l'État et sa critique par K. Marx* (Cahiers int. de Sociologie, pp. 142-161,
1947). — F. ENGELS, *Œuvres complètes*, trad. Brache, 1935 sq. — V. I.
LÉNINE, *Œuvres complètes*, Paris, 1928 sq.

J. LEUBA —

« Ce qui rend la vie religieuse, au sens historique du mot, c'est
le fait qu'on entretient des relations avec une espèce particulière
de pouvoir ou qu'on s'efforce de tirer parti de ce pouvoir. Le vouloir-
vivre se manifeste sous forme de religion, lorsque l'homme fait appel
à une catégorie de forces qu'on peut caractériser en gros comme
psychiques, supra-humaines, et qui sont d'ordinaire, mais non pas
nécessairement, personnelles... La raison d'être de la religion ce
n'est pas la réalité objective de ses conceptions, c'est sa valeur biologique. » (Psych. Phén. rel., pp. 6, 71).

Bibliographie : J. H. LEUBA, *A Psychological Study of Religion*, 1912 —
The Belief in God and Immortality, 1916. — J. H. LEUBA. *La Psychologie
des Phénomènes religieux*, trad. Cons, 1914 — *Psychologie du Mysticisme
religieux*, trad. Herr, 1935.

II. — L'INTUITION PRAGMATIQUE.

W. JAMES. — (1842-1910)

« Ce que la religion apporte — il faut toujours s'en souvenir —
paraît toujours être un fait d'expérience ; le divin est actuellement
présent, et entre lui et nous-mêmes les relations du donné et du reçu
sont actuelles. Si des perceptions définies de fait comme celles-là,
ne tiennent pas debout par elles-mêmes, des raisonnements abstraits
ne peuvent certainement pas leur donner le support dont elles auraient
besoin. Une dialectique conceptuelle peut classer des faits, les
définir, les interpréter ; mais elle ne peut les produire, ni les reproduire
dans leur individualité... Dans cette sphère, la fonction de la philosophie est donc secondaire ; elle est incapable de garantir la véracité

de la foi... En toute sincérité et avec regret nous devons conclure que démontrer l'authenticité du salut qui relève de l'expérience religieuse immédiate, par un procédé purement intellectuel, est une tentative absolument désespérée. » (Var. Rel. Exp. p. 445) L'expérience religieuse établit l'union du croyant à un Dieu qui le réconforte et lui assure une plus-value. Dieu est un être agissant, personnel et fini ; il n'est ni transcendant ni absolu. La foi en Dieu est un assentiment téléologique qui valorise l'action concrète.

Bibliographie : W. JAMES, *Principles of Psychology*, 2 vol. 1890 — *The Will to Believe*, 1897 — *Human Immortality*, 1898 — *The Varieties of Religious Experience*, 1902 — *Pragmatism*, 1907 — *A Pluralistic Universe*,, 1909 — *The Meaning of Truth*, 1909. — W. JAMES, *La Volonté de Croire* trad. Moulin, 1897 — *Le Pragmatime*, trad. Le Brun, introd. Bergson, 1911 — *Philosophie de l'Expérience*, trad. Le Brun, 1917 — *L'Expérience religieuse*, trad. Abauzit, 1906 — *Introduction à la Philosophie*, trad. Picard, 1904 — *Précis de Psychologie*, trad. Baudin et Berthier, 1910 — *Extraits de sa Correspondance*, trad. Delattre et Le Breton, 1924 — *L'Idée de Vérité*, trad. Veil et David, 1913. — É. BOUTROUX, *Wiliam James*, 1911 — J. G. UBBINK, *Het Pragmatismus van W. James*, Arnhem, 1912 — H. J. BRUGMANS, *De Waarheidstheorie van W. James*, Groningen, 1913 — J. WAHL, *Les Philosophies pluralistes*, 1920 — E. LEROUX, *Le Pragmatisme américain et anglais*, 1922 — J. BIXLER, *Religion in the Philosophy of W. James*, Boston, 1926 — J. WAHL, *Vers le Concret*, 1932 — R. B. PERRY, *The Thought and Character of W. James*, 1935.

J. DEWEY. —

J. Dewey n'accepte pas la théorie matérialiste qui fait de la conscience un épiphénomène de la matière ; l'idéalisme ne le satisfait pas davantage. La pensée n'est pas un acte de contemplation qui puisse se dégager de l'action ; elle a une fonction instrumentale. C'est quand l'activité est enrayée et qu'elle rencontre un obstacle, que la pensée apparaît, adaptant le vivant à sa situation concrète.

La religion ne comporte aucune doctrine ni aucune activité particulière ; elle se définit comme une « attitude », comme l'acte concret d'adaptation du sujet à l'idéal ou au tout. « Ce tout n'est pas saisi conceptuellement ni assimilé par la réflexion ; il correspond au projet de l'imagination » Celui-là est irréligieux qui prétend exister sans tenir compte du réel et qui demeure solitaire.

Bibliographie : J. DEWEY, *How we Think*, Heath, 1910 — *Human Nature and Conduct*, London, 1922 — *The Quest for Certainty*, New-York, 1929 — *A Common Faith*, New-Haven, 1934. — J. DEWEY, *Comment nous pensons*, trad. Decroly, Paris, 1925. — Tj. DE BOER, *De naturalistische Wijsbegeerte van J. Dewey* (TW 1927) — E. BAUMGARTEN, *Der Pragmatismus*, Frankfurt, 1938 — S. HOOK, *J. Dewey, An Intellectual Portrait*, New-York, 1939 — P. A. SCHILPP, *The Philosophy of J. Dewey*, Evanston, 1939.

F. C. S. SCHILLER. — (1864-1937)

« Quiconque a un idéal et peut concevoir le meilleur, ce qui dépasse son expérience actuelle, est fondamentalement religieux. » (Must Philosophers disagree ? p. 311) La religion n'est pas théocentrique, mais humaniste ; elle adapte Dieu au monde et non le monde à Dieu.

Bibliographie : F. C. S. SCHILLER, *Riddles of the Sphinx*, 1891 — *Axioms as Postulates*, 1902 (Personal Idealism, ed. H. Sturt) — *Problems of Belief*, 1924 — *Logic for Use*, 1929 — *Must Philosophers disagree ?* 1934. SCHILLER, *Études sur l'Humanisme*, trad. Jankélévitch, 1909. — J. WAHL, *Les Philosophies pluralistes*, 1920 — A. K. ROGERS, *English and American Philosophy since* 1800, New-York, 1922.

A. ALIOTTA. —

« Dieu n'est pas une réalité existant en dehors de notre activité ; il a comme limite celle où tend l'harmonie progressive des activités spirituelles... C'est par nos efforts que la réalité atteint sa perfection... L'unité du monde est l'unité d'un processus sans fin qui laisse toujours à notre effort productif la possibilité de nouvelles créations. » (Guerra eterna, pp. 214 sq.)

Bibliographie : A. ALIOTTA. *La guerra eterna*, Napoli, 1917 — *Il problema di Dio e il nuovo pluralismo*, Citta di Castello, 1924 — *L'esperimento nelle scienze, nella filosofia e nella religione*, Napoli, 1936 — *Il sacrificio come significato del mondo*, Napoli, 1946.

III. — L'INTUITION MORALE.

J. KANT. — (1724-1804)

« La religion est (considérée subjectivement) le fait de reconnaître dans tous nos devoirs un commandement divin. » (Die Religion, p. 15)

Bibliographie : I. KANT, *Werke*, 19 vol. Berlin, 1902-1928. — E. KANT, *La Religion dans les limites de la Raison*, trad. Gibelin, 1945 ; trad. Lortet, 1842 ; trad. Tremesaygues, 1913 — *Critique du Jugement*, trad. Gibelin, Vrin, Paris — *Prolégomènes à toute Métaphysique future qui pourra se présenter comme Science*, trad. Gibelin, Vrin, Paris — *Le Conflit des Facultés*, trad. Gibelin, Vrin, Paris — *Philosophie de l'Histoire*, introd. et trad. Piobetta, 1947 — *Critique de la Raison pure*, trad. Tremesaygues et Pacaud, 1905 ; trad. Tissot, 2 vol. 1845 — *Logique*, trad. Tissot, 1840 — *Critique de la Raison pratique*, trad. Picavet, 1902 ; trad. Barni, 1848 — *Anthropologie*, trad. Tissot, 1863 — *La Dissertation de 1770*, Paris, 1942 — *Essai sur le Sentiment du Beau et du Sublime*, trad. Veyland, 1823 — *Pensées successives sur la Théodicée et la Religion*, trad. Festugière, 1931 — *Premiers Principes métaphysiques de la Science de la Nature*, trad. Andler et Chavannes, 1891 — *Principes métaphysiques de la Morale*, trad. Tissot, Paris, 1830 — *Éléments métaphysiques de la Doctrine du Droit*, trad. Barni, 1853 — *Éléments métaphysiques de la Doctrine de la Vertu*, trad. Barni, 1855 — V. DELBOS, *La Philosophie pratique de Kant*, 1905 — E. CASSIRER, *Kants Leben und Lehre*, Berlin, 1918 — *I. Kant*, éd. Gemelli, Milano, 1924. — K. VÖRLANDER, *Immanuel Kant*, 2 vol. Leipzig, 1924 — E. BOUTROUX, *La Philosophie de Kant*, 1926 — J. L. SNETHLAGE, *De Godsdienstphilosophie van I. Kant*, Assen, 1931 — B. JANSEN, *La Philosophie religieuse de Kant*, trad. Chaillet, 1934 — H. J. DE VLEESCHAUWER, *La Déduction transcendantale dans l'œuvre de Kant*, 3 vol. 1934-37 — J. MARÉCHAL, *Le Point de Départ de la Métaphysique* (III. *Critique de Kant*, V. *Le Thomisme devant la Philosophie critique*) Paris, 1942.

F. ADLER. — (1851-1933)

« La religion est ce qui met l'homme en contact avec l'infini ; c'est là sa mission. Si nous mettons de côté les explications matérialistes de la moralité, et voyons la majesté, le caractère auguste, inexplicable qu'elle possède, nous découvrirons que dans la vie morale elle-même, l'expérience morale elle-même, nous possédons la religion. La religion est le noyau de la moralité, car la religion est la connexion de la vie humaine avec l'absolu et la loi morale est une loi absolue. » (Rel. Duty, p. 94)

Bibliographie : F. ADLER, *The Religion of Duty*, 1905.

W. WUNDT. — (1832-1920)

La religion et le mythe sont l'œuvre de l'imagination. Cependant tandis que le propre du mythe est d'animer les objets, la religion est « l'incarnation concrète et sensible de l'idéal moral. Tout ce que l'homme, depuis des siècles, éprouve comme contenu de sa conscience morale, son imagination le transforme en un monde objectif qui reste pourtant en communication constante avec lui. » (Ethik, p. 492) « L'idéal religieux individuel est lié à une Personnalité morale idéale. » (System der Philosophie, pp. 668 sq.)

Bibliographie : W. Wundt, *Völkerpsychologie*, 10 vol., Leipzig, 1900-1920 — *Ethik*, 3 vol. Stuttgart, 1912 — *System der Philosophie*, 2 vol. Stuttgart, 1919 — *Logik*, 3 vol. Stuttgart, 1919-1921. — E. König, *W. Wundts Philosophie und Psychologie*, Stuttgart, 1909 — K. Thieme, *Zu Wundts Religionspsychologie*, Leipzig, 1910 — P. Petersen, *W. Wundt und seine Zeit*, Stuttgart, 1925 — P. S. Hess, *Das religiöse Bedürfnis*, St-Gall, 1935.

H. Cohen. — (1842-1918)

La religion ne relève pas en dernière analyse d'une description historique, mais d'une analyse philosophique qui doit établir son contenu nécessaire ou a priori ; elle se rattache à l'éthique. La fonction de l'idée de Dieu n'est pas d'assurer la prospérité de l'humanité, mais de garantir la valeur de la morale et des efforts humains. Dieu signifie la possibilité d'émerger du péché et de se sauver. C'est le désir du bien, la prière, le fiat de l'homme qui établissent une relation réelle entre l'homme et Dieu. Dieu n'est pas une personne ; il est un Idéal. Le panthéisme fait de l'homme Dieu ; il supprime l'opposition qui constitue le rapport religieux. Dieu est l'Unique (monothéisme judaïque). La doctrine chrétienne de la médiation par le Christ est d'inspiration panthéiste. Dieu ne se révèle pas dans l'homme mais à l'homme. Une révélation historique n'a aucune portée religieuse ; toute religion positive est mythologique.

Bibliographie : H. Cohen, *System der Philosophie* (I *Logik der reinen Erkenntnis*, Berlin, 1902 ; II. *Ethik des reinen Willens*, Berlin, 1904. III. *Ästhetik des reinen Gefühls*, 2 vol. Berlin, 1912) — *Religion und Sittlichkeit*, Berlin, 1907 — *Der Begriff der Religion*, Giessen, 1915 — *Die Religion der Vernunft*, Leipzig, 1919. — B. J. H. Ovink, *Godsdienst en zedelijkheid* (T W, 1910) — *Festschrift der Kant-Studien*, XVII, 1912 — P. Natorp, *H. Cohen*, Marburg, 1918 — H. van der Vaart Smit, *H. Cohen en de Marburgsche School*, Baarn, 1924 — J. Hessen, *Die Religionsphilosophie des Neukantianismus*, Bonn, 1924 — E. Bréhier, *Le Concept de Religion d'après H. Cohen* (RMM pp. 358-372, 1925).

IV. — L'Intuition métaphysique de la Liberté.

J. G. Fichte. — (1762-1814)

Le moi empirique est allié à un Ego pur et infini dont l'engendrement libre constitue la vie de l'esprit. La genèse interne de cet Ego s'accomplit par la médiation de la dialectique. Le vouloir absolu est intrinsèquement conditionné par une science absolue. Seule la clarté et la transparence du savoir garantissent l'absoluité du vouloir.

Dans ses premiers écrits Fichte professe un immanentisme moral. L'ordre moral semble être le principe et le terme de la religion. Elle est « la reconnaissance de Dieu comme fondateur de l'ordre moral... On ne peut désobéir à Dieu sans désobéir à la morale... La révélation n'est que la proclamation de Dieu dont la législation morale apparaît surnaturellement dans le monde sensible. » (Werke, V, pp. 53, 52, 112) La religion vaut pour autant qu'elle émane de l'éthique qui lui fournit son contenu et dont elle est un corollaire.

Dans les écrits ultérieurs de Fichte, les activités spéculatives et morales servent de prélude à la religion, mais, à elles seules, elles ne la constituent plus. Fichte distingue le domaine de l'entendement ou du savoir discursif et médiat, du domaine de la raison qui est saisie immédiate, croyance, religion. Quoique la religion suppose la spéculation et la morale, elle les dépasse. Dans l'acte religieux, l'esprit prend possession de l'Être par l'amour qui rend Dieu intime et présent, et qui produit les certitudes absolues de la foi. La foi transcende donc la science, la révélation la philosophie. La religion de corollaire devient la norme suprême. Le croyant s'unit immédiatement à Dieu, l'Absolu réel et idéel dont il saisit l'existence sans pouvoir déterminer son essence. Dieu tel qu'il est en soi se soustrait à l'emprise de l'esprit. « L'homme ne peut pas produire Dieu, mais il peut, par sa propre négation, s'anéantir, et s'immerger en Dieu. »

Bibliographie: J. G. FICHTE, *Sämmtliche Werke*, 8 vol. Berlin, 1845-46 — *Nachgelassene Werke*, 3 vol. Bonn, 1834-5. — J. G. FICHTE, *De la Destination du Savant et de l'Homme de Lettres*, trad. Nicolas, 1838 — *Destination de l'Homme*, trad. Barchou de Penhoën, 1832 — *Méthode pour arriver à la vie bienheureuse*, trad. Bouillier, 1845 — *Doctrine de la Science*, trad. Gimblot, 1843 — *Discours à la Nation allemande*, trad. Picavet, 1895 et Molitor, 1923 — *Initiation à la vie bienheureuse*, introduction Guéroult, trad. Rouché, 1944 — *La Destination de l'Homme*, trad. Molitor, préf. Guéroult, Paris, 1941. — Fr. ZIMMER, *Fichtes Religionsphilosophie*, Berlin, 1878 — A. H. DE HARTOG, *Fichte*, Baarn, 1909 — Fr. GOGARTEN, *Fichte als religiöser Denker*, Iena, 1914 — L. ALBERS, *Der Gottesbegriff bei Fichte*, Breslau, 1915 — E. HIRSCH, *Christentum und Geschichte in Fichtes Philosophie*, Tübingen, 1920 — R. KRONER, *Von Kant zu Hegel*, 2 vol. Tübingen, 1921-24 — X. LÉON, *Fichte et son Temps*, 3 vol. 1922-27 — N. HARTMANN, *Die Philosophie des deutschen Idealismus*, 2 vol. Berlin 1923-29 — H. HEIMSOETH, *Fichte*, München, 1929 — M. GUÉROULT, *La Doctrine de la Science chez Fichte*, Strasbourg, 1930 — V. DELBOS, *De Kant aux Postkantiens*, 1939.

F. W. J. SCHELLING. — (1775-1854)

L'Absolu doit être connu immédiatement. «Seul ce qui est composé peut être connu par description ; le simple ne peut être appréhendé que par l'intuition... Le seul organe adapté à un objet tel que l'Absolu est un mode de connaissance également absolu qui n'entre pas dans l'âme comme une acquisition extérieure, mais fait partie de sa substance, de son côté éternel. Tout comme en effet l'essence de Dieu est une idéalité absolue, ne pouvant faire l'objet que d'une connaissance immédiate et étant, comme telle, idéalité absolue, ainsi l'essence de l'âme se confond avec la connaissance de l'absolument réel, c'est-à-dire de Dieu. L'inconditionné est l'élément qui rend toute démonstration possible. De même qu'un géomètre, s'il veut démontrer ses propositions, ne commence pas par démontrer l'existence de l'espace, mais au contraire la suppose comme déjà démontrée, de même la philosophie ne démontre pas l'existence de Dieu, mais reconnaît que sans l'Absolu ou Dieu elle serait elle-même impossible... Toute la philosophie n'est, à proprement parler, qu'une démonstration continue de l'Absolu. »

Reste pourtant à déterminer la nature de cet Absolu et du lien qui y rattache l'esprit. A ce sujet la pensée de Schelling a évolué.

Premier Stade. — C'est par la médiation de l'idéel que l'esprit est assorti à Dieu. Schelling, sous l'influence de la première philosophie de Fichte, adopte l'idéalisme : l'idéel est identique au réel. « Le vrai ne peut être connu que grâce à sa vérité, l'évident que grâce à son évidence ; or la vérité et l'évidence sont d'une clarté qu'elles ne doivent qu'à elles-mêmes, et doivent par conséquent être absolues et représenter l'existence même de Dieu... Toutes les tentatives de la faire dépendre de la foi, du sentiment, de l'aspiration, bref du côté purement individuel de l'individu sont condamnées à rester stériles et ne réussissent qu'à supprimer cette évidence qu'elles avaient pour but de faire connaître... Nous soupçonnons chez ceux qui étalent trop leurs sentiments, l'absence de toute tendresse véritable ; de même, lorsqu'il s'agit de connaissance et de vérité, nous refusons toute confiance à l'égoïté qui ne va pas au delà du sentiment. »

Deuxième stade. — Cependant Schelling ne tarde pas à s'apercevoir de l'insuffisance de l'explication idéaliste. Le dogmatisme de Spinoza est statique ; les êtres qu'il déduit de l'Être ne sont que des apparences dépourvues de réalité. L'idéalisme critique de Fichte ne met l'esprit en communion effective ni avec la nature ni avec l'Absolu. Fichte considère la nature comme un obstacle qui freine l'esprit, alors qu'elle le dynamise, alors qu'elle est à la fois objet et sujet, réalité indépendante, source de conscience. L'Absolu de Fichte est un double du moi, un absolu irréalisable et mouvant qui jamais ne peut s'accomplir ni s'achever.

Schelling note d'ailleurs que dans la nature comme dans l'esprit l'idéel et le réel, la contingence et la nécessité s'opposent. Dans la nature, c'est l'aspiration inconsciente qui l'emporte ; dans l'esprit, la finalité s'actualise et prend possession d'elle-même. Il note de plus que quoique ces éléments s'opposent, ils ne divorcent pourtant jamais. Alors l'Absolu, point de convergence de la nature et de l'esprit, ne doit-il pas être simultanément réel et idéel ? Pour qu'il puisse fonder l'opposition des contraires comme leur unité, ne faut-il pas que même en lui, les contraires se distinguent d'une certaine façon sans toutefois s'opposer ? Si l'Absolu était pure identité, comment ce monde contrasté pourrait-il en émaner ?

Ainsi il distingue deux moments qui l'un et l'autre sont en Dieu sans qu'aucun d'eux ne le constitue, le *Grund*, aspiration inconsciente à l'être et la conscience d'être. Ces deux moments ne s'opposent pas en Dieu ; ils sont un. Ni l'un ni l'autre ne doit être considéré comme l'Absolu. Le principe absolument premier est la Personnalité, unité des deux moments. La réalité de Dieu consiste justement dans l'activité et les « réactions réciproques de ces deux principes... Dieu est le lien vivant du réel et de l'idéel... Au-dessus de l'esprit, il y a le sans fondement initial qui n'est ni l'indifférence, ni l'identité de deux principes ; il est l'unité universelle, toujours et en tout égale à elle-même et que rien ne peut appréhender ou accaparer ; une unité libre de tout, mais étendant sa bienfaisance à tout : L'Amour qui est Tout dans le Tout... L'individuel en Dieu est en même temps la base de l'universel. »

De la personnalité ou de l'unité originelle des deux moments distincts qui constituent l'être premier de Dieu, Schelling se flatte de pouvoir dériver la réalité, l'intelligibilité et la subsistance des êtres. Dans le fini où l'unité divine est comme brisée, la nécessité et la liberté ne peuvent pourtant se détacher totalement l'une de l'autre ; l'unité primitive leur demeure présente et cherche à se reconstituer activement. Le mouvement essentiel des choses et de l'esprit s'explique par la finalité qui les réfère à la Personnalité divine.

Troisième Stade. — L'unité de l'idéel et du réel demeure toujours l'axiome de la philosophie de Schelling. L'esprit est identité du Grund et du principe idéel. Le réel et l'idéel ne sont pas des choses, mais des principes de l'être. Tout réel doit s'idéaliser et tout idéal doit s'actualiser ; entre ces deux éléments il doit y avoir de perpétuels échanges. Ils sont dans la mesure où ils sont perméables l'un à l'autre ; ils ne sont pas dans la mesure où ils sont réfractaires l'un à l'autre. Tout être s'intériorise et est totalité.

Cependant le rapport que Schelling établit entre l'idéel et le réel varie ; et ce sont ces variations qui font l'évolution du système. Nous avons vu qu'au premier stade le réel surgissait de l'idéel ; au second le réel et l'idéel, irréductibles l'un à l'autre, apparaissent également premiers dans leur ordre et intégrés dans la personne. Au troisième stade, Schelling semble accorder une primauté relative au principe existentiel sur le principe idéel. Ce n'est pas qu'il renonce à l'idéalisme : jamais il ne consentira à sacrifier la vérité à la vie, ni à détacher le vouloir de l'idée. « Sans la contradiction entre la liberté et la nécessité, la philosophie serait frappée de mort, et non seulement la philosophie, mais aussi tout vouloir supérieur de l'esprit, car tel est le sort qui attend toute science d'où cette contradiction est absente. Chercher à se tirer d'affaire en abjurant la raison, ressemble à une fuite plutôt qu'à une victoire. Avec la même raison, d'autres pourraient tourner le dos à la liberté pour se jeter dans les bras de la raison et de la nécessité, sans que, dans un cas comme dans l'autre, il y ait lieu de chanter victoire. » Le vouloir n'est pas la chose en soi ; il est l'Acte qui se commence et qui pour être absolu doit s'achever dans la conscience.

Néanmoins le logicisme de Hegel lui révèle de plus en plus nettement l'illusion idéaliste et lui impose la priorité de l'existence. Hegel ne distingue point le *das* du *was*, la contingence de la nécessité. Vouloir connaître l'Absolu d'une façon purement rationnelle, c'est se condamner a priori à l'athéisme. Nous n'avons pas de concept de Dieu, mais seulement un savoir du non-savoir ; dans ce savoir l'élément existentiel est primordial. Aussi fera-t-il de la liberté, le principe privilégié qui raccorde l'esprit à l'Absolu. « En dernière instance, il n'y a pas d'autre être que le vouloir. C'est le vouloir qui est l'être originel et c'est à lui que s'appliquent tous les prédicats de celui-ci : autonomie, éternité, extemporalité, auto-affirmation... La liberté est l'essence même du sujet, celui-ci n'est pas autre chose que l'éternelle liberté... L'éternelle liberté est l'éternel *mögen* (pouvoir et vouloir à la fois), non le *mögen* de quelque chose, mais le *mögen* en soi ou, comme on peut encore l'exprimer, l'éternelle magie... le pouvoir pour le pouvoir, le pouvoir sans objet et sans intention : c'est le pouvoir le plus élevé et partout où nous le voyons, nous croyons apercevoir un rayon de cette liberté primitive... Montrer comment cette éternelle liberté commence par s'enfermer dans une forme, comment après avoir tout pénétré et n'étant restée nulle part, elle finit par émerger dans l'éternelle liberté, force éternellement en lutte, jamais vaincue, jamais maîtrisée, qui dévore chacune des formes dans lesquelles elle s'enferme, se régénérant par conséquent comme un Phénix et se transfigurant par la mort dans les flammes, telle est la tâche de la suprême science... »

Fichte et Hegel ont reproché à Schelling d'avoir manqué de méthode. Au lieu de procéder du relatif pour aboutir à l'Absolu, il serait parti de l'affirmation dogmatique de l'Absolu, identité de l'idéel et du réel, dont il n'y a rien à tirer. Ce reproche ne manque pas de justesse. Schelling a oublié que le chemin qui va de Dieu à l'homme et de l'homme à Dieu ne peut, avec le même succès, être enfilé dans les deux sens. Spinoza qui avait tenté de déduire le monde de Dieu, ne réussit pas à rendre Dieu immanent au monde et son monde demeura irréel et sans vie. Schelling, concevant la nature de Dieu et sa procession dans le monde d'une façon fort diverse, rendit Dieu immanent au monde, mais en sacrifiant la transcendance divine. Certes il se défend d'être panthéiste. L'immanence des choses en Dieu, si intime qu'elle soit, déclare-t-il, n'implique pas le panthéisme, du moment que l'indépendance absolue de Dieu est sauvegardée — ce qui est exact. Pourtant il semble, du moins dans certains de ses écrits, mettre cette indépendance en question. Dieu, grâce au monde, prend conscience de lui-même ; sa réalité de virtuelle devient actuelle ; c'est par la médiation de la nature et de l'esprit que Dieu s'engendre et se réalise. Dieu comme alpha ou comme principe n'est pas identique à Dieu comme oméga ou comme fin.

Le contact de l'esprit avec Dieu est universel. La religion affleure partout, dans la nature où s'agite la vie, dans l'histoire dont le développement révèle Dieu et qui est un « poème épique, sorti de l'esprit de Dieu », et dans l'art, unité du subjectif et de l'objectif, et dans la mythologie qui présente des symboles des réalités spirituelles, et surtout dans la philosophie.

Les idées de Schelling sur le rapport de la révélation et de la philosophie ne semblent pas avoir été toujours les mêmes. Au stade ratio-

naliste, il se montre sévère à l'égard de la révélation : c'est la philosophie et non l'histoire ni la philologie, qui est l'organe d'une véritable
théologie ; seule la raison peut établir le contenu authentique des
dogmes et les fonder en vérité ; seule elle est universaliste, car elle
établit un lien, non entre tel événement de l'histoire ou tel objet et
Dieu, mais entre Dieu et tous les êtres et tous les événements. Cependant dans ses derniers écrits, ce rationalisme s'atténue. Un fait historique ne peut avoir de portée ontologique pour un idéaliste à moins
que la pensée ne le démontre nécessaire ; le dogme ne vaut donc que
dans la mesure où il est rationnel. Pour un intuitioniste, au contraire,
le contingent existe ; des faits sont plus que des idées. Si Dieu est
liberté, ses actes ne peuvent être déduits a priori ou spéculativement ;
ils ne peuvent être connus qu'a posteriori comme de l'imprévisible qui le révèle. Le Christ apparaît ainsi non comme une vérité
nécessaire mais comme le don miraculeux et gratuit du Père. L'attitude de Schelling à l'égard de la foi diffère de celle de Hegel. Sans
doute, pour lui comme pour Hegel, la foi-sentiment, la foi-habitude
non médiatisées par la réflexion sont de qualité inférieure et doivent
être subordonnées au savoir philosophique. Mais, en restant dans la
ligne de sa pensée, on pourrait dire, je pense, que la philosophie doit
se terminer par un acte de foi qui transcende la raison, foi en la présence de Dieu dans l'histoire, le Dieu abstrait des philosophes devenant le Dieu d'Amour des chrétiens. (Essais, pp. 185-7, 305-6, 300,
321, 322, 295, 320, 239, 539, 535, 534.)

Bibliographie : F.W. J. SCHELLING, *Sämmtliche Werke*, 14 vol. Stuttgart,
1856, sq. — SCHELLING, *Essais*, trad. et préf. par Jankélévitch, Aubier,
Paris — *Introduction à la Philosophie de la Mythologie*, trad. Jankélévitch,
2 vol. 1945 — *Écrits Philosophiques*, trad. Bénard, 1847 — *La Liberté
humaine*, trad. Politzer et Lefebvre, 1926 — *Bruno ou du Principe divin
et naturel des choses*, trad. Husson, Paris, 1845 — *Système de l'Idéalisme
transcendantal*, trad. Grimblot, 1842. — A. WEBER, *Examen critique de la
Philosophie religieuse de Schelling*, Strasbourg, 1860 — E. VON HARTMANN,
Schellings philosophisches System, Leipzig, 1897 — P. TILLICH, *Die reli-
gionsgeschichtliche Konstruktion in Schellings positiver Philosophie*, Halle,
1910 — H. DREYER, *Der Begriff Geist in der Deutschen Philosophie*, Berlin, 1908 — P. TILLICH, *Mystik und Schuldbewusstsein*, Güttersloh,
1912 — É. BRÉHIER, *Schelling*, Paris, 1912 — V. DELBOS, *La méthode de
Démonstration chez Schelling* (RMM, p. 168, 1922) — E. De FERRI, *La
Filosofia dell' identita di Schelling*, Torino, 1925 — J. KNITTERMEYER,
Schelling und die romantische Schule, München, 1929 — V. JANKÉLÉVITCH,
L'Odyssée de la conscience dans la dernière Philosophie de Schelling, 1933.

CH. SECRÉTAN. — (1815-1895)

Si l'on adopte la doctrine du primat de la liberté, il est possible de réconcilier la raison et la foi que le rationalisme et le fidéisme opposent. Une philosophie volontariste peut justifier rationnellement les principaux dogmes du christianisme, ceux de la création, de l'incarnation, de la chute et de la rédemption.

Pour que l'être soit, il doit être un ou substance ; pour qu'il soit substance absolue, il doit produire non seulement ses manifestations mais sa réalité première, être « cause de sa propre loi », produire la manière dont il se produit. Si Dieu est absolu, il ne peut être soumis à aucune nécessité qu'elle soit logique ou morale. C'est son existence et son acte et non son essence et sa nature qui le constituent en lui-même. L'être comme substance est donc volonté et liberté. « Au commencement, il n'y a rien que la volonté et tout est plein de volonté. » (Phil. Lib. p. 129). Cette liberté est antérieure et supérieure à toute norme. « La liberté n'est pas soumise à la raison, elle est le principe de la raison. » (Ibid. p. 406) Les distinction du bien et du mal, de l'erreur et de la vérité sont postérieures à l'acte de la liberté divine. « Mettre la loi au-dessus de Dieu, c'est destituer Dieu et déifier la loi. » (Ibid. p. 403)

C'est de cette liberté première, mystère abyssal, que dérivent les attributs divins : la perfection, la sagesse, la bonté, l'omniprésence, la toute-puissance, l'omniscience de Dieu. L'existence ne surgit pas du possible, mais le possible découle de l'Existant. C'est de l'acte libre de Dieu que surgit aussi le monde. « Du nécessaire, il est impossible de déduire le contingent »; et voilà pourquoi les rationalistes sont panthéistes. L'acte de la création, qui est un acte de pure liberté, se constate comme un fait et ne se déduit point. Dieu crée sans être poussé par le désir, ou contraint par une indigence, ou déterminé par un motif, sans retour sur lui-même, par grâce et par charité, ne se voulant pas lui-même, mais voulant le bien de l'autre. La création est une œuvre d'amour. « L'amour dont je parle n'est pas une passion ; ce n'est pas un sentiment, c'est un libre vouloir ; la volonté énergique de répandre le bien, sans autre pensée que celle du bien à faire... A la prendre dans toute sa perfection, elle suppose la plénitude absolue de la liberté. L'amour est donc la liberté faisant acte de liberté » (Ibid. p. 438) ; l'acte qui s'extrapose un autre être, lequel devient une fin, de l'extraposé, de l'existant, doué lui-même de liberté et capable de se faire être. C'est parce que Dieu aime librement le monde, que celui-ci est réel, et conséquemment bon et intelligible.

« La liberté de Dieu repose sur sa nature même ; elle est éternelle.

C'est la seule chose dont il soit permis de dire : elle ne peut pas ne pas être. La liberté de la créature repose sur l'acte de Dieu. Elle est accidentelle, elle pourrait ne pas être. » (Phil. Leibniz, p. 110). Comment expliquer le passage de l'infini au fini ? Dieu, liberté pure n'est pas prisonnier de son infinité et peut se limiter. « C'est par cette limitation volontaire de soi-même que s'atteste l'infini véritable. » (Ibid. p. 24). Dieu se dédouble : deux volontés, c'est-à-dire deux personnes, deviennent distinctes : le Père et le Verbe. A la création est donc liée l'Incarnation ; l'Incarnation à son tour est liée à la chute de l'homme. Le Fils est présent au monde depuis ses origines comme la volonté divine, anéantie, réduite, dépendante et souffrante. De là le drame du salut, drame qui résulte du conflit de deux libertés.

« La création d'un être libre est un engendrement, c'est-à-dire la production d'un germe destiné à se réaliser lui-même par son activité » (Liberté, p. 470). Puisque la volonté est la substance des choses, la créature doit vouloir pour être ; elle doit en se voulant vouloir Dieu, se distinguant de Lui et s'unissant librement à Lui. Or l'union dans la distinction, qu'est-ce si ce n'est l'amour ? L'amour principe de l'acte créateur est donc aussi le principe de la créature. Un amour qui évoque un autre amour, voilà la loi de l'esprit. « Dieu s'est enrichi, s'étant donné la seule chose qui possède une valeur réelle. Lui, l'absolu, qui de par son essence est tout, s'abaisse, en créant, à la sphère des relations ; il consent à n'être pas tout, pour redevenir tout par le fait de la créature. Il consent à devoir quelque chose à la créature, et, merveille ineffable, il y réussit, car l'amour a toujours du prix. Dieu dans le mystère de son essence éternelle, — Dieu se limitant lui-même pour donner place à l'existence, à la liberté finie, et contredisant ainsi sa propre nature, parce qu'il est plus grand que sa nature, — Dieu se rétablissant dans l'absolu, sans toutefois absorber la créature, à la fois tout et seigneur de tout ; tels sont les trois termes que l'amour unit incessamment. La formule de Hegel : l'affirmation, la négation et la négation de la négation ; l'harmonie se réalisant par le contraste, cette admirable logique de tout développement, de toute histoire et de toute vie n'est qu'un pâle reflet du rapport réel entre Dieu et le monde. » (Ibid., p. 500)

Mais la volonté de la créature, parce qu'elle est imparfaite, peut vouloir ou ne pas vouloir, aimer et ne pas aimer ; elle se meut dans la sphère inférieure du bien et du mal. La situation actuelle de l'homme ne peut s'expliquer que par une chute. La souffrance l'atteste et surtout la prédisposition à commettre le péché. Mais le monde qui témoigne de la chute de l'homme, est aussi le théâtre du salut. La dissociation de l'individu et de la communauté résulte de la faute originelle ; le regroupement organique de l'humanité assure sa rédemption. L'humanité peut redevenir une, grâce au Christ, « l'Individu parfait », dans l'Église, organisme déifique qui émane de son amour.

Bibliographie : C. Secrétan, *La Philosophie de Leibniz*, 1840 — *La Philosophie de la Liberté*, 2 vol. 1848-49 — *La Raison et le Christianisme*, Lausanne, 1863 — *Théologie et Religion*, 1883 — *Le Principe de la Morale*, 1884 — *La Civilisation et la Croyance*, 1887. — F. Pillon, *La Philosophie de Secrétan*, 1898 — L. Secrétan, *Charles Secrétan, sa vie et son œuvre*, Lausanne, 1912 — E, Grin, *Les Origines et l'Évolution de la Pensée de C. Secrétan*, Lausanne, 1930.

V. — L'Intuition de l'Existence impersonnelle.

A. Schopenhauer. — (1778-1860)

La religion positive est une métaphysique populaire ; elle exprime la vérité et la valeur sous forme allégorique et mythique, et se prétend pourtant absolument vraie et bonne. Cette prétention injustifiable la rend mensongère et odieuse. Le progrès de la culture exige la suppression du culte, de la révélation, de l'autorité et de la foi.

La religion et la philosophie, la foi et la science sont des ennemies irréconciliables ; elles sont l'une à l'autre comme l'agneau l'est au loup ou comme les deux plateaux d'une balance dont l'un descend quand l'autre monte. Les religions positives sont enfantées par l'ignorance et ne survivent pas longtemps à leur mère ; elles sont toujours simultanément vraies et fausses, morales et immorales. Que peut-on attendre d'un mensonge ? Quelle est l'erreur qui puisse être bienfaisante ?

Seule la philosophie fournit des normes et rend la vie authentique. Le philosophe ou le sage a l'intuition du néant du vouloir-vivre ; il est guéri de l'illusion, libéré du désir et de la crainte, du besoin et du regret ; il est celui qui a renoncé au principe de l'individuation et qui s'identifie au Vouloir impersonnel et cosmique qui constitue l'Être. Un quiétisme passif est la voie du salut et de la contemplation. Le sage est pessimiste et panthéiste.

Les religions positives valent dans la mesure où elles se rapprochent de cet idéal défini par le philosophe. Au plus bas degré de l'échelle, les religions réalistes et optimistes, comme le paganisme antique,

l'Islam, et le Judaïsme. Puis vient le protestantisme qui « en rejetant le célibat et l'ascétisme proprement dit, aussi bien que les saints
qui le représentent, est devenu un christianisme émoussé, ou mieux
brisé, sans tête, et se perdant dans le vide ». Puis viennent le Parsime, le
Christianisme du Nouveau Testament, représenté par l'Augusti-
nisme avec sa doctrine du péché originel et l'ascèse qui s'y rattache ;
enfin les religions de l'Inde ,en tête desquelles se classe le Bouddhisme,
religion idéaliste, non-historique, non-dogmatique, pessimiste et
panthéiste.

Bibliographie : A. SCHOPENHAUER, *Werke*, éd. Deussen, 14 vol. Mün-
chen, 1911, sq. — A. SCHOPENHAUER, *Philosophie et Philosophes*, trad.
Dietrich, 1912 — *Écrivains de style*, trad. Dietrich, 1914 — *Philosophie et
Science de la Nature*, trad. Dietrich, 1911 — *Le Monde comme Volonté et
comme Représentation*, 2 vol. trad. Cantacuzène, 1886 ; trad. Burdeau,
1888-90 — *De la quadruple Racine du Principe de Raison suffisante*, trad.
Cantacuzène, 1882 ; *Le Fondement de la Morale*, trad. Burdeau, 1879 —
Aphorismes sur la Sagesse dans la Vie, trad. Cantacuzène, 1880 — *Pensées
et Fragments*, trad. Bourdeau, 1880 — *Éthique, droit et politique*, trad.
Dietrich, 1909 — *Métaphysique et Esthétique*, trad. Dietrich, 1909 — *Sur
la Religion*, trad. Dietrich, 1906 — *Essai sur le libre Arbitre*, trad. Reinach,
1913 — *Essai sur les Apparitions et Opuscules divers*, trad. Dietrich,
Paris, 1912 — *Fragments sur l'Histoire de la Philosophie*, trad. Dietrich,
1912 — *Critique de la Philosophie kantienne*, trad. Cantacuzène, Bucarest,
1889. — A. FOUCHER DE CAREIL, *Hegel et Schopenhauer*, Paris, 1862 —
Th. RIBOT, *La Philosophie de Schopenhauer*, 1874 — K. FISCHER, *A. Schopenhauer*, 1898 — Th. RUYSSEN, *Schopenhauer*, 1911 — G. SIMMEL,
Schopenhauer und Nietzsche, München, 1920 — J. VOLKELT, *A. Schopen-
hauer*, Stuttgart, 1923 — P. MÉDITCH, *Théorie de l'Intelligence chez
Schopenhauer*, 1923 — H. HASSE, *Schopenhauer*, München, 1926 — A.
BAILLOT, *Influence de la Philosophie de Schopenhauer en France*, Paris,
1927 — J. D. BIERENS DE HAAN, *Schopenhauer*, 's Gravenhage, 1933 —
U. PADOVANI, *A. Schopenhauer*, Milano, 1934 — F. C. COPLESTON,
A. Schopenhauer, London, 1946 — M. GUÉROULT, *Schopenhauer et Fichte*,
Belles Lettres, 1946.

E. VON HARTMANN. — (1842-1906)

« Le déisme et le matérialisme ont une remarquable affinité qui
tient sans doute à leur commune platitude et à leur commune antipathie contre tout ce qui est profond et incompréhensible. Tous
deux sont rationalistes dans le mauvais sens du mot ». Les protestants libéraux de leur côté manquent de métaphysique ou n'ont

qu'une « métaphysique de paille ». Leur religion est une « méduse » qui n'est jamais que « fade et dégoûtante. »

« L'homme qui porte en lui des conceptions métaphysiques, telles que la sensibilité en est affectée d'une manière positive, a de la religion... La religion naît partout de l'étonnement dont l'esprit humain est saisi devant le mal et devant le péché, et du désir qu'il éprouve d'expliquer leur existence et, s'il est possible, de les supprimer ». (Rel. Av. pp. 115, 116, 123, 102, 124,)

Quoique la religion relève du sentiment, de l'intelligence et de la volonté, son fondement ultime est mystique. La vie psychique et organique manifeste la présence de l'Inconscient ou plus exactement du Supraconscient, dont l'inspiration artistique et les fonctions catégoriales nous révèlent la réalité et la richesse. Dieu est l'Inconscient, puissance active et intelligente qui, en produisant irrationnellement le monde et en y prenant conscience de sa faute, se rachète. « La vraie religion consiste en une extension et une sublimation des désirs égoïstes de l'individu phénoménal qui adopte les fins universelles de l'Être absolu. » (Rel. Geis. II, p. 304). Elle n'exige point qu'on s'abstraie du monde, mais qu'on s'y insère activement et qu'on l'améliore en agréant le sacrifice. La religion de l'avenir semble devoir être un monisme panthéiste, synthèse de la religion pessimiste de l'Inde et de l'optimisme judéo-chrétien. Hartmann, tout en subissant l'influence de Schopenhauer, n'est pas, au même degré que lui, ni pessimiste, ni idéaliste.

Bibliographie : E. VON HARTMANN, *Philosophie des Unbewussten*, 1872 — *Die Selbstzersetzung des Christentums und die Religion der Zukunft*, Berlin, 1874 — *Das religiöse Bewusstsein der Menscheit*, Berlin, 1888 — *Die Religion des Geistes*, Berlin, 1907 — *Grundriss der Religionsphilosophie*, Berlin, 1909. — E. VON HARTMANN, *La Philosophie de l'Inconscient*, trad. Nolen, 2 vol. 1877. — *Le Darwinisme*, trad. Guéroult, 1894 — *La Religion de l'Avenir*, 1894. — A. DREWS, *E. von Hartmanns philosophisches System*, Heidelberg, 1906 — J. P. STEFFES, *E. v. Hartmanns Religionsphilosophie*, Mergentheim, 1921 — F. J. RINTELEN, *Pessimistische Religionsphilosophie*, München, 1924 — L. BRAUN, *Die Persönlichkeit Gottes*, 2 vol. Heildelberg, 1929-31.

A. DREWS. —

« La religion est la conscience de Dieu, la conscience que mon être propre est un Être supra-individuel, absolu, et la libération des limites du moi par mon dévouement à mon Être absolu. (Einf. in die Philosophie, p. 324, 1921).

Bibliographie : A. DREWS, *Die deustche Speculation seit Kant*, 2 vol. Leipzig, 1895 — *Das Ich als Grundproblem der Metaphysik*, Freiburg, 1897 — *Die Religion als Selbstbewusstsein Gottes*, Leipzig, 1906.

VI. — L'INTUITION DES VALEURS.

R. H. LOTZE. — (1817-1881)

Lotze, fondateur de la philosophie des valeurs, réagit à la fois contre le romantisme, le mécanisme et le logicisme. On peut distinguer trois domaines : celui des réalités concrètes et sensibles, celui des lois nécessaires et universelles, celui des valeurs.

Dans la recherche scientifique le postulat déterministe se justifie, mais le déterminisme n'existe qu'au niveau inférieur de l'être. Toute explication mécaniste de la vie est une gageure et n'a qu'une valeur provisoire. Selon l'adage de Leibniz : « Causae efficientes pendent a finalibus » ; la structure des êtres dépend de leur dynamisme ; le monde objectif de la science doit être subordonné au monde subjectif des valeurs, l'idée de vérité à celle du bien. Tout comme l'expérience est condition indispensable de la vérité, ainsi la finalité est révélatrice de l'existence.

La pensée ne peut se centrer sur elle-même ; car « la nature des choses n'est pas constituée par des idées, et la pensée n'est point capable de la saisir. » (Mik. VIII, 8) « Innombrables sont ceux d'après lesquels l'élément le plus élevé du monde, ce qui est parfaitement intelligible, est expérimenté dans la foi, le sentiment, l'inspiration et qui sont conscients de ne pas le posséder par un savoir... La science n'est pas le seul portail par lequel l'essence de la réalité pénètre dans l'esprit. La vie de l'esprit est plus que la pensée. » (Kleine Schriften, III, pp. 453-454) La pensée qui par sa nature est relationnelle, est condamnée quand on l'enclôt en elle-même à une régression *in infinitum* ; elle ne peut ni se commencer par elle-même, ni s'achever en elle-même. Chacun de ses termes est nécessaire, mais le processus dans son ensemble reste hypothétique et n'atteint pas le parfait, mais le relativement nécessaire. Ce n'est pas la pensée qui fonde les certitudes authentiques, mais l'esprit qui pense, sent et apprécie. Le plaisir et la douleur, la haine et l'amour, les forces vivantes qui travaillent l'âme du croyant, les sentiments de l'esprit aussi bien que les impressions sensibles sont irréductibles à l'idée ; ils proviennent d'une intuition immédiate, d'une communion au Bien ou à la Valeur.

Le Bien, catégorie ultime est la fin de la Vérité et la transcende.

Les principes d'identité et de causalité, qui semblent se suffire, dépendent en fait de l'intuition de l'Amour, sans laquelle il n'y aurait ni vérité universelle ni loi objective. Il se peut qu'on puisse saisir l'actualité du Parfait au terme d'une inférence logique, mais « indépendamment de tout processus d'inférence discursive, l'impossibilité de la non-existence de la Perfection est immédiatement réalisée, et tout l'apparat de la preuve syllogistique ne sert qu'à tirer au clair cette certitude immédiate ». (Mik., IX, Ch. IV.)

Dieu est la personne transcendante et créatrice dont participent tous les êtres finis sans perdre pour cela leur vie subjective et leur interaction mutuelle. Il est l'Esprit, la Substance infinie, principe immanent de leur unité et de leurs relations. Dieu n'est pas l'Énergie, car une puissance aveugle et inconsciente ne se possède point. Dieu n'est pas l'Idée, car une abstraction formelle ne peut ni rendre le monde vivant, ni expliquer le fait de la conscience. La vérité n'existe que raccordée à la Valeur dans laquelle elle s'enracine et dont elle émerge. La vérité et ses lois ne dominent donc pas Dieu et ne lui sont pas antérieures. Elles dérivent d'un Dieu personnel, fondement de la valeur et de la vérité. Sans doute le « je » humain s'oppose au non-moi et se manifeste fini, mais ce n'est pas à cause de cette finitude que l'homme est une personne, mais à cause de son intériorité à lui-même. Doué d'une intériorité plénière, Dieu seul réalise la plénitude de la personnalité.

Le Bien est l'essence de Dieu, la création son acte, l'amour son motif. Lotze est préoccupé par le problème du mal auquel il ne voit aucune solution nette. Cependant, puisque ce n'est pas le plaisir mais l'amour libre et courageux qui fait être et qui est principe d'union à la valeur, l'objection du mal ne lui paraît pas décisive et ne l'oblige pas à renoncer à la croyance en un Dieu créateur.

Bibliographie : R. H. Lotze, *Mikrokosmos*, 3 vol., Leipzig, 1856-64 — *Logik*, Leipzig, 1874 — *System der Philosophie* (I Logik, II Metaphysik) Leipzig, 1879 — *Grundzüge der Religionsphilosophie*, Leipzig, 1884 — *Kleine Schriften*, 4 vol. Leipzig, 1885-1892. — R. H. Lotze, *Métaphysique*, trad. Duval, 1883 — R. Falkenberg, *H. Lotze*, Stuttgart, 1905 — M. Wentscher, *Fechner und Lotze*, München, 1925.

W. Windelband. — (1848-1915)

Comme Lotze il admet l'existence de valeurs a priori qui conditionnent la conscience. La vie de l'esprit se manifeste en trois domaines distincts, celui de la pensée, du vouloir et du sentiment, régis respectivement par des valeurs logiques, éthiques et esthétiques. Les valeurs religieuses, tout en se distinguant de celles-ci, ne peuvent s'en isoler ; elles ne constituent pas un domaine à part qui se juxtapose aux précédents, car toute pensée, vouloir ou sentiment peuvent et doivent devenir religieux. La valeur religieuse ou la sainteté apparaît donc comme le principe supérieur de synthèse des valeurs profanes. Tous ceux qui ont tenté de la dériver soit de l'éthique, soit de la logique, soit de l'esthétique, se sont mépris sur sa nature.

Une valeur devient religieuse quand elle est relative à une Réalité supramondaine, supraempirique, suprasensible. On ne peut faire de la religion une illusion, car la relation à cette Réalité est inéluctable. Les religions vivent en contact avec une transcendance, quoiqu'elles soient aussi conditionnées par la culture ; leur essence est de dépasser l'expérience, d'allier l'homme à un monde de réalités supérieures.

Cependant il est impossible de démontrer l'existence de Dieu comme origine ou fin des valeurs, Le monde de la réalité et le monde des valeurs se compénètrent, mais ne coïncident point, comme l'atteste l'existence de l'erreur, du mal et de la laideur. L'optimisme et le pessimisme ont tâché de réduire cette antinomie, mais ils n'y ont point réussi. Pour la résoudre, il faudrait — et cette perspective n'est point celle de l'esprit humain — s'abstraire du temps dans lequel le bien, la vérité et la beauté ne peuvent se manifester sans s'opposer à leurs contraires. En fait le problème qui résulte de l'opposition des valeurs et de la réalité, et conséquemment le problème de l'existence de Dieu, sont insolubles.

Voici la définition que Windelband donne de la religion : « En premier lieu, la religion est une vie intérieure, une entreprise de l'âme : et, comme telle, elle embrasse toutes les fonctions psychiques. Elle est non seulement une idée, un discernement et une connaissance, ou, si nous parlons en critique, une opinion, une conviction, mais elle est aussi conscience de la valeur, sentiment, prise de possession et renoncement à soi ; ultérieurement et conséquemment elle se présente comme un vouloir et un accomplissement. Aussi est-elle une vie au-dehors qui se traduit non seulement dans l'action qui se conforme aux valeurs particulières du sentiment et de la volonté, mais aussi dans la manifestation plénière de la vie spirituelle, dans les actes rituels et le culte. C'est pourquoi elle dépasse les limites de la vie individuelle et apparaît comme un acte de la communauté, comme un phénomène social, conditionné par l'histoire, et incarné dans des institutions réelles et dans une organisation externe. Et la religion est toujours plus que tout ce qui est empirique. Elle se réfère toujours à l'au-delà de l'expérience terrestre ; elle est en relation avec des puissances plus hautes, avec la nature la plus intime et le fondement de toute réalité, une vie avec Dieu et en Dieu, une vie métaphysique. » (Präludien, p. 357)

Bibliographie : W. WINDELBAND, *Geschichte und Naturwissenschaft* Freiburg, 1894 — *Einleitung in die Philosophie*, Tübingen, 1914 — *Präludien*, 2 vol. Tübingen, 1919. — J. FISCHER, *Die Philosophie der Werte bei W. Windelband und H. Rickert*, (Festschrift Baeumker, Münster, 1913) — H. RICKERT, *W. Windelband*, Tübingen, 1916 — A. MESSER, *Deutsche Wertphilosophie der Gegenwart*, Leipzig, 1926.

H. RICKERT. — (1863-1936)

Le système de Windelband s'était heurté au dualisme du connaître et du vouloir, de la réalité et des valeurs. Rickert s'efforce de faire la synthèse systématique des valeurs théoriques et axiologiques, des faits et de l'idéal. A cet effet, il adopte le relationisme ou l'idéalisme critique grâce auquel il espère surmonter l'antithèse de la subjectivité et de l'objectivité.

Le jugement ne peut s'énoncer sans la médiation d'une valeur. Celui qui le retranche de cette relation transcendantale, l'abolit. Le réel ne peut exister en fait que comme devant être, comme valant pour soi, indépendamment du sujet ; sans rapport à des valeurs, il n'est plus.

Dans l'acte de la connaissance, comme dans tous les autres actes de l'esprit, se découvre une tension entre le fait et les valeurs, les unes étant réelles, les autres non réalisées. Pourtant il faut « réunir ces deux domaines qu'on a séparés jusqu'à présent, de telle sorte qu'ils soient saisis comme les aspects d'un même être qui ne s'isolent l'un de l'autre que dans l'apparaître. » (System der Philosophie, I, p. 235) Dans la sphère supérieure de l'esprit, ces deux aspects se réconcilient et s'harmonisent.

« Le principe fondamental de toutes les religions est qu'il existe quelque chose de Parfait, de Surhumain, de Saint... Le caractère surhumain des valeurs religieuses se manifeste clairement en ceci : d'une part, il nous est impossible de les réaliser ; d'ailleurs elles s'imposent comme l'Idéal inéluctable en fonction duquel nous jugeons l'activité de l'homme. » (Ibid p. 338) « Pourvu que je vous possède, je ne demande rien d'autre au ciel et sur la terre », ainsi s'exprime

celui qui fait l'expérience de Dieu. Cette expérience religieuse vécue
ne peut être ni raisonnée ni réfutée. Cependant, comme le sentiment
religieux concret entre en contact avec la culture, la théologie doit
déterminer les relations du sentiment religieux avec les valeurs
profanes. Sa donnée fondamentale est la révélation. Dieu est son
axiome. Le Dieu de la philosophie qui est un concept-limite, manque
de concrétion, de densité, de suggestion affective. Aussi la théologie
recourt non seulement à l'analyse philosophique, mais aussi aux
anticipations du sentiment et aux faits de l'histoire.

Rickert examine les diverses théories philosophiques de la religion :
l'athéisme, le déisme, le panthéisme et le théisme. Ce dernier a ses
préférences, car il satisfait profondément le besoin religieux. Le
christianisme fournit à tous les problèmes une claire solution. Quand
le croyant se sent dépendant de Dieu, il le réalise présent non comme
un principe qui détruit sa propre personnalité, mais comme celui qui
la fonde. Le croyant vit en la présence d'un Dieu personnel, quoiqu'il
ne puisse, comme Kant l'a démontré, prouver son existence. En
dernière analyse, c'est la raison pratique qui noue le rapport avec
Dieu. « Notre ultime jugement de valeur sur l'Univers comme Tout
est un acte libre de foi. » (Philosophie, pp. 70-78)

Bibliographie : H. RICKERT, *Der Gegenstand der Erkenntnistheorie*,
Tübingen, 1892 — *System der Philosophie*, Tübingen, 1921 — *Die Philosophie des Lebens*, Tübingen, 1920 — *Allgemeine Grundlegung der Philosophie*, 1921 — *Grundprobleme der Philosophie*, Tübingen, 1934. — F.
BÖHM, *Die Philosophie H. Rickerts* (KS, pp. 1-18, 1933).

E. TROELTSCH. — (1865-1923)

Psychologiquement la religion se présente comme « la foi en la
présence du divin qui doit être vécue sous certaines conditions, foi
qui rend conscient de Dieu et d'où procèdent des sentiments proprement religieux et des vouloirs définis. » (Schrift. II, p. 493) La religion
suppose un élément apriorique, la relation vivante et créatrice de
la raison à une substance absolue.

« Dans la religion, il y a toujours quelque chose de saisi, mais il
n'y a rien de compris. L'homme religieux ne cherche pas à comprendre
le monde, mais à entrer en contact avec la puissance métempirique
qui le gouverne. Sa relation à la réalité n'est pas une relation qui
résulte d'un savoir, mais une relation qui procède de la vie. Il se
soucie non de connaître mais de vivre ; il ne s'occupe de connaissance
que pour autant que la conscience est immanente à toute vie spirituelle. » (Glaubenslehre, p. 67)

La question la plus délicate de la philosophie religieuse est d'établir le rapport entre la religion pure ou rationnelle et la religion historique ou révélée. La religion concrète, synthèse suprême de la culture, résulte non d'un déterminisme historique mais de la liberté. La culture et la religion ont des fonctions diverses et pourtant elles se conditionnent mutuellement. Ainsi le christianisme est solidaire de la culture de l'Occident. Quoiqu'il apparaisse comme la religion idéale, on ne peut de ce chef en faire la religion universelle qui conviendrait à tous les degrés de la civilisation et qui pourrait sans discernement être imposée à tous les hommes.

Bibliographie : E. TROELTSCH, *Gesammelte Schriften*, 4 vol. 1912-1925. Tübingen. — W. GUNTHER, *Die Grundlagen der Religionsphilosophie E. Troeltsch*, Leipzig, 1914 — E. SPIESS, *Die Religionstheorie von E. Troeltsch*, Paderborn, 1926 — H. R. MACKINTOSH, *Types of Modern Theology*, 1937.

M. SCHELER. — (1874-1928)

Dans son ouvrage *Vom Ewigen im Menschen*, qui est la contribution la plus remarquable de l'école phénoménologique au problème religieux, le théocentrisme paraît être le thème fondamental de Scheler. Critiquant Simmel il rejette la conception immanentiste de la religion. La vie de l'homme n'est pas un absolu que Dieu alimente. Dieu n'est pas un moyen dont il puisse se servir pour vibrer et s'enthousiasmer, mais Fin absolue. Celui qui aime réellement autrui, ne l'aime pas pour un autre ; celui qui croit réellement en Dieu, n'y croit pas à cause des avantages de la foi. La foi est illusoire, quand elle n'est pas diffusive et efférente, quand au lieu d'avoir pour terme Dieu, elle a pour objet l'infinie subjectivité du moi. La fin de l'acte religieux n'est pas l'homme, son sentiment, son rendement, ni même son salut spirituel. L'aspiration à la foi n'est pas la foi, pas plus que la velléité du vouloir-vouloir n'est un acte du vouloir. La foi qui est plus qu'un désir et un sentiment, est un acte objectif qui prosterne l'homme devant l'Infiniment Saint.

Les philosophes de la culture (Cohen) sont l'objet d'une critique analogue. Ils justifient la religion par son incidence sur la vie ; ils la prônent à cause de sa valeur esthétique ou éthique ou éducatrice ; ils la recommandent comme facteur de synthèse et comme lien entre les hommes. Dans toutes ces apologies, on ne sauvegarde pas le caractère propre et original de la religion, et on ne reste pas fidèle à sa visée essentielle. Le centre du monde ne pourrait être l'homme que si Dieu n'existait pas. Si le soleil est présent dans ses rayons, il en est distinct. Il est autre chose que cette lumière clignotante et éphémère qui connaît le jour et la nuit, qui se disperse dans les choses et s'évanouit avec elles. Rencontrer Dieu, c'est rencontrer celui en présence duquel tous les biens de la culture et tous les actes de l'homme ne sont rien. La totalisation des valeurs du cosmos ne nous permet pas de l'atteindre, à moins que lui-même ne se révèle. Vouloir le posséder par soi est une absurdité et un péché d'orgueil. Le transcendant ne peut devenir présent que par l'acte libre de Dieu qui se donne.

Celui qui se fonde en lui-même et par lui-même, doit être le fondement de l'acte par lequel on s'unit à lui. Ni la pensée ni l'action ni le sentiment ni la culture ne font exister Dieu et ne peuvent donc le révéler. Plus on approche d'ailleurs de Dieu et plus la culture de l'homme paraît vaine, fragmentaire et apparentée au rien. On ne regarde pas Dieu en louchant vers autre chose que lui ; on ne le connaît pas, quand on le connaît dans l'autre ; on ne l'aime pas, quand on l'aime pour un autre. On peut apprécier le relatif ; l'absolu ne s'apprécie pas. On peut évaluer des choses ; Dieu ne s'évalue pas et ne se juge point. Si la religion est principe d'unité et de synthèse de toutes les activités de l'homme, c'est parce qu'elle les transcende, parce qu'elle a un contenu propre, parce qu'elle est un au-delà de tout ce qui est humain, parce qu'elle met en contact avec un Dieu que rien ne conditionne.

Serait-ce alors la raison qui fonde la religion et serait-ce l'intellectualisme thomiste qui lui fournirait son meilleur fondement ? Pas davantage. Scheler n'a qu'une médiocre confiance dans la dialectique spéculative et préfère saint Augustin à saint Thomas.

Comment rationnellement déduire du fini plus que du fini, comment passer de l'immanence à la transcendance ? Manifestement cette déduction ne peut se justifier en fonction de la raison discursive. Si elle est légitime, c'est grâce à une intuition de la raison, grâce à une illumination de l'intelligence qui ne voit plus le monde « in lumine mundi », mais « in lumine Dei ».

Une dialectique théorique — et davantage encore une dialectique morale — peuvent avoir une valeur pédagogique, et servir de tremplin à l'esprit ; mais c'est toujours l'esprit, auquel Dieu donne l'essor, qui fait le bond. La métaphysique est indispensable, car sans elle les vérités religieuses seraient sans contact avec les vérités rationnelles et les normes de la conduite. Celui qui ne perçoit pas l'éternel dans le temporel, qui ne partage pas l'amour que Platon portait à l'idée et qui ne perçoit pas la participation du monde au Logos, n'est pas prêt à entrer dans le royaume de la contemplation religieuse.

La religion et la philosophie convergent toutes deux vers l' « Ens a se », mais l'atteignent sous des modalités différentes. La connaissance de l'Absolue Réalité est le souci primordial du philosophe ; la préoccupation du salut du moi et du monde hante l'homme religieux.

Le Dieu du philosophe est éternel, immuable, nécessaire ; celui du croyant vit, choisit, maudit et bénit. Les fidéistes et les rationalistes considèrent cette antinomie comme insoluble et optent pour l'un ou pour l'autre de ces aspects du même Dieu. En fait, le vrai Dieu n'est pas aussi immobile et vide que le Dieu des métaphysiciens, ni aussi étroit et mobile que le Dieu des fidéistes. Le défaut des fidéistes est de priver la religion de son fondement ontologique ; le défaut des philosophes de méconnaître les catégories propres au croyant. Les philosophes oublient que l'acte religieux, à cause de l'intuition qui lui donne naissance, a une sphère particulière et qu'il possède des certitudes qui dépassent les certitudes du métaphysicien. Quand on se demande si c'est la recherche philosophique ou la recherche religieuse qui est première, il faut dire que c'est la recherche religieuse ; car la préoccupation du salut qui ne souffre aucun délai, est primordiale.

Mais quel est le contenu de l'acte religieux ? L'objet propre de l'acte religieux est « le salut de l'homme par participation à la vie de Dieu, par divinisation. » Dieu dans la révélation, c'est-à-dire dans cette intuition immédiate qui n'a pas seulement pour objet Dieu, mais qui surgit de l'acte même de Dieu, se présente sous quatre aspects : il est l'Absolue Réalité, l'Irrésistible, le Saint, l'Infini. La présence de Dieu comme Réalité absolue et Toute-Puissance éveille dans le cœur de l'homme le sentiment de créature ; l'homme se reconnaît comme un néant devant Dieu qui est Tout. La sainteté étant la suprême valeur, et la valeur, d'après Scheler, jouissant du primat sur le savoir, cet attribut de Dieu auquel se rattache l'amour, sera le plus important.

L'amour se distingue de la contagion émotive où des états affectifs se diffusent spontanément et déterminent le synchronisme des actes. Dans ce phénomène en effet, qui appartient au psychisme inférieur de l'homme, l'autre n'est pas connu comme tel ; le sentiment de la communauté est vécu, sans être pleinement réalisé.

Le sentiment de sympathie qui se retrouve à un niveau supérieur de la vie psychique, ne coïncide pas non plus avec l'amour. Tantôt il se fonde sur l'intuition subconsciente de l'unité de la vie ; on le retrouve dans le sentiment d'une mère pour son enfant ou d'un primitif pour son totem. La religion, quand elle se base sur cette intuition de l'identité, est panthéiste. D'autres fois la sympathie suppose une compréhension mutuelle et le partage des sentiments, mais, de ce fait, elle n'est encore ni morale ni religieuse.

L'amour se distingue de ces formes diverses de la sympathie, parce qu'il est personnel et qu'il se porte sur les plus hautes valeurs. C'est l'intuition émotionnelle de l'amour qui fonde la religion ; elle n'est ni terme de vouloir, ni conclusion de la raison, mais autonome et première. Immédiate et inspirée, elle décèle les valeurs sans médiation de la connaissance, possède une évidence et une certitude qui lui sont propres et qui ne dérivent point d'un savoir.

Ni la dialectique spéculative, ni la dialectique existentielle ne créent l'intuition émotionnelle, mais elles en dépendent et la présupposent. C'est grâce à elle que l'homme est spontanément religieux et que la religion ne dépend ni d'une morale, ni d'une métaphysique. C'est elle qui éclaire l'intelligence, lui permettant de voir le monde « in lumine Dei » ; elle qui amorce la volonté, lui donnant d'aimer le monde en Dieu, « amare in Deo ». Grâce à elle, Dieu devient principe de connaissance et terme de possession.

Scheler avait l'esprit fort mobile et, durant les dernières années de sa vie, son théisme personnaliste évolua dans le sens d'un panthéisme mystique. Dans son ouvrage, *Die Wissensformen und die Gesellschaft*, il se rallie à une métaphysique du devenir, et Nietzsche cette fois semble plus écouté qu'Augustin. Le cosmos s'explique par un dualisme de forces. Dans l'homme le bien et le mal luttent sans merci, et c'est dans et par ce conflit que Dieu se réalise. L'homme marche à l'inconnu et doit se livrer aux puissances de la vie. Dans son dernier ouvrage, *Die Stellung des Menschen im Kosmos*, on trouve des formules encore plus nettement panthéistes : Dieu s'accomplit par l'homme et l'homme est l'avenir réel de Dieu.

Bibliographie : M. F. SCHELER, *Phänomenologie und Apriori*, 1913— *Vom Umsturz der Werte*, 1919 — *Der Formalismus in der Ethik und die materiale Werthetik*, 1921 — *Vom Ewigen im Menschen*, 1921 — *Zur Soziologie und Weltanschauung*, 1922 — *Wesen und Formen der Sympathie*, 1923 — *Die Wissensformen und die Gesellschaft*, 1926 — *Die Stellung der Menschen im Kosmos*, 1928. — M. SCHELER, *Nature et formes de la Sympathie*, 1928 — *Le Sens de la Souffrance*, trad. Klossowski, Aubier, Paris — *L'Homme du Ressentiment*, Gallimard, Paris. — E. PRZYWARA, *Religionsbegründung*, Freiburg, 1923 — M. WITTMANN, *M. Scheler als Ethiker*,

Düsseldorf, 1923 — J. Geyser, *Max Schelers Phänomenologie der Religion*, Freiburg, 1924 — H. de Vos, *Het Godsdienst kennen volgens M. Scheler*, Assen, 1927 — G. Gurvitch, *Les tendances actuelles de la Philosophie allemande*, 1930 — J. Heber, *Das Problem der Gotteserkenntnis in der Religionsphilosophie M. Schelers*, Leipzig, 1931 — O. Kühler, *Wert, Person, Gott zur Ethik Max Schelers, Nikolai Hartmanns und der Philosophie des Ungegeben*, Greifswald, 1932 — L. De Raeymacker, *De Philosophie van Scheler*, Malines, 1934 — J. Nota, *M. Scheler*, Utrecht, 1947.

N. Hartmann. —

N. Hartmann subit comme Scheler l'influence de Husserl, mais tandis que Scheler, dans ses premiers écrits, s'inspire de Eucken, Augustin, Malebranche et Pascal, N. Hartmann demeure sous l'emprise de Kant dont il approfondira la pensée et dont il accentuera les conclusions négatives en matière religieuse.

Avec Husserl il insiste sur la nécessité de l'analyse phénoménologique qui doit servir de base à l'étude de tout problème philosophique. La méthode authentique exige trois phases bien distinctes qui ne doivent pas chevaucher l'une sur l'autre, ni se passer l'une de l'autre : la phénoménologie, l'aporétique et la théorie.

Les vrais philosophes comme Platon, Aristote, Descartes et Kant s'attardent à scruter les problèmes. S'ils sont systématiques d'intention, ils évitent sagement les synthèses prématurées. La métaphysique ne peut se construire hâtivement ; elle suppose des études scrupuleuses, des recherches patientes ; elle est une science ouverte qui ne se boucle point.

La question de l'être se pose en tout domaine et on ne l'évite pas ; elle affleure dans toute expérience, en connexion immédiate avec le donné. La logique, pas plus que l'esthétique, la psychologie et l'éthique ne peuvent s'en désintéresser. En fait, les questions qui demeurent éternellement posées à l'esprit, relèvent de la métaphysique.

N. Hartmann semble ne pas s'être beaucoup préoccupé de la religion ; il n'en parle qu'en passant et toujours d'une façon négative. Dans sa métaphysique de la connaissance, il renonce au dualisme du noumène et du phénomène et professe un réalisme critique ; néanmoins, tout comme Kant, il s'oppose à l'usage transcendantal des catégories de la raison. Aussi reproche-t-il à Scheler d'attribuer la personnalité à Dieu, ce qui, à son avis, ne peut se faire sans anthropomorphisme. La métaphysique personnaliste, si grandiose et si séduisante qu'elle soit, lui semble un mirage illusoire, dû à un usage injustifié de la raison spéculative. Le principe ultime des valeurs

est insaisissable par l'esprit dont le savoir manque de portée ontologique et dont les intuitions demeurent fragmentaires. L'idée du
Bien est indéterminée et irrationnelle. L'ontologie ne peut en droit
se prolonger en théodicée.

Sa théorie des valeurs et sa conception de la liberté différencient
son éthique de *la Critique de la Raison pratique*, mais plus encore
que Kant il se refuse à raccorder intrinsèquement l'acte moral à
l'acte religieux. Kant laissait encore une place à l'espérance et auto-
risait la croyance à l'existence de Dieu ; il estimait que cette croyance
et cette espérance assuraient à la pratique morale un appoint extrinsèque mais efficace. Hartmann, au contraire, affirme que l'acte moral
et l'acte religieux s'opposent et s'excluent. L'éthique doit restituer
à l'homme le pouvoir dont il s'est injustement départi en faveur de
la divinité. L'homme, étant principe et terme de son acte, la religion
qui lui conteste cette immanence, est immorale.

Diverses antinomies s'attachent à démontrer l'incompatibilité
de la morale et de la religion : l'antinomie du terrestre et de l'au-delà,
celle de l'autonomie humaine et de la théonomie, celle de la liberté
humaine et de la Providence qui prédestine, celle de la responsabilité humaine et du salut. Nous ne nous attardons pas à les analyser.
Hartmann, qui a disséqué d'une façon fort exacte les phénomènes
de la vie morale, semble être dépourvu de toute intuition et de toute
compréhension du phénomène religieux.

Bibliographie : N. HARTMANN, *Grundzüge einer Metaphysik der Erkenntnis*, Berlin, 1921 — *Ethik*, Berlin, 1926 — *Das Problem des geistigen Seins*,
Berlin, 1932 — *Zur Grundlegung der Ontologie*, Berlin, 1935 — *Möglichkeit
und Wirklichkeit*, Berlin, 1938 — *Der Aufbau der realen Welt*, Berlin,
1940. — N. HARTMANN, *Les Principes d'une Métaphysique de la Connaissance*, 2 vol. trad. Vancourt, Aubier. — E. PRZYWARA, *Drei Richtungen
in der Phänomenologie* (Stim. der Zeit, 1928) — M. WITTMANN, *Die
moderne Wertethik*, Münster, 1940 — R. OTTO, *Freiheit und Notwendigkeit*,
Tübingen, 1940 — J. HESSEN, *Antinomien zwischen Ethik und Religion*
(Phil. Jahrbuch, 1941) — A. P. KIEVITS, *Ethiek en Religie in de Philosophie van N. Hartmann*, Nijmegen, 1947.

VII. — L'INTUITION DE LA VIE

G. SIMMEL. — (1858-1918)

Simmel est un esprit pénétrant et accueillant. Les problèmes
de l'esthétique, comme ceux de la philosophie, le retiennent. Il a

horreur du formel, de tout principe absolu, fût-il moral ; il décrit, et
son analyse se manifeste concrète, subtile, relativiste. Il fait de l'histoire, mais pas à la façon de Dilthey. L'œuvre de l'historien est subjective, constructive ; elle a des a priori ; et voilà le positivisme dépassé.
Les catégories de l'esprit sont multiples, la vérité pragmatique ; et
voilà le criticisme transcendantal condamné. Pas d'impérialisme moral !
Car ces normes sont abstraites ; il y a, il doit y avoir des morales ;
et voilà la philosophie des valeurs jugée.

Après ces exécutions sommaires, le scepticisme semblait devoir
s'imposer à l'auteur. Pourtant Simmel prétend y échapper et fonder
une métaphysique concrète de la vie. Bergson l'aidera à retrouver
l'être au delà du relatif. Dans la conscience, en effet, paraissent non
seulement des idées ou des valeurs, mais des pressentiments existentiels, comme celui du tragique, de la mort qui vient. Quoique la connaissance objective soit relative, l'esprit est capable d'anticipations
prophétiques qui surgissent du flux de la vie. Les impératifs de l'éthique appauvrissent, mais il existe des exigences idéales. Si le moi
transcendantal est une fiction, il n'en est pas de même du moi concret, se dépassant toujours, se niant pour se réaffirmer, mobile,
vivant. Il faut le saisir dans son incoercible élan vers l'existentiel,
dans sa relation concrète et dynamique à l'être.

Vaines sont les métaphysiques théoriques ou pratiques ; mais il
existe une métaphysique dynamique de l'être. Cette métaphysique
justifie la religion. On ne peut réduire la religion ni à une illusion
due à une superfétation des désirs, ni au vouloir moral, ni à la pensée.
Elle est relation vivante à l'Absolu, dans lequel elle a foi et dont
elle a le sentiment. Pourquoi vouloir objectiver Dieu, alors qu'il est
indicible ? Pourquoi le placer devant soi et se le représenter, alors
qu'il est présent partout ? La vraie religion se passe de concepts et
de formules. « Les puissantes personnalités qui dans l'histoire révélè-
rent leur foi, possédaient Dieu en soi et en dehors de soi. Chez les
génies créateurs de cette espèce, la religiosité intérieure était si forte
et si vaste, qu'elle débordait les cadres de la vie communautaire.
Chaque forme de leur vie personnelle s'élevait par-dessus tout contenu
assignable vers un Vie personnelle... Mais l'immense majorité des
hommes trouvent la divinité seulement devant eux ; elle leur fait
face comme une réalité objective. » (Weltanschauung, p. 339) La
religion est métaphysique ; mais il faut qu'elle demeure dynamique
et mystique, il faut qu'elle se dégage de la tradition et se libère des
dogmes.

Bibliographie : G. Simmel, *Einleitung in die Moralwissenschaft*, 2 vol.
Stuttgart, 1892-3 — *Kant*, Leipzig, 1905 — *Die Religion*, Frankfurt,
1906 — *Hauptprobleme der Philosophie*, Berlin, 1910 — *Philosophische
Kultur*, Leipzig, 1911 — *Das Problem der religiösen Lage* (Weltanschauung,
Berlin, 1911) — *Lebensanschauung*, Leipzig, 1918. — G. Simmel, *Mélanges de Philosophie relativiste*, trad. Guillain, 1912. — A. Mamelet, *Le relativisme philosophique chez G. Simmel*, Préface de Delbos, 1914 — M. Adler,
G. Simmels Bedeutung, Wien, 1919 — M. Frischeisen-Köhler, *G.
Simmel* (KS, pp. 1-51, 1919) — V. Jankélévitch, *G. Simmel, Philosophe de la Vie* (RMM, pp. 213-257, 372-386, 1925) — R. F. Beerling,
Moderne doodsproblematiek, Delft, 1945.

É. Boutroux. — (1845-1921)

Philosophe réaliste et volontariste qui s'assigne pour tâche de
concilier la science et la philosophie, la pensée et la vie, la morale
et la religion. Il critique le positivisme déterministe : les lois de la
science sont contingentes et la nature manifeste une spontanéité
créatrice. L'expérience de la contingence, de la liberté et des valeurs
vitales permet de distinguer la matière de l'esprit, la science de la
philosophie et ouvre la voie à une morale spiritualiste ainsi qu'à la
religion.

« Dieu est cet être même dont nous sentons l'action créatrice au
plus profond de nous-mêmes, au milieu de nos efforts pour nous rapprocher de lui... Pour qui recherche le ressort caché de la foi, ce ressort se découvre dans l'idée et dans le sentiment du devoir, comme
d'une chose sacrée. Pour qui approfondit l'idée de progrès, objet de
la foi, cette idée implique la conception de l'être idéal et infini. Et
l'amour de cet idéal est, au fond, le sentiment d'une parenté avec
lui, d'un commencement de participation à son existence. Qu'est-ce
à dire, sinon qu'à la racine de la vie humaine, comme telle, gît ce
qu'on appelle la religion. » La religion se différencie pourtant de la
morale, car elle est pratique, réalisatrice ; elle implique des dogmes
indispensables, quoiqu'ils n'aient qu'une portée symbolique, des
pratiques comme celles de la charité, des rites et un culte. (Science
et Religion, pp. 371 et sq.)

Bibliographie : É. Boutroux, *De la Contingence des Lois de la Nature*
1874 — *De l'Idée de Loi naturelle*, 1895 — *Questions de Morale et d'Éducation*, 1895 — *Science et Religion*, 1908. — P. Archambault, *É. Boutroux, Choix de textes et une étude*, Paris, 1910 — M. Schyns, *La Philosophie d'Emile Boutroux*, 1924 — L. St. Crawford, *The Philosophy of
É. Boutroux*, New-York, 1924.

H. Bergson. — (1859-1941)

Une philosophie de la spontanéité est, à la différence du rationalisme, une philosophie ouverte, une philosophie qui n'exclut aucun dépassement et qui ne se révolte pas à l'idée de miracle. Dans tout acte libre n'y a-t-il pas un surgissement imprévisible de l'être ; dans toute évolution n'y a-t-il pas création et efflorescence nouvelle ? La philosophie déterministe ne peut aller que du même au même ; c'est une philosophie du stationnement et de l'identité ; dans la philosophie bergsonienne il y a quelque chose qui arrive, des événements réels ; il y a place pour une histoire où l'inouï se réalise.

Une philosophie de la liberté reste dans sa ligne quand elle accueille avec sympathie la mystique, voire le surnaturel. Du nouveau ne la scandalise ni ne la heurte. Puisque l'élan créateur est le fondement radical de l'être, l'avenir existe, qualitativement distinct du passé, et il faut s'attendre à des merveilles.

La religion à ses origines est un tissu d'absurdités, de pratiques arbitraires et immorales, disaient les positivistes, et elle sera toujours cela. La religion est une dialectique de l'esprit, disait Hegel, un discours ou un raccordement de concepts, et ne peut être que cela. La religion est un effort et un devoir, disaient les moralistes, et il ne faut pas qu'elle soit autre chose. La religion est l'œuvre de la nature, disait-on, et une religion surnaturelle est un non-sens.

Non, déclare Bergson, la religion est plus que tout cela ; elle est plus qu'un devoir, plus qu'une idée ; elle est une union mystique, une possession qui dépasse les « Tu dois » de la morale et les discours de la raison ; elle est contemplation, amour, révélation de Dieu. Le grand mérite de Bergson est d'avoir brisé les cadres de la religion où l'homme se replie sur lui-même et ne s'élance pas jusqu'à Dieu ; son mérite est d'avoir intégré la mystique dans la métaphysique et d'avoir conçu la révélation libre d'un Dieu-Amour comme le terme suprême de l'évolution cosmique.

Œuvre d'une liberté créatrice, la religion se produit par mutations et par bonds ; elle ne peut s'expliquer, car la liberté est irrationnelle ; elle ne peut se prévoir, car l'acte libre est imprévisible ; elle ne peut que se constater et s'expérimenter. La méthode du philosophe de l'élan créateur est donc empirique. Il expose, décrit, raconte ; il n'entreprend pas de montrer la genèse métaphysique de la religion, il la révèle telle qu'elle se présente à ses diverses étapes. Pas de dialectique ! La religion ne prête qu'à une histoire descriptive et philosophique.

Cette histoire, la belle histoire de l'évolution créatrice, Bergson la raconte. « Un grand courant d'énergie créatrice se lance dans la matière pour en obtenir ce qu'il peut... L'effort créateur ne passa avec succès que sur la ligne d'évolution qui aboutit à l'homme. En traversant la matière, la conscience prit cette fois, comme dans un moule, la forme de l'intelligence fabricatrice. Et l'invention qui porte en elle la réflexion, s'épanouit en liberté... De l'élan créateur surgit la religion. Elle est statique, naturelle, close, rationnelle et sociologique quand l'élan créateur se fige ; quand celui-ci se déploie, elle est mystique « prise de contact, et par conséquent coïncidence partielle avec l'effort créateur que manifeste la vie. Cet effort est de Dieu, si ce n'est pas Dieu lui-même. Le grand mystique serait une individualité qui franchirait les limites assignées à l'espèce par sa matérialité, qui continuerait et prolongerait ainsi l'action divine. Telle est notre définition. » (Sources, pp. 223, 224, 235)

Le mystique est le témoin authentique et indispensable de Dieu, car seul il en a l'intuition. La raison théorique va du possible au réel ; or cette inférence est sujette à caution. L'expérience mystique, au contraire, spécialement celle des chrétiens, est probante et irrécusable, car elle est immédiatement vécue. Elle atteste que Dieu existe et qu'il est Amour, que l'homme existe pour aimer et être aimé. Le centre d'où les mondes « jaillissent comme un immense bouquet » est un Dieu, énergie infinie. A son toucher, l'esprit s'enflamme ; il éclate en une joie immense et rayonne en une charité miraculeuse qui rend le mystique fraternel, bon à l'égard de tout être. Dans son âme chante une musique indicible, un au-delà du concept, un au-delà des mots, une émotion qui s'évanouit quand on cherche à la dire. Et cette émotion porte en elle-même la garantie de sa propre valeur. Les musiques, même profanes, peuvent, sans recours à des formules, chanter des sentiments de qualités bien diverses. Le chant extatique du mystique révèle la présence d'un Amour saturant.

Bergson ne se laisse pas arrêter par les objections des rationalistes. Qu'on ne fasse pas des mystiques des malades ! Tout état psychique peut se trouver chez des aliénés ; or ce n'est pas pour cela que tout état psychique est pathologique. Un aliéné se croit Napoléon et joue au rôle d'empereur ; est-ce pour cela que tous les empereurs sont des fous ? Un déséquilibré se croit mystique ; faut-il en conclure que tous les mystiques sont des déséquilibrés ? « Les grands mystiques ont généralement été des hommes ou des femmes d'action, d'un bon sens supérieur ; peu importe qu'ils aient eu pour imitateurs des déséquilibrés, ou que tel d'entre eux se soit ressenti, à certains moments,. d'une tension extrême et prolongée de l'intelligence et de la volonté ; beaucoup d'hommes de génie ont été dans le même cas.» (Ibid., p. 262)

Qu'on ne récuse pas davantage les assertions des mystiques, parce qu'elles sont incontrôlables, individuelles et exceptionnelles. On ne voit pas pourquoi une expérience unique ne pourrait pas être décisive ; d'ailleurs l'expérience des mystiques n'est pas solitaire, car leurs témoignages concordent. L'intensité de leur charité, leurs vertus plus qu'humaines attestent de la valeur de leur témoignage. De plus, il y a quelque chose dans l'âme de tout homme, qui fait écho à ces expériences. Tout homme porte en lui des germes de mystique, une aspiration vague à une rencontre divine. L'état mystique paraît comme l'efflorescence de l'élan vital, présent à la nature, présent à l'homme, comme l'accomplissement plénier du dynamisme cosmique qui s'achève dans l'esprit divinisé de l'homme.

Bibliographie : H. BERGSON, *Essai sur les Données immédiates de la Conscience*, 1889 — *L'Idée de Cause* (Congrès de Paris, 1900) — *L'Idée de Néant*, (RP, 1901) — *L'Évolution Créatrice*, 1906 — *L'Intuition métaphysique* (Congrès de Bologne, 1911) — *L'Énergie spirituelle*, 1920 — *Durée et Simultanéité*, 1922 — *Les deux Sources de la Morale et de la Religion*, 1932 — *La Pensée et le Mouvant*, 1934. — R GILLOUIN, *La Philosophie de H. Bergson*, 1911 — É. LE ROY, *Une Philosophie nouvelle : Henri Bergson*, 1912 — V. JANKÉLÉVITCH, *Bergson*, 1931 — Ch. LEMAÎTRE, *Bergsonisme et Métaphysique*, (RNP, pp. 516-538, 5-28, 153-177, 1933-1934) — E. RIDEAU, *Le Dieu de Bergson*, 1933 — J. CHEVALIER, *Bergson*, 1934 — A. D. SERTILLANGES, *Henri Bergson et le Catholicisme*, 1941 — *Études Bergsoniennes*, 1942 — L. HUSSON, *L'Intellectualisme de Bergson*, 1947 — *Bergson et le Bergsonisme* (Archives de Phil. XVII, 1947)

É. LE ROY. —

É. Le Roy croit au primat de l'action et semble, dans ses premiers écrits, n'accorder à l'intellect qu'une valeur pragmatique. Il oppose au discours l'intuition qui est saisie immédiate de la vie, et non saisie conceptuelle. En conséquence il sous-estime le caractère théorique du dogme, fait de la foi une affirmation dynamique dont les déterminations n'auraient qu'une portée négative.

Dans son ouvrage : *le Problème de Dieu*, il reprend le thème de la finalité et le développe avec un réel bonheur d'expression. Cependant tandis que le réaliste n'isole pas la finalité des catégories logiques qui lui fixent un cadre structurel, É. Le Roy oppose la finalité à la causalité si bien que le fondement de la religion lui apparaît essentiellement moral.

« L'analyse de la conscience nous montre, au plus intime de nous-
mêmes, à la racine de notre nature, comme source de l'être en nous,
une exigence première et souveraine : exigence de réalisation ascendante, exigence de progrès sans fin, exigence de vie spirituelle parfaite.
Par rapport à nous, elle est la lumière attirante, prophétique, révélatrice de la seule destinée vraie ; elle se comporte comme une invitation à monter, comme un appel venu de plus haut et de plus profond
que de notre cœur, comme une inspiration qui nous soulève au-dessus
de toute réalité close, au delà de tout désir illusoire, jusqu'aux seuls
sommets inconnus où librement puisse respirer notre âme. Or, affirmer ainsi le primat de l'exigence morale, c'est en cela même que
consiste, du moins initialement, l'affirmation de Dieu. »

« La religion est, avant tout, participation vécue à des réalités
spiritualisantes, beaucoup plus que simple adhésion spéculative à de
pures idées qui représenteraient théoriquement ces réalités. » La
religion pourtant ne coïncide point avec la morale. La morale oblige
et condamne ; la religion donne au vouloir son efficace ; « elle prétend délivrer du mal, fonder l'espérance, ouvrir les sources de l'amour.
Et, en tant que doctrine, on pourrait la définir « l'ontologie des
valeurs » (Prob. Dieu, pp. 201-202, 301-302). Dieu, terme de la religion,
est personnel, et l'expérience religieuse suppose une médiation
sociale. Un organisme communautaire, l'Église, doit alimenter la
vie des croyants.

Dans ses derniers écrits, l'auteur atténue son anti-intellectualisme
et tente de résoudre l'antinomie qui oppose l'idéalisme à l'intuitionisme. Cette fois intuition et discours, pensée et action ne seraient plus
irréductibles.

Bibliographie : É. LE ROY, *Dogme et Critique*, 1906 — *Une Philosophie
nouvelle*, 1912 — *L'Exigence idéaliste et le fait de l'Évolution*, 1927 — *Le
Problème de Dieu*, 1929 — *La Pensée Intuitive*, 2 vol. 1929-1930. — J.
MARÉCHAL, *Le Problème de Dieu d'après É. Le Roy*. (NRT, pp. 193-216,
289-316, 1931) — L. WEBER, *Une Philosophie de l'Invention*, (RMM, pp.
59-86, 253-273, 1932) — L. LAVELLE, *La Philosophie française entre deux
Guerres*, 1942.

VIII. — L'INTUITION CONCRÈTE DE L'EXISTANT.

F. NIETZSCHE. — (1844-1900)

« La religion est un cas d'altération de la personnalité... L'homme
cherche un principe au nom duquel il puisse mépriser l'homme ; il

invente un autre monde pour pouvoir calomnier et salir celui-ci ;
en fait il ne saisit jamais que le néant et fait de ce néant un « Dieu »,
une « Vérité » appelée à juger et à condamner cette existence-ci...
L'homme doit s'en affranchir par un acte de révolte ; il doit vouloir
« la mort de Dieu ». Dieu doit mourir, car il est la négation du vouloir
existentiel. Le surhomme sans remords, sans désespoir, joyeux l'anéantit. « Je suis seul, dira Zarathoustra, et je veux l'être avec le ciel
clair et la mer libre. »

Bibliographie : Fr. NIETZSCHE, *Werke*, 19 vol. Leipzig, 1905-1923.
Fr. NIETZSCHE, *Œuvres complètes*, trad. Petit, *Mercure de France*, Paris —
Œuvres posthumes, trad. Bolle, 1934. — A. LÉVY, *Stirner et Nietzsche*,
Paris, 1904 — A. DREWS, *Nietzsches Philosophie*, Heidelberg, 1904 — G.
SIMMEL, *Schopenhauer und Nietzsche*, Leipzig, 1920 — A. VETTER, *Nietzsche*,
München, 1926 — C. ANDLER, *Nietzsche. Sa vie et sa Pensée*, 6 vol. Paris,
1920-1931 — A. BAEUMLER, *Nietzsche der Philosoph und der Politiker*,
Leipzig, 1931 — LOU ANDRÉAS SALOMÉ, *F. Nietzsche*, 1932 — H. WOLF,
Nietzsche als religieuse persoonlijkheid, Leiden, 1934 — K. JASPERS,
Nietzsche, Berlin, 1936 — G. A. MORGAN, *What Nietzsche means*, Cam-
bridge, Massachusetts, 1941 — H. PFEIL, *Nietzsches Gründe gegen das
Christentum* (Phil. Jahrbuch, 1942) — F. C. COPLESTON, *F. Nietzsche*,
London, 1942 — D. HALÉVY, *Nietzsche*, Paris, 1944.

K. JASPERS. —

L'être est existence, intuition, liberté ; cependant l'homme n'est
qu'une « existence possible... en rapport avec la Transcendance. »
Cette Transcendance que Jaspers nomme Dieu, ne peut se traduire en
objet. Penser Dieu, c'est « le traîner dans la poussière... Jamais je
n'atteins ce qui est, comme un contenu de connaissance ». Cette
Transcendance ne peut davantage justifier la foi en une révélation
qui n'est que la cristallisation grossière et matérialiste de la Transcendance. La volonté elle-même, quoiqu'elle soit existentielle, et,
donc de valeur absolue, n'atteint pas l'être ; car elle se déréalise en
voulant ; l'élan existentiel échoue. Malgré l'angoisse, le philosophe
doit continuer pourtant à vouloir l'Être, le Transcendant ; s'il doit
périr, il demeure tranquille, car l'Un existe.

Bibliographie : K. JASPERS, *Psychologie der Weltanschauung*, Berlin,
1919 — *Die geistige Situation der Zeit*, Berlin, 1931 — *Philosophie*, 3 vol.
Berlin, 1932 — *Nietzsche*, Berlin, 1936 — *Existenzphilosophie*, de Gruyter,
1938. — K. JASPERS, *Descartes et la Philosophie*, trad. de Pollnov, Alcan,
Paris. — K. PFEIFER, *Existenzphilosophie*, Leipzig, 1933 — J. WAHL,
Subjectivité et Transcendance, (Bul. Soc. française de Phil. 1937) — R. F.

BEERLING, *Crisis van den Mensch*, Haarlen, 1938 — J. WAHL, *Existence humaine et Transcendance*, Neuchatel, 1944 — J. DE TONQUÉDEC, *L'Existence d'après Jaspers*, 1944 — R. F. BEERLING, *Moderne doodsproblematiek*, Delft, 1945 — M. DUFRENNE et P. RICŒUR, *Karl Jaspers et la Philosophie de l'Existence*, 1947.

J.-P. SARTRE. —

« L'Être est sans raison, sans cause, et sans nécessité ». Toute connaissance objective implique un défaut radical puisque l'objet s'oppose toujours au sujet. « Il n'est d'autre connaissance qu'intuitive », celle qui jaillit d'un projet, d'un acte libre. Cependant l'acte libre n'est pas absolu, car « je ne peux choisir de ne pas choisir » ; refuser de choisir, c'est encore choisir. La liberté est donc « manque d'être » qui aspire à être ; elle révèle un être inachevé qui ne peut s'immobiliser et qui en cherchant à se dépasser, s'anéantit sans cesse.

La réalité humaine s'oppose à l'En-Soi dans l'acte même où elle le pose ; elle se perçoit « en commerce avec le rien », comme hantée perpétuellement par une totalité qu'elle est, sans pouvoir l'être. Elle est par nature conscience malheureuse, sans dépassement possible de l'état de malheur. » Dieu est l'existence, néantisée dans l'homme. L'idée de Dieu comme la religion est contradictoire.

Bibliographie : J.-P. SARTRE, *L'Imagination*, 1936 — *La Transcendance de l'Ego* (Recherches Phil. p. 85-123, 1936-7) — *L'Être et le Néant*, 1943 — *L'Existentialisme est un Humanisme*, 1946. — R. TROISFONTAINES *Le Choix de J.-P. Sartre*, 1945 — M. MERLEAU-FONTY, *La Querelle de l'Existentialisme* (Temps Modernes, pp. 344-356, 1945) — H. LEFEBVRE, *L'Existentialisme*, Sagittaire, Paris — R. ARNOU, *L'Existentialisme à la manière de Kierkegaard* (Greg., pp. 63-88, 1946) — J. WAHL, *Essai sur le Néant d'un Problème* (Deucaléon, 1946) — A. PATRI, *Remarques sur une nouvelle Doctrine de la Liberté* (Deucaléon, 1946) — P. FOULQUIÉ, *L'Existentialisme*, Paris, 1946 — F. C. COPLESTON, *Existentialism*, (Philosophy, 1947) — S. DE BEAUVOIR, *Pour une Morale de l'Ambiguité*, 1947— R. CAMPBELL, *J.-P. Sartre ou une littérature philosophique*, 1947 — *Existenzialismo*, Torino-Roma, 1947 — J. MARITAIN, *Court Traité de l'Existence et de l'Existant*, 1947 — P. ORTEGAT, *Intuition et Religion*, Louvain-Paris, 1947.

M. MERLEAU-PONTY. —

La religion ne comporte ni une construction conceptuelle, ni une idéologie, ni une théodicée. Toute détermination qui voudrait assigner un terme défini à nos pensées et à nos expériences est aussitôt contradictoire. « La religion fait partie de la culture, — non comme un dogme, ni même comme une croyance, — comme un cri. » (RMM p. 305 1947)

Bibliographie : M. MERLEAU-PONTY, *Phénoménologie de la Perception*, 1945 — *La Métaphysique dans l'homme* (RMM, pp. 290-308, 1947).

G. MARCEL. —

On ne peut passer de l'idéel au réel. L'existence est le climat commun à la pensée objective et subjective. L'opposition même du sujet et de l'objet suppose une démarche existentielle qui les rende présents l'un à l'autre. « La pensée ne peut sortir de l'existence : le passage à l'existence est quelque chose de radicalement impensable, quelque chose qui même n'a aucun sens ; ce que nous nommons ainsi est une certaine transformation intra-existentielle. » (Être et Avoir, pp. 34-35). Le point de départ d'une recherche de l'être n'est donc pas l'intelligible qui par une maturation réflexive deviendrait existentiel. Il faut affirmer la priorité de l'existence sur l'essence. Tous nos rapports, qu'ils aient pour objet notre propre corps, l'autre, Dieu, sont faussés quand on les interprète objectivement ; ils se vérifient quand on les perçoit comme existentiels.

Traités comme des objets, le corps et l'âme s'identifient ou s'extraposent totalement l'un à l'autre ; existentiellement ils paraissent coprésents, unis quoique distincts. Idéellement insoluble, le problème du rapport du corps et de l'âme paraît simple quand il est vécu, car il m'est impossible de traiter mon corps comme un étranger et aussi de m'identifier à mon corps : mon corps c'est moi, quoique je ne sois pas mon corps.

La relation du moi à autrui doit elle aussi être interprétée d'une façon analogue ; elle n'est ni logique ni rationnelle ni abstraite, mais suppose un « co-esse », une co-présence concrète ; elle jaillit de la confluence de deux vouloirs, de l'élection de deux sujets, d'un mutuel engagement. Quand cet engagement se relâche, qu'on ne se suscite plus mutuellement, on se juge objectivement et l'amitié s'évanouit, Penser, c'est médiatiser, se référer à un interlocuteur, à un « on », c'est éloigner le prochain, s'en séparer. L'amitié rompt le barrage que la pensée maintient entre les moi ; elle tutoie, unit dynamiquement. Il ne faut pas juger autrui : c'est le précepte de l'évangile. Objectivement tout homme est haïssable. Pour l'aimer, il faut le percevoir comme un sujet, comme une source jaillissante, comme un renouvellement perpétuel d'être.

De même, faire de Dieu un objet, le médiatiser par la pensée, c'est le nier. Toute théodicée est de soi athée, car Dieu ne se juge point et ne se vérifie point. Dieu n'est pas une essence, mais pure existence ; non un objet mais un sujet inaliénable, présent dans l'acte qui le nie comme dans l'acte qui l'affirme. Il n'est pas la cause qui détermine, mais l'Acte qui me pose face à Lui, comme un moi face au Toi, distinct de Lui et uni à Lui. Un engagement à l'existence héroïque et fidèle, voilà ce qui unit à Dieu. Croire ce n'est pas voir, mais adhérer à l'acte créateur, se consacrer, se donner, vivre d'une présence. Les rapports du croyant avec Dieu sont secrets, non transmissibles, mystérieux. Détachés de l'acte libre dont ils surgissent, ils paraissent problématiques, mais, vécus subjectivement, ils fondent la certitude absolue de la foi. Dieu pour être connu doit être prié. A qui l'aime et qui ne le trahit point, il apparaît comme l'Amour qui est toujours là.

Ainsi G. Marcel conclut très légitimement à la réalité ontologique de la personne, de la communauté, de Dieu. On peut se demander pourtant — et il semble s'être parfois lui-même posé la question — si ses conclusions ne dépassent pas ses postulats initiaux. L'existentialisme, fécond comme procédé de recherche, ne doit-il point, tout comme d'ailleurs la méthode d'immanence, se renier pour pouvoir fonder une philosophie de l'être ? L'être n'est-il que de l'existentiel ou de l'idéel ? S'il est du transsubjectif et du transobjectif, comme l'insinue G. Marcel, peut-on se dire ou idéaliste ou existentialiste ? Oui ou non l'existentialisme est-il une méthode ou un principe ? S'il n'est qu'une méthode, G. Marcel peut justifier ses conclusions ; s'il est un principe, J.-P. Sartre a raison de lui reprocher son personnalisme, car, pour un existentialiste conséquent tout comme pour un idéaliste conséquent, l'être ne peut être qu'un phénomène et ne peut subsister en soi. « Un principe en philosophie, écrivait Schelling, n'est pas ce qui n'est principe qu'au commencement, pour ensuite cesser de l'être, mais ce qui est principe partout et toujours, au commencement, au milieu et à la fin. »

Bibliographie : G. MARCEL, *Les Conditions dialectiques de la Philosophie de l'Intuition*, (RMM, 1912) — *Journal Métaphysique*, 1927 — *Le Monde cassé*, 1933 — *Être et Avoir*, 1935 — *Du Refus à l'Invocation*, 1940— *Homo Viator*, 1944. — J. WAHL, *Vers le Concret*, 1932 — M. DE CORTE, *La Philosophie de G. Marcel*, 1938 — *Existentialisme chrétien, G. Marcel*, 1947.

N. BERDIAEFF. — (1874-1948)

Il faut distinguer dans la pensée religieuse de N. Berdiaeff plusieurs stades. Nous ne parlons que du dernier qui date de sa conversion radicale à l'existentialisme.

« L'acte de connaissance, déclare-t-il, n'est pas un événement qui intéresse l'être et lui soit intérieur ; il est au contraire absolument extrinsèque à lui et est de nature logique et nullement spirituel... Le monde, produit par l'objectivation est un monde déchu, un monde ensorcelé, le monde des phénomènes et non des êtres existants... Le monde objectivé est un monde d'où Dieu et l'homme sont ensemble absents, de sorte qu'objectiver Dieu c'est faire de lui une chose qui n'est ni divine ni humaine.» (Cinq Méd., pp. 53, 65)

Dieu ne peut être atteint que par une intuition émotionnelle, dont il faut maintenir la pureté. « En sa nature originelle, la révélation n'est pas une connaissance, même elle ne renferne rien de cognitif. Elle ne le devient que parce que l'homme y ajoute, par la réflexion de la pensée humaine sur elle ; car non seulement la philosophie, mais la théologie déjà, est un acte purement humain de connaissance. Elle ne se confond pas avec la révélation, elle est exclusivement l'œuvre des hommes, non celle de Dieu. Elle exprime la réaction, au contact de la révélation, non de l'intelligence individuelle, mais de la collectivité organisée ; et c'est de cette collectivité que provient le *pathos* de l'orthodoxie... La révélation et la connaissance sont de nature différente. » (Ibid., pp. 11-12)

La religion sera donc non-dogmatique, non-historique, non-hiérarchique, non-structurelle, dynamique, individualiste, prophétique et eschatologique. Sacrifiant la catégorie de la nécessité à celle de la liberté, soucieux avant tout de sauvegarder l'ombrageuse indépendance de l'homme et de ne pas le lier à un Dieu qui commande, Berdiaeff dégage la religion de toute croyance objective, de tout devoir précis qui oblige ; elle exige le vouloir absolu de Dieu, mais ce vouloir n'engage concrètement à rien, n'exige ni soumission ni sacrifice effectif. La religion se définit comme un pur acte d'amour. Mais comment aimer un Dieu absent ? comment aimer sans se lier, sans se donner, sans croire absolument à la Parole de Celui qu'on aime ?

Bibliographie : N. BERDIAEFF, *Un nouveau Moyen Age*, 1927 — *Esprit et Liberté*, 1933 — *La Destination de l'Homme*, Paris, 1935 — *Cinq Méditations sur l'Existence*, 1936 — *Esprit et Réalité*, Aubier, Paris — *De l'Esclavage et de la Liberté de l'Homme*, Aubier, Paris — *Essai de Métaphysique eschatologique*, Aubier, Paris. — W. R. INGE, *The Philosophy of Berdiaeff* (Phil., pp. 195-204, 1946)

D. L'EXPLICATION SOCIALE

I. — LE TRADITIONALISME.

L. DE BONALD. — (1754-1840)

L'homme ne trouve point la vérité en se repliant sur lui-même ou par une réflexion interne. « Si nous nous obstinons à creuser nos idées pour y chercher nos idées, à vouloir connaître notre esprit au lieu de chercher à connaître avec notre esprit et par notre esprit, ne risquons-nous pas de faire comme ces insensés du mont Athos, qui, des journées entières, les yeux fixés sur leur nombril, prenaient pour la lumière incréée des éblouissements de vue que leur causait leur situation ? L'esprit s'épuise, se dessèche, se consume dans cette stérile contemplation de lui-même : triste jouissance d'un esprit timide que je n'oserais appeler étude et qui le rend inhabile à se projeter au dehors et infécond pour produire. » (Œuvres, IV, p. 31)

La vérité doit avoir un critère extrinsèque ; elle procède du dehors et non du dedans. C'est le langage qui la fait naître et qui en est la source. Dieu a fait don à l'homme de la parole, et ce don social fait de l'homme un esprit, un être religieux. La révélation primitive qu'il a faite parvient jusqu'à nous par la tradition ; c'est elle qui doit diriger l'esprit, elle à laquelle les institutions doivent se conformer, elle qui fonde la morale non moins que la religion.

Bibliographie : L. DE BONALD, *Théorie du Pouvoir politique et religieux*, 3 vol. 1796 — *Législation primitive*, 1802 — *Recherches philosophiques*, 2 vol. 1818. — Ph. DAMIRON, *Essai sur l'Histoire de la Philosophie en France au XIXᵉ siècle*, 1832 — V. DE BONALD, *De la Vie et des Écrits de M. le Vicomte de Bonald*, 1853 — Ch. MARÉCHAL, *La Philosophie de Bonald* (An. Phil. Chrét., 1910-1911).

II. — LE SOCIOLOGISME POSITIVISTE.

E. DURKHEIM. — (1858-1917)

La religion a sa source dans la société ; c'est d'elle que procèdent les vérités dogmatiques et les ordonnances de l'éthique. Dieu ou le sacré n'est que la personnification de la société et il a pour fonction de créer, de coordonner et de maintenir la solidarité sociale. « Une religion est un système solidaire de croyances et de pratiques relatives à des choses sacrées, c'est-à-dire séparées, interdites, croyances et pratiques qui unissent en une même communauté morale, appelée Église, tous ceux qui y adhèrent. » (Formes élémentaires. p. 65)

Bibliographie : E. DURKHEIM, *Éléments de Sociologie,* 1889 — *Les Règles de la Méthode sociologique,* 1895 — *Les Formes élémentaires de la vie religieuse,* 1912 — *Sociologie et Philosophie,* 1924 — *Education morale,* Paris, 1925 — *Éducation et Sociologie,* 1926. — J. DEWEY, *Durkheim,* 1916 — G. GURVITCH, *Essai de Sociologie,* Paris, 1942.

M. WEBER. — (1865-1920)

Fondateur de l'école sociologique en Allemagne, Weber rattache la religion à l'activité communautaire. Certains — et c'est le point de vue qui prédomine aujourd'hui (O. Spengler, L. Frobenius, E. Bergmann) — pensent que c'est la vie, l'appel des valeurs, la subjectivité libre qui engendrent la communauté. Weber, fidèle au rationalisme de Comte, de Marx et de Spencer, demeure déterministe.La causalité explique les relations interhumaines et les structures sociales qui donnent aux religions leur caractère spécifique, quoique le déterminisme, qui triomphe en physique, ne puisse, dans l'étude du phénomène religieux, lequel est psychique, conscient et libre, se vérifier d'une façon aussi manifeste.

L'activité religieuse peut être conçue comme un acte qui intègre l'homme dans le monde en fonction d'un au-delà du monde ; et dans ce cas, l'analyse de l'acte religieux devra être à la fois phénoménologique et métaphysique. Pour Weber, il n'y a point d'au-delà, ni de métaphysique. Il prétend expliquer positivement la religion, et adoptant une méthode d'analyse extrinsèque, il s'expose comme tous ses prédécesseurs à ne pas saisir le contenu interne de la religion et son caractère théocentrique. Néanmoins, la sociologie telle qu'il la conçoit est plus précise et moins unilatérale que celle des sociologues qui l'ont précédé. L'économique y joue encore un rôle privilégié ; mais il n'est plus comme dans la théorie de Marx le principe exclusif des relations interhumaines. D'autres facteurs culturels y interviennent. La structure d'un peuple est déterminée par des éléments multiples : la guerre ou la paix, les relations et le commerce, le site et le tempérament, la race et ses mélanges. La structure d'un groupe varie, mais, à chaque moment de son évolution, elle se présente comme un tout, comme un a priori qui spécifie l'attitude et la pensée de ses membres.

Après avoir été mythologique, polythéiste, la religion est devenue monothéiste et éthique par l'effort conjugué des prêtres et des prophètes. Les prêtres, à la différence des sorciers, organisent un culte lié à des normes et à des croyances ; par l'effet de leur ministère, la religion de magique devient morale ; elle se stabilise et se régularise. Les prophètes, et souvent ils sont laïcs, représentent l'élément dynamique des religions éthiques. Doués d'un charisme personnel, ils prient et révèlent. Les prêtres s'emparent de ces messages et en font la base d'un enseignement dogmatique et sacré.

Les religions se distinguent dans la mesure où elles émergent de telle ou telle classe. Comme les besoins des paysans et des bourgeois, des artisans et des prolétaires, des intellectuels et des nobles ne sont pas pareils, ils auront naturellement du salut, de l'éthique et conséquemment de la religion des conceptions fort diverses. « Ainsi, le confucianisme fut l'éthique d'une classe de profiteurs cultivés, lettrés séculiers et rationalistes... L'Hindouisme plus ancien, par contre, fut pratiqué par une caste héréditaire de lettrés cultivés... Plus tard seulement, surgit la concurrence d'une classe d'ascètes non-brahmanes ; et enfin, au moyen âge, la religiosité profonde et sacramentelle qui appelle le salut et qui émane des basses couches et des plébéiens mystiques se manifesta dans l'hindouisme... Le Bouddhisme fut propagé par des moines mendiants, vagabonds sans patrie, strictement contemplatifs et se détachant du monde... L'Islam, dans ses premiers temps, fut une religion de guerriers à la conquête du monde... Au moyen âge musulman, cependant, le Soufisme mystique et contemplatif s'y fit une place au moins égale. Le Judaïsme fut, depuis l'exil, la religion d'un « peuple de parias » bourgeois ; et, au moyen âge, une classe d'intellectuels de ce peuple, classe lettrée et instruite dans les rites, la prit sous sa direction. Cette classe représentait une mentalité de petits bourgeois, de plus en plus proches du prolétariat... Le Christianisme, enfin, commença sa carrière comme une doctrine qui émane d'apprentis-ouvriers ambulants. Il fut et resta une religion spécifiquement urbaine, avant tout bourgeoise... dans l'antiquité, tout comme au moyen âge et dans le puritanisme. » (Ges. Auf. I, p. 239-240 ; Wirt. Ges. p. 293). D'après Weber la doctrine réformée de la prédestination serait née de la classe bourgeoise, fière de sa profession, se targuant de son autonomie et de sa valeur. Ultérieurement, la croyance au surnaturel ayant disparu, le protestantisme se survécut dans le culte effréné de l'agir qui exalta le lucre. Cet activisme économique et bourgeois aurait donné naissance au Capitalisme.

Quiconque a l'âme religieuse, trouvera, je pense, ces explications courtes. La phénoménologie de Weber peut fournir quelques indications suggestives sur les rapports de la religion et de la culture. Une religion de paysans est spontanément magique ou sacramentelle ; une religion de bourgeois cultivés s'orientera spontanément dans le sens d'une éthique. Des ouvriers et des intellectuels, des nomades et des sédentaires doivent avoir de leurs devoirs religieux des conceptions diverses. Et cependant, quand la religion n'est pas un produit humain de la culture, quand Dieu l'institue et qu'il devient son centre, elle se manifeste universaliste, capable d'adaptation aux situations variées des époques et des classes. Cet aspect universaliste de la religion, Weber l'ignore et doit l'ignorer, car, à cause de sa méthode, il ne la perçoit que du dehors et par le bas.

Bibliographie : M. WEBER, *Gesammelte Aufsätze zur Religionssozio-logie*, Tübingen, 3 vol. 1920-22 — *Wirtschaft und Gesellschaft* (Grundriss der Sozialökonomie, III. 1921-22) — *Gesammelte Aufsätze zur Soziologie und Sozialpolitik*, 1922-24. — K. JASPERS, *M. Weber*, Oldenburg, 1932 — A. VAN SCHELTING, *Max Webers Wirtschaftslehre*, Tübingen, 1934 — M. WEINREICH, *M. Weber*, Paris, 1938.

III. — LE SOCIOLOGISME DYNAMIQUE.

J.-M. GUYAU. — (1854-1888)

Vitalisme positiviste, relativiste, et irréligieux. La religion qui est subjective a des antécédents physiques ; le sentiment l'inspire, mais ce sont les forces de l'Univers qui la rendent vivante et essentielle-ment sociale. « L'homme devient vraiment religieux, selon nous, quand il superpose à la société humaine où il vit une autre société plus puissante et plus élevée, une société pour ainsi dire universelle et cosmique... Que toute religion soit ainsi l'établissement d'un lien, d'abord mythique, plus tard mystique, rattachant l'homme aux forces de l'univers, puis à l'univers même, enfin au principe de l'uni-vers, c'est ce qui ressort de toutes les études religieuses ; mais ce que nous voulons mettre en lumière, c'est la façon précise dont ce lien a été conçu. Or, on le verra mieux à la fin de cette recherche, le lien religieux a été conçu *ex analogia societatis humanae...* Une sociologie mythique ou mystique, conçue comme contenant le secret de toutes choses, tel est, selon nous, le fond de toutes les religions. » (Irrél. Avenir, pp. I-II)

Bibliographie : J.-M. GUYAU, *La Morale anglaise contemporaine*, 1879 — *Esquisse d'une Morale sans Obligation ni Sanction*, 1884 — *L'Irréligion de l'Avenir*, 1886. — A. FOUILLÉE, *La Morale, l'Art et la Religion d'après Guyau*, 1889.

P. NATORP. — (1854-1924)

La religion se rattache à la moralité ; celle-ci est sociale et a pour terme non l'individu, qui n'est qu'une abstraction, mais l'humanité, unité idéale et concrète des hommes. La religion se définit donc comme un humanisme moral, dépourvu de transcendance. D'abord idéaliste et subissant l'influence de Kant et de Hegel, Natorp adopta dans son dernier ouvrage, la perspective des philosophies de la valeur.

Bibliographie : P. NATORP, *Die Religion innerhalb der Grenzen der Humanität*, Tübingen, 1908 — *Sozialidealismus*, Berlin, 1922. — E. WECK, *Der Erkenntnisbegriff bei P. Natorp*, Bonn, 1914.

J. ROYCE. — (1855-1916)

L'Absolu est Idée, mais il ne détermine point l'homme. L'homme et Dieu s'unissent l'un à l'autre par la finalité qui met en connexion vivante deux libertés, deux individus extraposés qui ne s'absorbent point l'un dans l'autre. Tout comme les néohégéliens anglais, Royce a le souci de l'expérience concrète, ne veut pas d'un monisme logique. « Il ne peut y avoir de vérité simplement possible, définissable en dehors de quelque expérience actuelle. » La conscience implique un dynamisme volitionnel.

Les êtres s'unissent entre eux non en vertu de relations purement idéelles, mais en vertu d'une participation ou d'une communauté ontologique. Cette communauté originelle et idéale fonde la réalité métaphysique de l'homme. « Ma vie ne signifie rien, ni théoriquement, ni pratiquement si je ne suis pas membre d'une communauté. Je ne puis remporter aucun succès qui vaille d'être remporté si mon succès n'est en même temps celui de la communauté à laquelle j'appartiens essentiellement, en vertu des relations réelles qui me lient à l'ensemble de l'univers... Le salut de l'individu n'est possible qu'à condition qu'il soit en quelque sorte membre d'une communauté spirituelle, communauté religieuse et, en sa plus intime essence, divine, dans la vie de laquelle les vertus chrétiennes sont destinées à trouver leur expression la plus haute et où l'esprit du Maître trouvera son incarnation terrestre. »

Ce qui a créé le Christianisme, c'est le dévouement à l'Église, réalité concrète qu'il faut servir avec loyauté, à laquelle il faut se donner, et grâce à laquelle l'Esprit réside à jamais dans le monde. Celui qui se détache de cette communauté trahit et se perd. « La seule façon d'être pratiquement autonome consiste à être librement loyal ». La communauté possède une plénitude de charité dont les individus ne peuvent que participer ; elle est la source créatrice d'un dévouement passionné, principe d'un engagement rédempteur et plénier. « Que notre Christologie soit la reconnaissance pratique de la Communauté Universelle et Bien-aimée ; — tel est le credo suffisant et efficace — Aimez ce credo, exercez-le, enseignez-le, prêchez-le avec les mots, les symboles qu'il vous plaira, à l'aide des articles de foi et en conformité avec les pratiques qui vous permettent le mieux de symboliser et de réaliser, dans une disposition d'esprit sincère et de tout votre cœur, la présence de l'Esprit dans la Communauté. Tout le reste de votre religion est accidentel et lié à votre race, ou à votre nation, ou à votre forme particulière de culte, ou à votre formation personnelle et contingente, ou à votre expérience mystique individuelle, révélatrice certes, mais capricieuse. Le cœur, le centre de la foi, ce n'est pas la personne du fondateur ou un autre individu quel qu'il soit — et vous ne le trouverez pas non plus dans les paroles du fondateur, ou dans les traditions christologiques ; c'est l'Esprit, la Communauté Bien-Aimée, l'œuvre de la grâce, l'action rédemptrice et la puissance salvatrice de vie loyale. » (Textes cités par G. Marcel, La Métaphysique de Royce, pp. 36, 165, 193, 210, 211)

Bibliographie : J. ROYCE, *The Religious Aspect of Philosophy*, Boston, 1885 — *The Conception of God*, 1897 — *Studies of Good and Evil*, New-York, 1898 ; *The Conception of Immortality*, Boston, 1899 — *The World and the Individual*, 2 vol. New-York, 1900-1901 — *The Sources of Religious Insight*, 1912 — *The Problem of Christianity*, 2 vol. New-York, 1913 — *Lectures on Modern Idealism*, New-Haven, 1919 — J. ROYCE, *Philosophie du Loyalisme*, trad. Morot-Sir, 1946. — M. J. ARONSON, *La Philosophie morale de J. Royce*, Paris, 1927 — J. S. BIXLER, *J. Royce*, (HTR, pp. 197-224, 1936) — G. MARCEL, *La Métaphysique de Royce*, 1945.

E. L'EXPLICATION RÉALISTE.

I. — LE RÉALISME CONCRET.

M. F. MAINE DE BIRAN. — (1766-1824)

Biran s'oppose à l'extrinsécisme de l'école traditionaliste. « L'homme qui renoncerait à sa raison propre individuelle, et par suite, à sa volonté constitutive, pour les soumettre entièrement à une autorité extérieure, à une parole étrangère, fût-elle celle de Dieu même, cet homme abdiquerait par là-même le titre de personne morale qu'il tient de son créateur ; il cesserait de participer à la raison suprême. » (Oeuvres, Naville, III, p. 185) Pas de dogmatisme, ni d'abstractions, ce qui importe ce sont les faits, des faits immédiatement perçus et rigoureusement analysés.

Il existe une expérience interne et une expérience externe : le fait physique et le fait psychique ne sont pas homogènes, car l'un est subi, l'autre agi. Le moi interne se connaît par le moyen de la réflexion et sous les auspices de l'effort volontaire. La conscience implique une tension, l'effort du sujet et la résistance de l'objet, une sujétion et une action. Dans le « je pense » se découvre donc le « je veux » ; dans le moi empirique, le je métaphysique ; dans le je conscient et libre, le monde et Dieu.

Dieu se révèle intérieurement à l'âme dans un sentiment dont la source « ne peut être subjective et qui tient à une nature plus élevée que les sensations et les idées de l'esprit, plus haute que le fini. » Ce sentiment se fonde sur la raison théorique et pratique. La raison théorique saisit Dieu comme cause, quoiqu'elle ne puisse pénétrer sa nature ; la raison pratique l'appelle pour qu'il secoure l'homme dans sa détresse. L'homme a un besoin spéculatif d'expliquer l'énigme du monde et sa propre énigme ; il requiert la paix dans son inquiétude, un point d'appui fixe et immuable. Or, « réduit à ses propres forces, il ne peut rien, et n'existe même pas autrement qu'en abstraction et par hypothèse. » (III, 238) « La religion seule résout le problème que la philosophie pose. » Cette religion est le Christianisme qui explique la contradiction de la nature humaine et dont l'action concrète est encore plus profonde et plus sublime. L'esprit se réconcilie avec lui-même, par l'entremise du Médiateur-Jésus, dont la grâce l'inspire, le dispose à l'agir et à la prière, « communication intime d'un Esprit supérieur à nous, qui nous parle, que nous entendons au dedans, qui vivifie et féconde notre esprit sans se confondre avec lui. Si l'homme même le plus fort de raison, de sagesse humaine, ne se sent pas soutenu par une force, une raison plus haute que lui, il est malheureux ; et quoiqu'il en impose au dehors, il ne s'en imposera pas à lui-même. » (Journal, 17 mai 1824) « La vraie philosophie ou la raison même qui sait se tracer ses propres limites, apprend à connaître et à respecter celles de la foi qui sont hors d'elle et au-dessus d'elle. Pour elle les croyances nécessaires composent un domaine à part de celui de la connaissance. Sans renier l'autorité de l'évidence dans les objets soumis à ses recherches, elle ne repousse point l'évidence de l'autorité qui l'oblige à croire sans examiner. Confondez ces limites, et l'homme, tantôt portant la foi dans la science, croira aveuglément ce qu'il est appelé à étudier et à connaître, ne saura rien de Dieu, ni de lui-même, ni de la nature ; tantôt portant la raison dans la foi, il ne croira rien que ce qu'il pourra toucher, percevoir et sentir. » (III, p. 155)

Bibliographie : MAINE DE BIRAN, *Œuvres posthumes*, éd, Cousin, 1841 — *Œuvres inédites*, 3 vol, éd. Naville, 1859 — *Pensées*, éd. Naville, 1857 — *Œuvres*, éd. Tisserand, 12 vol. 1920-1939. — V. DELBOS, *Maine de Biran*, 1931 — G. LE ROY, *L'Expérience de l'Effort et de la Grâce chez Maine de Biran*, 1937 — P. FESSARD, *La Méthode de Réflexion chez Maine de Biran*, 1938 — R. VANCOURT, *La Théorie de la Connaissance chez Maine de Biran*, s. d. — H. GOUHIER, *Histoire philosophique du sentiment religieux en France*, 1948.

J. H. NEWMAN. — (1801-1890)

Newman distingue la connaissance notionnelle, abstraite, logique, de la connaissance concrète et immédiate ; il distingue l'inférence discursive et rationnelle qui à elle seule, dans le domaine du concret, n'arrive qu'à des conclusions probables, de l'assentiment dont les certitudes sont absolues, quoique souvent il ne puisse être analysé.

On passe de l'inférence à l'assentiment par l'*Illative Sense*, intuition inspirée par la conscience, l'émotion, l'instinct, le sentiment, et l'imagination, éclairée par l'histoire et la tradition. *L'Illative Sense* est l'acte de la personne qui embrasse d'un regard le concret ; il n'est pas irrationnel : « Tous, déclare Newman, doivent se servir de la raison ; les femmes encore plus que les hommes... La religion comme sentiment n'est qu'un rêve et une dérision. » Faculté synthétique, synergie de toutes nos puissances, *l'Illative Sense* comble l'abîme qui sépare l'appréhension de l'abstrait de la saisie du particulier ; il est individuel, actif, garantit sa propre certitude.

Parmi les facultés qui concourent particulièrement à guider l'esprit et à lui faire saisir Dieu, Newman accorde à la conscience un rôle privilégié. « La conscience morale m'est plus proche que n'importe quel autre moyen de connaissance... Notre grand maître intérieur de religion est... notre conscience... La conscience morale... nous enseigne non seulement que Dieu est, mais ce qu'Il est » (Gram. Assent., pp. 389-390)

Cependant Newman est trop réaliste et trop chrétien pour s'en tenir à un immanentisme moral. Le Dieu de la conscience appelle le Dieu de la révélation, le Dieu véritable. C'est dans le temps que Dieu paraît, dans l'histoire que sa Parole retentit. Le christianisme ne peut se séparer de l'histoire et c'est elle qui démontre son incomparable valeur. Sa transcendance s'impose à quiconque étudie le développement historique du dogme catholique. Malgré la diversité et la mobilité des situations et des cultures, la pensée de l'Église s'est développée d'une façon organique, gardant son unité, s'enrichissant sans cesse et se précisant sans cesse, gagnant en profondeur et en clarté, progressant sans se renier, émergeant à des niveaux toujours plus élevés, à la fois plus concrète et plus complexe, plus féconde et plus cohérente, à tout moment capable d'assimilation nouvelle, fidèle au passé et anticipant l'avenir. Ce développement n'est ni mécanique ni biologique ; il ne peut s'expliquer logiquement, car dans ce cas le progrès ne serait qu'apparent ; ni dynamiquement, car dans ce cas, il manquerait de continuité ; il résulte de la présence personnelle de l'Esprit de Dieu dans l'Église qu'Il illumine, vivifie et qui est son Corps mystique.

Bibliographie : J. H. NEWMAN, *Collected Works*, 40 vol. Longmans, London — *An Essay on the Development of Christian Doctrine*, 1845 — *The Idea of a University*, 1852 — *Apologia pro Vita sua*, 1864 — *An Essay in aid of a Grammar of Assent*, 1870. — J. H. NEWMAN, *Discours sur la Théorie de la Croyance religieuse*, trad. Deferrière, 1850 — *Le Chrétien*, trad. Saleilles, 2 vol. 1906 — *La Vie chrétienne*, trad. Brémond, 1906 — *Essai sur le Développement de la Doctrine chrétienne*, trad. Gondon, 1848 — *Le Rêve de Géronte*, trad. Lebourg, 1912, trad. Clarence, 1944 — *Apologia pro Vita sua*, trad. et com. Michelin-Delimoges et Nédoncelle, 1941 — *Grammaire de l'Assentiment*, trad. Paris, 1907 — *Œuvres philosophiques de Newman*, trad. Jankélévitch, préface Nédoncelle, 1945 —

P. Thureau-Dangin, *La Renaissance catholique : Newman et le Mouvement d'Oxford*, 1899 — W. Ward, *The Life of Card. Newman*, London, 1912 — C. Bonnegent, *La Théorie de la Certitude dans Newman*, Paris, 1920 — M. Laros, *J. H. Newman, Religiöser Erzieher der Kath. Kirche*, Leipzig, 1920 — M. Laros, *Kard. Newman*, Mayence, 1920 — E. Przywara, *Einführung in Newmans Wesen und Werk*, 1931 — H. Brémond, *Newman, Essai de Biographie psychologique*, 1932 — J. Guitton, *La Philosophie de Newman*, 1933 — A. Karl, *Die Glaubensphilosophie Newmans*, Bonn, 1941 — H. Walgrave, *Newmans beschrijving en Verantwoording van het werkelijke Denken* (TP, pp. 524-566, 1939 ; pp. 279-328, 1943). — R. Aubert, *Le Problème de l'Acte de Foi*, pp. 343-356, Louvain, 1945 — M. Nédoncelle, *La Philosophie religieuse de Newman*, Strasbourg, 1946.

J. Balmes (1810-1848)

La philosophie moderne ne compte pas de grands noms en Espagne. C'est au moyen âge qu'il faut remonter pour trouver dans ce pays le développement d'une activité philosophique féconde et influente. Du côté de la pensée catholique le seul philosophe de valeur est le prêtre don Jaime Balmes.

« Ce fut, dit Menendez y Pelayo, le seul philosophe espagnol du siècle passé dont la parole arriva vivante et pleine d'efficience jusqu'au peuple et lui servit de stimulant pour penser ; le seul qui se fit entendre de tous, parce qu'il professait ce genre de philosophie active qui depuis le grand moraliste cordouan, constitue la caractéristique de notre manière de penser. » Il y a plus ou moins qu'une mouture de Sénèque dans Balmes. Sa philosophie morale se double en effet d'une philosophie fondamentale quelque peu désabusée mais d'autant plus courageuse.

Laissant de côté *El Criterio*, son premier ouvrage philosophique, sans prétention scientifique, simple initiation à la manière de bien penser sur les problèmes vitaux, nous analyserons brièvement sa *Filosofia fundamental*, qui contient sa doctrine idéologique, ontologique et critériologique ; l'étude du triple problème de la connaissance, de l'être et de la certitude.

Il distingue deux espèces de connaissances : l'une d'ordre réel et se rapportant aux objets extérieurs, et l'autre d'ordre idéal et se rapportant à l'esprit. La première a son fondement de vérité dans la réalité du moi ; mais cette réalité ne nous assure en aucune façon de l'objectivité des sensations ; le chaud, le froid, etc... demeurent partiellement des impressions subjectives. Seule l'extension s'applique intégralement : « L'unique sensation que nous projetons à l'extérieur

et que nous sommes incapables de ne pas projeter est celle de l'extension ; toutes les autres se rapportent aux objets seulement comme des
effets à la cause, mais non comme des copies. » (Fil. fund. livre II, cap.
IX, nº 49) Cette forme de l'espace rappelle invinciblement la théorie
kantienne. L'autre connaissance, la connaissance idéale, est discursive
et la vérité en repose sur le principe de contradiction.

On discerne tout de suite le caractère cartésien de cette distinction
entre les deux ordres de connaissances, et la difficulté qu'il y aura
à les relier, une fois qu'on les a séparés.

Dans son ontologie, Balmes étudie la nature de l'être et il y reconnaît un ordre phénoménal d'apparences, et un ordre réel de substances.

« Un être intellectuel pur connaît ce que le monde est ; un être
sensible, ce que le monde paraît. Quant aux relations entre les deux
ordres, loin de révéler un caractère de nécessité intrinsèque et absolue, elles révèlent toujours davantage leur caractère relatif et
contingent, sans plus de stabilité que celle reçue de la volonté du
Créateur. »

Balmes ne croyait donc en aucune façon au déterminisme des lois
de la nature, parce que l'intelligence humaine n'atteint jamais de
point fixe. Il n'y a que dans la conscience du moi qu'on touche la
substance. « Il y a une certaine intuition de l'âme en elle-même ; une
présence sentie de son unité, de sa permanence, de son identité, et de
sa durée. » Cette prise de conscience est strictement individuelle et
incommunicable.

On aurait pu croire qu'à l'exemple de Raymond Sebunde, Balmes
se trouvait ici sur le chemin de la méthode d'immanence. Il y était
peut-être, mais il ne s'y est pas maintenu ; car au lieu de faire partir
la preuve de l'existence de Dieu du dynamisme de la pensée, ce qui
découlait naturellement de sa philosophie du moi, il recourt, au contraire, aux arguments traditionnels, en appuyant l'existence de Dieu
sur la réalité du monde extérieur à la manière des scolastiques, mais
avec cet handicap d'avoir séparé le monde réel du monde idéel, et de
ne plus pouvoir dès lors rattacher l'idée de Dieu à la réalité.

Enfin dans sa critériologie, où il étudie le problème de la certitude,
Balmes distingue deux certitudes, l'une réelle, se rapportant au
monde extérieur et fondée sur la certitude de l'existence du moi ;
et l'autre idéale fondée sur le principe d'évidence, dont le propre,
ajoute-t-il, est « de n'être pas évident ». Comment savoir si ce qui
nous paraît évident dans l'ordre idéal est réel ? Il faut pour cela se
fier à *l'instinct intellectuel*, qui n'est autre que le sens commun, c'est-
à-dire une foi sans fondement critique.

La philosophie de Balmes se solde donc par un aveu d'impuissance intellectuelle et par un refuge dans le sentiment, à la manière des romantiques.

Il s'est d'ailleurs rendu compte de son échec et voilà pourquoi il exalte la Bible : « Ouvrez Aristote et les autres : qu'y rencontrez-vous sinon des erreurs et des ténèbres ? Ouvrez la Bible : tout est clair. Il y a un Dieu créateur, un libre arbitre... L'étude de la philosophie engendre la conviction profonde de la pauvreté de notre savoir. »

En dépit de cette constatation, il faut reconnaître que Balmes recommande chaleureusement l'étude de la philosophie à l'Espagne de son temps dont il attribue la décadence à l'abaissement des études philosophiques.

Du côté des incroyants, le courant qui domine en Espagne est celui de la pensée allemande. L'avènement de la philosophie de Krause demeure la plus surprenante aventure de l'histoire de la philosophie. La responsabilité en retombe tout entière sur Julian Sanz del Rio, qui s'étant avisé que son pays manquait de système philosophique, avait imaginé d'en choisir un dans le riche arsenal de la pensée germanique. Ayant eu connaissance de son voyage, les disciples de Krause, vague mouture de Schelling, s'étaient empressés de confisquer le pèlerin pour l'adresser à leur chapelle. C'est ainsi que le Krausisme devint le système officiel de la philosophie espagnole.

Par la porte de Krause, pénétrèrent aussi Schopenhauer et Nietzsche dont le pessimisme empreignit fortement la génération de Ganivet et des essayistes qui l'ont suivi. Parmi ces derniers il convient de signaler José Ortega y Gasset, professeur de métaphysique à l'université de Madrid. Un de ses meilleurs ouvrages restera sans doute : *España invertebrada* (Madrid, Calpe, 1922) où s'affirme le principe de sa philosophie, « l'impératif de sélection ». Il rejoint l'idéalisme individualiste de Ganivet et peut-être de Don Quichotte, sans apporter plus d'espérance, puisque le devenir du monde ne tend à rien d'absolu. Le même désespoir fondamental occupe la pensée d'Unamuno, dans *son sentiment tragique de la vie*, qu'une vague mysticité semble avoir orienté vers la fin de sa vie du côté de la religion.

L. STINGLHAMBER.

Bibliographie : J. BALMES, *Obras completas*, 35 vols., Barcelone, 1930 — J. BALMES, *Art d'arriver au Vrai*, trad. Manec, Liège, 1851 — *Philosophie fondamentale*, trad. Manec, 3 vol. Liège, 1852-1853 — *Lettres à un sceptique en matière de Religion*, trad. Bareille, Paris — *Mélanges religieux*, trad. Bareille, Paris. — J. ZARAGUETA, I. GONZALEZ, *Balmes filosofo social, apologista y politico*, Madrid, 1945.

J. E. Boodin. —

Les définitions de la religion sont circulaires ; elle ne se caractérise ni par une expérience morale imprégnée de sentiment, ni par un sentiment de dépendance à l'égard d'une puissance supérieure, ni par une absorption mystique de l'âme en Dieu. On ne peut rationaliser l'expérience religieuse ; la réalité du divin, comme toutes les réalités fondamentales, ne peut être prouvée ; celui-là est religieux qui a le sentiment d'une Totalité et qui lutte pour s'y intégrer. (God, pp. 25-27) « Le réalisme religieux affirme que l'objet que nous adorons dans la religion est une réalité qui existe indépendante de nous, une réalité avec laquelle nous pouvons entrer en contact... Le divin n'est pas une création de l'expérience humaine, une projection idéale de la société, mais un éternel subsistant, qui est réel. » (Religious Realism, p. 479.) Dieu ne crée pas le monde, car le monde révèle des forces antagonistes. Cependant Dieu, limité au dehors, n'est pas limité en soi ; il est l'esprit qui en lui-même est parfait, mais qui dans le monde lutte contre des puissances étrangères, essayant de l'ordonner et de le sauver.

Bibliographie : J. E. Boodin, *A Realistic Universe*, Macmillan, New-York, 1911 — *Cosmic Evolution*, Macmillan, New-York, 1925 — *God and the Cosmos*, (Religious Realism, ed. Macintosh, New-York, 1931) — *God and Creation*, 2 vols., New-York, 1934 — *Religion of To-morrow*, New-York, 1945 — J. A. Martin, *Empirical Philosophies of Religion*, New-York, 1945.

E. W. Lyman. —

« La religion est intimement liée à la moralité, à la poésie, et à la philosophie ; et cependant elle ne doit être identifiée avec aucune d'elles, mais, en elle-même et par elle-même, elle possède une réalité qui lui permet de s'en alimenter et en retour de les féconder. Elle implique des illuminations comme des sentiments de valeur, une mystique et non moins des intuitions de vérité. » (Religious Realism, p. 255 sq)

Bibliographie : E. W. Lyman, *The meaning and Truth of Religion*, New-York, 1933.

D. C. Macintosch. — (1877-1948).

« La religion qui présuppose et implique la poursuite des valeurs jugées les plus hautes, est essentiellement une relation consciente, non seulement de dépendance fatale à l'égard d'une puissance plus haute, mais aussi d'adaptation active à cette réalité ou à ce pouvoir supérieur dont les valeurs suprêmes de l'homme sont estimées dépendre en dernière analyse. Ainsi, spécialement dans ses développements les plus élevés et les plus heureux, elle est une expérience de délivrance ou d'achèvement. Cette expérience tend à être interprétée d'une façon intentionnelle comme due à l'activité de la puissance supérieure à laquelle on s'est adapté ; elle tend aussi à se prolonger par une contemplation pleine de reconnaissance et, dans certains cas, mystique de cet objet religieux, et par un acquiescement à ce qu'on considère comme demandé par elle... La religion a une double racine pivotante. Elle se fonde profondément dans notre conscience de la réalité et dans la recherche des valeurs.» (Relig. Real., pp. 307 et 326). C'est en union au Christ et par l'acte de la prière que l'homme s'ajuste à Dieu. (Pers. Rel., pp. 159-161.)

Bibliographie : D. C. MACINTOSH, *The Problem of Knowledge*, New-York, 1915 — *The Reasonableness of Christianity*, New-York, 1925 — *Religious Realism*, New-York, 1931 — *Social Religion*, New-York, 1939 — *The Problem of Religious Knowledge*, New-York, 1940 — *Personal Religion*, New-York, 1942. — J. A. MARTIN, *Empirical Philosophies of Religion*, New-York, 1945.

W. STERN. — (1871-1938)

La métaphysique n'est pas une discipline autonome. Conditionnée par les autres sciences, elle découvre la perspective qui permet de saisir l'ensemble de l'Univers dans sa réalité et sa valeur. Le point de vue central, la catégorie métaphysique qui investit le monde de valeur et qui fonde sa réalité est le principe personnaliste.

Une psychologie atomistique est fautive. Tout phénomène, qu'il s'agisse d'un acte représentatif ou pratique, exige une intériorisation, une subjectivité. Le physique et le psychique sont des formes abstraites qui doivent s'intégrer dans l'unité de la personne. Le monde apparaît comme un système de personnes, c'est-à-dire de totalités organiques, téléologiques et subsistantes. La personne est une *unitas multiplex*, c'est-à-dire une substance qui, malgré la multiplicité de ses parties et de ses fonctions, est une et distincte de toute autre. Stern oppose l'esprit à la chose qui, manquant de finalité et donc d'unité interne, n'est qu'un agrégat inerte, une réalité d'ordre inférieur.

Cependant le personnalisme de Stern s'énonce comme un monisme ; et, par conséquent, il ne consent pas à diviser le monde en deux zones, celle des choses où règnerait le mécanisme, celle des personnes où règnerait la finalité. En fait, le déterminisme et la finalité sont deux aspects communs à tout être. Le regard qu'on jette sur un être peut procéder d'en bas ou d'en haut. Expliquer mécaniquement un être, c'est le référer aux êtres inférieurs qui le conditionnent ; expliquer téléologiquement un être, c'est l'expliquer par l'unité idéale qui l'aimante. Tout être, même s'il est matériel, peut être considéré de ces deux façons, et par conséquent, il est, comme l'esprit mais à des degrés différents, déterminisme et finalité, et donc personne. Aussi, contrairement au sens habituel du mot, Stern accorde la personnalité à tout être doué d'une unité dynamique aussi bien à la plante, à l'animal, qu'à l'homme. En fonction de ce personnalisme, il oppose ses vues à la théorie des idéalistes néo-kantiens et des philosophes de la valeur. Aux premiers il reproche leur logicisme : l'idéel ne peut s'exprimer sans rapport à l'existentiel. Aux seconds il reproche leur croyance à la primauté des valeurs. En fait les valeurs sont abstraites et irréelles, à moins qu'elles ne surgissent et ne se réfèrent à un être concret. L'action et la pensée doivent l'une et l'autre émaner de la personne.

Les personnes d'ailleurs forment une hiérarchie. Tout être subsiste en soi coordonné à d'autres subsistances, dont les unes lui sont subordonnées et dont les autres l'enveloppent. La notion de personne est corrélative à celle de communauté. Toute communauté est personnelle, en ce sens qu'elle a sa finalité propre, sa structure propre et son unité inaliénable ; toute personne est communautaire, en ce sens qu'elle groupe intrinsèquement en elle toute une série d'êtres qui lui sont subordonnés et qu'elle est à son tour insérée dans une personnalité supérieure qui accomplit sa finalité et assure sa réalité.

C'est ainsi qu'il faut comprendre la relation de l'individu à la famille, à la patrie, à l'humanité ; c'est ainsi que toutes les personnes appellent à leur secours une Personnalité réelle, plénière et divine dont jaillit la finalité déterminée de tous les existants et qui, par son action créatrice, donne au monde sa tendance éternelle à la perfection. Cette conception personnaliste de la divinité est fondamentale ; Stern juge qu'il ne pourrait y renoncer, sans renoncer à tout son système. Il ne prétend point la démontrer logiquement ; néanmoins parce qu'elle répond aux données essentielles de la psychologie et de la métaphysique, il lui paraît légitime d'y croire.

Bibliographie : L. W. STERN, *System des kritischen Personalismus* (I. Person und Sache, 1906 ; II Die menschliche Persönlichkeit, 1918 ; III. Wertphilosophie, Leipzig, 1924) — *Grundgedanken der personalistischen Philosophie*, Berlin, 1918 — *Allgemeine Psychologie auf personalistischer Grundlage*, 1934. — W. MOOG, *Die deutsche Philosophie des 20 Jahrhunderts*, Stuttgart, 1922.

II. — Le Réalisme Critique.

J. Lachelier. — (1834-1918)

Lachelier constate dans la nature la corrélation intrinsèque des causes efficientes et finales ; dans l'esprit la corrélation de la pensée et de la liberté. « L'être, tel que nous le concevons, n'est pas, d'abord une nécessité aveugle, puis une volonté, qui serait enchaînée d'avance par cette nécessité, enfin une liberté qui n'aurait plus qu'à constater l'existence de l'une et de l'autre. Il est tout entier liberté, en tant qu'il se produit lui-même, tout entier volonté, en tant qu'il se produit comme quelque chose de concret et de réel, tout entier nécessité, en tant que cette production est intelligible et rend compte d'elle-même. » (Œuvres, I, p. 217.) La méthode métaphysique est à la fois synthétique et réflexive : « L'existence absolue ne peut se démontrer que directement, par la découverte de l'opération au moyen de laquelle la pensée se pose elle-même et se donne des principes d'action. » En se pensant, la pensée démontre la valeur inconditionnelle de ses objets. Ainsi Lachelier dépasse le criticisme de Kant et on aurait dû s'attendre qu'il fondât une métaphysique religieuse.

Or, il n'en est rien : les conclusions de la théodicée sont négatives et inspirées par la *Critique de la Raison pure*. On ne peut avoir de certitude spéculative au sujet de l'existence de Dieu. Car, d'une part, on n'a aucune expérience immédiate de Dieu ; d'ailleurs on ne peut atteindre Dieu, par raisonnement ; car une déduction spéculative n'aboutit qu'à l'Idéel absolu. On ne peut donc s'unir à Dieu que par la foi. Cette foi est légitime et raisonnable, puisque, en choisissant Dieu, on opte pour l'existence du meilleur et de la perfection ; elle n'est pourtant pas apodictique et rationnelle. « Il n'y a pas évidemment de contradiction entre l'idée d'une nature complète en elle-même et celle d'un au-delà qui est à son égard comme s'il n'était pas ; mais il n'y a pas non plus, et pour la même raison, de lien logique qui permette de passer de la première idée à la seconde... En présence d'un idéal qui n'est pas arbitraire, qui répond à un besoin subjectif de notre raison, et dont elle est cependant impuissante à établir la valeur objective, que reste-t-il, sinon de croire, d'espérer ou, comme le propose Pascal, de parier ? » (II, pp. 163, 55.)

La religion comporte trois idées : « 1° celle d'une affirmation ou d'un ensemble d'affirmations spéculatives ; 2° celle d'un ensemble d'actes rituels ; 3° celle d'un rapport direct et moral de l'âme humaine à Dieu ; cette dernière idée balançant l'importance des deux autres,

quelquefois refoulée par elles jusqu'à presque disparaître, quelquefois au contraire s'en dégageant au point de s'en isoler presque complètement (surtout aujourd'hui dans les églises protestantes).» La religion
exige donc une compréhension intellectuelle, condition de toute
conscience immédiate, un engagement libre, un culte. « La question
la plus haute de la philosophie, plus religieuse déjà peut-être que philosophique, est le passage de l'absolu formel à l'Absolu réel et vivant,
de l'idée de Dieu à Dieu. Si le syllogisme y échoue, que la foi en coure
le risque, que l'argument ontologique cède la place au pari. » (II, pp.
56, 212.)

Ainsi dans ce système, le volontarisme et l'idéalisme s'affirment
et manquent de coordination intrinsèque. Lachelier n'arrive pas à
se dégager de Kant, et c'est ce qui fait la faiblesse de sa théorie
religieuse. Sa philosophie est une philosophie de l'être, où l'idéel
et le réel, l'affirmation du philosophe et celle du croyant se juxtaposent
sans se concilier. Il n'y a pas de passage légitime et justifié de l'une
à l'autre.

Bibliographie : J. LACHELIER, *Œuvres*, 2 vol. 1933. — G. SÉAILLES, *La
Philosophie de Jules Lachelier*, 1920 — É. BOUTROUX, *Jules Lachelier*,
(RMM, pp. 1-20, 1021.)

III. — LE RÉALISME MÉTAPHYSIQUE.

R. EUCKEN. — (1846-1926)

Spiritualisme vitaliste dont l'inspiration est noble et les conclusions
vaporeuses. On compromet la vie de l'esprit, lorsqu'on méconnaît
son caractère organique et son autonomie. Il faut réconcilier l'action
et la pensée, montrer que l'esprit subsiste en soi, face à la nature dont
il se distingue par son intériorité et son dynamisme créateur. L'esprit
crée des ensembles, des systèmes, un monde de vérités non-tempo-
relles ; il est relatif au Tout, supra-individuel, vivant, libre, ancré
dans l'Absolu.

Sans religion il n'existe pas de vie spirituelle, c'est-à-dire pas d'intériorité ni d'autonomie. «La religion provient de la présence de la
vie divine dans l'homme ; elle se développe par la saisie de cette vie
qui est l'Existence véritable ; par elle l'homme, dans ce qu'il a de plus
fondamental et de plus intime, est inséré dans la vie de Dieu et devient
participant d'une nature divine. » (Der Wahrheitsgehalt der Religion,
p. 143.)

La vie religieuse est action plus que contemplation. Dieu et l'homme sont deux actes qui se dynamisent mutuellement. Dieu est immanent au monde, principe de son expansion, quoiqu'il soit aussi transcendant — Eucken ne veut pas du panthéisme. Le combat de l'esprit serait vain, si la religion ne lui assurait un terme objectif qui l'accomplit et si elle ne donnait une signification cosmique à son effort. L'unité de l'esprit et des esprits est le but de la religion, mais elle n'y parvient qu'en surmontant des obstacles, en luttant. Les religions historiques manquent de dynamisme et ne répondent pas à l'appel immédiat de la vie ; la tradition les entrave. « On peut, on doit encore être chrétien à la seule condition qu'on fasse du christianisme un mouvement qui progresse historiquement et qui est mobile, à la condition de le libérer de l'influence engourdissante de l'esprit ecclésiastique et de le fonder sur des bases plus larges. » (Can we still be Christians ?, p. 218)

Bibliographie : R. EUCKEN, *Der Wahrheitsgehalt der Religion*, Leipzig, 1901 — *Der Sinn und Wert des Lebens*, Leipzig, 1908 — *Können wir noch Christen sein*, Leipzig, 1911 — *Hauptprobleme der Religionsphilosophie der Gegenwart*, Leipzig, 1912 — *Erkennen und Leben*, Leipzig, 1912 — *Geistige Strömungen der Gegenwart*, Leipzig, 1916. — R. EUCKEN, *Le Sens et la Valeur de la Vie*, trad. Hullet et Leight, préface de Bergson, 1912 — *Les grands courants de la Pensée contemporaine*, trad. Buriot et Luquet, 1912 — *Problèmes capitaux de la philosophie de la Religion*, trad. Brognar, Paris, 1910. — A. H. DE HARTOG, *R. Eucken*, Haarlem, 1900 — R. SIEBERT, *Eucken's Welt und Lebenschauung*, Langensalza, 1926 — E. BECKER, *Eucken und seine Philosophie*, Leipzig, 1927.

A. SETH PRINGLE-PATTISON. — (1856-1931)

La tâche de la philosophie est de faire la synthèse organique de la nature et de l'homme, du monde et de Dieu. Cette synthèse exige la corrélation et la distinction de ces termes.

A l'encontre de l'hégélianisme, l'auteur professe un réalisme personnaliste et se refuse d'absorber Dieu en l'homme ou l'homme en Dieu. L'homme est un être concret et réel ; il n'est ni un pont ni un canal ni un lieu de passage ; il existe non comme un possible, mais hic et nunc, réellement ; il n'est pas à l'égard de Dieu dans le rapport d'un adjectif à un substantif, mais il jouit d'une subsistance propre, possède un centre autonome, a une valeur indéclinable. L'unicité et la distinction des êtres ne résultent pas seulement de leur activité libre, mais aussi de leur conscience, car une conscience impersonnelle est contradictoire. « Je maintiens l'individualité réelle et l'indépendance morale des êtres finis, comme la condition fondamentale de leur vie morale et j'accepte en même temps la réalité de la conscience divine et parfaite, parce que le cours de l'expérience humaine et la possibilité de son progrès dans le bien et la vérité demeurent pour moi inexplicables à moins que la créature finie ne soit fondée et illuminée par cet Esprit créateur. » (The Idea of God, p. 433.)

D'ailleurs, la nature, l'homme et Dieu sont interdépendants. La nature ne s'achève point en elle-même mais dans l'esprit ; l'homme s'enracine dans le monde qui l'enfante et le nourrit. Dieu et l'homme, à leur tour, sont corrélatifs et s'enrichissent mutuellement par la relation d'amour qui les unit organiquement. « L'Absolu n'est pas le Dieu transcendant du monothéisme abstrait, mais il est la vie qui se réalise dans et par le progrès du monde fini et qui se consomme dans la filiation divine de l'homme… L'Absolu n'existe pas solitaire, dans sa perfection et sa félicité, mais il vit en se donnant incessamment lui-même, partageant la vie des créatures finies, portant avec elles et en elles le plein fardeau de leur finitude, leurs chagrins et leurs égarements coupables, et la souffrance sans laquelle ils ne pourraient se parfaire… La divine toute-puissance consiste dans l'irrésistible puissance de la bonté et de l'amour qui illumine les ténèbres les plus denses et qui amollit les cœurs les plus durs… Pour une philosophie qui s'est émancipée des catégories physiques, la conception suprême de Dieu n'est pas celle d'un Créateur préexistant, mais, comme dans la religion, celle d'un éternel Rédempteur du monde. » (Ibid., pp. 433, 411-412.)

Bibliographie : A. Seth Pringle-Pattison, *Hegelianism and Personality*, 1887 — *Two Lectures on Theism*, 1897 — *The Idea of God*, Gifford Lectures, 1917 — *The Idea of Immortality*, Gifford Lectures, 1922 — *Studies in the Philosophy of Religion*, 1930. — M. Nédoncelle, *La Philosophie religieuse en Grande-Bretagne*, Bloud et Gay, Paris.

W. G. de Burgh. —

« Celui qui cherche à s'élever au-dessus de la raison défaille pour s'être détaché d'elle… Le *Nous* est Roi, ainsi parle Plotin. » W. G. de Burgh veut lui aussi que règne la raison qui est non seulement discursive mais intuitive, qui intervient dans les inférences logiques comme dans les assentiments de la foi. La foi transcende les émotions et les sentiments ; car, s'énonçant comme vraie, elle se termine non à une pure expérience, mais à une expérience qualifiée, à un that-what. *Credo ut intelligam.* Le terme de la croyance est intellection. « Si la logique sans la foi est vide, la foi sans la logique est aveugle. »

« Tout penseur sérieux admet que la religion implique une expérience *sui generis* qui ne peut être résolue en des éléments profanes. » Elle a pour terme non une proposition, mais une personne laquelle se révèle immédiatement à l'esprit qui l'adore et qui l'aime. Les preuves de l'existence de Dieu valent, mais ne déterminent point. Comment contraindre une personne à se mettre en la présence du Dieu vivant ? Nos relations avec Dieu se nouent comme nos relations avec nos amis, non par nécessité, mais par affinité (acquaintance). Les spéculations conceptuelles sont secondes et proviennent de la réflexion ; elles présupposent un contact immédiat.

L'expérience religieuse mystique paraît irrationnelle puisqu'elle n'attribue à la divinité aucun concept, mais par ces négations le mystique qualifie l'essence divine. L'obscurité et le néant dont il parle est pure lumière, plénitude d'être. Sa contemplation n'est ni émotive ni spéculative, mais surgit d'une vision intellectuelle.

La raison a des activités diverses, mais tout assentiment relève d'elle. La théologie et la philosophie se différencient l'une de l'autre comme le double mouvement de l'esprit qui d'une part fait effort pour s'élever jusqu'à Dieu et qui d'autre part reçoit de Dieu une réponse révélatrice. (J. Ph. Stud. 419-426, 1926).

« Je soutiens que la religion implique du moins la foi en une réalité surhumaine, et, ce qui est inséparable de la foi, le sentiment de respect qui inspire l'acte d'adoration. J'estime que cette conjonction du facteur cognitif, émotif et pratique peut être constatée à tous les degrés de l'expérience religieuse. » Cependant la connaissance est l'élément essentiel de la religion. « La *Theôria* est l'alpha et l'oméga de la vie religieuse. » (Proceedings of the British Academy, 1935.)

Bibliographie : W. G. DE BURGH. *The Legacy of the Ancient World*, London, 1924 — *Towards a Religious Philosophy*. London, 1937 — *From Morality of Religion*, London, 1938.

W. E. HOCKING. —

Tout engagement religieux, les actes les plus personnels impliquent une foi absolue et métaphysique. Il ne faut pas y renoncer. La croyance hypothétique à un Dieu fini est vaine. « Nous avons à collaborer activement avec Dieu pour construire le monde, mais nous n'avons pas à construire Dieu. » (The Meaning of God, p. XV.) Tout comme les valeurs transcendent les faits, ainsi Dieu transcende le monde.

La connaissance se développe organiquement. En se différenciant, elle garde pourtant sa structure originelle. Chacune de ses affirmations se réfère au Tout dont elle a l'intuition dynamique. Cette intuition, par essence religieuse, prête à une expérience de Dieu, qui apparaît comme le *mysterium tremendum et fascinosum* : elle fonde la connaissance sociale et naturelle de Dieu, justifie l'argument ontologique qui est la seule preuve valable et concrète de Dieu.

L'objet de la religion est un Moi divin, un Esprit, la suprême puissance « qui réside au-delà du monde et dans ce monde comme la volonté du monde ». (Human Nature and its Remaking, p. 329.)

La vie exige une foi optimiste et humaniste, c'est-à-dire la religion, croyance en un idéal qui transcende l'homme. La religion, dans ce qu'elle a d'universel, se définit comme « un désir passionné de justice et comme une réponse de l'univers qui veut que la justice croisse. » La philosophie fixe les axiomes de la religion ; l'histoire, en révélant Dieu, en fait une réalité. Le christianisme peut être considéré comme la religion idéale ; cependant à cause de ses institutions, — et il est vain, comme le tentent les libéraux, de l'en dégager — il est rivé à du relatif et ne peut s'imposer comme la religion universelle.

Bibliographie : W. E. Hocking, *The Meaning of God in Human Experience*, New Haven, 1912 — *Mysticism as Seen through its Psychology* (Mind, pp. 39-62, 1912) — *Human Nature and Its Remaking*, New Haven, 1918 — *The Illicit Naturalising of Religion* (Jour. of Religion, pp. 561-589, 1923) — *Types of Philosophy*, New-York, 1929 — *Living Religions and a World Faith*, New-York, 1940 — *Science and the Idea of God*, London, 1945. — G. Marcel, *Hocking et la Dialectique de l'Instinct* (RP, 1919) — J. A. Martin, *Empirical Philosophies of Religion*, New-York, 1945.

J. Lagneau. — (1851-1894)

L'athéisme déclare que Dieu ne peut exister comme objet sensible (contingence) ni comme objet d'intelligence (nécessité). Cette assertion est exacte. Dieu ne peut être perçu sensiblement, car il est l'idéal qui dépasse toute réalité donnée. « Dieu c'est toujours, en définitive, l'impossibilité de trouver dans la réalité l'objet entier de notre pensée... Dieu n'est pas l'impossible, mais c'est la raison de l'impossible. » (Exist. pp. 12-3.) D'ailleurs Dieu ne peut être saisi comme pure nécessité, car comme tel il serait une abstraction dont la valeur ne s'impose point. En fait, l'esprit peut toujours nier l'existence de Dieu et donc éluder sa nécessité ; il peut et doit se demander quelle est la valeur du nécessaire. Si nous cherchons Dieu, c'est parce que ni l'être contingent de la réalité, ni l'être abstrait de l'intellection pure ne nous suffit. Dieu ne peut être ni une donnée, ni une loi, ni un fait, ni une essence. S'il existe une preuve de son existence, elle ne peut être ni purement expérimentale ni purement logique.

« La gloire de Kant est donc d'avoir arraché cette question de l'existence de Dieu à la spéculation pure, et d'avoir montré que la pratique seule peut y répondre. » (Ibid. p. 28.) Nous croyons parce que nous devons agir, parce que le devoir existe, parce que nous voulons que Dieu soit. Une affirmation est ontologique dans la mesure où elle ne résulte pas d'une contrainte, mais d'un acte subjectif. « Logiquement, c'est l'acte qui est antérieur à sa forme, à son être et à son objet, c'est-à-dire à sa nature. » Un objet ne peut nous apparaître comme nécessaire qu'en vertu de l'acte subjectif qui le pose et qui l'adopte comme principe de réalisation du vouloir. Aussi le scepticisme provient-il d'une déchéance de l'activité, d'un défaut de moralité, de l'égoïsme. « C'est une chimère de se représenter la certitude comme pouvant être obtenue passivement en se mettant simplement en présence d'un objet ; elle est une création absolue de l'esprit. »

Cependant le volontarisme ne prête pas à moins de difficultés que l'intellectualisme. Kant a voulu prouver l'existence de Dieu, sans recourir à la raison spéculative. Aussi la croyance qu'il justifie est hypothétique et son Dieu contingent. L'acte libre ne peut s'émanciper de la nécessité sous peine de se dévaloriser. « Agir librement c'est agir indépendamment de toute détermination particulière, c'est agir non pas en tant que nature donnée, mais en tant qu'absolu qui se donne, qui pose cette nature, c'est-à-dire qui la pose comme vraie, comme universelle. Agir librement n'est pas agir en dehors de toute nécessité, ce qui serait pur néant, mais poser la nécessité même comme expression de la réalité absolue. » (Ibid. p. 91-2.) « L'acte moral n'est pas simplement un acte de liberté, mais en même temps un acte de raison » ; il est position et adhésion. La perfection ne pourrait faire retentir son appel, si elle n'intériorisait l'esprit en lui-même, si l'esprit ne pouvait en prendre conscience.

La preuve de l'existence de Dieu implique donc le vouloir et non moins la réflexion de l'esprit qui comprend et justifie son acte. L'esprit est pensée qui se pose par l'acte de la liberté, liberté qui s'intériorise par l'acte de la réflexion. L'actualité et la nécessité sont deux modes de réalité inférieurs qui unissent l'esprit à l'Absolu par la médiation d'un troisième terme, la valeur dont ils dépendent l'un et l'autre.

L'absolu est saisi par un acte de liberté intelligible, c'est-à-dire par un acte qui surgissant de l'esprit est immanent à l'esprit. L'Absolu n'est pas une abstraction, vérité ou liberté, perfection ou idéal. Il n'est pas nécessité pure, car jamais « une pensée ne peut trouver sa

complète satisfaction dans la simple intuition de la nécessité. »
(Ibid. 51.) Il n'est pas liberté pure, car une liberté ne peut être inconditionnée que si elle se détermine. Sans la réflexion du sujet, l'esprit
ne serait assorti ni à l'idéal ni à la perfection, car l'être parfait est
celui qui se sait parfait et qui se veut parfait.

« Dieu est le principe commun de l'ordre spéculatif et de l'ordre
moral, de la connaissance et de l'action. C'est parce que Dieu se pose
éternellement dans l'absolu, au-dessus de l'existence (l'existence concrète) et de l'être même (l'idéel) qu'il y a une vérité spéculative et
une vérité morale, toutes deux n'étant que deux expressions symé-
triques de la même réalité. » (Ibid. pp. 104-105.) Certains définissent
Dieu comme la Pensée qui se pense ou comme la Liberté qui se crée ;
ils restent encore au niveau de l'entendement qui oppose les contraires.
Dieu se situe au-dessus de l'entendement comme l'unité mystérieuse
de la liberté et de la nécessité. Dans la pensée humaine, ces termes
s'opposent ; « dans l'absolu, la nature, la vérité, l'idéal ne font qu'un,
et c'est sous la condition de cette identité profonde des trois termes,
nécessairement distincts aux yeux de l'entendement, que se peuvent
concevoir, et la réalité de la nature, et la possibilité de la science, et
celle de la vie morale. » (Ibid. p. 92.)

En tant qu'unité Dieu est amour, mais un amour indicible et
mystérieux qui ne s'explique point et dont nous n'avons pas l'intuition immédiate. Dieu est l'inexplicable qui explique tout ; il est
l'impensable qui fait penser. L'idée d'expliquer Dieu est contradictoire. « Qui dit en effet explication dit relation. L'absolu ne peut
être trouvé qu'au-dessus de l'explication, c'est-à-dire dans l'unité.
Au-dessus de l'acte de l'entendement qui a pour objet de déterminer
les relations nécessaires, il y a place pour l'acte de la pure pensée,
qui consiste à affirmer l'identité des termes que l'entendement, ensuite,
développera... L'acte le plus élevé de la pensée consiste en définitive
à comprendre la nécessité de poser l'incompréhensible. » (Ibid. pp.
81-82.)

Bibliographie : J. Lagneau, *L'Existence de Dieu*, 1925 — *Les Écrits de
J. Lagneau*, 1924.

M. Blondel. —

Son point de départ est l'action. Il ne l'entend pas au sens pragmatique ; il s'agit d'une action nécessaire, dominée par une finalité
inéluctable et transcendante. Il n'oppose pas davantage l'action à
la pensée : « L'action doit constituer la synthèse de la spontanéité

et de la réflexion, de la réalité et de la connaissance, de la personne morale et de l'ordre universel, de la vie intérieure de l'esprit et des sources supérieures où elle s'alimente » (Lalande, Vocabulaire philos.) « L'action est l'entre-deux et comme le passage par où la cause efficiente qui n'a encore que l'idée de la cause finale, *intellectu et appetitu,* rejoint la cause finale qui s'incorpore peu à peu à la cause efficiente pour lui communiquer la perfection, à laquelle elle aspirait *re*. Faire la science de la pratique et trouver l'équation de l'action, ce n'est donc pas seulement développer, devant la pensée réfléchie, tout le contenu de la conscience spontanée ; mieux encore c'est indiquer le moyen de réintégrer dans l'opération voulue tout ce qui est au principe de l'opération volontaire. Il ne s'agit point d'une connaissance partielle ou d'une réflexion morale, propre sans doute à éclairer la bonne volonté, mais sans caractère démonstratif ; il s'agit d'une science totale, capable d'embrasser le déterminisme universel de l'action et d'en suivre le déploiement continu qui porte à l'infini ses conséquences nécessaires : de la pensée à la pratique et de la pratique à la pensée, le cercle doit être fermé dans la science parce qu'il l'est dans la vie. » (L'Action, pp. 468, 469, 1893.)

Nous ne pouvons songer à décrire cette dialectique si riche, tour à tour concrète et métaphysique, spéculative et pratique. Le déploiement de l'action impose une solution réaliste au problème religieux. La méthode d'immanence conduit à une doctrine de la transcendance, à l'aveu de l'impuissance humaine, à la conscience d'un surcroît à la fois indispensable et gratuit, à une alternative qui, en faisant agréer ou rejeter l'amour de Dieu, fixe la destinée. Cet amour libre d'un Dieu qui se révèle, l'action humaine ne le détermine pas, mais elle doit s'y préparer et y concourir.

M. Blondel dans *l'Action* s'était attaché particulièrement à décrire les facteurs moraux de la vie spirituelle ; dans ses derniers ouvrages, il montre encore plus nettement combien l'antithèse, intellectualisme-volontarisme, ne l'arrête point. Plusieurs philosophes modernes ont relevé certains aspects particuliers de la religion. Peut-être n'en est-il aucun qui ait mis aussi nettement en évidence son caractère synthétique et ontologique.

Voici la définition qu'il donne de la religion : « On ne peut, sans méconnaître l'élément original et vraiment spécifique de la religion dans la conscience de l'homme religieux, la ramener soit à une institution sociale, soit à un système individuel de sentiments, de croyances et de rites, soit même à un composé d'initiatives personnelles et de réactions collectives *ayant Dieu pour objet*. Car ce à quoi le fidèle s'attache comme à l'essentiel de sa foi, ce n'est pas à un objet, idée ou force dont il disposerait pour l'avoir formée ou captée, c'est à un sujet, à un être non seulement doué de vie, de volonté, mais encore mystérieux, inaccessible aux prises naturelles de notre pensée et de notre action, ne se livrant donc que par grâce, par le témoignage qu'il rend de lui-même et de sa propre transcendance, par la lettre révélée ou prescrite des dogmes et des pratiques qui mettent à notre portée son incommunicabilité même : d'où l'idée, essentiellement religieuse, d'une tradition qui transmet la révélation et le pacte d'alliance comme un dépôt sacré. » (A. Lalande, Vocabulaire de la Philosophie, II, p. 704, 1932.)

Bibliographie : M. Blondel, *L'Action*, Paris, 1893 — *Le Christianisme de Descartes* (RMM, 1896) — *L'Illusion idéaliste* (RMM, 1898) — *Histoire et Dogme* (Quinzaine, 1904) — *Les Ingrédients de la Philosophie de l'Action* (An. Phil. Chrét. 1905) — *La Tâche de la Philosophie d'après la Philosophie de l'Action* (An. Phil. Chrét. 1906) — *L'anti-cartésianisme de Malebranche* (RMM, 1916) — *Le Procès de l'Intelligence*, 1921 — *Le Problème de la Philosophie catholique*, 1932 — *La Pensée*, 2 vol., 1934 — *L'Être et les êtres*, 1935 — *L'Action*, 2 vol., 1936-1937 — *La Métaphysique comme Science de l'Au-delà* (RMM, pp. 193-201, 1947). — Th. Cremer, *Le Problème religieux dans la Philosophie de l'Action*, 1913 — P. Archambault, *Vers un Réalisme intégral*, 1928 — F. Lefèvre, *Itinéraire philosophique de M. Blondel*, 1928 — J. Maréchal, *Phénoménologie pure ou Philosophie de l'Action* (Festschrift für J. Geyser, I, pp. 377-444, Regensburg, 1931) — F. Taymans d'Eypernon, *Le Blondélisme*, Louvain, 1933 — L. Lavelle, *La Philosophie française entre les deux guerres*, 1942 — B. Romeyer, *La Philosophie religieuse de M. Blondel*, 1943 — R. Aubert, *Le Problème de l'Acte de Foi*, p. 277, sq. Louvain, 1945 — *Hommage à M. Blondel*, Paris, 1945.

L. Lavelle. —

L. Lavelle n'a pas consacré d'ouvrage particulier au problème religieux. Les remarques que lui suggère la lecture des *Deux Sources* montrent pourtant qu'il ne partage pas entièrement la théorie intuitioniste. « S'il y a dans la morale une opposition entre la pression et l'aspiration, dans la religion une opposition entre le statique et le dynamique, dans tous les domaines une opposition entre la société et l'humanité et, pour tout dire, entre le clos et l'ouvert, il ne faut pas oublier que cette opposition est irréductible parce qu'elle exprime toute la distance qui sépare le fini de l'infini. Aucun accroissement ne nous permettra jamais de passer de la partie au tout, ni de la loi

de la nature à la loi de la grâce. Il ne faut pas médire de l'intelligence
qui est placée entre les deux mondes, qui se détourne de ce qui est
clos comme d'un infra-intellectuel et regarde vers ce qui est ouvert
comme vers un supra-intellectuel. Elle ne peut se renoncer qu'en
faveur de l'amour ; mais tout amour particulier est encore un amour
limitatif ; seul l'amour du héros et du saint ne connaît point de
frontière : seul c'est un amour vrai, c'est-à-dire associé à l'œuvre
de la création. Car si Dieu lui-même a besoin de nous, c'est pour
nous aider. Et la création est une « entreprise de Dieu pour créer des
créateurs, pour s'adjoindre des êtres dignes de son amour. » (Philos.
franç. p. 111)

D'ailleurs la métaphysique de L. Lavelle est réaliste. L'intuition
de l'esprit porte sur l'Acte qui est constitué par le mouvement diffusif
de la volonté et le mouvement réfléchi de l'intelligence, double mouvement qui assure à l'être son immanence, sa valeur et son intériorité.
« Il n'y a point d'acte propre du vouloir qui ne soit en même temps
et indivisiblement un acte de la pensée. Car comment concevoir un
acte de pensée que la volonté ne viendrait pas animer et soutenir, ou un
acte de volonté que la pensée laisserait sans le pénétrer et sans l'éclairer ? La pensée et le vouloir sont les deux aspects par lesquels nous
essayons de représenter la fécondité du même acte ; ils se distinguent
dès que la conscience devient discursive et imparfaite, dès que la
volonté est la recherche de l'acte plutôt que l'acte même, dès que la
pensée est celle de l'objet et non plus de l'acte l'accomplissant. Au
sommet de notre conscience, on ne les discerne plus. » (RIP., pp.
53-54).

Ainsi le rapport d'un être avec un autre être est celui d'une intimité à une autre intimité. C'est de cette façon qu'il faut comprendre la relation du fini à l'infini. Le fini participe à l'infini non pas,
avant tout, parce qu'il est sa fin ou sa cause, mais par son
immanence qui, étant relative, appelle à son secours une immanence
plénière. Dieu ne se définit ni par la Pensée ni par le Vouloir, mais
comme l'Acte pur qui résulte de la coïncidence plénière dans l'acte
d'amour de l'objet et du sujet, de la liberté et de la nécessité.

Dieu est transcendant, car on ne s'adjoint à lui qu'en se dépassant ;
aussi peut-on dire qu'on s'y unit par la foi. « L'exercice de mon acte
propre témoigne de la présence de l'acte absolu, mais c'est la présence
de l'acte absolu qui fonde la possibilité de mon acte propre. » (Ibid.
p. 57.) Dieu est la plénitude à laquelle je demeure toujours inégal,
sans laquelle je ne pourrais subsister ni sentir mon insuffisance. Une

théorie de la participation de l'être à l'Être exclut le panthéisme, car l'être participe à l'Être par le don d'une liberté qui lui assure une réelle intériorité, qui lui permet de se poser lui-même et d'entrer en vivante communion avec la Liberté suprême.

Bibliographie : L. LAVELLE, *De L'Être*, 1927 — *La Conscience de Soi*, 1933 — *La Présence totale*, 1934 — *Le Moi et son Destin*, 1936 — *Être et Acte* (RMM, pp. 187-210, 1936) — *De L'Acte*, 1937 — *La Métaphysique ou la Science de l'Intimité spirituelle* (RIP, pp. 43-66, 1939) — *Le Mal et la Souffrance*, 1940 — *Du Temps et de l'Éternité*, 1945 — *Analyse de l'Être et Dissociation de l'Essence et de l'Existence* (RMM, pp. 201-228, 1947) — *Introduction à l'Ontologie*, 1947 — A. DE WAELHENS, *Une Philosophie de la Participation, l'actualisme de M. Louis Lavelle* (RNP, pp. 213-29, 1939) — J. CHEVALIER, *Aperçu sur la Philosophie de M. Lavelle* (RT, pp. 509-33, 1939) — B. DELFGAAUW, *Het spiritualistisch exis-tentialisme van L. Lavelle*, Amsterdam, 1947.

R. LE SENNE. —

R. Le Senne veut d'une dialectique où l'esprit se valorise en rédui-sant l'obstacle. Cette dialectique est à la fois pratique et spéculative, car son mouvement provient de l'opposition des déterminations et de l'existence. Dieu est à la fois principe des unes et de l'autre ; c'est en les reliant qu'il rend l'essence pensable et l'existence aimable ; c'est ainsi qu'il est la suprême Valeur.

Dieu et le moi n'existent que par le rapport mutuel qui à la fois les unit et les distingue. Ce rapport est constitutif et de l'homme et de Dieu ; car sans Dieu la réalité humaine devient absurde, et la réa-lité divine, en cessant d'exister pour l'homme, s'évanouit dans le néant. Dieu cesserait d'être la suprême valeur s'il ne créait pas.

On ne peut donc définir Dieu par la simple notion de transcen-dance, comme le fait Barth, car une pure transcendance est incon-naissable : « Dieu est avec nous ou n'est pas Dieu ». Il ne peut davan-tage être défini, comme le font les panthéistes, par son immanence dans l'homme, car le rapport du monde avec Dieu, n'étant pas seule-ment idéel mais existentiel, extrapose. L'amour unit mais n'identi-fie pas. « Notre salut est l'intériorité pure de l'Esprit à notre esprit ; mais on ne peut guère la dire une identité, car l'identité ou unité du même assimile des déterminations... c'est la valeur qui nous mêle, comme l'amour mêle la vie de la mère et celle de l'enfant. » (Obstacle et Valeur, pp. 152-153.)

L'être ou la valeur est constitué par la relation idéo-existentielle ; « au-dessus de la certitude, comme de la croyance, nous devons donc

mettre la conviction, qui doit résulter, si faire se peut, d'une convergence idéo-existentielle, où dialectiques et démarches émotionnelles
doivent venir chacune verser les énergies dont elles disposent...C'est
le mouvement alternatif ou composé, dans lequel la médiation intellectuelle par l'un pensé permet le passage d'une phase de l'existence
à l'autre, et la médiation existentielle par l'un spirituel, le passage
d'une détermination à l'autre, qui constitue la respiration de l'esprit. »
(Ibid. pp. 36, 38)

Bibliographie : R. Le Senne, *Le Devoir*, 1930 — *Sur deux objections
usuelles contre l'Idéalisme absolu* (RMM, 1931) — *Obstacle et Valeur*, 1934 —
Introduction à la Philosophie, 1939 — *Traité de Morale générale*, 1942.

M. F. Sciacca. —

Quel est le rapport entre la philosophie et la religion ? Elles sont
distinctes et solidaires. Et par conséquent on ne peut éliminer ni
l'une ni l'autre, soit qu'en sceptique on doute de la raison, soit qu'en
rationaliste on absorbe la religion dans la philosophie. Le scepticisme
est une impiété ; car, sans médiation de la vérité, l'homme ne peut
accéder à Dieu ; le rationalisme est non moins néfaste. La raison
participe à la vérité et ne la crée point. Elle doit la recevoir et s'y
soumettre. L'immanentisme détruit la certitude. L'esprit ne peut
se fermer sur lui-même, mais doit rester ouvert et dans l'attente.
Il participe à la vérité sans être la vérité. Plus il la possède et plus il
s'aperçoit de sa transcendance. Ainsi la raison fonde la philosophie ;
la philosophie à son tour appelle la foi, acte religieux par lequel la
vérité transcendante se fait présente à l'esprit, spécifiant un assentiment absolu.

Bibliographie : M. F. Sciacca, *Pascal*, Brescia, 1947 — *Lettere dalla
campagna*, Brescia, 1945 — *Il problema di Dio e della religione nella filosofia attuale*, Brescia, 1946 — *La metafisica ei suoi problemi* (Gior. Met. 1947.)

IV. — Le Néo-réalisme.

S. Alexander. — (1859-1938)

La connaissance révèle une coprésence, le rapport d'un existant
à un existant. Elle n'a point pour terme une entité psychique mais
du réel. L'être n'est pas idée, mais l'idée est de l'être. L'esprit, alors
même qu'il s'illusionne, ne divorce jamais d'avec l'existence dont il
peut fausser les relations mais dont il ne peut s'abstraire.

La métaphysique qui doit être réaliste et constructive, concrète et spéculative, a pour tâche de déterminer empiriquement le non-empirique. Le couple Espace-Temps est la matrice, l'élément originel, l'unité non encore différenciée dont tous les êtres, la matière comme l'esprit, le fini comme l'infini émanent ; il est l'Absolu véritable. Il faut distinguer les qualités sensibles, qui sont mobiles, des catégories aprioriques (identité, causalité, relation, substance) qui sont les propriétés stables de l'Espace-Temps.

L'Espace-Temps est un mouvement qui jamais ne se repose, un devenir sans terme définitif ; il se développe par émergence, c'est-à-dire d'une façon continue et créatrice. Chacun des stades de l'évolution assume ceux qui le précèdent et les dépasse qualitativement, car les éléments assumés qui le constituent, sont coordonnés par un principe supérieur d'unité organique. Il n'y a rien de statique ni de mort dans l'Univers qui se transforme sans cesse. La matière émerge de l'Espace-Temps, la vie de l'inorganique, l'esprit de la vie.

Le terme suprême de cette évolution est la divinité qui est le devenir du monde considéré comme formant un Tout. Dieu est l'Univers en tant qu'il émerge au delà de ce qu'il est. Il est objectivement réel, c'est-à-dire spatial et temporel, toujours inachevé, toujours agissant et présent. « Je ne dis pas, comme on l'a pensé, que Dieu n'existe jamais mais doit toujours exister. Ce que je dis, c'est que Dieu en tant qu'il possède actuellement la divinité n'existe pas, mais est un idéal, qui se transforme sans cesse. Quant à Dieu en tant qu'il est l'Univers entier qui s'efforce vers la divinité, il existe vraiment. La divinité est une qualité, et Dieu est un être. Le Dieu actuel est le présage et pour ainsi dire le pressentiment du Dieu idéal. » (Time, Space and Deity, I, p. XXIII)

Bibliographie : S. ALEXANDER, *Moral Order and Progress*, 1892 — *The Basis of Realism*, 1914 (Proceedings of the British Academy, vol. VI) — *Space, Time and Deity*, 2 vols, London, 1920 — *Beauty and other Forms of Value*, 1933. — J. WAHL, *Les philosophes pluralistes d'Angleterre et d'Amérique*, 1920 — R. KRÉMER, *La théorie de la Connaissance chez les néo-réalistes anglais*, Bruxelles, 1928 — Ph. DEVAUX, *Le Système d'Alexander*, 1929. — G. F. SOUT, *The Philosophy of S. Alexander* (Mind, pp. 1-78, 137-149, 1940) — M. P. KONVITZ, *On the Nature of Value, the Philosophy of S. Alexander*, New-York, 1946.

A. N. WHITEHEAD. — (1861-1947)

L'arithmétique est une technique dont on se sert ; la religion un état subjectif qui spécifie la valeur ; elle est une force purificatrice, une vie intérieure dont la vertu cardinale est la sincérité, un système de vérités générales qui transforment la personne, un art autant qu'une théorie, une solitude avant d'être une communion. « L'objet de la religion, c'est l'individualité au sein de la communauté. » (Dev. Rel. p. 107)

Quatre facteurs la conditionnent : le rituel, l'émotion, la croyance et la rationalisation ; le dernier est le plus important. « La raison est la seule garantie de l'objectivité de la religion. L'âge de la foi est celui de la raison. » (Ibid. pp. 79, 104.) La religion doit être soumise au contrôle du philosophe, car Dieu n'est point saisi par intuition immédiate mais par inférence. Une religion est rationnelle quand elle assure la cohérence de la pensée et l'unité des fins de la conduite morale.

Dans le monde, la finalité et la causalité, la matière et l'esprit, le réel et l'idéel interfèrent et font l'organique qui est forme et avance créatrice, ordre et incarnation temporelle, événement et préhension. » Penser la nature comme un simple passage d'événements sans objets, ou comme une simple collection d'objets non reliés aux événements, c'est prendre des abstractions pour des réalités. » (Proc.. Real. p. 51) La nature est l'infinie possibilité limitée dans la concrétion de l'acte.

Trois éléments forment l'Univers. La puissance réalisatrice qui en fait l'actualité et le progrès, les entités idéales, principes de son unité et de sa coordination, « l'entité actuelle mais intemporelle grâce à laquelle l'indétermination de la puissance créatrice pure se transmue en liberté définie, c'est ce que nous nommons Dieu — le Dieu suprême de la religion rationnelle. » (Ibid. p. 109.)

Si l'on prend Dieu comme principe des formes, on aboutit au monisme inexistentiel de Spinoza ; si l'on prend Dieu comme principe de l'activité, la création serait chaotique. Dieu doit être principe et terme. Comme principe, dans sa nature primordiale, il est une possibilité conceptuelle ; il n'a pas d'existence positive mais tendance à l'existence. Sous cet aspect, il est infini, immuable, libre, tout en étant existentiellement déficient et inconscient. (Ibid. p. 489.) Comme terme ou dans sa nature conséquente, Dieu est conscience actualisée, mais fini et borné.

Dieu existe en vertu de l'union de ces deux natures qui se rejoignent et qui le rendent simultanément un et multiple, idéel et réel, immuable et mobile, infini et fini. Le monde se possède par Lui, car il est le principe éternel qui progresse dans le monde ; pareillement il dépend du monde. « Il n'y a point d'être, ne fût-ce que Dieu, qui n'ait besoin que de soi-même pour exister. » (Ibid. p. 128.) Dieu est amour, non un

amour tout puissant et créateur, car le mal est là ; mais un amour patient qui assume lentement le monde, qui participe à ses détresses et
qui fonde l'optimisme humain.

A. N. Whitehead examine les religions historiques, le Bouddhisme,
le Mahométisme et le Christianisme. La Bouddhisme est une métaphysique : Bouddha sauve par sa doctrine. Le christianisme est une
donnée historique qui subordonne sa métaphysique aux faits religieux,
à la Révélation. Comme philosophe, Whitehead ne se croit pas auto-
risé à une attitude aussi déférente à l'égard des données de la Révélation. Il croit devoir opposer la Rédemption à la Création et rejette
celle-ci. On peut se demander si, à la suite de ce rejet, le système de
Whitehead demeure organique. Comment le serait-il si la relation
de l'idéel et du réel, qu'il affirme sans cesse, manque d'une ultime
coïncidence ? Dieu manquant d'accomplissement plénier, comment
la religion pourrait-elle accomplir l'homme ? « La religion est la
vision de quelque chose qui est au delà, derrière et à l'intérieur du
flux passager des choses immédiates ; quelque chose qui est réel,
mais qui n'est pas encore réalisé ; quelque chose qui représente une
possibilité éloignée, mais est le plus grand des faits actuels ; quelque
chose qui donne une signification à tout ce qui passe, mais qui élude
la compréhension ; quelque chose dont la possession est le bien final,
mais qui est au delà de notre portée ; quelque chose qui est l'idéal
ultime et la poursuite sans espoir de l'idéal. » (Science and the modern
World. p. 247)

Bibliographie : A. N. WHITEHEAD, *The Concept of Nature*, Cambridge, 1920 — *Religion in the Making*, Cambridge, 1926 — *Process and Rea-lity*, Cambridge, 1929 — *Science and the modern World*, Cambridge, 1929 — *Adventures of Ideas*, Cambridge, 1935 — *Modes of Thought*, 1938. — A. N. WHITEHEAD, *Le Devenir de la Religion*, trad. Devaux, Aubier, Paris — *La Science et le Monde moderne*, trad. d'Ivéry et Hollard, 1930. — C. L. MORGAN, *Whitehead's Philosophy* (Philosophy, 1931) — J. WHAL, *Vers le Concret*, 1932 — M. NÉDONCELLE, *La Philosophie religieuse en Grande-Bretagne*, Bloud et Gay, Paris — P. A. SCHILPP, *The Philosophy of A. Whitehead*, 1941 — J. S. BIXLER, *Whitehead's Philosophy of Reli-gion* — S. E. HOOPER, *Whitehead's Philosophy* (Philosophy, 1942, 1944, 1946) — C. HARTSHORNE, *Whitehead's Idea of God*, 1941.

V. — Le Réalisme Thomiste et Augustinien

P. Rousselot — (1878-1915)

P. Rousselot est un intellectualiste convaincu. Je crains que les raisons qu'il allègue, pour établir la primauté de l'intelligence sur la volonté, ne convainquent pas tous ses lecteurs. Pourtant cet intellectualisme ne manque pas de compréhension ; il n'a rien du dogmatisme naïf de certains thomistes décadents ; il le dépasse en s'énonçant.

En effet, à y regarder de près, quand P. Rousselot exalte l'intelligence, c'est plutôt la personne, l'esprit qu'il exalte. Il le définit par son immanence : «Être esprit, c'est être capable de soi». C'est dans la mesure où l'esprit se possède, qu'il voit. « Si nous nous possédions, tout le monde des objets serait connu par intuition sympathique... Il n'y a nulle opposition entre l'intellectualisme et le volontarisme si on les pousse jusqu'au bout d'eux-mêmes... Le parfait intelligible est esprit vivant ; la parfaite connaissance est identique à l'amour ». L'intelligence et la volonté sont corrélatives. Si le vouloir dépend d'un savoir, la connaissance se définit par un appétit. « L'acte éclaire l'objet ; l'amour fait la lumière... C'est à travers l'acte que la chose apparaît, c'est l'acte qui l'illumine de la lumière intelligible... A l'inclination inconsciente correspond l'objet imparfaitement pénétré, à l'inclination consciente l'objet compris, concrètement connu... L'homme n'intellige Dieu que parce qu'il désire Dieu... La révélation de Dieu c'est l'attirance même : *ista revelatio ipsa est attractio*, affirme-t-il, citant saint Augustin. (Am. spir., pp. 238, 229 ; Mét. thom., p. 567.)

En fonction d'une conception si métaphysique de l'intellection, P. Rousselot critique rigoureusement le savoir de l'homme. « L'homme, déclare-t-il, est le premier des corps et le dernier des esprits. »

Puisque penser c'est se posséder, toute distension intérieure rend la pensée défaillante ; or l'esprit subit une double aliénation : celle du monde, celle de Dieu. Cette aliénation fatale, le P. Rousselot la rattache à la constitution métaphysique de l'homme dont la forme est dissociée par sa relation à la matière, et dont l'existence est limitée par l'essence. En vertu de cette aliénation du moi, le sujet ne pourra ni se saisir intuitivement, ni saisir intuitivement le monde et Dieu.

Pour que sa conscience fût douée d'intuition, il faudrait, comme le dit Bergson, que « se retournant et se tordant sur elle-même, la faculté de voir ne fît qu'un avec l'acte de vouloir ». Mais de cette coïncidence l'esprit de l'homme n'est pas capable. Ceux qui croient la posséder, confondent « la conscience aiguë d'une sensation avec la coïncidence avec l'être. » (Mét. thom. pp. 490-1.) En fait, l'homme connaît par représentation, objectivement, d'une façon abstraite. Si nous étions intuitifs, nous verrions « partir de nous-mêmes la loi qui définit notre connaissance, nous sentirions la parenté de l'objet avec nous. » (Amour spirituel, p. 234.) En fait penser c'est subir, s'extraposer, heurter l'autre.

Pourtant le vrai savoir n'est ni discursif ni conceptuel. « La vérité n'est pas une représentation peinte dans l'esprit. » La synthèse judicative pas plus que la méthode de réflexion ne nous permettent une prise de possession plénière de nous-mêmes ou de l'autre. La véritable intellection est concrète, immédiate ; elle se fait par apparentement et connaturalité ; la nôtre au contraire est conceptuelle et impersonnelle. « L'Abstraction conceptuelle avec sa froideur et son extériorité provient d'un défaut d'immanence de l'esprit. Le fait de l'opposition d'un « on » pensant au moi qui s'aperçoit, est caractéristique des esprits chez qui le sujet ne coïncide pas avec sa nature. » (Mét. thomiste, p. 498.)

Faut-il en conclure que le savoir humain manque de valeur ? P. Rousselot ne le pense point. Se fondant sur la métaphysique thomiste, qui subordonne et lie dynamiquement la matière à la forme, l'essence à l'existence, il affirme que l'acte d'intellection n'est pas formel mais existentiel. S'aidant des études fouillées de J. Maréchal (RQS, 1909) il entrevoit la possibilité de justifier le savoir intellectuel, par une analyse critique de la synthèse judicative.

« L'intelligence en même temps qu'elle disjoint nature et suppôt les synthétise : » elle unit le that au what, l'essence à l'existence ; elle n'est faculté de l'universel que parce qu'elle est une faculté orientée dynamiquement à l'Acte pur ; elle atteint le réel parce qu'elle est la faculté du divin.

Ainsi se trouve établie la possibilité d'un savoir naturel de Dieu ; ce savoir incomplet prépare l'esprit à recevoir de Dieu le don surnaturel de la foi chrétienne, qui l'assortit à l'intuition béatifique.

Bibliographie : P. ROUSSELOT, *L'Intellectualisme de saint Thomas*, Paris, 1924 — *Pour l'Histoire du Problème de l'Amour au Moyen Age*, Münster, 1908 — *Amour spirituel et Synthèse aperceptive* (RP. pp. 225-240, 1910) *L'Être et l'Esprit* (RP. pp. 561-574, 1910) — *Métaphysique thomiste et Critique de la Connaissance*, (RNP, pp. 476-509, 1910) — *Les Yeux de la Foi* (RSR, pp. 241-259, pp. 444-475, 1910) — *Intellectualisme* (Dict. apol. de la Foi catholique, éd. d'Alès, 1914).

E. Przywara. —

L'acte religieux se caractérise par la tension entre deux êtres vivants et réels, le Créateur et la Créature. L'humanisme philosophique et le surnaturalisme de Barth suppriment cette tension et par suite manquent d'une philosophie exacte de la religion.

Dieu ne se présente pas simplement comme un pôle qui s'oppose à l'esprit humain, soit que selon l'explication kantienne il soit un pur idéal, soit que selon le système hégélien il soit la relation universelle de la pensée. Dieu doit subsister en soi et se posséder indépendamment et antérieurement à l'acte de l'esprit humain. Sans cette immanence première, sans cette présence de Dieu à lui-même et par lui-même, la tension entre Dieu et l'homme se dissout. Une philosophie humaniste ou bien anéantit Dieu en le référant au fini (panthéisme) ou anéantit l'homme en l'absorbant en Dieu (Théopanisme).

Si l'on adopte la théorie de Barth, la relation entre les deux termes se dissout également, car il n'existe pas de transcendance sans immanence, d'absence sans présence, de péché sans apparentement. Sans doute Dieu est le Saint, le Séparé. Pourtant rien ne subsiste en dehors de Lui et sans Lui ; le *Sosein* comme le *Dasein* de la créature émanent de Lui et aspirent à Lui.

Les philosophes qui pratiquent la méthode d'immanence résorbent la théologie en philosophie ; ceux qui ne connaissent que la transcendance sacrifient la philosophie à la théologie. Les uns et les autres méconnaissent la relation fondamentale de l'homme à Dieu, la tension qui caractérise le rapport religieux. L'homme n'est pas tendu vers l'impossible, mais vers ce qui peut devenir possible par grâce et donation de Dieu. Dieu peut réaliser pleinement l'homme et s'unir totalement à sa créature, car il n'est pas déchiré ni distendu par son rapport au monde. Concentré en lui-même, sans dissentiment ni indigence, il peut sauver l'homme.

La doctrine métaphysique qui, d'après Przywara, explique parfaitement le rapport de l'homme à Dieu est l'*analogia entis*. Elle signifie négativement que, dans la créature qui évolue et qui devient, il n'y a point de coïncidence plénière entre l'essence et l'existence ; elle signifie positivement l'apparentement de l'essence à l'existence. La limite n'existe pas par soi ou en soi ; dans ce cas l'être de la créature serait contradictoire et absurde ; la limite appelle l'au-delà de la limite ; elle est vérifiée par son rapport à l'existence qui est illimitée de soi.

L'être de la créature est donc analogue à l'Être de Dieu ; il lui est dissemblable, parce que l'homme ne se rejoint jamais ; il lui ressemble, parce qu'il tend à être, parce que l'essence et l'existence ne subsistent point l'une en dehors de l'autre, si bien que la créature est capable de dépassement et d'émergence.

Cette doctrine métaphysique de *l'analogia entis* donne au problème religieux une solution profonde et exacte, car elle fonde la religion sur l'union non seulement des actes de l'homme et de Dieu mais de leur être. Dieu est en moi, car mon essence est corrélative à l'existence ; il est hors de moi, car mon existence est limitée par l'essence. La vie religieuse est projetée indéfiniment au delà d'elle-même ; elle se qualifie également par le sentiment de la présence divine et par le sentiment de son absence ; elle se définit comme un amour et un respect ; elle croit à la valeur de l'esprit humain et avoue sa totale incompétence pour saisir Dieu tel qu'il est en soi ; elle comporte une philosophie et une théologie ; une philosophie, car l'homme est nature, nécessité, limitation ; une théologie. car la loi des essences est subordonnée à l'acte de l'existence. L'humainement impossible peut devenir divinement réel. L'homme ne peut se faire Dieu, mais Dieu peut se faire homme.

Bibliographie : E. Przywara, *Religionsbegründung*, Freiburg im Breisgau, 1923 — *Gottgeheimnis der Welt*, München, 1923 — *Ringen der Gegenwart*, 2 vol. Augsburg, 1929 — *Das Geheimnis Kierkegaards*, München, 1929 — *Kant heute*, München, 1930 — *A Newman Synthesis*, 1931 — *Analogia entis*, München, 1932 — *Polarity*, 1935.

A. D. Sertillanges. — (1863-1948)

« A mon avis, les attaches de la religion en nous sont multiples comme notre être même. Sa notion la plus générale s'exprime dans le besoin de nous mettre en rapport avec la Réalité mystérieuse dont nous sentons dépendre et notre personne et le milieu immédiat où elle plonge ; cela aux fins de connaître, et de nous protéger, et d'agir en vue de réaliser notre destinée. »

« La recherche des causes est instinctive en nous — comme il se voit dans l'enfant — et l'absolu de la cause est vaguement pressenti par la réflexion. De là une foule de créations imaginatives ou rationnelles dont l'arrière-fond est le sentiment d'une causalité enveloppante qui est la Divinité, de quelque caractère qu'on la gratifie pour lui faire jouer son rôle. Voulant vivre et non pas seulement philosopher, on cherche appui sur un pouvoir mieux assuré que le sien, qui puisse nous protéger, nous aider à réaliser nos fins, nous défendre de toutes les menaces qui de toutes parts surgissent devant nous, et qui nous achemine vers cet achèvement que bien peu sauraient définir, mais dont le nom retentit au fond de toutes les consciences, à savoir le bonheur. La vie nous apporte souvent ce que nous ne voulons pas ; elle ne nous apporte pas ce que nous voulons ; nous cherchons de l'aide, et les pouvoirs qui nous entourent, le Pouvoir enveloppant qui est pressenti à travers eux tous, devient l'objet de notre culte. Tous les actes religieux ont pour but de les gagner et d'abord de leur rendre hommage. L'adoration et l'appel, ou bien l'exécration et la terreur expliquent tous les actes religieux et prennent éventuellement toutes les formes. Cela est touffu comme les milieux et les circonstances, les traditions et les personnes, mais le fond est toujours le même. L'âme est à l'étroit et en danger dans le réel immédiat, angoissée d'un Inconnu qui échappe à ses prises et qui cependant lui est nécessaire et qui cependant l'appelle. Elle cherche à rejoindre cet Inconnu, à se le réconcilier, à en vivre. Le mot de Cicéron : « Une vertu divine embrasse la vie humaine » exprime la persuasion qui est à la base de tous les cultes, en rapport avec toutes les craintes et tous les besoins. »

« On est religieux parce qu'on veut vivre, et en quête pour cela des sources de la vie. La religion n'est donc pas, comme le croient certains, un système de contraintes, de superfétations, de superstitions ; elle est fondée en nature plus que toute autre tendance, du fait qu'elle répond aux requêtes les plus profondes et les plus générales. Qu'elle prétende s'appuyer à une Révélation, c'est l'aveu de l'impuissance plus ou moins reconnue des humains en face de tels objets, et que cette Révélation ait eu lieu, comme les chrétiens le croient, c'est l'effet de la bienveillance des cieux à l'égard de la petite créature rampante. Le fait de l'Incarnation est le fait central de cette dernière conception. En Jésus la recherche aboutit, l'explication vient avec le secours ; Dieu est atteint et la vie humaine commence. »

Bibliographie : A. D. SERTILLANGES, *Les Sources de la Croyance en Dieu*, 1906 — *Les Grandes Thèses de la Philosophie thomiste*, 1927 — *Catéchisme des Incroyants*, 2 vol., 1930 — *La Philosophie de saint Thomas*, 1940 — *Le Christianisme et les Philosophes*, 1941 — *L'Idée de Création*, 1945.

R. GARRIGOU-LAGRANGE. —

Dans sa réponse fort suggestive, le P. Garrigou-Lagrange renonce à faire le relevé de tous les facteurs de l'acte religieux ; il insiste particulièrement sur le caractère surnaturel de la foi qui donne à l'acte religieux sa valeur ultime et divine.

« Ici-bas, nous ne connaissons l'intelligible que dans le miroir des choses sensibles, et le surnaturel, qui est essentiellement distinct de notre activité naturelle, n'en est pas tellement séparé que nous puissions le discerner expérimentalement avec évidence de ce qui n'est pas lui. »

« Sans qu'un pareil discernement soit nécessaire, le fidèle, *sous l'illumination et l'inspiration du Saint-Esprit,* dont parlent les conciles d'Orange et du Vatican, entend la voix du Père céleste par l'organe de l'Église. Il atteint ainsi dans l'obscurité de la foi *un motif formel* inaccessible au démon et aussi à la foi naturelle d'autorité. L'intelligence naturelle la plus perspicace, tant qu'elle n'a pas reçu *la grâce de la foi,* constate seulement du dehors des miracles ou autres signes qui l'empêchent de nier l'intervention de Dieu dans les prophètes et dans l'Église. Aussi ne peut-elle entendre que *matériellement* la révélation divine et les mystères surnaturels.

« La chose est fort simple, il suffit de deux exemples pour la faire entendre. On peut voir un vitrail d'église soit seulement du dehors et l'on discerne à peine les figures, on ne saisit pas la signification ; on peut aussi le voir de l'intérieur de l'église, sous sa vraie lumière, et c'est tout autre chose. » De même une symphonie de Beethoven peut être entendue de deux façons fort différentes. Celui qui, sans être sourd, n'a aucun sens musical, ne peut l'entendre que *matériellement* : on dit de lui qu'il n'a pas d'oreille. Si on lui demande : Avez-vous entendu cette symphonie ? Il peut répondre pourtant : Oui. Mais cette même symphonie de Beethoven est entendue d'une toute autre façon par un vrai musicien, il en saisit *le motif formel,* et l'âme même, quoiqu'il ne perçoive pas immédiatement le génie de Beethoven. »

« Il en est de même de la lecture de l'Évangile : l'intelligence naturelle la plus puissante, *sans la grâce de la foi,* entend *matériellement* le sens humain des mots de l'Évangile ou du *Credo.* Au contraire, l'intelligence surnaturalisée du plus humble des fidèles entend l'Évangile comme le vrai musicien entend la symphonie de Beethoven ; au point de vue surnaturel, on peut dire du fidèle qu'il a de l'oreille. Il entend surnaturellement, par la foi infuse, la voix du Père céleste, par l'intermédiaire de la prédication chrétienne proposée par l'Église ; il entend ainsi formellement « les profondeurs de Dieu » (I Cor., II, 10) que révèle la voix divine ; il y croit formellement, avec une absolue certitude. C'est ce que veut dire saint Thomas dans sa Somme théologique,

(II^a II^ae, q. 6) en expliquant la parole de saint Paul : « *fides est donum Dei* » (Ephes. II, 8). Le Père Lacordaire a exprimé aussi d'une façon saisissante le caractère essentiellement surnaturel de la foi infuse : « Ce qui se passe en nous quand nous croyons, *est un fait de lumière intime et surhumaine.* S'il en était autrement, comment voulez-vous qu'il y eût *proportion* entre *notre adhésion,* naturelle, rationnelle et *un objet* qui surpasse la nature et la raison, et là où il n'y a pas proportion, il ne peut y avoir certitude. Ainsi une intuition sympathique met entre deux hommes, dans un moment, ce que la logique n'y aurait pas mis en bien des années. Ainsi parfois, une illumination soudaine éclaire le génie. »

« Par la foi infuse, nous entendons une symphonie spirituelle qui a son origine dans les cieux. Les accords parfaits de cette symphonie s'appellent les mystères de la Sainte Trinité, de l'Incarnation, de la Rédemption, de la Messe, de la Vie éternelle. »

« Par cette audition supérieure, l'homme est guidé vers l'éternité ; il doit se porter de plus en plus avec confiance, amour et abandon vers le sommet d'où provient cette harmonie, et y entraîner ceux qu'il doit aimer comme lui-même. Cette grâce de la foi, il faut la demander avec humilité, confiance et persévérance. Le Seigneur ne la refuse pas à ceux qui l'implorent ainsi ».

Bibliographie : R. Garrigou-Lagrange, *Dieu, son Existence et sa Nature,* 1920 — *De Revelatione,* 2 vol. Rome, 1921 — *Le Sens du Mystère,* 1934.

E. Gilson. —

Pour exposer d'une façon complète les idées d'E. Gilson, il faudrait exposer toutes les grandes thèses de saint Thomas, ce qui nous entraînerait un peu loin. Bornons-nous à signaler le rapport fort net qu'il fit à la *Société française de Philosophie* au sujet des relations de la philosophie et de la théologie.

En fait et en droit existe-t-il une philosophie chrétienne ? Telle était la question posée. E. Gilson affirme qu'elle existe et doit exister. L'influence du christianisme sur la philosophie apparaît dans le système de saint Augustin qui repense les néo-platoniciens à la lumière de la révélation ; à l'époque médiévale cette influence est plus manifeste encore ; à l'époque contemporaine elle demeure agissante. Plusieurs catégories philosophiques — et ce ne sont pas les moins précieuses — celles de la création, du péché, de la personne sont chrétiennes par leur origine. Ainsi la raison a acquis certaines vérités rationnelles grâce au secours de la foi.

Reste, il est vrai, à savoir si cette influence doit être jugée bienfaisante ou néfaste. Est-il souhaitable que la révélation inspire la philosophie ou, au contraire, ces deux disciplines devraient-elles se détacher l'une de l'autre ? Les rationalistes, certains partisans de la Réforme et quelques néothomistes souhaitent qu'elles cessent d'agir l'une sur l'autre. Les motifs qui les guident sont d'ailleurs bien disparates.

1º Pas d'intervention de la foi dans le domaine philosophique, proclame le rationaliste, car la foi est du non-rationnel ; or, la philosophie, sous peine de renoncer à elle-même, ne peut se subordonner qu'à la raison. La notion de philosophie chrétienne est donc contradictoire. Concrètement des philosophes peuvent être chrétiens, mais ils ne peuvent l'être à titre de philosophes. E. Gilson rejette ce rationalisme. Toutes les certitudes ne sont pas homogènes ; il y a deux ordres de vérités : celles qui sont du ressort immédiat de la raison, les mystères révélés qui la transcendent. Aucun chrétien ne peut, sans renoncer à sa foi, sacrifier les secondes aux premières.

2º Alors que les rationalistes veulent détacher la raison de la foi, certains partisans de la Réforme veulent détacher la foi de la raison, la théologie de la philosophie. La raison radicalement impuissante dans le domaine des choses divines ne peut, dit-on, par son intervention indiscrète, que contaminer la pure Parole de Dieu. La philososophie, comme l'écrit Barth, « doit se confesser vraiment profane ; » elle ne peut se dire chrétienne. Mais, en maudissant ainsi la raison, ne maudit-on point Dieu qui l'a créée et qui l'a faite à son image, qui, après la faute originelle, n'en a pas privé l'homme ? Pourquoi opposer absolument l'ordre de la création et celui de la rédemption ? Ces deux actes ne procèdent-ils pas du même Dieu et n'ont-ils pas l'un et l'autre une finalité divine ? Pourquoi l'esprit serait-il irréductiblement profane ? Pourquoi, aidé de la grâce, ne serait-il point capable de Dieu ? Pourquoi une philosophie, par son orientation fondamentale, ne devrait-elle point être chrétienne ?

3º Aucun néothomiste ne songe à sacrifier la foi à la philosophie, ni la philosophie à la foi. Pourtant certains d'entre eux n'aiment point qu'on parle de philosophie chrétienne. Comme philosophes ils prétendent faire totalement abstraction de leurs croyances. Est-ce possible, se demande E. Gilson ; toute croyance n'est-elle pas agissante et ne spécifie-t-elle point bon gré mal gré la recherche ? Est-ce souhaitable ? Le non-croyant a-t-il en matière philosophique une supériorité manifeste ? Même dans l'ordre des vérités philosophiques, la foi peut et doit guider la raison ; son rôle est positif et indéclinable.

A s'isoler de la foi la philosophie ne gagnerait rien et risquerait de tout perdre. Elle doit rester en contact avec la révélation chrétienne, pour être capable de rationalité parfaite.

E. Gilson en conclut que la philosophie doit être chrétienne. Ce n'est pas à dire qu'elle puisse renoncer à sa méthode et à sa légitime autonomie. « Une philosophie ne peut être que philosophie et nullement théologie. » Albert le Grand distingua nettement ces deux disciplines ; et à la suite de cette réforme, elles prirent l'une et l'autre un magnifique essor. Il n'y a point lieu de revenir en arrière, comme l'école augustinienne semble le désirer ; et, sous prétexte d'étudier l'homme concret, de constituer une science hybride, dont la méthode serait mi-philosophique et mi-théologique. Il n'en pourrait résulter que des confusions, des équivoques et un manque de rigueur.

Bibliographie : E. GILSON, *La Notion de Philosophie chrétienne* (Bull. Société française de Phil. p. 35 suiv. 1931) — *Christianisme et Philosophie*, 1936 — *The Unity of Philosophical Experience*, New-York, 1937 — *Medieval Universalism and its Present Value*, New-York, 1937 — *Reason and Revelation in the Middle Ages*, New-York, 1938 — *Réalisme thomiste et Critique de la Connaissance*, 1939 — *Le Thomisme*, 1942 — *La Philosophie de saint Bonaventure*, 1943 — *Introduction à l'étude de saint Augustin*, 1943 — *L'esprit de la Philosophie médiévale* (Gifford Lectures), 1944 — *La Philosophie au Moyen Age*, 1947 — *L'Être et l'Essence*, 1948.

G. DE BROGLIE. —

« L'idée de religion » est d'emploi courant ; mais elle est complexe et difficile à définir. On pourrait dire que « la religion » est : *l'attitude d'âme et l'ensemble de données, d'affirmations et d'actions qui permettent à l'homme d'entretenir avec Dieu de bons rapports.* Ainsi définie, cette notion paraît affectée d'une triple ambivalence, dont l'examen nous aidera à serrer de plus près son sens et ses origines.»

« La première de ces ambivalences est expressément formulée dans notre définition même. Elle s'exprime dans l'antithèse de la *religion-vertu* et de la *religion-programme*. Il est frappant, en effet, que ce même mot puisse désigner tantôt une attitude d'âme *subjective* à l'égard de Dieu (donc une vertu, ou un ensemble de vertus), tantôt un système de données et de moyens *objectifs* (doctrines à admettre, actions à pratiquer) grâce auxquels nos rapports avec Dieu seront ce qu'ils doivent être. On dira, par exemple, au premier sens, que la religion des « âmes saintes » est, au fond, *identique* dans les deux Testaments ; et au second, que la religion « chrétienne » *diffère* nettement de la religion mosaïque.

« La seconde ambivalence à signaler dans ce mot lui vient de son aptitude à évoquer tour à tour l'idée de « vraie religion » et celle de « religion fausse ». Car on ne peut pas dire d'une religion fausse qu'elle ne soit point du tout une « religion » (comme on dirait d'un or faux qu'il n'est point du tout de l'or). Et cependant, il est clair qu'ici pas plus qu'ailleurs le *vrai* et le *faux* ne sauraient se concevoir légitimement comme les simples espèces d'un *même* indivisible genre. Ici encore la notion de « religion » révèle donc une certaine ambivalence analogique. Ou plutôt c'est d'une véritable *polyvalence* qu'il faudrait ici parler, l'idée de « religion fausse » étant, elle aussi, multiple, puisqu'elle peut désigner tour à tour soit l'attachement des hommes *au culte de quelque faux-dieu* (notion qui, d'ailleurs, appellerait elle-même des distinctions) soit la simple volonté *d'honorer le vrai Dieu incorrectement* (notion assez différente, et qui d'ailleurs appellerait des distinctions presque aussi nombreuses). »

« Enfin la troisième ambivalence, de beaucoup la plus délicate à préciser, est celle qui nous permet d'opposer entre eux le concept de « religion » *propre à la philosophie naturelle* et celui que le chrétien peut se former *à la lumière de sa foi.* Cette question mérite un examen particulièrement attentif. »

« Par elle-même, l'idée de religion naturelle relève, en droit, de la philosophie pure. Elle appartient à la morale rationnelle, comme définissant l'objet d'un de ses chapitres. Si, en effet, l'homme est vraiment capable (comme l'Église nous l'enseigne) de se démontrer l'existence de Dieu, peut-on vraiment douter que cette démonstration une fois acquise, doive étendre ses répercussions par l'intermédiaire de notre sens moral, jusque sur nos maximes de conduite ? La morale naturelle elle-même nous conduira donc à élaborer une certaine idée de « religion naturelle » ; et l'on conçoit aussi qu'un esprit muni de cette idée rationnelle puisse légitimement l'utiliser pour se représenter la religion *révélée* elle-même. De ce point de vue, tout philosophique, le christianisme pourra donc apparaître comme une sublimation admirable et divinement garantie de notre idéal *naturel* de « religion ».

« Mais il serait inexact, et même dangereux, de croire que ce christianisme intellectuel soit le seul qui permette au chrétien de concevoir l'idée d'une « religion », et de comparer sa « religion » aux autres. Car si (comme l'enseigne saint Thomas) le chrétien n'a pas besoin de s'être démontré l'existence de Dieu pour connaître Dieu avec certitude par le chemin surnaturel de la foi, pourquoi aurait-il besoin d'invoquer les évidences naturelles de la métaphysique et de l'éthique

rationnelle pour construire l'idée qu'il se fait de la « religion ». Qu'il
sache seulement réfléchir sur lui-même et sur le dogme auquel il
souscrit : il n'en faudra pas plus pour que s'élabore en lui une excel-
lente idée de la « religion » — conçue comme un ensemble subjectif
de saintes dispositions et un ensemble objectif de données, de dogmes,
de pratiques, grâce auxquels il devient possible à l'homme de vivre
en bonnes relations avec son Dieu. »

« Le point le plus caractéristique, et aussi le plus énigmatique,
de cette conception de la « religion », c'est assurément que la connaissance de Dieu n'y figure pas précisément comme un *présupposé*
spéculatif préalablement établi, mais y intervient plutôt elle-même
comme un *élément* essentiel de ces bonnes relations volontaires et
libres, que « la religion » vise à assurer entre l'homme et Dieu. A ce
point de vue, on peut dire que le problème de la foi paraît être la clef
de tout le mystère de « la religion », au sens spécifiquement surnaturel
et chrétien de ce terme. »

« Essayons donc de comprendre, ou tout au moins d'entrevoir,
comment l'homme en arrive à accepter, à faire concrètement sien,
ce type original de vie religieuse. La chose serait évidemment incompréhensible si l'être humain n'était qu'une intelligence raisonneuse
exclusivement soucieuse de remonter des effets aux causes, *afin de
s'expliquer* les objets dont l'existence s'impose à elle-même. Car il
est clair que, dans cette hypothèse, la religion (à supposer qu'elle
gardât quelque rôle dans notre vie) pourrait tout au plus se présenter
à nous comme un humble corollaire pratique de notre philosophie
spéculative. Mais l'homme est aussi, et même principalement, un
sujet spirituel conscient de lui-même, donc un être qui, expérimentant et
évaluant du dedans ses propres désirs et ses propres besoins, saura
trouver parfois dans cette finalité vécue un principe directeur de son
action, et même de sa pensée. Or, parmi les inclinations fondamentales
du cœur humain, il en est deux qui, complémentaires l'une de l'autre,
jouent ici un rôle décisif. L'une se présente à nous comme *inéluctable*
entre toutes : c'est le désir de notre durable et parfait bonheur. L'autre tire son caractère privilégié de sa suprême *noblesse* : c'est l'aspiration vers la pleine moralité de notre action, c'est-à-dire vers un parfait attachement à ce qui mérite souverainement d'être voulu. »

« Ce double désir dont nous avons tous plus ou moins distinctement
l'expérience, n'est sans doute objet de réflexion explicite que pour
un petit nombre de penseurs ; mais chez tous les hommes, il aspire à
se satisfaire ; chez tous, il se sent frustré tant qu'aucun Bien suprême

ne lui apparaît comme le terme solide auquel il s'attache. Bien plus :
une expérience douloureuse et quotidienne nous révèle que notre
manque de lumière spirituelle et de vigueur morale nous empêche
(même une fois Dieu connu) de nous acheminer par nous-mêmes
et avec assurance soit vers le plein bonheur, soit vers la parfaite
vertu : de sorte que nous n'avons pas moins besoin de Dieu comme
auxiliaire de notre course que comme pôle d'attirance indispensable
à nos plus hautes aspirations. »

« Ce besoin dont chacun de nous peut ainsi prendre conscience,
n'est d'ailleurs pas relatif à notre seule personne individuelle, car la
sympathie que nous devons à tout le genre humain dont la misère
spirituelle et morale nous apparaît comme sœur de la nôtre, nous
porte à souhaiter que tous les hommes nous soient associés dans une
libération commune, et nous fait donc aspirer, pour eux comme pour
nous-mêmes, vers quelque institution *visible* de salut spirituel collectif. »

« Pour un chrétien, il va d'ailleurs sans dire que, si ces aspirations
de nos cœurs sont conditionnées par les maux spirituels innombrables
dans lesquels nous nous débattons, elles n'atteignent cependant
jamais, sans le secours positif de la grâce du Christ, à la clairvoyance,
à la vigueur et à la rectitude qui peuvent seules les rendre fécondes. »

« Comprenons bien, en outre, que même soutenus et fécondés par
la grâce, ces désirs ne suffisent pas encore à constituer ou à engendrer
en nous « la religion », — pas plus que l'appétit qui nous pousse à
manger ne suffit à nous alimenter par lui-même ! L'aspiration religieuse dont nous avons entrevu la source, ne s'achève proprement en
« religion » que lorsqu'elle a trouvé sa nourriture et son repos dans le
message objectif du Christ et de l'Église, tel qu'il nous est proposé
du dehors. *Fides ex auditu* ! Mais il reste qu'on ne comprendrait ni
l'attachement avec lequel le chrétien adhère à ce message, ni même
le genre particulier de perspicacité avec lequel il en discerne les garan-
ties, si l'on n'avait d'abord bien compris les caractères de l'aspiration
subjective à laquelle ce message vient répondre. »

« Les considérations (évidemment schématiques et sommaires)
que nous venons de proposer ne visaient directement qu'à expliquer
la genèse réelle et concrète de la « religion » de chaque croyant. Mais
elles peuvent nous aider aussi à préciser la genèse et le contenu de cette
idée de religion qu'utilise quotidiennement notre pensée chrétienne
et qui nous permet de désigner le christianisme comme « la Religion »
tout court, « la Religion » au sens fort et absolu du mot. Il serait

en effet arbitraire et décevant de prétendre que nous faisons alors directement appel au concept de « religion » (si pauvre et si vague !) que peut nous fournir la *morale naturelle* ; ou que nous utilisons alors un concept formé par voie d'induction, et qui évoquerait seulement un nombre infime de caractéristiques *communes à toute religion,* vraie ou fausse. »

« Comprenons plutôt que cette notion fondamentale de religion naît directement en nous de notre christianisme même, à la lumière conjointe de ses dogmes et de notre réflexion psychologique. Et quant *au contenu* que cette notion nous présente, il est lui-même essentiellement surnaturel : puisque cette notion nous exprime tout ensemble et *les saintes dispositions* qu'établissent en nous les vertus théologales, et *tout le programme de vie* que nous tracent le Christ et l'Église. »

Bibliographie : G. DE BROGLIE, *De la Place du Surnaturel dans la Philosophie de saint Thomas* (RSR, pp. 193-245, 481-496, 1924) — *Charité, Essai de synthèse doctrinale* (Dict. Spiritualité, éd. Viller, II, pp. 661-691)— *De Fine ultimo Vitae humanae,* Paris, 1948.

J. MARÉCHAL. — (1878-1944)

« Le Père Maréchal voit l'essentiel du Kantisme dans la solidarité de ces deux thèses : négation de l'intuition intellectuelle, négation de la connaissance des noumènes, s'il est vrai que cette connaissance n'a d'autre organe que l'intuition intellectuelle... Il ne prétend pas établir, contre Kant, l'existence de l'intuition intellectuelle ; mais il ne croit pas que sa négation entraîne celle de la connaissance du noumène. » (Bréhier, Histoire de la Philosophie, II, p. 1124.)

« Kant, en effet, n'a envisagé dans le point de départ de sa première critique, qu'un aspect du contenu de la conscience : le rapport du donné sensible au « je » connaissant. Il en a cherché les conditions de possibilité et parmi celles-ci n'a pu découvrir la nécessité de l'affirmation objective de l'existence de Dieu. Mais « la critique Kantienne prouve seulement que, *si* l'objet immanent n'est qu'une unité synthétique et formelle des phénomènes, en vain espère-t-on en déduire, par voie d'analyse, une métaphysique. »

« Or, d'après le P. Maréchal, l'objet immanent n'est pas uniquement de la diversité donnée, ramenée à l'unité d'un sujet connaissant par les formes a priori d'espace et de temps et par les synthèses catégoriales. Outre cette assimilation du donné au Je, il y a dans la conscience opposition entre l'objet et le sujet, entre le « moi » et le « non-moi ». D'où la nécessité de rechercher les conditions intelligibles de cette opposition. »

« Deux solutions explicatives se proposent en droit : l'opposition s'expliquerait si le sujet connaissant produisait l'objet connu, ou bien si le sujet tendait vers l'objet comme vers une fin, la causalité efficiente se distinguant de l'effet posé et l'être en mouvement ne pouvant être le terme de sa tendance. Il est d'une part évident que l'efficience du sujet connaissant explique en partie l'opposition. Car le donné n'est connu que par l'action cognitive du sujet. Mais il y a dans l'objet connu un aspect irréductible à l'efficience du sujet. En effet, le donné s'impose à nous indépendamment de notre initiative. Lorsque nous ouvrons nos sens au monde, il ne dépend pas de nous que ce soit telle ou telle diversité qui se présente. Nous sommes passifs du donné, et sous cet aspect l'objet connu ne peut être le fruit de notre action. C'est pourquoi, pour rendre compte de l'opposition, nous sommes obligés de faire appel à la seconde explication et d'affirmer que nous tendons vers l'objet comme vers une fin. Loin donc d'être comme un centre immobile en lui-même, muni de filets pour capter la manifestation du monde, l'esprit est un dynamisme tendanciel en quête de sa fin. Au demeurant, si l'opposition de sujet à objet nous force à interpréter l'esprit comme une activité qui se meut vers un but, l'expérience psychologique concrète nous révèle qu'intelligence et volonté sont immanentes l'une à l'autre, ce que confirme la déduction transcendantale. »

« Car une tendance n'est pas indéterminée ; elle doit, sous peine de n'être pas, être spécifiée par son terme. Lorsque je tends la main vers un objet, ce porte-plume, ou cette feuille de papier, ou ce livre, mon geste se diversifie. Mes doigts esquissent au préalable la forme de l'objet vers lequel ils tendent, si bien que tant que dure le mouvement, le terme en est dessiné en creux dans la main. Il suffit donc de connaître un dynamisme pour en pressentir privativement le but. »

« Quand l'esprit connaît, il devient transparent à lui-même ; il saisit son acte, et en découvre la forme. Cette forme est la notion d'être ; quelque objet qu'il saisisse, c'est comme être que l'esprit l'appréhende. Or cette notion est par elle-même infinie ; son envergure et son amplitude sont illimitées ; seule la référence au donné sensible la restreint. Elle n'est pas uniquement une catégorie de l'entendement, ni l'ultime résidu d'une abstraction de plus en plus poussée, mais comme forme illimitée du dynamisme de l'esprit, elle exprime en creux et anticipativement ce que le terme de la tendance est en plénitude et en positivité, c'est-à-dire l'infini en acte. »

« En recherchant les conditions de possibilité de l'acte judicatif, qui oppose le sujet à l'objet, le P. Maréchal a intégré la *Critique de la Raison Pratique* dans la *Critique de la Raison pure.* Il a redécouvert la synthèse thomiste : sensibilité — intelligence — volonté, retrouvant la voie rationnelle vers Dieu, en dehors de l'innéisme et de l'ontologisme. »

« Mais qu'on y prenne garde, cette preuve transcendantale de Dieu est déjà à sa manière une espèce d'expérience du divin. Car cette notion illimitée d'être n'est pas pure représentation intellectuelle, une pure image idéelle, elle est forme d'un dynamisme conscient de lui-même. C'est-à-dire que l'acte tendanciel de l'esprit est du réel saisi directement sans médiation. Nous sommes là dans le miel de la fleur ; nous coïncidons avec du réel dans son mouvement même. Nous sommes donc à la fois dans un ordre existentiel et idéel. Saisissant la forme spécificatrice du réel mouvant, nous connaissons par le fait même inchoativement le terme adéquat de l'élan de l'esprit. »

« Sans doute, nous n'avons pas l'intuition intellectuelle de Dieu dans sa forme propre, comme celui qui en buvant à même la source aurait directement le goût de l'eau ; mais nous intuitionnons notre acte tendanciel ; et, dans cette expérience métaphysique, nous expérimentons Dieu privativement, comme celui qui connaîtrait l'eau dans l'épreuve de la soif. Dieu étant comme anticipé en nous, nous en avons une connaissance prophétique. »

« L'homme tend naturellement vers l'Infini. Ce qui veut dire que Dieu nous meut selon une attirance d'amour. Grâce à cette séduction divine, l'homme est capable de progrès, dans sa vie esthétique, morale et naturellement religieuse. Cette orientation vers Dieu a donc un sens, même si l'homme n'est pas destiné à rejoindre l'Infini tel qu'il est en lui-même. Dieu cependant attirera-t-il l'homme jusqu'à lui ? Cette aspiration fondamentale vers l'Infini, qui seule rend possible le progrès humain, Dieu prendra-t-il l'initiative de la combler ? A cette question angoissée et inquiète du cœur humain, la nature ne répond pas, mais le Christ parle et apporte le message du Père. L'Incarnation du Verbe signifie que Dieu veut nous faire être au delà de toute limite et nous introduire dans l'intimité de sa vie. »

« C'est parce que nous tendons nécessairement et inefficacement vers l'Infini qu'est concevable un ordre surnaturel, gratuit quoique perfectionnant, et perfectionnant quoique gratuit. C'est cette aspiration vers l'Infini qui rend intelligible la libre démarche du Christ nous assumant à sa vie. La foi, l'espérance et la charité ainsi que les grâces mystiques sont autant d'étapes décisives sur la voie de la vie consommée dans la gloire, commencée inchoativement encore qu'inefficacement dans notre tendance naturelle à la vision de Dieu.

R. Debauche

Bibliographie : J. Maréchal, *Le point de départ de la Métaphysique* (I. *De l'antiquité à la fin du moyen âge* ; II. *Le conflit du rationalisme et de l'empirisme dans la philosophie moderne* ; III. *La Critique de Kant* ; V. *Le thomisme devant la philosophie critique* ; VI. *Fichte*) Paris, 1922-1946 — *Les lignes essentielles du Freudisme* (NRT, pp. 537-551, 577-605, 1925 ; pp. 13-30, 1926) — *Le dynamisme intellectuel dans la connaissance objective* (RNS, pp. 137-165, 1927) — *Au seuil de la métaphysique : abstraction ou intuition* (RNS pp. 27-52, 121-147, 309-342, 1929) — *Précis d'histoire de la philosophie moderne*, I, Louvain 1933 — *Études sur la psychologie des mystiques*, 2 vol. 1924-1937 — *L'aspect dynamique de la méthode [trans-cendantale chez Kant* (RNS, pp. 341-384, 1939).

R. Aubert. —

« N'ayant abordé les questions de philosophie religieuse que par le biais du problème de la foi, je n'ai pas envisagé l'attitude religieuse dans son ensemble, mais uniquement celle qui se réfère à un Dieu personnel et transcendant, et qui consiste à prendre ce Dieu pour objet de connaissance, d'adoration et d'amour, et à lui « consacrer » toutes ses activités et son être. Cette attitude de donation totale suppose à sa base une conception *surnaturelle* du monde, non pas dans le sens strict et théologique de ce terme, impliquant une participation à la vie propre de Dieu, dépassant les capacités de toute nature créée, mais dans le sens le plus général de rapports de familiarité gratuite entre un Dieu personnel et les personnes que nous sommes. Quelle que soit la force théorique des arguments rationnels établissant que la valeur « sacrée » est une Personne d'ordre transcendant et qu'elle est réellement intervenue dans la vie de l'humanité d'une façon particulière, le changement de perspective que ceci implique pour la conscience humaine, soucieuse de sauvegarder son « autonomie » est tel qu'une libre décision personnelle reste toujours nécessaire pour trancher en faveur de l'hypothèse surnaturelle. Cette libre décision qui constitue la forme embryonnaire de la foi, suppose une orientation morale de la personnalité prête à tous les sacrifices pour atteindre ce qui lui apparaîtra comme sa fin dernière ; elle suppose aussi, semble-t-il, une certaine expérience spirituelle, par laquelle il y aurait au moins « pressentiment » de l'invitation adressée par Dieu à l'homme. »

« Cette adhésion religieuse fondamentale tend normalement à se préciser. C'est ici qu'apparaît l'idée d'une révélation divine par laquelle Dieu nous éclairerait sur la vie nouvelle qu'il nous offre de mener en union avec lui. La réponse de l'homme à cette révélation constitue la foi au sens propre du terme. Mais celle-ci, attitude essentiellement religieuse, ne peut se réduire à la conclusion d'une enquête historique. Elle ne suppose donc pas seulement une révélation officielle faite par Dieu dans le passé, mais elle s'appuie aussi sur un témoignage plus actuel de Dieu, qui peut être conçu de diverses façons : saisie plus ou moins intuitive de la présence de Dieu dans l'Église, ou perception quasi-mystique d'un attrait divin qui incline l'esprit à adhérer à l'enseignement du Christ et de l'Église, les deux aspects étant du reste plutôt complémentaires qu'opposés et pouvant donc peut-être se rencontrer à des degrés variables chez tout croyant, lequel, notons-le, les expérimente vitalement plutôt qu'il ne les analyse consciemment. »

« Adhésion confiante à un témoignage personnel, source de connaissance concernant une Personne qui nous aime et nous demande notre amour, l'acte de foi présente encore un caractère personnel en ce sens que toute notre personnalité doit nécessairement y intervenir : acte de connaissance, il a sa racine dans un amour au moins inchoatif du Bien divin. En effet, l'acte de foi a pour objet une réalité qui est en même temps une valeur ; il requiert dès lors l'intervention de l'affectivité spirituelle, puisqu'on n'est sensible à une valeur que si l'on est tendu effectivement vers elle par l'amour. Et d'autre part, si l'esprit dit *oui* au Témoin avec une telle assurance, c'est en définitive parce que la volonté bien disposée dit *oui* au Bien total final, Vérité et Amour, offert par le Témoin et d'ailleurs identique à ce Témoin lui-même : l'affirmation du croyant apparaît dès lors comme étant une première prise de position de toute la personne par rapport à sa fin suprême. »

Bibliographie : R. Aubert, *Le Problème de l'Acte de Foi*, Louvain, 1945.

F. C. Copleston. —

« Je suis un historien de la philosophie et non philosophe de la religion. Aussi n'est-ce point sans hésitation que je hasarde un avis au sujet du principe fondamental et originel de la religion. Selon mon opinion, la religion se fonde sur un sentiment obscur de la contingence. L'être humain, qui ne peut se suffire, a conscience de sa propre contingence et aussi de celle des phénomènes extérieurs. Cette conscience primordiale implique le sens implicite d'une Transcendance. »

« Les démarches logiques du raisonnement interviennent pour rendre ce sens explicite. La démarche peut être naïve, et la conclusion incorrecte (comme il arrive dans la personnification des forces naturelles) ; mais, à mon avis, l'inférence gauchie du primitif comme l'argumentation plus subtile du philosophe présupposent l'une et l'autre ce sentiment de contingence, dont j'ai parlé, et d'où naîtra la conscience de l'obligation morale. Idées religieuses vraies ou idées religieuses erronées, déni de toute religion, tout cela prend naissance au niveau réflexif. Puisque le sentiment de contingence est obscur et qu'il doit être interprété, et que, dans cette élaboration, l'esprit humain peut errer et subir l'influence de facteurs non-rationnels, il ne garantit point à lui seul une connaissance infaillible de Dieu. Il peut donner naissance à un concept naturaliste du divin ou d'une divinité gardienne du code de la tribu, ou du panthéisme.

« L'histoire démontre qu'il est très difficile même aux philosophes d'arriver à la connaissance vraie et explicite de Dieu. Sans doute périodiquement des hommes surgissent qui ont de Dieu un sens si vivant et si personnel qu'ils s'efforcent de purifier la religion ; mais les efforts individuels ne suffisent point à la dégager des erreurs et des superstitions populaires. Même dans l'ordre d'une religion purement naturelle, une révélation extérieure est pratiquement indispensable pour que le sentiment religieux originel ne soit pas élaboré d'une manière incorrecte. »

Bibliographie : F. C. COPLESTON, *Friedrich Nietzsche, Philosopher of Culture*, London, 1942 — *Arthur Schopenhauer, Philosopher of Pessimism*, London, 1946 — *A History of Philosophy*, I, Greece and Rome, London, 1947.

M. C. D'ARCY. —

« A mon avis le principe lointain de la genèse de la religion est le fait de la contingence ou de l'indigence de l'être. Cette contingence, dans un être humain composé d'âme et de corps, se traduit en un sentiment d'appréhension, de fragilité devant la nature et l'univers, dans le sentiment de respect et, sous une forme plus développée, dans le sentiment obscur du fiat divin qui se révèle dans les manifestations les plus frappantes de la nature et aussi dans le caractère existentiel de notre propre être. »

« La réaction fondamentale décrite ci-dessus recevra dans les diverses cultures un contenu représentatif et hautement émotionnel. Elle aboutira donc à diverses théologies et philosophies religieuses, qui seront Dieu « vu de loin » (Saint Augustin) ; inévitablement, elles trahiront les limitations intellectuelles de la pensée humaine et ses préjugés. »

« La révélation apportera la « bonne nouvelle » du vrai Dieu qui est Père et dont la charité est paternelle. La pensée géométrique et

logique, moniste et fataliste qui contemple les essences, est vivifiée
ainsi par l'acte d'un Dieu personnel, libre, créateur, et par son
influx à la fois existentiel et essentiel. Aussi les autres religions qui
ne sont que des esquisses, des approches lointaines, sont-elles transcen-
dées par le caractère personnaliste de la Bonne Nouvelle, par la doctrine des trois Personnes et du Verbe fait chair, par l'acte inouï de Dieu
qui élève le contingent à une union d'amour presque égalitaire, à la relation du « moi-Toi », en vertu de laquelle la mendiante (anima) se donne
totalement et se trouve récompensée par l'Amant divin qui, tel qu'il
est en Lui-même, se livre à sa contemplation ».

Bibliographie : M. C. D'ARCY, *The Mass and the Redemption*, London,
1926 — *Thomas Aquinas*, London, 1930 — *The Nature of Belief*, London,
1931 — *Mirage and Truth*, London, 1935 — *The Pain of this World and
the Providence of God*, London, 1935 — *Death and Life*, London, 1942 —
The Mind and the Heart of Love. London, 1946.

A. FOREST. —

Beaucoup de philosophes contemporains pensent devoir subordonner l'être soit à l'idée, soit à la valeur. A. Forest croit à la primauté
de l'être auquel l'esprit s'unit par l'acte métaphysique de la réflexion
et de la liberté.

La réflexion ordonne et intériorise l'esprit. « La réalité ne peut
pas subsister en elle-même ; elle ne se distinguerait pas d'un pur
rêve, d'une apparence si la pensée ne lui donnait pas sa consistance
et en quelque sorte le sceau de l'objectivité. La raison métaphysique
fait saisir tout ce à quoi les choses doivent être intérieures pour être
elles-mêmes. Au terme de ce mouvement de pensée, chaque chose
apparaîtrait fidèle à elle-même, donnée dans sa pure essence, parce
qu'elle est soutenue du dedans par les lois qu'elle exprime, par un
système universel d'exigences qu'elle manifeste en lui demeurant
intérieure. » (Cons. et Créat., pp. 7 et 10.)

Cependant la métaphysique idéelle qui se complaît dans la contemplation des essences est trompeuse. La réflexion ne serait qu'une
réduction et une régression, si elle n'était existentielle, si, œuvre de
l'intellect, elle n'était agie par l'acte du vouloir. La réflexion n'est une
« expérience privilégiée que parce que l'esprit s'y saisit comme
agissant... L'existence est sous-jacente aux déterminations que je
pense, de sorte que c'est cet implicite de l'affirmation que je saisis
lorsque je me place, au delà des déterminations, en face de l'existence.»
(Ibid. pp. 117, 120.)

L'expérience métaphysique, finalisée par l'existence, implique donc une transcendance. L'être est à la fois présence et appel ; possession et conflit. Ce conflit se résout par le consentement, c'est-à-dire par l'acte d'adhésion de la créature à son Créateur. Par consentement, A. Forest n'entend pas tel ou tel acte de la volonté ou de l'intelligence, mais il désigne une attitude globale qui exige la synergie des puissances de l'esprit et qui exprime son rapport premier à l'être. L'esprit qui consent, affirme la vérité en l'insérant dans un Acte qui le pose et le dépasse. Consentir, c'est être généreux et fidèle, renoncer à dominer l'être et à se l'assujettir ; c'est adopter l'attitude humble et confiante, active et accueillante du croyant. L'acte de l'intellection pas plus que l'acte de la liberté ne créent ni la vérité ni la valeur ; ils doivent se subordonner à un Centre antérieur, à l'absolu de l'Acte qui s'inscrit en eux et qui rend la Vérité immanente à la Valeur.

L'expérience métaphysique est donc religieuse et se prolonge en une expérience mystique. L'expérience métaphysique situe l'esprit relativement à l'Être ; la religion rend ce rapport vivant ; la mystique, sans révéler l'essence de Dieu, tel qu'il est en lui-même, comble l'esprit de la présence divine et le réalise dans l'amour.

Bibliographie : A. Forest, *La Structure métaphysique du Concret selon saint Thomas d'Aquin*, 1931 — *La Réalité concrète et la dialectique*, 1931 — *Le Thomisme et l'idéalisme français*, (RNP, 1934) — *Du Consentement à l'Être*, 1936 — *La Recherche philosophique*, (RT 1937) — *Consentement et Création*, 1943.

J. Maritain. —

J. Maritain n'a pas consacré d'ouvrage particulier à la philosophie de la religion ; c'est l'ontologie et le problème de la connaissance qui ont été l'objet particulier de ses travaux. Dans ces études on trouve pourtant tous les éléments de base qui peuvent servir à une construction ultérieure. Il revendique pour l'esprit l'intuition abstractive des essences et se refuse à enclore la pensée dans l'empirique. La métaphysique établit une liaison intrinsèque entre le fini et l'infini. La doctrine thomiste de l'analogie de l'être fonde et justifie la théodicée.

Bibliographie : J. Maritain, *Sept Leçons sur l'Être*, 1924 — *Réflexions sur l'Intelligence et sur sa Vie propre*, 1926 — *Les Degrés du Savoir*, 1932 — *Le Docteur Angélique*, 1930 — *Religion et Culture*, 1933 — *Humanisme intégral*, 1936.

U. A. Padovani. —

Padovani a subi l'influence de Martinetti ; il s'en dégage parce que le rationalisme de son maître ne le satisfait pas. Pour Martinetti, le mal est une apparence dont l'esprit se libère en l'intégrant dans l'ordre nécessaire de la Pensée universelle. Cette solution théorique d'un problème existentiel apparaît fictive à Padovani. La mal est négation, échec de la nature. Ce n'est qu'en transcendant la nature, en émergeant dans le surnaturel, que la nature peut avoir quelque consistance.

La philosophie constate la réalité du mal ; elle n'y porte pas remède. Le Christianisme, au contraire, explique l'énigme de l'existence. L'acte de la création se comprend quand on ne le sépare point de l'acte de la rédemption. La philosophie pose le problème tragique de la vie ; le christianisme le résout. Le chrétien qui s'adjoint activement au Christ et qui se renonce, peut triompher du péché. Padovani doit à Schopenhauer la vision aiguë du mal ; saint Augustin et M. Blondel inspirent son optimisme chrétien.

Bibliographie : U. A. Padovani, *La filosofia della religione e il problema della vita*, Milano, 1936 — *Filosofia e religione* (Filosofi italiani contemporanei, Milano, 1946).

R. Guardini. —

L'homme apparaît comme distendu entre sa réalité concrète et les normes idéales qui la transcendent. Les religions naturalistes ont cherché l'Absolu dans l'immédiat, dans l'acte concret ; or aucun acte concret n'est plénier ; la Réalité le fuit, mystérieuse, dominatrice, angoissante. Les religions idéalistes ont tenté de saisir l'Absolu dans l'Au-delà ; or cet Au-delà, cet Inconditionné se dérobe à son tour ; il apparaît comme l'Inconnaissable, comme l'Étranger.

Une religion est théiste quand elle postule Dieu non comme une réalité concrète, ni comme une norme irréelle, mais comme le Principe d'unité de l'Idéel absolu et du Réel absolu. Elle surgit non d'une relation concrète au réel, ni d'une relation abstraite à l'idéal, mais de la relation ontologique d'un être à l'Être, de la personne humaine, qui tend à se posséder sans pouvoir s'achever et qui de ce fait est contingente, à l'Être dont la Personnalité, l'Intériorité, l'Immanence l'Unicité sont totales.

« La religion signifie relation à l'Absolu. Mais toute relation de cet ordre ne constitue pas la religion ; par exemple la pure pensée métaphysique. La religion apparaît seulement lorsque cette relation à l'Absolu devient vivante... ; elle ne devient authentique que lorsque la personne humaine fait face à un Dieu personnel, et que leur relation devient ainsi une relation de personne à personne. Ainsi la religion signifie la relation concrète de l'homme concret à un Dieu vivant. » (Unters. des Christ. p. 179.)

Pour autant que Dieu est la Personnalité plénière, c'est-à-dire unité infrangible du réel et de l'idéal, il est saint, saint dans le sens ontologique (sacer, ὅσιος), et aussi dans le sens éthique (sanctus, ἅγιος). Être religieux, c'est donc se sanctifier, c'est-à-dire s'intérioriser dans l'unité vivante de Dieu.

Les pensées sanctifient et ancrent en Dieu. L'époque présente a accordé la primauté à l'Éthos sur le Logos. « La foi a glissé de plus en plus de la solidité de l'objectif dans la fluide mobilité du subjectif » ; elle a perdu son contact avec l'éternel et s'est résorbée dans le terrestre ; elle est devenue un tâtonnement aveugle dans les ténèbres, car « la volonté capable d'agir et de créer est impuissante à voir. De là découle l'incessante et fébrile inquiétude, la mobilité essentielle de notre vie contemporaine. Rien ne demeure, tout se transforme. Aucune stabilité ; la vie est un perpétuel devenir, une nostalgie, une recherche anxieuse, une course haletante et sans fin... Le vrai est le vrai parce qu'il est vrai... La volonté ne crée pas la vérité, elle la trouve.... Le dogme, la vérité absolue, souverainement indépendante de tout critère d'utilité, stable et éternelle, est quelque chose d'indiciblement grand. Il semble qu'en s'en approchant l'esprit atteigne et touche la garantie mystérieuse et dernière de l'équilibre et de la santé du monde... L'élan actif de la volonté, de l'action, de la recherche, doit toujours reposer sur une profondeur silencieuse qui l'oriente vers la Vérité éternelle et immuable. » (Esp. Lit. pp. 255-275)

Ce n'est pas à dire d'ailleurs que le Logos ait une primauté de dignité sur l'Éthos ou qu'il puisse s'en abstraire. C'est l'être qui est premier ; et par conséquent la pensée doit être existentielle, chargée de valeurs ; elle doit avoir pour terme non un Dieu-Idée, mais le Dieu qui vit. Aussi la vérité doit être cherchée et ne peut être actualisée que grâce à l'amour, selon la parole de l'apôtre : ἀληθεύειν ἐν ἀγάπῃ (Éphes, 4.15). Les actes sanctifient donc comme les pensées. L'homme qui est libre, doit répondre activement à l'influx créateur de Dieu. Il ne s'agit pas de vouloir pour vouloir ou de se vouloir. Une volonté centrée sur elle-même est mauvaise. C'est dans la mesure où elle se soumet qu'elle se libère. Le terme de sa vie religieuse est une délivrance du péché par la grâce, de la loi par l'amour qui n'abolit point la loi, mais qui substitue au rapport de l'esclave au maître le rapport du fils à l'égard de son Père. Dieu est le Dieu de tous, mais étant universel il est aussi personnel. Par l'acte de la liberté, le Dieu objectif devient subjectif ; il intériorise le sujet en lui-même, crée son individualité et sa personnalité.

La communauté sanctifie. Guardini ne veut pas d'une communauté biologique, celle des fourmis dans une fourmillière ; la communauté des hommes doit être personnalisante. Jamais entre les hommes, elle ne peut être totale. La vraie communauté doit être religieuse et divine, car, dans ce cas, au lieu de dépersonnaliser l'individu, le lien social l'intègre en Celui qui fonde simultanément l'aséité de chaque être et sa communion à tous les autres êtres.

Les sentiments, quand ils sont lumineux et actifs sanctifient non moins. Tel est particulièrement le sens de l'honneur de Dieu, de sa suprême valeur, le sentiment de confiance dans sa puissance créatrice, la certitude de sa vocation et de son secours, l'amour de prédilection qui fait vouloir Dieu par-dessus toutes choses, la louange, la prière individuelle et liturgique, l'adoration de la Majesté divine et enfin le service passionné et totalitaire qui rend l'homme royal, seigneur lié au Seigneur.

La vraie religion, c'est-à-dire celle qui sanctifie ou qui, intériorisant l'homme en Dieu, l'intériorise aussi en lui-même et dans une communauté sainte, est le christianisme. Le Christ est la catégorie « qui fonde toutes choses, le système des coordonnées de la pensée, qui donne à toutes sa vérité, » le courant intelligible qui fait comprendre, le courant d'amour qui rassemble, le principe ontologique qui fait subsister tous les hommes en Dieu comme des fils.

R. Guardini insiste beaucoup sur la transcendance du christianisme. Il n'est ni un système lié de pensées, ni un ensemble d'expériences subjectives. Être chrétien, c'est s'abandonner au Christ, se lier à sa grâce. « Le Christ est le seul garant. Quant à nous, nous devons renoncer à la certitude de notre propre perspicacité, à la valeur de notre travail personnel, à la pureté de nos intentions, à la solidité de notre caractère, au prix des traditions humaines et culturelles. Tout cela a eu son importance comme préparation. Mais le moment arrive, où il faut renoncer à tout cela. Devenir chrétien, c'est aller au Christ sur la parole du Christ, c'est se confier à lui en raison de sa propre garantie. » (Seig. I, p. 169.)

Bibliographie : R. GUARDINI, *Zum Begriff der Ehre Gottes* (Ph. Jahrbuch, p. 321 sq, 1918 — *Vom Sinn der Kirche*, 1922 — *Gegensatz der*

Gegensätze, 1925 — Der Gegensatz, 1926 — Vom Leben des Glaubens, Mayence, 1935 — *Unterscheidung des Christlichen,* Mayence, 1935 — *Der Herr,* Würzburg, 1937 — *Hölderlin,* Leipzig, 1939 — *Vorschule des Betens,* Einsiedeln, 1943 — *Zur Rainer Maria Rilkes Deutung des Daseins,* Bern, 1946. — R. GUARDINI, *L'Esprit de la Liturgie,* trad. d'Harcourt, 1929 — *Le Seigneur,* trad. Lorson, 2 vol. Paris, 1945 — *L'Univers religieux de Dostoïevski,* Paris, 1947.

A. G. GRATRY. — (1805-1872)

A l'époque moderne les disciplines se sont différenciées ; le savoir a multiplié ses méthodes de recherche, l'art ses procédés d'action. L'homme victime de ces abstractions nécessaires, mais réductrices, a perdu le sens de l'unité. L'idée centrale de Gratry est que, dans chacun des actes de l'homme, la totalité de son être, irradié par l'infinité de ses relations, intervient. Il faut penser et vivre avec toute son âme, pour bien penser et bien vivre.

Aussi il sourit de l'individualiste qui dédaigne l'histoire et la tradition, de l'innéiste qui détache l'idée de l'expérience, du rationaliste qui se dispense de vouloir, et non moins du fidéiste qui boude la raison. Pascal lui semble sceptique et la vision des choses en Dieu lui paraît un rêve.

C'est avec ce souci de synthèse vraiment humaine qu'il aborde le problème de Dieu. Les preuves classiques retiennent son attention. A une époque où le déterminisme sévit, il insiste sur le procédé de transcendance qui caractérise toute démonstration. Dieu surgit de l'esprit par émergence. Aussi un savoir mécanique purement logique, ne peut-il l'atteindre. « Si la volonté refuse son acte, la raison ne peut consommer le sien. » (Con. de Dieu, II. p. 151.) *Qui facit veritatem venit ad lucen.*

Mais ce qui lui importe plus que telle ou telle preuve dont les formules peuvent varier à l'infini et qu'il multiplie comme à plaisir, c'est d'établir le ressort caché de l'induction métaphysique, le fondement de cette inférence mystérieuse qui fait passer du fini à l'infini. Il le trouve dans le sens du divin, sorte de sens intérieur et secret, contact mystérieux, unité silencieuse de l'âme, qui sent Dieu plutôt qu'elle ne le conçoit, qui le touche plus qu'elle ne le voit. Inclination et intuition, appel de l'intelligible et du désirable, ce sens divin n'est pas constitué par une représentation, ni par un état affectif, comme le pensent les innéistes, mais par une disposition à agir, par une alliance primordiale et métaphysique de l'âme avec Dieu, alliance que tout acte humain, qu'il soit rationnel ou libre, présuppose. Cette réalité fondamentale fait de l'esprit une relation subsistante, à la fois structurelle et dynamique, dont Dieu est le terme.

Quelle est la nature de cette relation ? L'esprit peut posséder Dieu indirectement, tel qu'il apparaît dans le monde. Celui qui ne le saisit que de cette façon, pareil aux prisonniers de la caverne, ne perçoit qu'une ombre. Pour les purs philosophes qui dédaignent la foi, Dieu n'est qu'un reflet, un reflet clignotant qui danse sur la muraille. La raison naturelle ne peut saisir la nature intrinsèque de Dieu. « Lorsque nous voulons pénétrer jusqu'à l'Être lui-même, et lorsque nous croyons l'avoir trouvé sur terre, par notre lumière naturelle, nous sommes des Ixions saisissant une nuée, mais non pas la déesse. » (Log. II, p. 230.)

Il importe souverainement à l'homme de saisir par la foi la vie interne de Dieu, si abstraite et imparfaite qu'en soit la connaissance. La foi paraît inférieure au savoir, parce qu'elle ne rend pas son objet intrinsèquement intelligible ; elle lui paraît inférieure, parce qu'elle se fonde sur un témoignage extrinsèque. Elle lui est supérieure pourtant par la qualité de son objet. Qui connaît les mouvements intérieurs qui font l'intimité de Dieu avec lui-même, comprend mieux le monde, lequel en procède ; il sait quelle est la destinée concrète et historique de l'homme. Elle lui est supérieure encore, parce qu'elle a pour garant la parole de l'homme-Dieu, comprise à la lumière de l'Esprit-Saint avec une infaillible certitude.

La raison doit donc se porter au-devant de la foi, la désirer. Pour devenir croyant, il faut opter. Tandis que les certitudes naturelles sont nécessitantes, les certitudes surnaturelles sont libres. « La foi est une communication libre, morale, personnelle, volontaire de Dieu à l'homme et de l'homme à Dieu.» (Phil. Credo, p. 14.) L'itinéraire religieux de l'âme n'est achevé que lorsque l'homme adore non plus une abstraction, la vérité ou le bien, mais le Dieu vivant et incarné des chrétiens.

Bibliographie : A. GRATRY, *De la Connaissance de Dieu*, 2 vol. 1853 — *De la Connaissance de l'Ame*, 2 vol. 1857 — *Les Sources*, 1861-62 — *Les Sophistes et la Critique*, 1864 — *La Morale et la Loi de l'Histoire*, 1867 — *Lettres sur la Religion*, 1869. — A. PERRAUD, *Le P. Gratry, sa vie et ses œuvres*, 1900 — B. POINTUD GUILLEMOT,*Essai sur la Philosophie de Gratry*, 1918 — E. SCHELLER, *Grundlagen der Erkenntnislehre bei Gratry*, Halle, 1929.

L. LABERTHONNIÈRE. — (1860-1932)

Laberthonnière s'oppose au positivisme historique, au subjectivisme moderniste et surtout au thomisme. Il oppose le Dieu-idée des grecs au Dieu-vivant des chrétiens.

La philosophie grecque, surtout celle d'Aristote, est théorique. « Par la dialectique on entre dans le monde intelligible ; et là est le salut... Ni l'histoire de l'humanité, ni la vie réelle des individus dans leurs conditions réelles d'existence ne sont éclairées par les conquêtes de la dialectique... Par sa réalité individuelle, (le sage) demeure toujours dans la matière, c'est-à-dire séparé de Dieu ; il fait partie de ce monde inférieur où incessamment tout s'engendre et se corrompt. Car l'idée a beau informer la matière, la matière est irréductible à l'idée, et tout ce qui y participe est irrémédiablement caduc comme elle... Et ainsi il apparaît que toute cette sagesse consiste à penser le monde comme pour oublier de vivre, à s'enchanter de spéculations comme pour se soustraire au mystère poignant de l'existence et à la responsabilité que l'existence implique. » (Réal. chrét. pp. 17, 19, 20, 21-22, 31.)

Le christianisme, au contraire, est une histoire réelle et vécue au dedans, concrètement et intérieurement, sensiblement et d'une façon métaphysique ; il est l'acte de Dieu incarné dans le temps ; il surgit d'une Personne présente à tous les moments de l'histoire, qu'il allie à l'éternité. « Dieu n'est plus l'idée des idées ou une essence d'où découlent d'autres essences par participation logique. Il est l'être des êtres et la vie de leur vie ; il est celui qui est et qui vit par lui-même et par qui sont et vivent les autres êtres... La réalité trans-cendante de son action s'introduit dans le monde et lui devient im-manente. Et pour présider à sa constitution, à son devenir, à sa desti-née, elle prend la forme des événements du temps ; elle devient partie intégrante de l'histoire de l'humanité et de la vie des individus... De même que Dieu aime et agit pour nous faire exister en lui, il faut que nous aimions et que nous agissions pour le faire exister en nous... Si la philosophie grecque est dans toute la force du terme un idéa-lisme, dans toute la force du terme également la doctrine chrétienne est donc un réalisme. » (Ib. 73, 70, 70, 75)

La religion idéaliste unit les êtres en les absorbant l'un dans l'autre ; dans la religion chrétienne, les personnes s'unissent non par fusion mais par amour et don réciproque. L'union de l'esprit à Dieu est conditionnée par son union au Christ, l'union au Christ par la charité à l'égard des hommes. « Le Christ est donc en nous et parmi nous principe de cohésion et d'organisation. Et c'est ainsi qu'il fonde et qu'il anime l'Église. L'Église est son corps mystique, un corps où chaque membre, en vivant de la vie commune, par les autres et pour les autres, a néanmoins sa vie propre. Elle se développe et croît dans le temps pour s'épanouir dans l'éternité. En ce monde elle est à la fois le commencement de la communion des âmes dans l'amour et la vérité du Christ, le moyen de réaliser cette communion et le symbole de ce qui finalement doit être. Elle vit par la présence réelle du Christ. » (Ibid. p. 90.)

Le Christ présent à l'Église sauve et illumine. « Pour vivre humainement et religieusement, en effet, il faut penser ; et pour penser il faut combiner et lier les idées, et les idées n'ont de consistance pour nous et nous n'avons de prise sur elles que par leur cohérence logique. Mais aux procédés de la logique abstraite par lesquels on pense et on exprime systématiquement le déjà fait, et le déjà vu, le christianisme ajoute ce qu'on pourrait appeler les procédés d'une logique réelle et morale, à la fois antécédente et subséquente à l'autre, par lesquels dans le déjà fait on cherche ce qui est à faire et dans le pensé ce qui est à penser : logique vivante de dégagement de ce qu'on est pour la conquête de ce qu'on doit être, et dégagement de ce qu'on pense pour la conquête de ce qu'on doit penser... Le propre de la vie c'est de pouvoir marcher dans la vérité vers la vérité, non par un raisonnement logique qui ne va toujours que du même au même et qui ne peut que rendre explicite une affirmation implicitement contenue dans une autre, mais par une action intérieure et profonde qui la fait sortir d'elle-même pour se dépasser. C'est cette action intérieure et profonde qui, en dernière analyse, du côté du sujet, constitue essentiellement la foi. » (Ibid., pp. 92-94.)

Il existe un dogmatisme illusoire, celui qui par la magie de la dialectique prétend accaparer Dieu. Dieu est Sujet absolu, et, par conséquent, ne peut être conquis par le déterminisme de l'intelligence. Sans doute, Dieu est à la fois Principe absolu et Fin suprême ; aussi la volonté ne peut-elle se passer du concours de la raison. Cependant la volonté est première, car notre être véritable est constitué par ce que nous voulons, par la fin que nous assumons librement. La logique est un instrument au service de la moralité ; la solution théorique dépend en fait de la solution pratique. Pour s'unir à Dieu, il faut le vouloir. Traiter Dieu comme un principe, c'est le subir, c'est en faire un étranger ; traiter Dieu comme une fin, c'est s'unir au Dieu réel des chrétiens. Croire, c'est posséder Dieu, mais cette possession n'est effective que si l'homme répond activement à l'offre divine. La foi est la rencontre de deux amours.

Ainsi, d'après Laberthonnière, la religion ne se passe pas de philosophie, c'est-à-dire de réflexion, de contrôle, de vie intérieure ; mais l'âme ne peut s'intérioriser que dans le Christ dont la Révélation et l'Amour demeurent transcendants et gratuits. La philosophie prépare à la religion ; seul le christianisme la rend concrète, historique, vraie et parfaite.

Bibliographie : A. LABERTHONNIÈRE, *Essais de Philosophie religieuse*, 1903 — *Le Réalisme chrétien et l'Idéalisme grec*, 1904 — *Théorie de l'Éducation*, 1935 — *Études sur Descartes*, 2 vol, 1935 — *Études de Philosophie cartésienne*, 1938 — *Esquisse d'une Philosophie personnaliste*, 1942 — *Pangermanisme et Christianisme*, 1945 — E. CASTELLI, *Laberthonnière*, 1931 — M. HENDECOURT, *Essai sur la Philosophie du P. Laberthonnière*, 1947.

J. DANIÉLOU. —

« On appelle parfois Dieu le principe universel d'explication de l'univers auquel aboutit la raison en quête d'intelligibilité. La démarche religieuse est autre. Ce n'est ni un raisonnement ni une expérience, mais la découverte d'une présence concrète à travers les signes. C'est l'enseignement des Actes des Apôtres, rappelant que Dieu n'a pas omis de se rendre témoignage parmi les nations (XIV, 18). Cette rencontre de Dieu est le fait religieux premier ; c'est lui que nous trouvons déformé, travesti dans toutes les formes naturelles de religion. Il ne s'agit pas du Dieu d'Abraham, mais non plus du Dieu des philosophes : c'est le Dieu de Melchisédech. »

« Cette religion première cosmique porte sur ce qu'on peut connaître de Dieu par sa fidélité dans la conduite de l'univers visible. Elle constitue un appel de l'homme vers Dieu. La religion révélée, avec Abraham, apparaît comme la réponse de Dieu. Ici Dieu se fait connaître lui-même, dans sa transcendante sainteté. A son tour la révélation chrétienne manifestera la vie intime de Dieu, absolument inaccessible à la prise de l'homme naturel. Dans cette perspective, la religion cosmique apparaît essentiellement comme périmée. Sa survivance dans le monde actuel est celle d'un ordre de choses dépassé, un anachronisme, comme est à son tour le Judaïsme par rapport à la Révélation du Christ. »

Bibliographie : J. DANIÉLOU, *Le Signe du Temple*, 1944 — *Platonisme et Théologie mystique*, 1945 — *Le Mystère du Salut des Nations*, 1947 — *Culture et Mystère*, 1948 — *Dialogues*, 1948.

E. L'EXPLICATION SURNATURALISTE.

S. KIERKEGAARD. — (1813-1855)

La religion ne se définit point par le sentiment esthétique où l'être tout entier devient un jeu, la réalité possibilité, où le moi déchiré se détruit et ne prend pas possession de soi. Elle ne se définit point par le sentiment moral, car la norme morale est abstraite ; elle ne se définit point par l'idée, car l'idée évente le réel. Dieu est le paradoxe, l'absurde, l'irréalisable, le séparé, le transcendant. On s'unit à lui par la foi, acte personnel et libre prise de position d'un existant en face de l'Existant. On s'achemine à la foi par l'angoisse, la conscience du péché ; on y adhère en s'insérant dans le mystère du Dieu Incarné, mystère de sa passion et de sa joie, de sa vie personnelle et sociale, mystère de la prière et de l'amour, mystère du temps et de l'éternité.

La foi est l'insertion de l'homme en Dieu, l'enfantement à la vie divine, l'acte le plus existentiel qui soit, car il est opéré par l'Absolu qui fait être. A l'acte de donation de l'homme répond la donation de Dieu. L'homme se livre à Dieu et Dieu le recrée, le fait renaître. La foi n'est pas avant tout un acte spéculatif ou pratique ; elle est avant tout un rapport immédiat entre l'individu et Dieu, rapport existentiel de deux personnes qui s'adoptent mutuellement.

Croire, ce n'est donc pas primordialement admettre telle ou telle vérité, ni faire ceci ou cela. Avant d'être une vérité ou un acte, la foi est une communion de la créature au Créateur, et c'est de cette communion que résulteront les certitudes et les devoirs de la foi, Dieu indiquant et donnant simultanément l'objet à connaître et la faculté de le connaître, la chose à faire et la faculté de la faire.

Kierkegaard ne nie donc pas le caractère apodictique de la foi, ni le caractère obligatoire de ses actes, mais il les subordonne à un don intérieur et divin qui seul les rend possibles. L'intelligence, comme la volonté, impuissantes avant l'acte de foi, reçoivent dans l'acte de la foi une lumière et une force qui les transforment. Le caractère objectif de la foi est donc dérivé. Avant de croire à tel ou tel dogme, il faut croire à la Personne qui les révèle ; ainsi la foi demeure un acte concret et immédiat, quoiqu'il engendre des vérités et des obligations générales. « Le paradoxe de la foi consiste donc en ceci que l'individu est supérieur au général, de sorte que pour rappeler une distinction dogmatique aujourd'hui rarement usitée, l'Individu détermine son rapport au général par son rapport à l'absolu, et non son rapport à l'absolu par son rapport au général. » (Crainte et Tremblement, pp. 110-111.)

Les vérités inaccessibles, les devoirs impraticables à l'homme qui ne croit pas, deviennent, à la suite de la conversion, lumineux et salvifiques. « La foi, disait Kierkegaard, n'est pas un enseignement pour « minus habentes » dans la sphère de l'intellectualité, un asile pour têtes faibles. » Rien n'est plus élevé et plus certain que Dieu.

Après avoir défini la foi, Kierkegaard analyse les catégories de la croyance chrétienne. Dieu, le Transcendant s'est incarné. L'éternité descend ainsi dans le temps, et le cercle fermé de la divinité s'ouvre assumant l'homme. Vivre religieusement, ce sera donc s'insérer dans le mystère de la vie divine que le Christ révèle et s'associer à lui. Le Christ souffre et entre en agonie. A cette souffrance rédemptrice le chrétien doit participer. Rien n'indigne autant Kierkegaard qu'un christianisme confortable, rationalisé et bourgeois. Mais le Christ, mystère de souffrance, est aussi mystère de joie et d'amour. Ce Christ qui triomphe dans la joie, Kierkegaard le pressent plus qu'il n'en jouit, car l'inquiétude angoissée demeure son sentiment habituel. Croyant de l'entre-deux, poète de la religion, il est voué à rester l'amant malheureux de Dieu.

N'empêche que peu de philosophes ont comme lui chanté et exalté la foi. A l'écouter, le croyant est un être d'épopée, celui qui revient victorieux d'un combat héroïque, celui qui a lutté dans l'angoisse, celui qui a espéré contre tout espoir et qui a lié son destin à cette espérance magnifique. Le croyant est d'une race plus qu'humaine ; il est de la race de ceux qui s'apparentent à Dieu. Si je croyais véritablement, soupirait-il, je monterais dans un carrosse, attelé de quatre chevaux blancs.

Bibliographie : KIERKEGAARDS' *Samlede Vaerker*, 14 vol. Kopenhague, 1900-06 — S. KIERKEGAARD, *Le Journal du Séducteur*, trad. Gateau, 1929 — *Traité du Désespoir*, trad. Gateau, 1932 — *Le Concept de l'Angoisse*, trad. Ferlov et Gateau, 1935 — *La Répétition*, trad. Tisseau, 1933 — *Le Banquet*, trad. Tisseau, 1933 — *Crainte et Tremblement*, trad. Tisseau, 1935 — *Les Riens philosophiques*, trad. Ferlov et Gateau, 1937 — *L'alternative* ; *Christ* ; *Prière* ; *Points de Vue explicatifs de mon Œuvre* ; *Coupable ? Non Coupable* ; *L'École du Christianisme*, *La Pureté du Cœur* ; *L'Évangile des Souffrances* ; *Pour un Examen de Conscience* ; *Le Droit de Mourir pour la Vérité* ; *Le Souverain Sacrificateur* ; ces derniers ouvrages sont traduits par Tisseau, Bazoges en Pareds, Vendée — *In Vino Veritas*, trad. Babelon et Lund, 1933 — *Vie et Règne de l'Amour*, trad. Villadsen, Aubier, Paris — *Post-Scriptum aux Miettes philosophiques*, trad. Petit,

Gallimard, Paris, — *Les Miettes philosophiques*, trad. Petit, Gallimard, Paris. — T. BOHLIN, *Kierkegaards dogmatische Anschauung*, 1927 — T. BOHLIN, *S. Kierkegaard*, trad. Tisseau, Bazoges en Pareds, Vendée — W. RUTTENBECK, *S. Kierkegaard*, Berlin, 1929 — PRZYWARA, *Das Geheimnis Kierkegaards*, München, 1929 — THUST, *Kierkegaard*, München, 1931 ; K. LÖWITH, *Hegel, Marx, Kierkegaard* (Recherches Phil. pp. 232-267, 1934-35) — K. LÖWITH, *Kierkegaard und Nietzsche*, Frankfurt, 1933 — W. LOWRIE, *Kierkegaard*, London, 1938 — J. WAHL, *Études Kierkegaardiennes*, 1938 — R. BESPALOFF, *Cheminements et Carrefours*, 1938 — A. DE WAELHENS, *La Philosophie de M. Heidegger*, Louvain, 1942 — R. JOLIVET, *Introduction à Kierkegaard*, Abbaye S. Wandrille, 1946 — P. MESNARD, *Le vrai Visage de Kierkegaard*, Paris, 1948.

K. BARTH. —

« Le barthisme n'est pas loin de tenir tout entier en cette ligne : « *Tu ne me chercherais pas, si je ne t'avais pas trouvé* ». Prenons-y garde : ce n'est pas comme chez Pascal : « ...si tu ne m'avais pas trouvé ». Pour Barth, toute notre inquiétude de Dieu ne sourd pas d'un secret instinct de l'homme ; elle est une bénédiction qui nous est donnée, une grâce suscitée en nous par la visite de Dieu, un accident imprévu et immérité qui est venu troubler notre hébétude native à l'égard des choses dernières. Disons en termes plus précis : Il n'est en l'homme aucun chemin qui croise les routes divines, aucune possibilité d'accès, ni même d'approche du mystère de Dieu : ni la raison objective et spéculante, ni le sens mystique, ni même la passion infinie de la subjectivité kierkegaardienne ne nous dispense la moindre clarté sur l'existence ou l'essence du Dieu qu'adore le chrétien. « Tout ce que nous croyons savoir quand nous prononçons ce nom (de Dieu) n'atteint ni ne saisit jamais Celui qui porte le nom de Dieu dans le symbole (des Apôtres), mais toujours un des simulacres inventés ou créés par nous-mêmes, que ce soit l'Esprit, la Nature, le Destin ou l'Idée » [1]. Davantage, il n'y a pas même, en nous, le moindre désir vécu du Dieu vivant, ni le moindre point d'insertion à sa révélation éventuelle. Si donc le chrétien confesse son Seigneur, c'est en réponse à un geste, à une Parole, à une interpellation (*An-rede*) préalable du Seigneur même. Geste et Parole qui s'accomplissent dans le Christ historique, et dont l'origine et l'essence divine se révèlent à nous par l'opération intime de l'Esprit-Saint. »

« Ainsi le Christ est le seul foyer d'où rayonne pour nous quelque lumière sur la vie de Dieu, sur sa Trinité, sur son éternité et sa puissance

[1] Credo, p. 21.

créatrice. Mais par suite aussi, le même Christ est seul à nous éclairer sur notre condition religieuse. En lui, nous connaissons Dieu ; en lui aussi, nous nous connaissons nous-mêmes dans notre relation à Dieu. »

« Cette relation est tout à la fois celle de pécheurs et de pardonnés. De pécheurs d'abord : Dieu, nous l'avons vu, est le Tout autre, l'hétérogène, Celui que ne mesurent pas nos pensées, auquel n'aspire pas notre cœur, pas même par manière de regret du paradis perdu ; dès lors, le Christ ne nous révèle pas ce Dieu transcendant sans nous dévoiler, du même coup, notre radicale indigence, notre vide de Dieu, notre conscience désolée, notre péché qui demeure. Ainsi, c'est bien au pied de la Croix — là seulement — que l'homme s'éclaire sur sa propre détresse. Et ici, Barth marque son opposition aux philosophies existentialistes : elles croient pouvoir nous éveiller par elles-mêmes — j'entends par le seul exercice de notre esprit naturel — à la conscience de notre être-pour-la-mort et de notre *Dasein* désespéré ; mais elles ne voient pas que cette prétention dissimule la pire apothéose du moi : en acceptant leur méthode et leur résultat, je me flatte de démasquer par mes propres forces mon néant ; je m'adjuge donc toute puissance de clarté absolue et vraiment dernière sur ma condition humaine, et donc aussi je me divinise souverainement au moment même où je prétends m'athéiser. Le chrétien n'est point ainsi ; il reçoit de Jésus-Christ seul la condamnation de son existence. »

« Mais, en même temps que le Christ nous condamne, il nous notifie notre pardon et notre salut : en effet, nous l'avons dit, dans le Christ, Dieu se révèle ; mais s'il se révèle, c'est donc que tout en étant et en demeurant hors de nous, il est cependant tourné vers nous, il condescend à notre existence malheureuse, il se situe près de nous et fait désormais route avec nous. »

« Tel est, ce nous semble, le thème principal et même unique, qu'amplifient les innombrables écrits du théologien suisse. Il appelle une remarque critique. Est-il certain que Barth réussisse à purifier la notion du Dieu chrétien de toutes les déterminations de la théologie naturelle ? Prenons, par exemple, la qualification d'éternel : aux termes de la révélation, Dieu, dit Barth, doit être salué de ce nom. Mais comment l'entend-il ? Sans doute, dans sa *Dogmatik*, Barth renonce à ses vues anciennes du *Römerbrief* selon lesquelles l'éternité eût été intemporalité pure ; mais il n'en reste pas moins qu'aujourd'hui encore, il maintient entre le temps et l'éternité, une relation d'opposition ontologique de l'en-deçà à l'au-delà, « une différence qualita-

GENÈSE DE LA RELIGION

tive infinie » ; en somme, il n'a pas désavoué ce mot de la préface du
Römerbrief, où lui-même disait se résumer tout entier : « Si j'ai un
système, il est en ceci que je garde aussi obstinément que possible devant les yeux ce que Kierkegaard a appelé la différence qualitative
infinie du temps et de l'éternité, dans sa signification négative et
positive. Dieu est dans le Ciel, et toi sur la terre... voilà pour moi le thème de la Bible et la somme de la philosophie tout ensemble ». Ainsi,
pour Barth, l'éternité, qualitativement toute différente du temps, est
tout autre chose que le temps prolongé à l'infini vers le passé et vers
l'avenir. Mais justement, d'où tient-il une telle conception de l'éternel ?
Certes, nous n'irons pas jusqu'à dire avec Cullmann qu'elle soit
étrangère à la révélation chrétienne ; tout au contraire, on peut
montrer que l'Écriture prépare nos esprits à cette notion ; mais
elle se borne à cette préparation ; elle ne nous la livre pas expressément ; la pensée chrétienne n'a pu la dégager qu'en s'aidant de
l'apport de la philosophie grecque. Ceci revient à dire que Barth
ne se libère pas autant qu'il s'en flatte, de ce qu'il appellerait volontiers les contaminations métaphysiques : il va répétant que nos idées
philosophiques sur Dieu n'ont rien de commun avec le Dieu de la
Bible ; mais c'est que lui-même se méprend sur les démarches de sa
propre pensée ; il ne voit pas qu'en utilisant, pour définir les choses
« dernières » opposées aux « avant-dernières », les concepts d'éternité et d'absolu, il met en œuvre un contenu métaphysique connatu-
rel à notre esprit et que l'Écriture ne lui procure pas explicitement.
Or, ce qui vaut du concept d'éternité, vaut aussi des concepts de puissance créatrice et même de celui du Dieu d'amour ; on pourrait montrer
que le refus barthien actuel de l'idée de damnation ne s'inspire pas
uniquement d'une donnée biblique sur un Dieu qui n'est qu'aimant ; il
a partiellement sa source dans une conscience simplement humaine
et philosophique de l'amour comme valeur, amour dont sa raison et
sa sensibilité ne conçoivent pas qu'il puisse être étranger à Dieu (et
dont, dans l'application présente au problème du sort de pécheurs
obstinés, il force sans doute les exigences et les lois). En bref, Barth
affirme, en l'exerçant, la légitimité et la possibilité d'une théologie
naturelle ; il nous donne la preuve que la religion ne réussit pas à se
définir hors de tout appel à un a priori de notre esprit. »

L. MALEVEZ

Bibliographie : K. BARTH, *Der Römerbrief*, Munich, 1921 — *Die Aufer-
stehung der Toten*, Munich, 1926 — *Die Theologie und die Kirche*, (Gesammelte Vorträge II), Munich, 1928 — *Das Wort Gottes und die Theologie*,
(Gesammelte Vorträge I.) Munich, 1929 — *Kirchliche Dogmatik*, 3 vol.

Zürich, 1932.   — K. BARTH, *Le Culte raisonnable*, Paris, 1934 — *Parole de Dieu et Parole humaine*, trad. Maury et Lavanchy, Paris, 1933 — *Credo*, Paris, 1935 — *Connaître Dieu et le servir*, trad. Lepp et Brutsch, Neuchâtel, 1945 — *Révélation, Église, Théologie*, éd. « Je sers », Paris. — L. MALEVEZ, *Théologie dialectique* (RSR, pp. 385-429, 527-569, 1938) — C. G. BERKOUWER, *K. Barth*, Kampen, 1936 — J. C. GROOT, *Karl Barth en het theologische Kenprobleem*, Heiloo, 1946.

E. BRUNNER. —

« Pour Brunner comme pour Barth l'homme ne rencontre le vrai Dieu que dans la foi ; et par la foi, entendons l'accueil de la révélation historique, effectuée dans le Christ. N'y a-t-il donc pour l'infidèle aucune « théologie naturelle » ? Il faut distinguer : point de théologie naturelle véridique, point de raison capable de discerner dans la création l'image authentique du Créateur. Mais une théologie naturelle faussée ne fait pas défaut à l'incrédule : c'est qu'en effet, « l'homme tombé » n'a pas rompu toute attache à son Seigneur ; certes, il répond *non* à l'appel de Dieu — et c'est ce refus qui est son péché — mais il répond, il dialogue ; il a inversé sa relation, mais il ne l'a pas supprimée. Il suit de là qu'il compose encore un visage à l'absolu ; tantôt il le représente sous la forme des dieux du polythéisme, tantôt il s'évertue à le concevoir comme la substance impersonnelle du monde ; dans tous les cas, il le défigure assez pour ne plus l'apercevoir dans sa réalité authentique, qui est celle du Dieu d'amour ; car Dieu, quant à soi, ne tourne vers l'homme qu'un regard de pure dilection ; mais le pécheur ne voit plus en lui qu'un législateur qui nous accable de ses impératifs péremptoires et qu'un justicier qui nous condamne pour notre impuissance coupable à les accomplir. »

« S'il s'en tenait là, Brunner n'entrerait pas en conflit avec Barth. Mais le voici qui confère un rôle sotériologique positif à cette « théologie naturelle de fait » : à ses yeux, la conscience morale suffit à susciter, dans l'homme tombé, le désespoir : le pécheur n'a pas besoin de la lumière du Christ et de la révélation du Calvaire pour ouvrir les yeux sur sa détresse foncière. Confronté, nous l'avons vu, au Dieu législateur, placé sous le régime de la Loi, il mesure ou du moins il est foncièrement capable de mesurer par lui-même, sans le secours de la révélation, son impuissance à vivre moralement, à faire le bien ; par là, il débouche dans la désespérance ; or, à son tour, cette désespérance, ainsi naturellement suscitée, le prépare à l'audition de la Parole du Christ et constitue ce que Brunner appelle le point d'attache à la révélation. Car l'homme qui croirait encore en ses propres forces se fermerait d'avance à qui viendrait lui dire : « La justice et le salut te viendront non pas de toi-même, mais de Dieu. » Tout au contraire l'homme désespère : car, consciente de sa faiblesse incurable, l'âme est disposée, par là-même, à l'accueil du message de grâce : « Je supplée à ta misère et ma justice couvre ta faute ».

« Par là, on le voit, Brunner maintient une continuité de l'homme naturel à l'homme religieux, sauvé dans le Christ. C'est cette continuité qui lui a attiré les sévérités de Barth. Car, suivant ce dernier, elle dissimule, quoi qu'en pense Brunner, l'admission d'une théologie naturelle non pas inversée mais juste. Il est possible au pécheur, affirme Brunner, de découvrir par soi-même, et sans la lumière du Christ, le néant de la pensée et de l'action, de s'éveiller à la conscience de son être-pour-la-mort. Qu'est-ce à dire sinon que l'homme naturel possède en soi-même une norme infinie à laquelle il mesure l'inanité de son être ? Pour pouvoir prononcer : je ne suis rien, ni dans ma nature, ni dans ma culture morale ou mystique, il faut d'abord participer à l'absolu au regard duquel le « rien » de l'homme ne peut en effet se dissimuler ou se faire valoir. Mais si c'est « naturellement » que l'on émet ce verdict, c'est donc aussi que naturellement on communie avec l'absolu, avec Dieu. Ainsi, la pensée de Brunner divinise le moi naturel des profondeurs ; pour elle, quoi qu'elle en dise, l'homme pécheur n'est pas vraiment tombé de Dieu ; la théologie naturelle que vit et qu'exerce notre esprit n'est point faussée (*verkehrt*), elle est droite et véridique ; l'image matérielle de Dieu n'est pas intégralement effacée, la différence qualitative infinie est méconnue ; en bref par sa doctrine du désespoir naturel comme point d'insertion, Brunner, selon Barth, trahit la conception biblique du péché. »

L. MALEVEZ.

Bibliographie : E. BRUNNER, *Erlebnis, Erkenntnis und Glaube*, Tübingen, 1923 — *Die Mystik und das Wort*, Tübingen, 1928 — *Der Mittler*, Tübingen, 1930 — *Das Gebot und die Ordnungen*, Tübingen, 1933 — *Der Mensch im Widerspruch*, Zürich, 1937 — *Offenbarung und Vernunft*, Zürich, 1941 — *Dogmatik*, t. I. *Die Christliche Lehre von Gott*, Zürich, 1946. — L. VOLKEN, *Der Glaube bei Emil Brunner*, Fribourg-en-Suisse, 1947. — L. MALEVEZ, *La Pensée d'E. Brunner sur l'Homme et le Péché* (RSR, 1947-1948).

INDEX DES NOMS
